Proyector de luna

Román Gubern

Proyector de luna

La generación del 27 y el cine

EDITORIAL ANAGRAMA
BARCELONA

Diseño de la colección:
Julio Vivas
Ilustración: fotograma de *Un Chien andalou*, de Luis Buñuel

Pedró de la Creu, 58
08034 Barcelona

ISBN: 84-339-0582-1
Depósito Legal: B. 37158-1999

Printed in Spain

Liberduplex, S. L., Constitució, 19, 08014 Barcelona

INTRODUCCIÓN

Al comienzo del segundo capítulo de *Vida de Greta Garbo*,[1] César Arconada acuñó la metáfora «proyector de luna». Era ésta una cabal expresión literaria del arrebatador encuentro de la máquina y de la poesía que tanto ensalzaron los escritores cinéfilos españoles de los años veinte. Fueron años de ebullición intelectual –a pesar de la losa de la dictadura primorriverista–, pues fueron los años de los coqueteos, y hasta de las inmersiones, en los movimientos de vanguardia que llegaban de detrás de los Pirineos. Sobre los avatares intelectuales de esta etapa de la cultura española ya se ha escrito mucho, pero ha sido mucho menos explorada en relación con el imaginario cinematográfico, que en las postrimerías del periodo mudo galvanizó a los protagonistas de aquellos lances. La llegada del cine sonoro, que canceló la producción vanguardista y coincidió aproximadamente con el cambio del paisaje político a causa del advenimiento de la República, supuso una inflexión cultural importante y en ese punto se clausura nuestra indagación.

El tema empezó a ser desbrozado muy someramente por J. F. Aranda en un librito publicado en 1953 en Lisboa[2] y permaneció congelado hasta 1980, en que aparecieron el libro de C. B. Morris *This Loving Darkness. The Cinema and Spanish Writers, 1920-1936*[3] y mi artículo *L'Avant-garde cinématographique en Espagne (1926-1930)*.[4] De manera que, siguiendo una triste tradición nuestra, las primeras aproximaciones a tema tan decisivo de nuestra modernización cultural aparecieron en el extranjero, en Portugal, en Estados Unidos y en Francia respectivamente. Entretanto, yo le había publicado a Aranda –a quien conocí en Marly-Le-Roy en agosto de 1958– su crucial libro *Luis Buñuel. Biografía crítica*,[5] que supuso un hito en esta indagación. Desde el final de la dictadura franquista los trabajos sectoriales sobre esta parcela de nuestra cultura comenzaron a proliferar, especialmente por obra de Eugeni Bonet, Fèlix Fanés, Fernando Gabriel Martín, Joan Minguet, Antonio Monegal, C. B. Morris, Manuel Palacio, José M. del Pino, Agustín Sánchez Vidal, Jenaro Talens, José María Unsain, Jorge Urrutia y Rafael Utrera.

Proyector de luna, cuyo germen lejano ha de buscarse en aquel primerizo texto que publiqué en 1980 y que ha actuado como espoleta larvada durante años, aspira a complementar los trabajos de los autores citados y de los que en alguna medida es deudor.

Agradezco también a la Residencia de Estudiantes de Madrid las facilidades que me han brindado para acceder a sus valiosos archivos.

NOTAS

1. *Vida de Greta Garbo*, de César M. Arconada, Ediciones Ulises, Madrid, 1929.

2. *Cinema de vanguardia en España*, Guimeraes Editores, Lisboa, 1953. Aranda revisó y amplió la información de este libro en dos artículos titulados «Sobre a vanguarda em Espanha», publicados en la revista portuguesa *Visor,* n.º 31 y 33, de febrero y agosto de 1956.

3. Oxford University Press y University of Hull, 1980.

4. *Les Cahiers de la Cinémathèque,* n.º 30-31, verano-otoño de 1980, pp. 156-163.

5. Lumen, Barcelona, 1969.

1. RAÍCES

EL CONTEXTO SOCIOCULTURAL

En las primeras décadas de este siglo España era un país premoderno, caracterizado por una revolución industrial tardía y muy incompleta –ceñida al noreste de la península–, con estructuras agrarias latifundistas en el centro, sur y oeste, con unas clases medias muy endebles y una altísima tasa de analfabetismo. En 1920, concretamente, el 45,44 por ciento de la población adulta era analfabeta, con una tasa sobre el total de la población del 52,23 por ciento. Entre 1923 y 1927 el número total de escuelas permaneció estacionario, pero el número de universitarios creció casi un 30 por ciento, consolidando un divorcio agudo entre élites cultivadas y clases populares subescolarizadas.

La patología sociopolítica del país había sido expresada poéticamente en 1913 por Antonio Machado con la metáfora de las «dos Españas», la España que bosteza y la España que despierta, símbolos respectivos del tradicionalismo-absolutismo y de la modernidad liberal-progresista. Machado había acuñado la famosa dicotomía poética en una época agitada, enmarcada por la Semana Trágica de Barcelona (julio de 1909), en la que confluyeron el descontento por la guerra de Marruecos y estallidos de lucha de clases, y por la organización del movimiento obrero en el anarcosindicalismo de la CNT (1910) y en la fundación del Partido Comunista de España (1920), como escisión izquierdista del Partido Socialista Obrero Español. Al año siguiente, el desastre de Annual confirmó la gravedad de la crónica guerra colonial en un episodio traumático para la sociedad española, que ha sido evocado significativamente en los libros autobiográficos de Rafael Alberti y Luis Buñuel.[1]

En las tres primeras décadas del siglo, la inmensa mayoría de los intelectuales españoles estaba en contra de la España tradicional-absolutista, responsable de la sangría norteafricana, pero vivían también desvinculados de la España popular, salvo acaso Antonio Machado y, en un plano más puramente literario, Rafael Alberti y Federico García Lorca. Constituían, por así decirlo, élites sociológicamente puras. La Primera Guerra Mundial sirvió para reforzar la simpatía de la mayor parte de intelectuales hacia Francia e Inglaterra, cuya influencia fue notoria a través de la Institución Libre de Enseñanza. La cultura germánica estaba representada por el neokantismo de Manuel García Morente y, sobre todo, por Ortega y Gasset, quien en 1915 inició la publicación de sus ensayos bajo el epígrafe *El espectador.* Desde 1923 editaría la fundamental *Revista de Occidente,* canal de penetración de la modernidad filosófica y científica europea. En su número XVIII, de 1924, Fernando Vela publicó un temprano artículo titulado «El suprarealismo», explicando sin tardanza lo esencial de la propuesta de André Breton. Mientras esto sucedía entre las élites culturales, en 1918 se había creado el Instituto-Escuela, institución que educaría a la burguesía liberal y laica que años más tarde apoyaría el advenimiento de la Segunda República.

Cronológicamente, el primer mojón de la cultura vanguardista española está representado por la figura universal de Pablo Picasso. Aunque su primera formación artística tuvo lugar en la península, la expansión de su madurez tuvo su sede en París, ciudad a la que viajó por vez primera en 1900 y cuyo periplo de 1902, en compañía de Sebastià Sunyer, relató con dibujos en un cómic conservado en el Museo Picasso de Barcelona, que revela, al igual que los que produjo el pintor germanoamericano Lyonel Feininger desde 1906, la tangencia o convergencia de la cultura de vanguardia de principios de siglo con algunas manifestaciones de la cultura de masas, entre las que pronto adquirió preponderancia el cine. Al malagueño Pablo Picasso, instalado definitivamente en Francia desde 1904, se le unió en el exilio de París el madrileño Juan Gris en 1906, ciudad en la que estos fundadores del cubismo triunfarían, tal como luego triunfarían los surrealistas Luis Buñuel como cineasta y Joan Miró y Salvador Dalí como pintores. No es cosa de pormenorizar la influencia inmensa de Picasso en los movimientos de vanguardia europeos del primer tercio de siglo, pero sí vale la pena recordar que, en *La arboleda perdida,* Alberti recuerda que descubrió a Picasso en 1919 por los decorados de *El sombrero de tres picos,* de Manuel de Falla, en su estreno en Madrid.[2]

Otro compañero de generación, Salvador Dalí, le conoció personalmente en París en abril de 1926 y su pintura subsiguiente estuvo hondamente influenciada por el malagueño. Y un poco más tarde, según recuerda Buñuel,[3] Picasso figuraría entre los primeros espectadores de *Un Chien andalou*, en 1929.

LA SEMILLA VANGUARDISTA

A pesar del atraso cultural generalizado de España a principios de siglo, como ya se ha dicho, existieron en Barcelona, Madrid y en otras ciudades unas élites culturales ilustradas y bien informadas, que se convirtieron en epicentros de la renovación artística peninsular. Este tejido cultural minoritario vio su rebeldía estimulada por varios factores de diversa naturaleza. Así, un factor político espoleador fue la impopular guerra de Marruecos, que –en la estela de la huelga general de 1917– provocó la rebeldía de buena parte de la *intelligentzia* española, de modo que si España no sufrió una provocadora guerra mundial –que activó en Europa la protesta dadaísta y desde ella la surrealista–, su trauma bélico estuvo localizado en la catastrófica campaña norteafricana, que actuó como una espoleta ideológica bastante similar para la protesta de ciertos núcleos intelectuales.[4] En efecto, la supuesta despolitización de los escritores de la época tuvo numerosas excepciones y no sólo estuvo desmentida por la actitud del grupo que se ha denominado «de avanzada», en sintonía con los ideales revolucionarios de Henri Barbusse (Joaquín Arderius, José Díaz Fernández, José Antonio Balbotín, Ramón J. Sender), sino incluso por la de algunos componentes de la que será la «generación del 27». Así, en el grupo ultraísta militaban los anarquistas Ángel Samblancat y Pedro Garfias, de quien Buñuel se sentía muy próximo. Éste recuerda que entonces ya le interesaba «particularmente la cuestión social. Una vez participamos en una manifestación contra la pena de muerte, a las puertas de la cárcel».[5] En otro lugar recordó: «Con los ultraístas, que es cuando yo empecé a tener ideas políticas, si se pueden llamar así, anarquistas, decidimos hacer una gran colecta para remediar en lo posible el hambre de los niños rusos.»[6] Y la proclamación de la dictadura del general Primo de Rivera le molestó mucho, pues «yo era bastante sindicalista entonces».[7]

En ese telón de fondo propiciador de rebeldías concurrieron otros estímulos inductores de la renovación cultural, entre ellos el magisterio de Ramón Gómez de la Serna desde su revista *Prometeo* y su tertulia en el Café Pombo; la entrada de las nuevas corrientes artísticas europeas a través de las Galerías Dalmau de Barcelona (exposición de arte cubista en abril de 1912), de los artistas europeos refugiados en esta ciudad a causa de la guerra y de la llegada del poeta chileno Vicente Huidobro a Madrid en 1919; la circulación de la revista mensual *L'Esprit Nouveau. Revue internationale illustrée de l'activité contemporaine*, fundada en París en 1920 por Amedée Ozenfant y Le Corbusier; y los libros de Ortega y Gasset *(La deshumanización del arte)* y de Guillermo de Torre *(Literaturas europeas de vanguardia)*, aparecidos en 1925.

A estos factores específicos hay que añadir que nunca se interrumpió el flujo de información e influencia entre la nutrida nómina de artistas españoles instalados en París y sus colegas y amigos de la península. La Librería León Sánchez Cuesta (Librería Española) de París, en la rue Gay-Lussac n.º 10 y atendida por Juan Vicens, constituyó un enlace institucional estable entre la capital francesa y la península, que reforzó aquella vinculación durante una década. Respecto a la nómina de artistas emigrados a Francia, recordemos que Julio González se instaló con su familia en París en 1900 y le siguieron los ya citados Picasso y Juan Gris (quien se hizo amigo de Michel Leiris) y Daniel Vázquez Díaz (1906). El pintor Josep de Togores viajó a París en 1913 y residió allí desde 1920, seguido del cineasta Benito Perojo (1917), de Hernando Viñes (1919), de Joan Miró, quien pasó los inviernos en París desde 1919, de Santiago Ontañón (1920), del granadino Ismael González de la Serna (1921), del cineasta José Val del Omar (1921), de Manuel Ángeles Ortiz (1922), en compañía de Emilio Prados, seguido por el ceramista Llorens Artigas (1923), por Joaquín Peinado (1923), por Francisco Cossío (1923), por José María Ucelay (1923), por el pintor ovetense Luis Fernández (1924), por el escritor Juan Larrea (1924), por Luis Buñuel (1925), por Joan Castanyer (1925), por José María Hinojosa (1925), por Benjamín Palencia (1926), por Salvador Dalí (1926) y por Ramón Acín (1926).

De manera que las novedades de París llegaron con bastante puntualidad a las élites de la península. Entre el regreso de Vázquez Díaz a Madrid en el verano de 1918 y el de José María Hinojosa en abril de 1926, puede decirse que el ideario de las vanguardias se fue instalando en las élites españolas. Buñuel recuerda que hacia 1919 leyó ya a Apollinaire, concretamente su *L'enchanteur pourrissant*, y tenía información sobre el movimiento dadaísta.[8] Moreno Villa ha confirmado, por su parte, que hasta la Residencia de Estudiantes había llegado por entonces la influencia de Apollinaire, a la que atribuyó la erupción de los singulares poemas de los residentes llamados *anaglifos*.[9] Y cuando Hinojosa regresó de París importando el ideario surrealista, ya el año anterior, el 18 de abril de 1925, Louis Aragon había pronunciado en la Residencia de Estudiantes una conferencia en francés sobre el movimiento liderado por Breton, de la que aparecieron algunos extractos en el cuarto número de *La Révolution Surréaliste*.

De manera que en el seno de la España tradicional se habían larvado en algunas ciudades, a mediados de los años veinte, unos focos reducidos de agitación y de renovación artística que no tardarían en estallar.

LA IRRUPCIÓN DE RAMÓN GÓMEZ DE LA SERNA

José Moreno Villa recordó en sus memorias que «antes de la contaminación francesa surrealista, ya había en España un espíritu despreocupado, rompetíteres, audaz, funambulesco, sumamente intuitivo y a veces poeta en prosa: Ramón Gómez de la Serna».[10] El caso de Ramón –siete años más joven que Picasso y también pasado por París– fue tan singular, que motivó la famosa clasificación de Fernández Almagro al referirse a «la generación unipersonal de Ramón Gómez de la Serna».[11] Su oceánica producción –que le ha valido recientemente el calificativo de «grafómano polimorfo»–[12] es hoy mejor conocida y entendida gracias a la esmerada edición de sus obras completas, al cuidado de Ioana Zlotescu, pero aquí nos fijaremos únicamente en su relación con el imaginario cinematográfico.[13]

Es sabido que sus dos plataformas principales de agitación cultural fueron su revista *Prometeo* (1908-1912), de emblemático título transgresor, y luego su influyente tertulia sabatina en el Café Pombo, fundada en 1915. En el número sexto de *Prometeo*, de abril de 1909, Ramón publicó ya su temprana traducción del «Manifiesto Futurista» de Marinetti, aparecido en febrero en *Le Figaro*. Y en el vigésimo número, de 1910, alumbró la «Proclama futurista a los españoles», que Marinetti escribió a petición suya. El pronto interés de Ramón hacia el futurismo habla por sí solo acerca de su curiosidad intelectual omnívora. No es raro que el proyecto futurista naciese en un país premoderno, como la Italia de principios de siglo, en donde la sociedad industrializada y maquinista era idealizada como modelo de modernidad, ni que sus ideales prendiesen también en la atrasada Rusia preindustrial, o interesasen en España, en contraste con la relativa indiferencia con que fueron acogidos en la más desarrollada Europa septentrional. Como es sabido, el futurismo, enemigo de la tradición y de vocación antiburguesa, se bifurcó en la modalidad fascista-mussoliniana de Marinetti y –con Maiakovski, Eisenstein y Vertov– en la revolucionaria-soviética, allí donde Lenin proclamó que el comunismo eran «los soviets más la electricidad», aunque Trotski, en *Literatura y revolución*, lo calificó de «nihilismo bohemio».[14] En España, el potencial futurista fue uno de los afluentes que irrigó al movimiento poético ultraísta, con su culto al maquinismo y a los iconos de la cultura urbana, pero su huella se detectaría más tarde en escritores tan variopintos como Ernesto Giménez Caballero (en el ala derecha) o César M. Arconada (en el ala izquierda). El futurismo tiene en nuestra reflexión, además, el interés suplementario de haber alumbrado el 11 de septiembre de 1916 el manifiesto «La Cinematografía Futurista» (una consecuencia del film *Vita futurista*, de 1.200 metros, realizado por Arnaldo Ginna en Florencia, en el verano de 1916), firmado por Marinetti, Bruno Corra, Emilio Settimelli, Arnaldo Ginna, Giacomo Balla y Remo Chiti.[15] En este texto, crítico y perspicaz, podía leerse: «A primera vista, el cine, nacido hace pocos años, puede parecer ya futurista, es decir, sin pasado y libre de tradiciones. Pero en realidad, surgiendo como *teatro sin palabras*, ha heredado todos los residuos inmundos y más tradicionales del teatro literario.» Era ésta una observación especialmente pertinente en relación con el cine español de la época.

En la tertulia del Café Pombo, en la calle de Carretas, cabían todas las inquietudes intelectuales, incluidas las cinematográficas. Acerca de ellas nos ha dejado un buen testimonio el contertulio y crítico Luis Gómez Mesa, al describir su concurrencia heterogénea, «curiosos, jóvenes aspirantes al éxito. Incondicionales del autor. Nosotros: Samuel Ros, Miguel Pérez Ferrero y Juan Piqueras, en sus visitas a Madrid, procedente de París, donde residía. Íbamos esas noches al Cine Fígaro que programaba películas de misterio. Después del cine aparecíamos en Pombo. Llegábamos con gran estruendo. Y en el momento "oportunísimo" en que hablaba Ramón. Nada le molestaba más, le fastidiaba, como que se le interrumpiese. Al vernos, invariablemente, hacía un paréntesis en su charla y nos preguntaba: "¿Qué dice el cine, hay algo bueno?" Uno de nosotros, yo mismo, le respondía: "Nada, que espera que Ramón Gómez de la Serna escriba un guión." Ocultaba su enfado, con su ancha sonrisa del corpulento, del fuertote, que teme engordar –tenía cierta tendencia a ello– y respondía con su vozarrón: "Que espere, lo escribiré cuando me apetezca." (¿No era Ramón una greguería en sí mismo?) Sin su apariencia de entrenador de boxeadores y atletas, era de carácter un chiquillo estallante en bondad. Una noche nos llamó a los tres y nos sentó a su lado. Nos dijo que tenía un guión que no era suyo, sino de una señorita muy bella, sobre Goya y la duquesa de Alba, muy imaginativo, ya que esta aristocrática dama moría tuberculosa como Margarita Gautier, la dama de las camelias, no en brazos de su amado –Armando Duval– sino de la portera que la cuidaba como si fuese su hija. Picados por la curiosidad, le pedimos que nos dejase el guión para leerlo. Nos dijo que ya no lo tenía, se lo había devuelto a su autora. Todo fruto de su fantasía, como una greguería más».[16]

En aquellos años las tertulias intelectuales constituían el tejido más vivo de la vida cultural madrileña y era normal que el joven arte cinematográfico estuviera presente en sus debates. Carlos Fernández Cuenca, por ejemplo, ha evocado los análisis del *Fausto (Faust*, 1926), de F. W. Murnau, que desgranó en la tertulia del Bar Pidoux, de Madrid, el crítico e historiador del arte Rafael Doménech, con motivo de su estreno en la capital en enero de 1927, señalando sus reminiscencias plásticas de cuadros célebres.[17]

El 26 de enero de 1929, en el Cine Palacio de la Prensa, Ramón presentó, con la cara embadurnada de negro, *El cantor de jazz (The Jazz Singer*, 1927), en la segunda sesión del Cineclub Español. Pero la precariedad tecnológica hizo que la proyección fuese acompañada asincrónicamente por discos con canciones hebreas y de jazz, ocasionando una sesión bastante tumultuosa, como veremos en otro capítulo. Pero su participación en esta sesión constituía una inequívoca apuesta en favor del nuevo y discutido cine sonoro, que fue descalificado por esta época por personalidades tan relevantes como Edgar Neville, Jacinto Benavente, Guillermo Díaz-Plaja, Pau Casals, Berta Singerman y Juan Piqueras. En efecto, la actitud vanguardista –en este caso, netamente futurista– de Ramón le convirtió en valedor, a contracorriente, de la radio, del cine sonoro y hasta de la televisión en directo,[18] en un momento en que el fonofilm era maldecido por sus colegas. Ramón, como los futuristas italianos –con Arnaldo Ginna a la cabeza–[19] creyó en las posibilidades del fonofilm, en nombre de la modernolatría. En octubre de 1929 Ramón defendió, en una sesión de Pombo y ante un Juan Piqueras bastante escandalizado (quien aprobaba el cine sonoro, pero no el hablado), el valor del nuevo medio, en el que veía un arte más «completo», que «se va a apoyar en todo, se va a servir de todo. De la pintura, de la fotografía, de la plasticidad, de la literatura, de la voz, de la naturaleza...».[20] Las palabras de Ramón parecen un eco del manifiesto «La Cinematografía Futurista», en el que sus autores postulaban que su cine sería «pintura, arquitectura, escultura, palabras en libertad, música de colores, líneas y formas, conjunto de objetos y realidad caotizada».

Para entonces, Ramón había demostrado en la práctica su interés hacia el cine hablado, al protagonizar en 1928 el breve monólogo filmado *El orador*, del que nos ocuparemos en detalle al reseñar su proyección en la decimoquinta sesión del Cineclub Español.

EL CINE EN LA OBRA LITERARIA DE RAMÓN

En la obra literaria de Gómez de la Serna aparecen muy tempranamente las referencias cinematográficas, tanto explícitas como implícitas. Así, en uno de sus *Diálogos triviales*, de 1911, Safo le dice a Ramón: «Desea usted ser un piel roja por eso que ha visto en los cinematógrafos de robos y dramas, y raptos y asesinatos...»[21] Pero también, el mismo año, parece aludir a la ubicuidad del ojo de la cámara al evocar «un ojo que miraba con tranquilidad como un ojo de ave o de pez, que por no estar en ningún ser, sino montado al aire, se hace algo superior y sagaz...».[22] Más tarde, en *Muestrario* (1918), y subrayando tempranamente una carencia técnica y expresiva que fundamentará su entusiasmo posterior por el cine sonoro, Ramón relata el misterio de una famosa estrella de cine, desconocida en cambio en el mundo del teatro, «porque era muda, muda desde esa primera eternidad de que se nace y a la que se vuelve».[23]

En *Ultra*, la revista más emblemática del movimiento ultraísta, encontramos en 1921 un texto suyo titulado «El corral de Pathé»,[24] en el que juguetea con el entonces popularísimo gallo que era símbolo altivo del poder político francés y emblema de la productora gala Pathé Frères, utilizado para publicitar sus películas y sus discos gramofónicos:[25] «Los hermanos Pathé –escribe– vivían en las afueras tristes de París (...). Lo que tienen los hermanos Pathé es un corral inmenso, el más grande corral del mundo, y en él están excluidas las gallinas. Sólo gallos infinitos, innumerables gallos que cantan como gramófonos, con aires de tenores de gramófono, gallos que las noches de luna se proyectan sobre la pantalla cinematográfica.» La imagen de

Emblema de la productora Pathé Frères

la luna será desde 1919 utilizada con frecuencia como metáfora de la pantalla reflectora del cinematógrafo –«luna cuadrangular» llamará Rafael Laffón a la pantalla en un poema–[26] y del proyector del film (el «proyector de luna», de Arconada), por no mencionar la imaginería lunar de García Lorca, que acabó desembocando en su proyecto cinematográfico *Viaje a la luna*. La referencia selenita apareció todavía más explícita en la greguería de Ramón que reza: «En la luna están siempre en plena sesión de cinematógrafo público... De la luna nos ha venido a nosotros eso del cinematógrafo.»[27] Por otra parte, también Lorca evocó el famoso gallo de Pathé al inicio de su *Paseo de Buster Keaton*, texto sobre el que más tarde nos extenderemos, y Rafael Laffón lo hizo en 1928 en su poema «Programa mínimo».[28]

Gómez de la Serna enlazó la generación de Ortega, la del 14 y la del 27. Y si la primera fue poco receptiva al nuevo espectáculo cinematográfico, Ramón lo incorporó en cambio con entusiasmo a su paisaje cultural, antes de que los poetas del 27 lo celebrasen en sus textos. Pero, como ya dijimos, la influencia del cine es a veces implícita y se introduce en la construcción de los sintagmas de su «imaginación metafórica».[29] Así, la estructura de muchas de sus greguerías sugiere ejercicios brillantes de montaje cinematográfico, pero efectuados con palabras, y con razón las definió Agustín Sánchez Vidal como «puente entre la metáfora, el primer plano y el gag».[30] Una de sus greguerías dice: «Todos los sueños son como las antiguas y primeras películas que vimos de niños en el primer cinematógrafo de Madrid».[31] La identificación o confusión de memoria y sueño sugiere la técnica cinematográfica del flash-back, en la que el pasado (las viejas películas) se hace presente (en los sueños actuales).

Otra greguería suya propone: «Frente a los cines acabados de cerrar en la noche y que después de lo que ha pasado no pueden quedar solos y sin nada entre bastidores, pensamos que los grandes actores, las maravillosas actrices y los transeúntes de las películas –distinguidísimos comparsas–, están allí dentro charlando, acabando de vestirse para la calle, dando vida al fondo del teatro... Se necesita pensar eso, porque si no, ¡qué frío, qué falso, qué insípido lo que ha sucedido allí dentro! Si no resultaría que aquello no era nada, absolutamente nada.»[32] En este caso Ramón propone una perspicaz reflexión sobre la ontología del cine, sobre lo que la semiótica futura llamará, con Christian Metz, «impresión de realidad» o «efecto de real» del cine y sobre la extrañeza suscitada porque tal impresión de realidad esté asentada de manera fantasmática y evanescente en su ficción construida sólo con luz. Un desplazamiento de esta reflexión hacia el campo de la preocupación social da como fruto la siguiente greguería: «Da pena y como indignación ver incendiarse, romperse, inutilizarse todas esas cosas que para eso figuran en los cinematógrafos. ¿No es lamentable que en un mundo de pobres, de necesitados, de menesterosos, se pierdan tantas cosas superfluamente? Es una provocación a las clases necesitadas.»[33] Esta reflexión pudo estar inducida por los frecuentes destrozos exhibidos en los cortometrajes cómicos y en las películas de aventuras, dos de los géneros más cultivados y populares en el cine primitivo.

La primera novela de Ramón en la que el cinematógrafo desempeñó una función central fue *El incongruente* (1922), una novela absurdista y protosurrealista protagonizada por Gustavo, un sujeto incongruente que vive extrañas peripecias. En el último episodio del libro, tras un viaje a París, Gustavo entra en una sala de cine y observa con estupor que él es el protagonista del film proyectado. Con más asombro todavía descubre que a su lado está sentada la protagonista de la película, con quien vive un *romance* en la pantalla y en la sala. Deciden casarse y con esta reconciliación entre realidad y ficción concluyen las incongruencias en la vida de Gustavo. Esta original y sorprendente escena, en la que los planos de la realidad y de la ficción se confunden, plasma de modo desenfadado el tema de la fatalidad del destino –el futuro de Gustavo estampado en una película–, un tema abordado con énfasis dramático en tantos novelones y aquí expuesto con divertida heterodoxia desmitificadora.

Pero la gran novela cinematográfica de Ramón Gómez de la Serna apareció al año siguiente con el título de *Cinelandia.* Carolyn Richmond ha escrito de ella que es un «homenaje literario al séptimo arte»[34] y no es raro que apareciera en un momento en que el cine de Hollywood, vacilante en los mercados europeos antes de 1914, se había impuesto definitivamente como el primero del mundo y, a caballo suyo, triunfaba por doquier una mitología estelar y unos estilos de vida sofisticados que publicitaban las revistas ilustradas populares. *Cinelandia* propone una descripción pseudodocumental, fantasiosa, irónica, fragmentada, descoyuntada y caleidoscópica de la capital norteamericana del cine y de sus ritos, costumbres y de algunos de sus arquetipos estelares, que en la novela viven unos lances amorosos. En realidad, la inaccesible estrella Carlota Bray adquiere el rango de protagonista desde el capítulo 29 (titulado «La aparición de Carlota Bray») hasta el último capítulo del libro, el 43, en el que muere violada. Pero su historia es una pieza más en el colorista mosaico colectivo mostrado preferentemente, si se nos permite una licencia cinematográfica, en plano general.

Hemos dicho que el relato es fantasioso y habría que añadir que a veces es hiperbólico, como cuando informa de que Elsa tenía más de mil trajes y ciento ochenta pares de zapatos.[35] Por otra parte, Ramón no desperdicia la oportunidad para insertar greguerías en su texto. Por ejemplo: Mary sostenía «que los *bidets* eran como pilas de agua bendita que depuraban el día anterior».[36] Y en otro lugar: «los senos son las pelotas de goma en el *football* del amor».[37] Pero en esta novela Ramón se sirve, como novedad, de las características técnicas del cine para construir algunas greguerías especulares del medio, como: «los turistas iban veloces con paso de película»;[38] «el cicerone, como letrero de película, pasaba con rapidez por las calles y variaba de tema»;[39] las gentes que llevaban «bien la película de su vida, haciéndole los cortes que la aligeraban y que la convertían en una película perfecta».[40]

Escrita durante la etapa del cine mudo, Ramón hizo varias veces hincapié en la mudez de la imagen, percibida como una especificidad antinaturalista del medio. Así, Venus de Plata le dice a Jacobo que le entiende con sólo mirarle, pues en Cinelandia han abolido la palabra.[41] Más tarde, Max «no quería gritar, quería realizar la búsqueda con arte mudo, pero al fin gritó».[42] Más adelante el autor escribe que «para el cinematógrafo, la voz, la palabra, la dicción matizada y elegante está en los ojos».[43] Y «esas campanas del cine, que nunca suenan y a las que se siente en el corazón».[44]

Por otra parte, en la novela se detectan muchas referencias, más o menos enmascaradas, a la realidad del cine norteamericano de la época. El nombre del magnate Emerson recuerda al del potentado Edison, que regentó un importante trust cinematográfico, la Motion Picture Patents Company. Las productoras El Círculo y Cosmogónica parecen un eco de la empresa Universal. El «edificio de los leones»[45] parece aludir al león de la productora Metro-Goldwyn-Mayer. El cotizado actor japonés es un trasunto de Sessue Hayakawa y la observación «los japoneses del cine hacen daño a las mujeres con sus miradas entornadas y el vuelo oblicuo de sus cejas»[46] apunta a su famoso y cruel personaje en *La marca de fuego (The Cheat*, 1915), de Cecil B. DeMille, en donde atormentaba a Fannie Ward. Mary, la ingenua de la pantalla que devora hombres en la vida real,[47] parece una alusión a Mary Pickford. Arikson, «que tanta fama mundial tuvo por cómo se subía a los árboles y lucía una gracia fantástica de simio humano»,[48] señala al actor Elmo Lincoln, quien en 1918 interpretó la primera adaptación cinematográfica de *Tarzan of the Apes*. Las *Bathing Beauties* de Mack Sennett son evocadas por el autor con las cinelandesas que «vestían traje de baño todo el día y buscaban la orilla del mar para sumergirse un rato en el agua».[49] El gordo Carlos Wilh «con soñadoras expresiones»,[50] que intenta violar a Carlota Bray en el curso de una fiesta y la mata, es una trasposición del obeso cómico Roscoe Arbuckle, *Fatty*, provocando presuntamente la muerte de Virginia Rappe durante una orgía en septiembre de 1921. El actor infantil Tomy es un trasunto de Jackie Coogan, famoso por su interpretación de *El chico (The Kid*, 1921), de Chaplin, y conocido en España como Chiquilín. En los Quasimodos se evoca al actor transformista Lon Chaney, célebre por sus caracterizaciones de monstruo. El cómico bizco es una alusión a Ben Turpin, de la misma manera que el millonario Worfeller apenas disimula a Rockefeller. En la reedición ampliada de *Cinelandia* en 1930, Ramón hizo que en Hollywood se rodase *El acorazado de la muerte*, que no era otra cosa que una réplica capitalista a *El acorazado Potemkin*, realizado por Eisenstein en 1925 y que por tanto no existía cuando publicó la primera edición.

Novela muy innovadora en el contexto de 1923, *Cinelandia* se adelantó a otros relatos, más o menos satíricos, que tomarían como referente el universo cinematográfico de Hollywood, como *Fábrica de sueños* (1931), del ruso Ilyá Ehrenburg,[51] *Hollywood (Relatos contemporáneos)*, del peruano Xavier Abril y que se editó con cubierta ilustrada por Maruja Mallo,[52] o *Hollywood, la Mecque du Cinéma* (1936), del francés Blaise Cendrars.[53]

En 1931, en la fase de transición del mudo al sonoro, cuando la figura de Charlot entraba en un incierto compás de espera, Ramón acuñó un nuevo *ismo* cinéfilo, *Charlotismo*, homenaje impreso que preludió la aparición en 1932 de su ópera *Charlot*, con música de Salvador Bacarisse y representada en una sola ocasión.

RAMÓN GÓMEZ DE LA SERNA Y LUIS BUÑUEL

Luis Buñuel frecuentó la tertulia de Ramón en Pombo de 1919 a 1924, como ha evocado el cineasta en sus memorias,[54] y Santiago Ontañón recordaría que Buñuel era «muy ramoniano».[55] Buñuel publicó su primer artículo literario en *Ultra* –una revista en la que la pluma de Ramón era asidua– en febrero de 1922. Y su segundo texto, aparecido en el segundo número de la publicación ultraísta *Horizonte*[56] y titulado «Instrumentación», no es más –como han reconocido Aranda y Sánchez Vidal– que una secuencia de greguerías sobre diversos instrumentos musicales. A este homenaje implícito de Buñuel hacia Ramón habría que añadir el rotundo homenaje explícito que el cineasta le dedicó en 1927 al final de su artículo «Del plano fotogénico».[57] Allí, reflexionando sobre el primer plano cinematográfico, Buñuel escribió: «No sé de qué fecha datan los primeros planos greguerísticos de Ramón; pero si son anteriores a 1913 y Griffith los conocía, sería innegable la influencia de la literatura sobre el cine. Desgraciada o afortunadamente, el señor Griffith no debe poseer una nutrida biblioteca, y aún ahora, para él, Ramón será uno de tantos Ramones como andan por el mundo.»

El 17 de octubre de 1925, antes de que se plantease proyecto alguno de colaboración entre Ramón y Luis Buñuel, éste escribió desde París al librero León Sánchez Cuesta, pidiéndole, entre otros volúmenes, *Cinelandia* y el reciente *La deshumanización del arte*, de Ortega. Al final del pedido añadía la pregunta: «¿Hay algo publicado en España sobre cine? Algo serio, se entiende.» Su vocación profesional estaba por entonces decidida.

Después de su frustrado proyecto cinematográfico de 1927 para conmemorar el centenario de Goya,[58] financiado por las autoridades aragonesas, Buñuel planeó una colaboración con Gómez de la Serna para un film que escenificaría visualmente las noticias de un periódico –sucesos, un acontecimiento político, deportivo, etc.–, para lo cual llegó a visitar las instalaciones del diario *ABC* y obtener permiso para su rodaje.[59] En carta desde Madrid de Buñuel a León Sánchez Cuesta, el 21 de abril de 1927, le decía: «Ramón encantado en la colaboración que le he pedido. Va a hacer un argumento original y en lo que se muestra más empeñado es en buscar dinero para "Goya" que se haría de un *scenario* suyo. Veremos qué pasa.» Lo que significa que en 1927, el año del centenario del pintor, Ramón se hallaba seriamente empeñado en explorar el medio cinematográfico, aunque ni su *Goya* –que fecundaría su libro de ensayo *Goya* (1928)– ni su colaboración con Buñuel llegarían a prosperar.

En diciembre de 1927 Giménez Caballero anunciaba ya en *La Gaceta Literaria* que Buñuel estaba preparando en París un proyecto con Ramón,[60] que se financiaría con dinero de la madre del cineasta. Y aunque el proyecto quedó estancado, pese a los apremiantes mensajes de Buñuel a Ramón, lo cierto es que seis meses más tarde el cineasta escribía al semanario *La Pantalla*[61] para agradecer su nombramiento para un puesto en el Consejo Técnico del Primer Congreso Español de Cinematografía y añadía: «Es probable que para esa fecha [octubre de 1928] haya realizado ya el film que sobre un *scenario* de Ramón Gómez de la Serna me hallo preparando actualmente. Pueden, desde luego, contar con él si lo creen útil a los amplios fines que se proponen.» Este comentario, tanto como la carta que Buñuel dirigió a Pepín Bello el primero de agosto de 1928 desde St. Michel-en-Grève, explicándole que iba a rodar seis cuentos de Ramón, delatan la satisfacción que le producía su proyecto conjunto. Según Ontañón, el proyecto se frustró y fue abandonado al aparecer en 1927 *Rien que les heures*, de Alberto Cavalcanti, que también escenificaba varios episodios inconexos que tenían lugar a lo largo de un día en

París.[62] Pero esta información aparece desmentida por las posteriores referencias antecitadas de Buñuel sobre la permanencia de su proyecto hasta el verano de 1928.

La idea del film era, desde luego, muy ramoniana, pues el autor había publicado antes en *La Gaceta Literaria*[63] un texto titulado «Las tijeras», en donde elogiaba las tijeras que recortaban las noticias de los periódicos, en línea también con su estética del *puzzle* o del *collage* que desplegaría admirablemente en el escenario heteróclito de *El Rastro* (1915). En «Las tijeras» pudo estar el origen del proyecto buñuelesco, que, según los testimonios disponibles, efectuaba un montaje de titulares de prensa, seguidos de trozos de actualidades de cine, que revelaban la discrepancia entre la realidad y lo publicado. En este *collage* se insertarían probablemente las escenificaciones de los seis cuentos de Ramón, borrando las fronteras entre realidad y ficción. Cuando el lector concluía su lectura del diario, el viento lo arrojaba al suelo y un barrendero lo tiraba a la basura.[64] Este proyecto, que incluía una parte documental acerca de la confección del diario, rebasaba largamente en ambición creativa otros anteriores, del tipo *Cómo se hace un periódico*, que Enrique Blanco rodó en 1912 en la redacción del semanario *Nuevo Mundo*.[65]

Pero sobre este proyecto planean unos cuantos enigmas, comenzando por el número de cuentos seleccionados, que según las versiones oscilaban entre seis y ocho.[66] También hay cierta confusión acerca del título, pues ha recibido el goyesco de *Caprichos* y *El mundo por diez céntimos* (precio de un periódico de la época), siendo el primero también el título de dos artículos que Gómez de la Serna publicó en *La Gaceta Literaria* a finales de 1927 y con ilustraciones de Antonio Cañavate,[67] pero que por su contenido no parecen muy idóneos para una filmación. Para añadir más confusión, Buñuel indica en sus memorias que Ramón se sintió un poco frustrado porque el film no se realizó, pero que la prestigiosa revista parisina *La Revue du Cinéma* publicó el guión, lo que consoló al escritor.[68] Pero los guiones de Ramón publicados en abril de 1930 por *La Revue du Cinéma*[69] ofrecen varios motivos para la perplejidad: en primer lugar por su enigmático título –«Chiffres»–, que nada tiene que ver con los del proyecto buñuelesco; en segundo lugar porque son diez guiones y no seis u ocho; en tercer lugar, por la tardía fecha de su publicación, muy posterior incluso a la producción de *Un Chien andalou*; y, por último, porque no contienen aquellos sucesos y noticias políticas o deportivas a las que se ha referido Buñuel, sino unas historias extravagantes y de aroma surrealista a veces, que no deberían haber temido la competencia naturalista del film parisino *Rien que les heures.* Algunos de sus argumentos –como los de *Et la victime?*, *L'Épouvantail* y *Ceux qui volèrent le Connétable*– habían aparecido en una primera versión en su libro *Disparates* (1921).

Los guiones estampados por Ramón en *La Revue du Cinéma* –y de los que no se ha localizado su original en castellano– fueron traducidos al francés por el cineasta catalán Domènec Pruna y su título y somera descripción son los siguientes:

1) *Le Papier d'Appel* (13 números): un caballero es perseguido por la calle por un papel, que resulta ser el mensaje de socorro de una secuestrada, a la que intenta localizar en vano.

2) *Et la victime?* (15 números): un hombre observa el asesinato de una mujer a través de una ventana, pero el criminal, acosado, evade su culpa rompiendo el espejo de un armario en el que se refleja el cadáver.

3) *Celui qui mangea un oeil de poisson* (12 números): un hombre come inadvertidamente un ojo de pez y percibe su entorno como un fondo marino, hasta que suprime su efecto ingiriendo magnesio.

4) *Le Cheval vide* (11 números): un toro hiere por dos veces a un caballo en una corrida, lo llenan de serrín y lo adquiere un caballero inglés para que corra y gane una carrera en el hipódromo.

5) *Le Souvenir* (13 números): El viajero llegado a un hotel huye del mismo al ver unos zapatos junto a una puerta, que le recuerdan los de un hombre que le propinó un fuerte pisotón.

6) *Le Galant homme* (9 números): Una dama no consigue detener a los tranvías en su parada y un caballero galante se arroja bajo sus ruedas para pararlo.

7) *Le Chevalier* (9 números): Un filósofo y un bohemio encuentran en una tormenta de nieve el cuerpo de un guerrero barbudo y lo transportan a un puesto de socorro.

8) *L'Épouvantail* (12 números): Un espantapájaros abandona su viña y se enrola en un circo ambulante, pero con su cigarro provoca un incendio.

9) *Le Grand vase japonais* (16 números): Un amante sorprendido por el marido se esconde dentro de un gran jarrón japonés y éste, que coloca en él unas flores, lo hace llenar de agua por sus sirvientes.

10) *Ceux qui volèrent le Connétable* (8 números): Dos ladrones intentan robar las joyas de la tumba del condestable, pero su perro de piedra empieza a ladrar y les ahuyenta.

Los diez guiones están divididos en una secuencia numerada de breves textos correlativos –con un máximo de dieciséis y un mínimo de ocho–, como si se tratase de un *découpage* o desglose cinematográfico, pero no es posible afirmar que cada unidad corresponda a un plano. No obstante la falta de indicaciones técnicas, Ramón señala específicamente la escala del primer plano en cuatro ocasiones, correspondientes a *Le Papier d'appel*, *Et la victime?*, *Celui qui mangea un oeil de poisson* y *Ceux qui volèrent le Connétable.* Y en *Le Souvenir* incluye un flash-back que califica de «corta visión retrospectiva».

El primer y el segundo guión podrían formar parte de una historia única, del hombre que busca y localiza a una mujer secuestrada y finalmente asesinada, enjudioso episodio que Ramón utiliza para proponer un tema mágico y muy suyo, el de la confusión de la realidad y de su imagen especular. En general, estos diez guiones resultan ser unos juguetes literarios alejados de la concepción greguerística, de la que les separa su estructura narrativa y no asertiva, y aparecen a veces impregnados de absurdismo, pero no siempre: las historias de *Le Souvenir*, *Le Chevalier* y *Le Grand vase japonais* –que parece un eco de Edgar Poe– podrían ocurrir realmente. Mientras que *Et la victime?* y *Celui qui mangea un oeil de poisson* son verdaderos retruécanos ópticos, sobre la realidad de la imagen especular y sobre el subjetivismo visual, respectivamente. Y *Ceux qui volèrent le Connétable* tiene cierto aire becqueriano.

Estos guiones guardan relación con otro, titulado *El sepelio de Stradivarius*, dividido en trece números y cuyo original manuscrito se conserva en la Biblioteca del Cinema Delmiro de Caralt de Barcelona, y que publiqué por vez primera, también en francés, en *Les Cahiers de la Cinémathèque* en 1980.[70] Su texto es el siguiente:

1) Un niño jugando con un violín y destrozándolo con un juego.

2) El violín queda roto cuando entra el músico y ve a su hijo en aquella tarea más que parricida.

3) Desolado se arranca los mechones de su melena ¡Su «Stradivarius» roto!

4) Se dirige al teléfono y hace varias llamadas urgentes visiblemente emocionado.

5) Se ven llegar con gran aspecto de desolación tipos de violinistas.

6) Nuevos tipos, apretones de mano en señal de pésame.

7) Más violinistas (algunos que recuestan la cabeza un momento en el hombro del maestro).

8) Llega un tipo de la funeraria muy recargado de peluca y sombrero de picos.

9) El maestro con un doloroso gesto encierra el violín destrozado en la caja funda del violín y se lo llevan.

10) Salen del brazo del maestro los grandes tipos de violinistas y detrás de ellos salen todos.

11) El niño que ha roto el violín sale con cara de haber llorado mucho y rebusca en los cajones de su papá.

12) En esa rebusca encuentra una pistola y después de hacer un gesto preparatorio se suicida.

13) Se suicida.

Es interesante observar cómo el desenlace es descompuesto por el autor en dos números, como haría un cineasta, en los que el segundo denota sin duda un primer plano, que dramatiza enfáticamente el suicidio del niño.

El sepelio de Stradivarius tiene su correspondencia en por lo menos dos greguerías del autor. En una de ellas había escrito Ramón: «Tristes músicos, esos músicos de teatro que pasan por la noche con el violín a cuestas... Debían ir tocándolo en vez de llevarlo en esa caja tan profesional y tan deformadora del violín, esa *caja de muerto, de niño muerto* del violín. Debían ser conducidos en carrozas estos violines hasta su destino, y no de ese modo triste, pobre y abandonado.»[71]

Y en otra posterior describe el cortejo fúnebre de un violón conducido por ciegos:

«El violón llevado en andas por los pobres ciegos, dos cogiéndole por la cabeza caída con la melena de clavijas colgando y otros dos cogiéndole por los pies, todos ellos dirigidos por un guía indiferente de ojos vivos, y seguido por un grupo final de tristes asistentes al sepelio [etc.]».[72]

El sepelio de Stradivarius propone todavía otra sugerencia. Buñuel había estudiado violín en su adolescencia y en *L'Age d'or* (1930) incluyó una escena en la que un caballero da puntapiés en la calle a un volín y acaba aplastándolo, como el protagonista infantil del guión ramoniano. ¿Conocían Buñuel o Dalí *El sepelio de Stradivarius* cuando se gestó *L'Age d'or?* Y, respecto a los ciegos de la greguería ramoniana, es bueno recordar que también los invidentes fascinaron a Buñuel –véase su presencia en *L'Age d'or*, *Los olvidados*, *Viridiana* y *La vía láctea*–, a quien divertía también mucho la pregunta de Benjamin Péret: «¿Es verdad que la mortadela la hacen los ciegos?»[73]

NOTAS

1. *La arboleda perdida*, de Rafael Alberti, Seix Barral, Barcelona, 1975, pp. 146-147; *Mon dernier soupir*, de Luis Buñuel, Ed. Robert Laffont, París, 1982, p. 65.

2. *La arboleda perdida*, p. 125.

3. *Mon dernier soupir*, p. 128.

4. La quinta en que Luis Buñuel fue alistado, en 1920, fue la que padeció la carnicería del desastre de Annual. Pero el calandino no fue a Marruecos porque su regimiento, el Primer Regimiento de Artillería, estaba de reserva. Sobre este asunto puede consultarse: *Conversaciones con Buñuel*, de Max Aub, Aguilar, 1985, pp. 48, 49, 96-97 y 232; *Mon dernier soupir*, p. 65; *Buñuel por Buñuel*, de Tomás Pérez Turrent y José de la Colina, Plot, Madrid, 1993, p. 18.

5. *Buñuel por Buñuel*, p. 17.

6. *Conversaciones con Buñuel*, p. 106.

7. *Conversaciones con Buñuel*, p. 48.

8. *Mon dernier soupir*, pp. 70 y 91.

9. *Vida en claro*, de José Moreno Villa, El Colegio de México, 1944, p. 113.

10. *Vida en claro*, p. 146.

11. «La generación unipersonal de Gómez de la Serna», de Melchor Fernández Almagro, en *España*, n.º 362, marzo de 1920.

12. «Ramon, l'effaceur des frontières», de Patrick Kéchichian, en *Le Monde des Livres*, 23 de octubre de 1998, p. 1.

13. *Obras completas* de Ramón Gómez de la Serna, Círculo de Lectores, Barcelona, 1996-1999. Sobre la presencia del cine en la obra de Gómez de la Serna véase «El espejo inquietante: Ramón y el cine», de José-Carlos Mainer, en *Cine y literatura*, de Carmen Peña Ardid ed. (en prensa).

14. *Literatura y revolución*, de León Trotski, Jorge Álvarez Editor, Buenos Aires, 1964, p. 89.

15. *Cinema e letteratura del futurismo*, de Mario Verdone, Edizioni di Bianco e Nero, Roma, 1968, pp. 104-110.

16. «Autobiografía intelectual», de Luis Gómez Mesa, en *Anthropos* n.º 58, 1986, p. 12.

17. *F. W. Murnau*, de Carlos Fernández Cuenca, Filmoteca Nacional de España, Madrid, 1966, p. 32.

18. «La nueva épica», de Ramón Gómez de la Serna, en *La Gaceta Literaria*, n.º 44, 15 de octubre de 1928, p. 4.

19. *Cinema e letteratura del futurismo*, pp. 154-155.

20. «Ramón habla en Pombo del film sonoro», de Juan Piqueras, en *Popular Film,* n.º 168, 17 de octubre de 1929.

21. *Obras completas* de Ramón Gómez de la Serna, tomo I, Círculo de Lectores, Barcelona, 1996, p. 241.

22. «Revelación», en *Obras completas,* tomo I, p. 777.

23. «Muestrario», en *Obras completas,* tomo IV, Círculo de Lectores, Barcelona, 1997, p. 480.

24. *Ultra,* n.º 13, 10 de junio de 1921.

25. En España, aludiendo a la imagen de este ave que presidía las portadas de los noticiarios de actualidades de esta productora, se hablaba de «el gallo de Pathé/que todo lo sabe y todo lo ve».

26. «Programa mínimo», de Rafael Laffón, en *La Gaceta Literaria,* n.º 41, 1 de septiembre de 1928, p. 2.

27. *Obras completas,* tomo IV, p. 174.

28. *La Gaceta Literaria,* n.º 41, 1 de septiembre de 1928, p. 2

29. La expresión es de José-Carlos Mainer en *La edad de plata (1902-1939). Ensayo de interpretación de un proceso cultural,* Cátedra, Madrid, 1987, p. 238.

30. «Cine surrealista español: la búsqueda de una concreción», de Agustín Sánchez Vidal, en *Surrealismo. El ojo soluble,* Revista Litoral, Torremolinos, 1987, p. 95.

31. *Obras completas,* tomo IV, p. 743.

32. *Obras completas,* tomo IV, p. 80.

33. *Obras completas,* tomo IV, p. 573.

34. Prólogo a las *Obras completas* de Ramón Gómez de la Serna, tomo X, Círculo de Lectores, Barcelona, 1997, p. 27.

35. *Cinelandia,* en *Obras completas* de Ramón Gómez de la Serna, tomo X, Círculo de Lectores, Barcelona, 1997, pp. 57 y 159.

36. *Cinelandia,* p. 114.

37. *Cinelandia,* p. 120.

38. *Cinelandia,* p. 53.

39. *Cinelandia,* p. 54.

40. *Cinelandia,* p. 89.

41. *Cinelandia,* p. 52.

42. *Cinelandia,* p. 57.

43. *Cinelandia,* p. 108.

44. *Cinelandia,* p. 204.

45. *Cinelandia,* p. 53.

46. *Cinelandia,* p. 66.

47. *Cinelandia,* pp. 97-98.

48. *Cinelandia*, p. 102.

49. *Cinelandia*, p. 124.

50. *Cinelandia*, p. 142.

51. *Fábrica de sueños*, de Ilyá Ehrenburg, Cenit, Madrid, 1932. Reedición con prólogo de César Santos Fontenla, Akal, Madrid, 1972.

52. Ulises, Madrid, 1931.

53. *Hollywood, la Meca del Cine*, de Blaise Cendrars, Parsifal, Barcelona, 1989.

54. *Mon dernier soupir*, p. 71.

55. *Conversaciones con Buñuel*, p. 319.

56. 30 de noviembre de 1922.

57. *La Gaceta Literaria,* n.º 7, 1 de abril de 1927, p. 6.

58. *Goya, la duquesa de Alba y Goya*, Instituto de Estudios Turolenses, 1992.

59. *Conversaciones con Buñuel*, p. 58; *Mon dernier soupir*, pp. 124-125; *Buñuel por Buñuel*, p. 21; *The Secret Life of Salvador Dalí*, de Salvador Dalí, The Dial Press, Nueva York, 1942, p. 205; *Comment on devient Dalí*, de Salvador Dalí, Robert Laffont, París, 1973, p. 93.

60. «El cineasta Buñuel», en *La Gaceta Literaria,* n.º 24, 15 de diciembre de 1927, p. 4.

61. *La Pantalla,* n.º 24, 10 de junio de 1928, p. 382.

62. *Conversaciones con Buñuel*, p. 318.

63. *La Gaceta Literaria,* n.º 4, 15 de febrero de 1927, p. 2.

64. *Luis Buñuel. Biografía crítica*, de J. F. Aranda, Lumen, Barcelona, 1975, p. 60; *Luis Buñuel. Obra literaria*, edición de Agustín Sánchez Vidal, Ediciones del Heraldo de Aragón, Zaragoza, 1982, p. 248.

65. *Benito Perojo. Pionerismo y supervivencia*, de Román Gubern, Filmoteca Española, Madrid, 1995, pp. 29-30.

66. *Mon dernier soupir*, p. 124; *Buñuel por Buñuel*, p. 21; *Luis Buñuel. Obra literaria*, p. 248.

67. *La Gaceta Literaria,* n.º 21, 1 de noviembre de 1927, p. 3, y n.º 24, 15 de diciembre de 1927, p. 7.

68. *Mon dernier soupir*, p. 125.

69. «Chiffres», de Ramón Gómez de la Serna, en *La Revue du Cinéma,* n.º 9, 1 de abril de 1930, pp. 29-36.

70. *Les Cahiers de la Cinémathèque,* n.º 30-31, verano-otoño de 1980, p. 163.

71. *Obras completas* de Ramón Gómez de la Serna, tomo IV, p. 104. La cursiva está en el original.

72. *Obras completas* de Ramón Gómez de la Serna, tomo IV, p. 339.

73. *Mon dernier soupir*, pp. 273-274; *Buñuel por Buñuel*, p. 21. Sobre este tema véase «Palos de ciego», de Agustín Sánchez Vidal, en *Los paréntesis de la mirada*, Diputación Provincial de Teruel, 1993, pp. 47-63.

2. EL ESCENARIO CATALÁN

LA RECEPTIVIDAD CULTURAL DE BARCELONA

Mientras en Madrid Ramón Gómez de la Serna se convirtió en introductor entusiasta del futurismo y de la sensibilidad vanguardista, que no tardaría en cristalizar en el ultraísmo como versión autóctona de la ebullición foránea, en Barcelona se estaban produciendo acontecimientos culturales de la máxima importancia. Cuando en Europa se dirimían las hegemonías político-económicas a cañonazos, la burguesía ilustrada de Cataluña –adelantada de la revolución industrial en la península, vecina de Francia y abierta al mediterráneo– vivía fascinada por París, una ciudad que llevaba años marcando el norte de sus modas y sus gustos. Esta modernidad explica que Moreno Villa, de un poema suyo avanzado anterior a la Primera Guerra Mundial, pudiera escribir en sus memorias: «en Cataluña fue más comentado que en Madrid. Y mejor comprendido».[1]

Pero las experiencias vanguardistas se desarrollarían en Cataluña como escaramuzas aisladas e intermitentes, en un clima cultural conservador impuesto por la próspera burguesía local con el nombre de *noucentisme* (novecentismo), que aspiraba, a través del orden y equilibrio del clasicismo mediterráneo, a una afirmación patriótica regionalista o nacionalista, que constituía lo más opuesto a la arriesgada aventura estética y al cosmopolitismo apátrida de los vanguardistas. Pero, a pesar del lastre del tradicionalismo *noucentiste*, Barcelona se constituiría en la anteguerra en el primer núcleo vanguardista español, seguida luego por Madrid, y por su volumen y actividad Bilbao, Málaga y Tenerife se situarían a bastante distancia de ellos.

El galerista y anticuario Josep Dalmau, tras vivir cinco años en París, de donde regresó en 1906, inauguró el 20 de abril de1912 las

Galerías Dalmau en Barcelona (calle Portaferrisa n.º 12), que aglutinó inmediatamente a toda la vanguardia plástica francófila. Su irrupción pública se produjo nada menos que con la primera exposición cubista celebrada en España, en 1912, y la segunda fuera de París, pues le precedió la de Bruselas en julio de 1911. Pero esta Exposició d'Art Cubista «pasó de largo», por emplear la afortunada expresión de Corredor Matheos,[2] es decir, interesó a la prensa, pero la burguesía catalana no compró sus cuadros, que chocaban frontalmente con los ideales estéticos del *noucentisme*. Si queremos poner fechas tajantes, habrá que esperar a diciembre de 1934 para que una revista catalana de la «alta sociedad» burguesa –*D'Ací i d'Allà*– publique un número monográfico celebrativo del arte de vanguardia.[3] Desde 1912 las Galerías Dalmau se constituyeron, por tanto, en el gran escaparate catalán de la pintura moderna.

Tras el aldabonazo de la exhibición cubista de Dalmau se produjo una clamorosa exposición de pintura francesa moderna, inaugurada el 23 de abril de 1917 en el Palacio de Bellas Artes de Barcelona, con financiación municipal, tras ser cancelada su inauguración en París a causa de la guerra. Esta propuesta tuvo su complemento, en octubre-noviembre de 1920, cuando Dalmau presentó la más importante exposición de pintura francesa de vanguardia hecha jamás en España, aunque en ella figuraban nombres no franceses residentes en París como Picasso, Miró, Gris, Van Dongen, Ortiz de Zárate, Diego Rivera, Joaquín Sunyer, etc.

Por añadidura, la Primera Guerra Mundial empujó hacia Barcelona a un significativo número de artistas emigrados, que se aglutinarían obviamente en torno a las Galerías Dalmau. Así, el pintoresco poeta y boxeador ocasional Arthur Cravan (Fabian Lloyd) llegó a Barcelona en el invierno de 1915, junto con su hermano Otto Lloyd y su esposa, la pintora rusa Olga Sacharoff. En 1916 llegó el grueso de la emigración fugitiva, encabezada por el ruso Serge Charchoune y su compañera Hélène Grunhoff. En marzo llegó la pintora Marie Laurencin, en mayo el cubista Albert Gleizes y en junio Ricciotto Canudo, poeta y primerísimo teórico del cine residente en París, acompañado de Valentine de Saint-Pont, poetisa y autora del «Manifiesto de la Mujer Futurista» y del «Manifiesto Futurista de la Lujuria». En 1917 llegarían los pintores Sonia y Robert Delaunay, que ya estaban en la península (en Madrid, Oporto y Vigo) desde 1914. La nómina de exiliados podría incrementarse con otros nombres significativos, como el pintor y poeta Max Goth (Maximilian Goth) y, sobre todo, Francis Picabia, quien en julio de 1916 se embarcó en Nueva York con destino a Barcelona, para efectuar ciertas operaciones comerciales relacionadas con la guerra.

El vestigio más reputado y conocido de la vanguardia trasplantada violentamente por la guerra a Barcelona fue la revista *391*, publicada por Picabia y cuyos primeros cuatro números, en lengua francesa, aparecieron entre enero y marzo de 1917, antes de su expulsión de España por la policía. Fue, cómo no, Josep Dalmau quien incitó a Picabia a publicar una revista similar a la neoyorquina *291*, de Alfred Stieglitz, y editada por el propio galerista. En una carta de Picabia a Stiegliz en enero de 1917 le escribía: «No está bien hecha, pero es mejor que nada, porque, realmente, aquí no hay nada, nada, nada.» Al desierto barcelonés aportó en marzo de 1917 la revista de Picabia, junto a su aroma vanguardista y en francés, la reflexión cinematográfica que escribió en el tercer número la también emigrante y compañera de Picabia Gabrielle Buffet, titulada *Cinématographe*, artículo que definía al cine como «elemento esencial de la vida moderna», que refleja el estado psíquico de cada pueblo: el italiano, el escandinavo, el español, el francés y el americano, «el único –este último– que gracias a la amplitud de sus medios mecánicos puede dar libre curso a la fantasía y a la imaginación prodigiosamente activas que caracterizan al genio americano». Para ilustración del lector moderno resulta interesante reproducir el párrafo que dedicaba Gabrielle Buffet al cine español de esta época:

«El cine español –escribió–, muy inferior todavía al film italiano, ni siquiera tiene el atractivo del virtuosismo. Se desarrolla lentamente, más oscuro y trágico, y ni siquiera ofrece el interés secundario de la fotografía hermosa. Intrigas sombrías, frondosas, en las que personajes sometidos a destinos lamentables, no se sabe por qué fatalidad, mueren por amores inconfesables, o por envenenamientos lentos, se expresan débilmente en poses de terror, de angustia, en muecas de desesperación, en las que se hallan algunos vestigios de lo que debía ser el estado de espíritu en tiempos de la Inquisición. El aburrimiento es su característica.»

A la lista de refugiados en Cataluña del campo de las artes plásticas habría que añadir todavía a los famosos Ballets Rusos de Serge de Diáguilev, que establecieron su sede en Sitges y en 1917 efectuaron representaciones en Madrid y Barcelona.

El corolario de esta fecunda invasión extranjera fue que a partir de 1918, como ha observado Brihuega,[4] el arte de vanguardia dejó de ser una rareza ocasional y se constituyó en Barcelona y en Madrid como una propuesta estética reconocida, con sus territorios propios, sus portavoces, sus protagonistas y sus seguidores más o menos estables e identificables (galerías, revistas, comentaristas, etc.). Pero cuando la oferta vanguardista empezó a consolidarse en el mercado en la década siguiente, la crisis económica irradiada desde Wall Street en 1929 acabó por hundir su mercado potencial.

POETAS, PINTORES Y ENSAYISTAS INTERESADOS EN EL CINE

Aunque en Cataluña, como en todas partes, se alzaron voces conservadoras que denostaron con furor el espectáculo cinematográfico –tal vez su más conspicuo enemigo público fue el escritor Ramon Rucabado–,[5] el cine interesó a muchos escritores y artistas, no necesariamente adscritos a la vanguardia. Así, la escritora Victor Català (Caterina Albert), de filiación naturalista, escribió en 1918 una extensa novela titulada *Un film (3.000 metres)*, que se publicó en tres volúmenes en 1919, inspirada de modo confeso en el modelo ofrecido por el cine melodramático que, procedente sobre todo de Dinamarca e Italia, había nutrido las pantallas españolas antes de la guerra.

Con mayor razón, aquellos afines a una sensibilidad vanguardista demostraron un claro interés por el nuevo arte, característico de la modernidad. Tal fue el caso del poeta y dibujante Josep Maria Junoy, antiguo director de la Galería Paul Guillaume de París. Este admirador de Apollinaire, cultivador de caligramas y defensor del cubismo, lanzó en 1917 en Barcelona la revista *Troços*, la primera revista de vanguardia importante, que publicó textos de Apollinaire, J. V. Foix (quien fue su director desde el quinto número), Reverdy, Tristan Tzara, etc. Entre tales textos figuraría, precisamente, la traducción del «Poème cinématographique n.º 4» de Soupault.

En ese apartado figura también el poeta Joan Salvat-Papasseit, quien en 1919 publicó su primer libro, *Poemes en ondes hertzianes*, anticipándose en más de veinte años al futurista italiano Paolo Buzzi, autor de *Poema di Radio-onda* (1940). Se encuentran referencias al cine, a Edison (ortografiado Edisson) y a Charlot en su poema «Marxa nupcial», de su siguiente libro de 1921 *L'irradiador del port i les gavines.*[6] Y Sebastià Sànchez-Juan, autor en 1922 del «Segon Manifest Català Futurista», publicó en 1929 el libro *Cua de gall,*[7] que contiene el poema «Paisatge aproximatiu de Charlie Chaplin».

Si la primera vanguardia, a la que pertenecieron Salvat-Papasseit, Junoy y Sànchez-Juan, aparecía impregnada de efluvios futuristas, hacia 1926 se abrió paso la tendencia surrealista (o presurrealista, en algunos casos), representada ejemplarmente por Miró, Dalí y J. V. Foix, entre otros. En 1927 Foix publicó su primer libro de prosa poética, *Gertrudis,*[8] con ilustraciones de Miró. Y, dentro de él, en la sección titulada «Notes sobre la mar», Foix describe la insólita situación que se crea cuando unos pescadores se encuentran, en lugar del mar, el rectángulo de una pantalla de cine que le sustituye con una proyección de «*llargues, immensurables ombres còniques i cilíndriques, s'hi sostenien rares i originals figures de cel·luloide*». Los pescadores, repuestos de su sorpresa, aseguraban que eran estrellas expelidas del fondo del mar. En este texto, Foix jugaba con gracia con la función simuladora del cine como sustituto fabulador de la realidad, expresada con gran soltura poética.

En el caso de la pintura figurativa, su sustancia icónica es la misma que la del cine. Y, además de compartir la figuratividad, algunos de sus procedimientos técnicos convergen con las características de su lenguaje: así, el *collage* de la pintura es un equivalente de la sobreimpresión cinematográfica, mientras que las yuxtaposiciones estridentes de figuras guardan cierta analogía con algunos procedimientos de montaje, sobre todo con algunos utilizados en el cine mudo.

De todos los pintores acogidos a la neutralidad bélica en Barcelona nos interesa examinar especialmente en este punto la contribución del ruso Serge Charchoune (1888-1975), quien abandonó su país para eludir el servicio militar y estudiar pintura y en 1912 se estableció en París. Expulsado de Francia a raíz de las hostilidades, se instaló en Barcelona con Hélène Grunhoff y no tardó en sentir gran interés por el arte hispanoárabe, cuyas formas alimentaron su cubismo ornamental, según ha explicado Michel Sanouillet.[9] Charchoune y la Grunhoff figuraron entre los primeros invitados extranjeros a exponer en las Galerías Dalmau, concretamente del 29 de abril al 14 de mayo de 1916. Su obra interesó mucho y lo prueba la amplia reseña crítica publicada en la primera página del diario *El Poble Català*, del 25 de mayo de 1916, en la que Vicenç Solé de Sojo concluye su elogioso texto escribiendo: «Sergi Charchoune ha hecho presente a la curiosidad artística de Barcelona una nueva visión pictórica de las artes plásticas: la línea por la línea y el color por el color, sin que ni uno ni otro quieran reproducir la naturaleza ni expresar nada más que su propia y sustantiva belleza.»

Un año más tarde, del 6 al 20 de abril de 1917, volvió Charchoune a exponer en las Galerías Dalmau, esta vez en solitario y en una exhibición titulada «Art ornamental» y compuesta por «films ornamentales», que provocó notable revuelo. Esta sonada exposición fue preparada por Dalmau para coincidir con el lanzamiento de la revista *391*, de Picabia, según puntualiza Maria Lluïsa Borràs.[10] A pesar de la gran atención publicitaria suscitada por la magna exposición de pintura francesa moderna, que organizó aquel mes el Ayuntamiento de Barcelona, este evento no consiguió eclipsar el impacto de la presentación de Charchoune. Sobre la naturaleza de los «films pictóricos» de Charchoune, hoy prácticamente invisibles, arroja luz la crítica que publicó Feliu Elías en *La Publicidad,*[11] en la que escribió: «Mil o dos mil imágenes son necesarias a este curioso cronógrafo para un film de tres minutos. Por eso no nos es posible apreciar todavía estos films del señor Charchoune, compuestos, todo lo más, de sesenta o setenta telas cada uno. Faltan unas cinco mil setecientas en conjunto.»

En su crítica asoció Elías el experimento de Charchoune al nombre de Survage, cita clave pues el pintor ruso Léopold Survage (Sturzwage), establecido en París en 1908, incitado por Apollinaire intentó en 1914 la realización en París del film *Rythme coloré* –título, a su vez, de un cuadro suyo de 1911–, filmando una secuencia de dibujos que mostraban en cuatro o cinco minutos el desarrollo de su idea plástica. La productora Gaumont le ofreció apoyo a su proyecto, que debería rodarse con el sistema Gaumont Color, pero el estallido de la guerra aconsejó a la empresa abandonarlo.[12] Esto sugiere que los «films pictóricos» de Charchoune se inspiraron en el proyecto de su compatriota y colega en París, para conseguir una pintura animada o dinámica. Por añadidura, Raymond Creuze, en el primero de su doble álbum *Serge Charchoune,* publicado en París en 1976, reprodujo algunos de sus «films» de 1917 (como *Russie. Mouvement d'un film peint* y *Mi madre me vendió. Mouvement d'un film peint d'après la chanson folklorique)* y describió su segunda exposición barcelonesa escribiendo que «temerario y cándido, Charchoune expone obras de la misma concepción. Bromista o provocador, desafía al sentido común. Pero bajo el aspecto de un orden bilateral [Creuze se refiere a la simetría lateral de algunas composiciones], es una comunión solemne con el cosmos» (p. 29). Pero la información gráfica de este libro aclara que sus «films» no eran otra cosa que lienzos pintados.

Para este evento compuso Junoy un poema visual o caligrama ti-

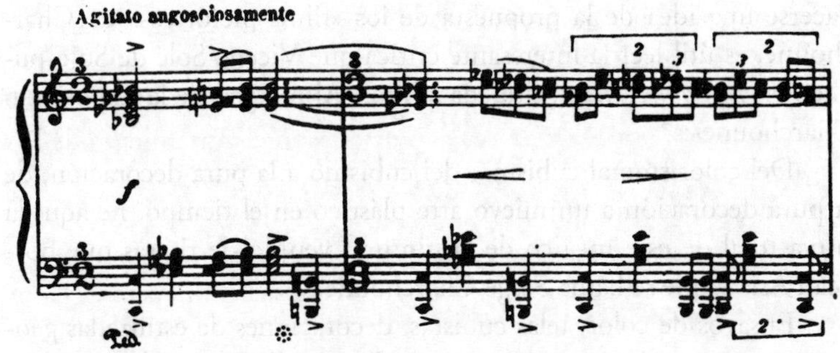

lobular destilació del refractat prisma entrellacs irisades tangents cercles ígneus llises quadratures rectanguls acuosos — lunuls

germes abstractes punts i ratlles inicials simulacres florades simetries en lepidóptera vibració — films de fervor

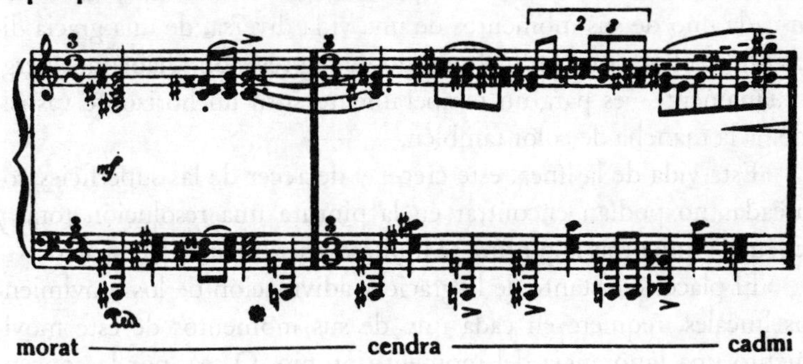

(Música intercalada de BALILLA PRATELLA)

Poema visual de Junoy y partitura de Balilla Pratella
para la exposición «Films»

tulado «Films», que se reprodujo en el catálogo de la exposición y que, junto con una partitura musical del futurista italiano Balilla Pratella escrita expresamente para acompañar la exhibición, se publicó en el número cero de la revista *Troços*, de Junoy, en 1917. Para hacerse una idea de la propuesta de los «films pictóricos» de Charchoune, es útil leer la interesante crítica que Vicenç Solé de Sojo publicó en *El Poble Català*, titulada «Films. Al margen de la Exposición Charchoune»:[13]

«Del colorismo al cubismo, del cubismo a la pura decoración, de la pura decoración a un nuevo arte plástico en el tiempo, he aquí la curva total de este místico de la pintura, venido de tierras que bordean Asia y que se llama Serge Charchoune.

»Ensayos de color, telas cubistas, decoraciones de estilizadas geometrías expuso el año pasado en las Galerías Dalmau. Ahora, en las mismas Galerías, ha comparecido con una nueva, ingeniosísima modalidad de su arte: los films.

»Temperamento sintetizador el de Charchoune, ve en todo objeto la línea y la mancha de color, pero como algo aislado, expresivo en sí mismo y no como una cosa de puro valor figurativo. La expresión es en Charchoune absolutamente inversa a la de otros pintores: otros pintores llegan por la combinación de líneas y de colores a la expresión de la naturaleza. En Charchoune la naturaleza le da los motivos que él arbitra y depura sabiamente.

»La línea, el color, como cosa sustitutiva y la comprensión y expresión sintética de las ideas ultrapictóricas son la característica de la obra de Charchoune. La línea es para él algo con vida propia, dotada en cada uno de sus momentos de una vida diversa, de una gracia diferente. La línea burlando el mundo de la previsión –hablamos bergsonianamente– es para un temperamento sutil un horizonte vastísimo. Y la mancha de color también.

»Esta vida de la línea, este crecer y decrecer de las superficies coloreadas no podían encontrar en la pintura una resolución total y adecuada, mientras la pintura se limitase a ser un arte del espacio.

»El placer constante de la graciosa adivinación de los movimientos lineales, requiere en cada uno de sus momentos de este movimiento una ignorancia del momento propio. O sea, por la concepción artística de Charchoune las líneas deben morir, nacer, crecer, desaparecer en el espacio y en el tiempo. El film resolvió de manera definitiva esta finalidad.

»Pero Charchoune no se limitó a estudiar esta vida de la línea y de la mancha de color... Con ellas llegó a expresiones sintéticas, incluso a la plasmación de elementos musicales, de valores rítmicos. Un sentimiento puede ser expresado por la vida material del color; una armonía musical puede ser traducida por la línea dotada de movilidad.

»Veamos su film *Guitarre*, el más interesante sin duda de los actualmente expuestos. Las líneas de la guitarra, las cuerdas, su vibrar, las evocaciones que la guitarra despierta, el dolor de una raza sentimental y quejumbrosa, la concepción trágica del amor, todo está dicho por Charchoune. Hay momentos en que no sabemos si estamos ante una composición de arte plástico o una composición musical. Las líneas cantan y las armonías se concretan y cromatizan.

»¿Hay que juzgar este arte con las normas que usamos ante otra producción de arte plástica? De ninguna manera. El efecto de belleza, la sensación que Charchoune se propone dar son totalmente insólitas. Para nosotros aquellas *Larmes* y aquel *Amour* tienen más valor que un ciclo de pintura pintoresca.

»Ahora bien, ¿es admisible esta confusión en el campo de las Bellas Artes, esta transformación de las artes del espacio en artes del tiempo? Que discuta esta cuestión quien quiera... Sólo diremos que han pasado los tiempos en que Laocoonte era considerado como algo extraescultórico por su audaz expresión del movimiento...»

Charchoune no fue el único artista que, en España, intentó hacer converger el arte de la pintura y la técnica del cine. Poco después, en 1921, el oscense Ramón Acín –futuro productor de *Tierra sin pan* (1933) de Buñuel– expuso una serie de dibujos satíricos sobre la fiesta taurina en el Salón de Fiestas del Mercantil de Zaragoza, que exhibió luego en proyecciones cuyas placas se conservan en la Diputación General de Huesca, y en 1923 fueron reunidos y publicados en el libro titulado *Las corridas de toros en 1970. Estudios para una película cómica,*[14] que constaba de treinta y seis viñetas con un breve comentario al pie y sería además su único libro. Y en octubre de 1929, en la etapa de nacimiento del cine sonoro, el pintor catalán y luego cineasta Xavier Güell participó en la Exposición de Arte Abstracto de las Galerías Dalmau con un cuadro sonoro titulado *Asfalt*, título precisamente de una notable película alemana del mismo año, dirigida por Joe May. Su experiencia era equivalente a la de Charchoune, pero en el plano acústico. Y sería durante el cine sonoro cuando Güell realizase su primer largometraje, *El paraíso recobrado* (1935).

Los experimentos que acabamos de comentar ofrecen un interés suplementario considerados como tangencia de la alta cultura pictórica y la cultura popular del cinematógrafo. En los primeros años del siglo se habían detectado también interacciones entre el estamento artístico *highbrow* y los soportes de la *masscult* en el campo de la caricatura y de los cómics. En el capítulo anterior ya mencionamos el cómic dibujado por Picasso relatando su viaje a París con Sunyer en 1902. Pero debemos añadir ahora que Juan Gris y Junoy fueron caricaturistas de la revista catalana *Papitu* y el uruguayo Rafael Barradas, que llegó en 1913 a Barcelona tras una estancia en Italia y Francia, dibujó desde 1914 cómics y chistes gráficos para la revista popular *L'Esquella de la Torratxa*. Y Buñuel reveló que Ramón J. Sender escribió hacia 1918 en un semanario de cómics titulado *Cocoliche y Tragavientos*, que se editaba en Barcelona.[15]

Antes de la aparición del semanario *Mirador* en la capital catalana, en enero de 1929, el interés cultural hacia el cine se había reflejado ocasionalmente en las páginas de la revista *D'Ací i d'Allà* (fundada en 1918), de *Revista de Catalunya* (1923), *La Nova Revista* (1927), dirigida por Josep Maria Junoy, y de *Gaseta de les Arts* (desde su segunda etapa, en junio de 1928). Luego *Mirador*, que puede ser calificado como portavoz institucional de la *intelligentzia* liberal-progresista catalana, mantuvo una página fija dedicada al cine, en la que colaboraron asiduamente Josep Palau y Sebastià Gasch. A partir de noviembre de 1929 Guillem (o Guillermo) Díaz-Plaja empezó a publicar en *Mirador* una serie de artículos que, revisados, ampliados y compilados, constituirían su libro *Una cultura del cinema (Introducció a una estètica del film)*, el texto de teoría cinematográfica más importante publicado hasta entonces en España.[16] En él constataba justamente Díaz-Plaja que «la crítica de cine no ha progresado en la proporción que lo ha hecho el cine desde sus inicios».[17] Influido por las corrientes más vivas del cine de la época, en especial por el alemán y el soviético, Díaz-Plaja individualizaba la esencia del cine en la «plasticidad expresiva»[18] y veía en este arte –influido por los postulados de Béla Balázs– el primer esfuerzo humano para sustituir la cultura intelectual (basada en la conceptualización verbal) por una nueva cultura sensitiva.[19] Por su aprehensión óptica del mundo concreto consideraba también Díaz-Plaja al cine como un «revalorizador de superficies».[20]

El considerable texto de Díaz-Plaja, que en palabras de Minguet fue «el primer intento de formular una estética cinematográfica con la mayor coherencia posible»,[21] tuvo sus irradiaciones en forma de artículos teóricos firmados por él en diversas revistas españolas.[22] En coherencia con sus planteamientos culturales, Díaz-Plaja postuló la integración de los estudios cinematográficos en la universidad, en su artículo «El cinema i la Universitat», publicado en *Mirador,*[23] y, en efecto, sería el propio autor el promotor y responsable del primer curso universitario sobre la materia, que se inauguraría en la Facultad de Filosofía y Letras de Barcelona el 27 de febrero de 1932 y se clausuraría el 9 de abril, con sus intervenciones y las de Ángel de Apraiz, Jeroni Moragas, Josep Palau, María Luz Morales, Lluís Montanyà, Rossend Llates, Josep Carner Ribalta y Ángel Valbuena Prat.

NOTAS

1. *Vida en claro*, de José Moreno Villa, El Colegio de México, 1944, p. 86.

2. «Balanç i valoració de l'avantguarda catalana», de J. Corredor Matheos, en el catálogo *Avantguardes a Catalunya 1906-1939*, Fundació Caixa de Catalunya, Barcelona, 1992, p. 27.

3. *D'Ací i d'Allà,* n.º 179, diciembre de 1934, con portada original de Joan Miró, dirigido por Josep Lluís Sert y Joan Prats. Colaboraron también en este número Carles Soldevila, Luis Fernández, Christian Zervos, Paul Westheim, M. A. Cassanyes, Karl Einstein, Theo van Doesburg, Blaise Cendrars, J. V. Foix, Hans Arp, Anatole Jakovski, Sebastià Gasch, Carles Sindreu, Man Ray y Santiago Marco. Publicó piezas de Miró, Kandinsky, Léger, Gris, Picasso, Braque, Man Ray, etc.

4. *Las vanguardias artísticas en España. 1906-1936*, de Jaime Brihuega, Istmo, Madrid, 1981, p. 199.

5. La campaña anticinematográfica de Ramon Rucabado, autor del panfleto *El cinematògraf en la cultura i en els costums* (1920), ha sido muy bien estudiada por Joan M. Minguet en su tesis doctoral *El pensament cinematogràfic a Catalunya (1896-1936)*, Universitat de Barcelona, 1995, pp. 180-229.

6. Tallers Atenes A. G., Barcelona, 1921

7. Llibrería Verdaguer, Barcelona, 1929.

8. L'Amic de les Arts, Barcelona, 1927.

9. *Dada à Paris*, de Michel Sanouillet, Jean-Jacques Prévert, París, 1965, p. 189.

10. *Picabia*, de Maria Lluïsa Borràs, Polígrafa, Barcelona, 1985, p. 176.

11. *La Publicidad*, 15 de abril de 1917.

12. *Le avanguardie storiche del cinema*, de Mario Verdone, Società Editrice Internazionale, Turín, 1977, pp. 161-172; «Fare un cinema.

Primizie e promesse dell'avanguardia», de Guy Fihman, en *Cinema d'avanguardia in Europa*, de Paolo Bertetto y Sergio Toffetti, eds., Il Castoro, Milán, 1996, pp. 119-124.

13. 21 de abril de 1917.

14. Vicente Campo, Huesca, 1923.

15. *Conversaciones con Buñuel*, de Max Aub, Aguilar, Madrid, 1985, p. 96. Sobre la interacción artística entre la alta cultura y la cultura de masas, cf. *High and Low. Modern Art and Popular Culture*, de Kirk Varnedde y Adam Gopnisk, The Museum of Modern Art, Nueva York, 1991.

16. Publicacions de la Revista, Barcelona, 1930. Prólogo de Sebastià Gasch.

17. *Una cultura del cinema*, p. 29.

18. *Una cultura del cinema*, p. 37.

19. *Una cultura del cinema*, pp. 39-40.

20. *Una cultura del cinema*, p. 63.

21. *El pensament cinematogràfic a Catalunya (1896-1936)*, pp. 356-357.

22. «Una cultura del cinema», en *La Gaceta Literaria,* n.º 79, 1 de abril de 1930, p. 6; «Dogmática del cinema», en *Gaceta de Arte,* n.º 13, Tenerife, marzo de 1933, p. 1.

23. *Mirador,* n.º 137, 17 de septiembre de 1931.

3. SALVADOR DALÍ: LO PUTREFACTO Y LO ANTIARTÍSTICO

DE LA CARNE PODRIDA A LOS PUTREFACTOS

Fèlix Fanés, con perspicacia, ha llamado a Salvador Dalí «cineasta sin films».[1] Y, efectivamente, en las páginas que siguen se constatará la intensa relación que Dalí mantuvo con el imaginario cinematográfico en los cruciales años veinte y que se prolongó hasta su madurez. Fue una relación compleja, pero no accesoria ni periférica a su teorización y su práctica artística que le ocuparon intensamente durante estos años.

Es sabido que la primera relación efectiva de Dalí con la producción cinematográfica tuvo lugar con motivo de *Un Chien andalou*, en 1929, film basado en un guión que escribió con Luis Buñuel en Figueras. En una escena de este film aparecen dos burros en descomposición, a los que Dalí cubrió de brea y maquilló los ojos en el rodaje parisino, tendidos sobre dos pianos de cola. Esta imagen ha dado lugar a un gran número de interpretaciones, de las que nos ocuparemos en otro capítulo. Lo que ahora nos interesa resaltar es la aparición de estos cadáveres animales, que no eran nuevos en la iconografía de Dalí. En efecto, como observó atinadamente Sánchez Vidal, en su cuadro *La miel es más dulce que la sangre*, de 1927, habían aparecido ya cadáveres de burros,[2] precursores de su óleo *El burro podrido* (1928).

Pero lo interesante es la constatación de que la iconografía del burro descompuesto formaba parte también por entonces del imaginario de Buñuel. A los ocho años, paseando por el campo con su padre, descubrió el cadáver de un burro que estaba siendo devorado por unos «buitres enormes, que parecían curas».[3] Esta visión, que despedía además un olor nauseabundo, le impresionó profundamente y la reproduciría de modo fiel en una escenificación de *Tierra sin pan*.

Por eso Dalí reconoció, en su artículo «L'alliberament dels dits»,[4] que en 1927 el tema de los burros podridos formaba parte de la mitología personal de su amigo Pepín Bello, que residía en Madrid, de Buñuel, que vivía en París, y de él mismo, que estaba en Cadaqués. Se trataba de un caso de sorprendente sintonía imaginativa.

La imagen de la carne descompuesta se asoció, en el caso de Buñuel, a la mitología derivada de la leyenda de la pierna resucitada que le creció al cojo Miguel Pellicer, en Calanda, en 1640, mientras dormía y soñaba que se untaba su muñón con aceite de la lámpara de la Virgen. Esta pierna cortada tras un accidente –que tendrá su eco cinematográfico en la de la protagonista de *Tristana* (1970)– estaría en el origen del mito calandino del *carnuzo*, de la carne muerta pero que adquiere vida autónoma. Digamos ya que el aspecto excremental y necrómano del surrealismo de Buñuel y de Dalí –la carroña del *carnuzo*, los burros podridos, el ojo partido, la mano cortada, las menstruaciones (en el cuento de Buñuel *Una historia decente*, de 1927), etc.–, muy alejado de la sensibilidad refinada del grupo parisino, remite a una iconografía indígena, de raíces rurales y primitivas, que remontan al mundo campesino de la arcaica Calanda o del rural Ampurdán de su niñez. Dalí ha recordado cómo a Breton le chocó y molestó su cuadro *Le Jeu lugubre* (1929), por los excrementos que manchan los calzoncillos del personaje sonriente a la derecha de la composición.[5] Sus orígenes culturales y sus sensibilidades no eran, desde luego, coincidentes. Estos elementos excrementales o carroñeros ya se detectan en la obra literaria juvenil de Buñuel. En *Ménage à trois* (1927) evoca la «resurrección de los muertos» y utiliza la metáfora «flor de carne».[6] Y su relato *La agradable consigna de Santa Huesca* (1927) está protagonizado por un trozo de carne asada, viva y caminante.[7] Y se amplifican decisivamente en su obra cinematográfica posterior, con el ojo y la mano cortadas de *Un Chien andalou*, las carroñas de obispos en *L'Age d'or* (1930) y que constituyen una cita del cuadro *Finis Gloriae Mundi* (1672) de Valdés Leal, la carne cruda en la secuencia onírica de *Los olvidados* (1950), el matadero de *El bruto* (1952), los matarifes de *La ilusión viaja en tranvía* (1953), la mano reptante de *El ángel exterminador* (1962), la pierna cortada de *Tristana* (1970), etc.

Hemos dicho que el tema de los burros podridos era compartido, con orígenes independientes, por Dalí, Buñuel y Pepín Bello. Este último, el oscense José Bello Lasierra, aspirante a médico y compañero de los otros dos en la Residencia de Estudiantes madrileña, tuvo un papel crucial en la formalización, a partir del mito aragonés del *carnuzo*, del concepto estético de *putrefacto*, que arraigó como adjetivo descalificador entre los miembros de la Residencia y dio pie a una copiosa producción gráfica daliniana. Putrefacto se convirtió en un epíteto utilizado en la Residencia para denostar lo caduco, lo decadente, lo tradicional, lo sentimental, lo *pasadista* –en terminología de Marinetti– y lo antivanguardista o pseudovanguardista. Uno de los más antiguos testimonios publicados acerca del magisterio estético de Bello en la Residencia lo suministró José Bergamín, en su artículo «Literatura y brújula», para *La Gaceta Literaria* a principios de 1929,[8] en donde llega a escribir que Dalí y García Lorca son «menos originales, menos auténticos, sin duda, en esto, que su iniciador y casi maestro extraliterario: José Bello y Lasierra, nuestro amigo». Los testimonios de sus contemporáneos acerca de este magisterio son abrumadores. Rafael Alberti ha llegado a declarar que Bello, propagador del *carnuzo* en el ambiente de la Residencia, fue el padre de las ideas centrales de *Un Chien andalou.*[9] Corroboró este mismo parecer Santiago Ontañón.[10] Y cuando Buñuel estaba a punto de comenzar el rodaje de su film, el 25 de marzo de 1929 escribió a Bello: «El día 2 comienzo el film que más te va a gustar del mundo. Todas nuestras cosas en la pantalla.»

Aunque ningún especialista ha negado el fundamental papel de Bello como fecundador de ideas en la Residencia de Estudiantes madrileña, su nombre ha sido eclipsado en el escaparate público porque no escribió ni pintó, como hicieron sus amigos famosos, y, además, influyó en ello –como en el caso de José María Hinojosa– la evolución de la situación política, tras el fusilamiento por los republicanos de su hermano Manolo durante la guerra, que era disminuido psíquico, mientras él se refugiaba en una embajada. Bello, por otra parte, nunca ha hecho declaraciones altisonantes en busca de protagonismo y se ha limitado a afirmar que tuvo sólo «un modestísimo papel de enlace. Pero ellos tenían la condición y el talento, no yo».[11]

Pues bien, gracias a Dalí y a Pepín Bello la categoría de lo putrefacto se introdujo en las valoraciones de los residentes. Como ha recordado Alberti, lo putrefacto «resumía todo lo caduco, todo lo muerto y anacrónico que representan muchos seres y cosas. Dalí cazaba putrefactos al vuelo, dibujándolos de diferentes maneras. (...) El término llegó a aplicarse a todo: a la literatura, a la pintura, a la moda, a las casas, a los objetos más variados, a cuanto olía a podrido, a cuanto molestaba e impedía el claro avance de nuestra época».[12] Y

Rafael Santos Torroella, especialista del tema, ha añadido que la más generalizada de sus acepciones «fue la referida a todas aquellas personas o cosas que, en un momento dado, se tenían por inactuales o trasnochadas. *Putrefacto* equivalía, así, a grado extremo de consunción por inmovilismo, e implicaba, como vituperio, el emparejamiento con el mal olor que trasciende de todo cadáver insepulto».[13]

El caso es que dos ilustres residentes planearon en 1925 publicar un libro ilustrado sobre los putrefactos. Fue en la Semana Santa de aquel año, durante la estancia de García Lorca en Figueras y Cadaqués, cuando concibió con Dalí la edición de un libro ilustrado sobre el asunto,[14] que al año siguiente llegó a anunciarse como inminente, pero que nunca vio la luz pública. Pero el concepto de lo *putrefacto* se convertiría en central en las reflexiones estéticas de Salvador Dalí.

LA SEMILLA DE SAN SEBASTIÁN

Jaime Brihuega ha calificado la relación entre Dalí y García Lorca, en el escenario de la Residencia de Estudiantes madrileña y en tierras catalanas, como «la célula de ignición del surrealismo español».[15] No obstante, en enero de 1927 J.V. Foix publicó en la revista sitgetana *L'Amic de les Arts* el artículo titulado «Presentació de Salvador Dalí» –adyacente a otro de Lluís Montanyà titulado «Superrealisme»–,[16] en el que el poeta mantenía el siguiente diálogo imaginario con Dalí:

–¿Superrealismo?

–No, no.

–¿Cubismo?

–No, tampoco: pintura, pintura por favor.

Y en su posterior artículo «Els meus quadros del Saló de Tardor»,[17] Dalí todavía se refiere a «la distancia que me separa del surrealismo», doctrina que no asumiría explícitamente hasta su entrevista en *Estampa* el 6 de noviembre de 1928. No obstante, entre ambas declaraciones había tenido lugar en julio de 1927, en su etapa de íntima amistad con Lorca, la publicación de su trascendental artículo «Sant Sebastià»,[18] dedicado al poeta granadino y que éste publicaría, traducido al castellano, en el primer número de su revista *Gallo*, en febrero de 1928.

En este artículo, por vez primera, Dalí formuló la oposición radical entre lo putrefacto como categoría negativa, y lo antiartístico como categoría positiva, e introdujo, como eco del maquinismo futurista y lecorbusiano, el concepto clave de la Santa Objetividad que la máquina óptica (de fotografía y de cine) hace posible. Por eso el artículo aparece como un puente entre la sensibilidad futurista, con su fascinación hacia la perfección maquinista –sensibilidad que Dalí asimiló entonces, según su confesión a Sebastià Gasch–,[19] y la nueva poética protosurrealista, con su obligado rechazo al tradicionalismo romántico y sentimental.

Pero antes de entrar en el análisis de este artículo conviene decir algo sobre el tema iconográfico de San Sebastián, patrono de Cadaqués pero también figura emblemática de la cultura homosexual y sadomasoquista, que inspiró también por entonces al Lorca dibujante. La leyenda de San Sebastián asaeteado, con flechas lanzadas a zonas no vitales de su cuerpo para prolongar su agonía, suministró a la cultura cristiana un pretexto respetable para representar el desnudo masculino en pie y con su cuerpo sometido a contorsiones. Este tema plástico inspiró a Botticelli, Piero della Francesca, Pietro Cavallini, Antonello de Mesina, Perugino, Mantegna, Berruguete, El Greco y Ribera, entre otros. La leyenda del santo, además, tiene bastantes implicaciones eróticas y escatológicas subyacentes, comenzando por las flechas penetrando la carne del mártir percibidas como símbolos fálicos. Dalí no lo ignoraba cuando hizo notar a Lorca que las flechas nunca atravesaban sus nalgas, es decir, que no le sodomizaban. Se afirma por añadidura que Santa Irene le arrancó amorosamente las flechas de su cuerpo, una por una, y que los paganos arrojaron su cadáver a la Cloaca Maxima, la cloaca principal de Roma. Por otra parte, en la antigüedad se creía que las enfermedades eran transmitidas por las flechas de Apolo, lo que da nuevo sentido a su tormento y, seguramente por eso, se le invocaba durante las pestes y en los casos de epilepsia.

En su artículo, Dalí desarrolló por vez primera, con una escritura imaginativa y poética, su teoría racionalista de la Santa Objetividad, que oponía el cientificismo empírico del antiarte, derivado del maquinismo (de la fotografía, del cine) al viejo arte caduco heredado del romanticismo, que acababa asimilando a la categoría de lo «putrefacto». Aunque, claro está, el antiarte suponía también la formulación de una nueva poética y de una estética anticonvencional, que pretendía ignorarse como tal, pero que estaba asociada a las corrientes del racionalismo centroeuropeo y anglosajón que habían surgido del industrialismo y que se propalaban desde las páginas de *L'Esprit Nouveau*, aventadas por Le Corbusier.

«Sant Sebastià», a los efectos de nuestro trabajo, adquiere especial importancia al menos por cinco razones: 1) es el primer texto en el que Dalí se refiere admirativamente al cine y en él comparecen ya algunas referencias magistrales que hallaremos en otros posteriores suyos, como el Noticiario Fox, Adolphe Menjou, Buster Keaton –«¡He ahí la poesía pura, Paul Valéry!»– y el uso del movimiento ralenti; 2) por primera vez Dalí formula un elogio del aparato científico –un aparato óptico además, el fantasioso heliómetro que ya había dibujado en 1924–, utilizado aquí para medir con exactitud la agonía de San Sebastián; 3) proclama ya Dalí su admiración hacia la «pulcritud y euritmia del útil estandarizado» –en línea con las enseñanzas de Le Corbusier–, que retomará en otro artículo de marzo del año siguiente («Poesia de l'útil estandaritzat»), y que asociará como virtud al cine estandarizado y antiartístico norteamericano; 4) en el mismo párrafo que acabamos de aludir opone Dalí las categorías antagónicas de lo antiartístico y lo putrefacto; 5) al final del artículo describe la categoría estética de la putrefacción, representada por «los artistas trascendentales y llorosos».

Conviene señalar que la propuesta de la Santa Objetividad (antiartística) daliniana se emparentaba con dos tendencias estéticas aparecidas en Europa en aquellos años. Una es la *Neue Sachlichkeit* (Nueva Objetividad) alemana, reacción antiexpresionista y antipictorialista que tanta importancia tuvo, precisamente, en el campo de la fotografía (Albert Renger-Patzsch, Karl Blossfeldt, Willy Zielke) y del cine (G. W. Pabst). La otra es la teoría del Cine-ojo (*Kino-glaz*) de Dziga Vertov, surgida del futurismo soviético, que en aquellos años era prácticamente desconocida en España. En cualquier caso, la propuesta de Dalí en 1927, como la de Vertov unos años antes, hizo patente el conflicto cultural, propio de la modernidad maquinista, entre visión y representación, entre realidad y lenguaje, entre naturaleza y artificio, y Dalí tomó decididamente partido por la primera.

Con estas premisas, no es raro que Dalí invocara en su artículo la ejemplaridad del Noticiario Fox, que había dado ya precisamente título en 1926 a un óleo suyo de 43 × 31,5 centímetros. Los noticiarios de actualidades producían entonces especial fascinación a la *intelligentzia* europea. Robert Desnos había exaltado el cine documental en su artículo «Les documentaires», publicado en *Paris-Journal* el 6 de mayo de 1923.[20] Y Francisco Ayala, convergiendo con esta admiración, escribió: «El periódico cinematográfico reúne a su movilidad, a su ligereza encantadora y a su interés documental una belleza que recoge, íntegra, del natural. Una belleza de primera mano.»[21] Y en un artículo enviado desde París al diario *La Publicitat*, en 1929, un Dalí ya bretoniano observó que el texto surrealista transcribe «con el mismo rigor y tan antiliterariamente como el documental, el funcionamiento REAL liberado del pensamiento, las historias que pasan en realidad en nuestro espíritu».[22] Esta actitud documentalista la hallaremos también con frecuencia en la mirada entomológica de Buñuel: ante la mariposa de *Un Chien andalou*, ante los escorpiones de *L'Age d'or*, ante los hurdanos de *Tierra sin pan*...

En esta actitud objetivista, que se fía de la capacidad comunicativa de lo situado ante la cámara sin necesidad de manipularlo, se halla un eco de las enseñanzas del cineasta Jean Epstein, bien conocidas de las élites españolas por sus colaboraciones en la revista *L'Esprit Nouveau* –a la que Dalí estaba suscrito y que también Buñuel frecuentaba–[23] e, incluso, por sus textos publicados en *La Gaceta Literaria*. En 1927 citó Buñuel una frase de su maestro especialmente reveladora,[24] que al año siguiente reaparecería en el artículo «Algunas ideas de Jean Epstein» y que era una traducción por Arconada de fragmentos de su reciente libro *Le Cinématographe vu de l'Etna* (1926).[25] El texto de referencia, perfectamente acorde con el pensamiento daliniano, dice: «Uno de los mayores poderes del cine es su animismo. En la pantalla no existe la naturaleza muerta. Los objetos tienen actitudes. Los árboles gesticulan. Las montañas significan. Cada accesorio se convierte en un personaje.» Congruente con estos postulados animistas, Epstein había declarado durante el rodaje de *La belle Nivernaise*: «Para mí, el actor más grande, la personalidad más fuerte que he conocido íntimamente es el Sena entre París y Rouen.»[26]

Después de «Sant Sebastià», Dalí publicó en *L'Amic de les Arts* un artículo titulado «La fotografia, pura creació del esperit»,[27] que prolongaba aquellas reflexiones acerca de la primacía de lo real. Formulaba su convicción con una frase provocativa: «Sólo aquello que somos capaces de soñar está falto de originalidad.» Y ensalzaba la antiinvención de «Van der Meer, nuevo San Antonio, [que] conserva intacto el objeto con una inspiración total fotográfica, producto de su humilde y apasionado sentido del tacto. Saber mirar es todo un nuevo sistema de agrimensura espiritual. Saber mirar es una forma de inventar. Y ninguna invención ha sido tan pura como la que ha creado la mirada anestésica del ojo limpísimo, sin pestañas, del Zeiss: destilado y atento, ajeno a la floración rosada de la conjuntivitis».

Dalí fue desarrollando su teoría de la Santa Objetividad en varias intervenciones posteriores. En mayo de 1928 escribía en *L'Amic de les Arts:*[28] «La fotografía y el cine pueden darnos con precisión absoluta y con una iluminación adecuada la noción exacta de aquel capitel situado a diez metros de altura y en la más absoluta oscuridad.» A finales de aquel año, en una carta a Josep Pla[29] oponía la belleza putrefacta al realismo, afirmando que «mi obra se mueve absolutamente al margen de toda estética, la palabra belleza no tiene para mí ningún significado». Y añadía que «Rembrandt comparado a una foto científica antiartística de historia natural, etc., aparece tan poco realista que parece pura música». Y al año siguiente su teoría aparecía integrada ya en el ideario surrealista –acababa de escribir con Buñuel el guión de *Un Chien andalou*–, cuando publicó que el dato fotográfico es «el vehículo más seguro de la poesía y el proceso más ágil para la captación de las más delicadas ósmosis que se establecen entre la realidad y la suprarrealidad».[30] Muchos años después, en 1973, reiteraría Dalí su credo, según el cual la pintura no es más que la fotografía en color hecha a mano.[31]

La sublimación de la fotografía por parte de Dalí tendrá, por otra parte, su correspondencia práctica en la caligrafía cuasifotográfica de su pintura.

EL «MANIFEST GROC» Y LA «GUIA SINÒPTICA»

El radicalismo de Salvador Dalí convergió en marzo de 1928 con el de dos prestigiosos críticos catalanes, con Lluís Montanyà y Sebastià Gasch, para producir un texto provocativo titulado «Manifest Antiartistic Català», también conocido como «Manifest Groc», por el llamativo color amarillo de su papel, agresivo y de connotaciones morales infamantes. Se trataba de una proclama altisonante contaminada por el futurismo –al que no obstante se calificaba en el texto de «circunstancialmente indispensable», es decir, ya superado–, pero no alcanzaba el nivel transgresor o subversivo del dadaísmo ni del surrealismo. El paisaje cultural contemporáneo se colocaba bajo «un estado de espíritu postmaquinista» y se enumeraba una muy heterogénea lista de artistas o intelectuales contemporáneos que se tomaban como referencia ejemplar: Picasso, Gris, Ozenfant, Chirico, Joan Miró, Lipchitz, Brancusi, Arp, Le Corbusier, Reverdy, Tristan Tzara, Paul Eluard, Louis Aragon, Robert Desnos, Jean Cocteau, García Lorca, Stravinski, Maritain, Raynal, Zervos y André Breton.

No obstante su título y su hinchada retórica, sólo se aludía una vez en el manifiesto a la categoría antiartística al referirse a una multitud anónima y antiartística que «colabora con su esfuerzo cotidiano en la afirmación de la nueva época, viviendo de acuerdo con su tiempo». El cine ocupaba la primera posición en un *ranking* de los nuevos hechos que «reclaman la atención de los jóvenes de hoy», colocado por delante del estadio, el boxeo, el rugby, el tenis, los deportes, la música popular actual, el jazz, el baile contemporáneo, el salón del automóvil y de la aeronáutica, etc. Estos hechos admirados se contraponían a una lista de actividades culturales que se consideraban decadentes y tradicionales y que se rechazaban con un furor netamente futurista.

Pese a su voluntad de radicalismo, el «Manifest Groc» apostaba por una modernidad «académica», si así puede llamarse, en línea con la defensa anglosajona del *modernism* y del maquinismo de Le Corbusier, pues aceptaba lo obvio del mundo moderno, con sus obras, manifestaciones y espectáculos, sin cuestionarlos ni desbordarlos. Pero irritó su rechazo insolente de la respetada tradición cultural. Resultó en cierto modo más interesante la complementaria «Guia sinòptica» que los tres firmantes lanzaron a finales de marzo en *L'Amic de les Arts*, dedicada al cine.[32] Joan Minguet ha calificado este documento como «la más importante contribución escrita de la vanguardia catalana sobre cine».[33] En este texto se afirmaba que «el cine no es una nueva bella arte. El cine es, simplemente, una industria», postulado muy acorde con las enseñanzas de Le Corbusier. De acuerdo con la teoría elaborada anteriormente por Dalí, opuso a la «putrefacción artística cinematográfica» de los Murnau, Abel Gance y Fritz Lang, la «película cómica, anónima y rapidísima, de dos rollos», con Harry Langdon, Charlie Chaplin y Buster Keaton, e «inmediatamente después, Adolphe Menjou como símbolo de uno de los matices más puros del cine de hoy». Y luego los documentales del tipo «Noticiario Fox, y los films científicos, de una emoción inenarrable: crecimientos de plantas, procesos de fecundación, microscopio, historia natural, vegetación submarina, etc., etc.». Y concluía: «Estos films rebasan en sugestión, a nuestro entender, las mejores intenciones de las formidables tentativas de cine puro o absoluto de Man Ray, Chomette, Léger y seguidores.»

Como se ve, en este texto reaparecieron el Noticiario Fox, Buster Keaton, Adolphe Menjou y el ralenti, ya exaltados por Dalí en su «Sant Sebastià». La agresividad contra el cine «putrefacto» de Fritz

Lang, Murnau o Abel Gance era entendible, en parte, como una reacción contestataria contra la aceptación y legitimación artística otorgada al cine culto europeo por parte de la burguesía ilustrada en la segunda mitad de aquella década. A ellos se oponía la Santa Objetividad de los noticiarios y de los documentales científicos y el potencial antiartístico de los cortometrajes cómicos. Y se dirigía por último una mirada condescendiente al «cine puro», a un segmento marginal y elitista de la producción que Gasch había defendido no hacía mucho en su artículo «Cinema pur», en la revista *D'Ací i D'Allà.*[34] Pero ahora se le consideraba como perteneciente a una vanguardia ya superada y de relativo interés. Por todas estas razones, esta «Guia sinòptica» aparece como una declaración más avanzada y rupturista que la sensata defensa de la modernidad formulada en el famoso «Manifest Groc».

ESCARAMUZAS ANTIARTÍSTICAS EN LA ARENA CINEMATOGRÁFICA

Aunque Dalí había calificado ya como antiartística su pintura en su artículo «Els meus quadros del Saló de Tardor», en octubre de 1927, tal calificativo no era inédito, pues ya lo habían utilizado antes los dadaístas, aunque no con idéntico sentido, señaladamente lo había usado Hans Richter.[35] Para los dadaístas, antiarte significaba la impugnación radical y la destrucción del pasado artístico, mientras que en la acepción daliniana suponía un rescate selectivo de ciertas tradiciones y propuestas, pues ya en sus textos de aquellos años recuperó y valoró positivamente a Vermeer de Delft, El Bosco, De Chirico, Picasso, etc. Frente al sentimentalismo «putrefacto», Dalí oponía la objetividad y el antisentimentalismo de unas obras que seguramente fuera abusivo llamar «deshumanizadas», según el difundido diagnóstico orteguiano, y que Dalí bautizó como antiartísticas. En su traslación al cine, podían encontrarse antecedentes de esta teoría. Así, en el «Manifiesto de la Cinematografía Futurista», de 1916, se afirmaba que el cine debía ser «antibello», aunque no se explicitaba suficientemente el sentido de esta calificación. Y el futurista Vladímir Maiakovski publicó en agosto de 1922 en la revista *Kino-phot*, órgano de los cineastas constructivistas, el poema «Cine y cine», uno de cuyos versos proclamaba: «El cine es el destructor de la estética.»[36]

Es muy probable que ni Dalí ni Buñuel conociesen bien la obra poética de Maiakowski ni los manifiestos de Vertov en aquellos años, apenas traducidos en Occidente y ausentes en las editoriales españolas. Pero lo esencial del futurismo había llegado a través de varios afluentes hasta la península, como pudo detectarse en sus efluvios maquinistas presentes en la teoría daliniana de la Santa Objetividad. Y con mayor razón para su amigo Buñuel, que ya por entonces residía en París. En octubre de 1928 publicó el cineasta calandino en *La Gaceta Literaria* su más importante artículo de teoría cinematográfica, titulado «*Découpage* o segmentación cinegráfica», en el que escribía:[37] «El objetivo –ese ojo sin tradición, sin moral, sin prejuicios, capaz, sin embargo, de interpretar por sí mismo– ve el mundo. El cineasta, después, lo ordena. Máquina y hombre. Expresión purísima de nuestra época, arte nuestro, el auténtico arte nuestro de todos los días.»

En esta onda teórica, tal vez la reflexión más completa de Dalí sobre estética cinematográfica apareció a finales de 1927 en *La Gaceta Literaria*, en su artículo «Film-Arte, Film-Antiartístico»,[38] del que vale la pena reproducir algunos fragmentos:

»El filmador antiartístico –escribió Dalí– ignora el arte, filma de una manera pura, obedeciendo únicamente a las necesidades técnicas de su aparato y al instinto infantil y alegrísimo de su fisiología deportiva.

»El filmador artístico conoce el arte casi siempre groseramente, y obedece a las arbitrariedades sentimentales de su genialidad. (...)

»El filmador artístico [y Dalí cita como ejemplo en este artículo a Fritz Lang], corrompido por la absorción inasimilada de la literatura y con un afán risible de originalidad, tiende a la máxima complejidad de conflictos psicológicos y expresivos, intrincados, dentro del más grande y variado surtido de recursos muchas veces extracinematográficos (...).

»El anónimo filmador antiartístico filma una blanca confitería, una anodina y simple habitación cualquiera, la garita del tren, la estrella del policeman, un beso en el interior de un taxis. Una vez proyectada la cinta resulta que se ha filmado todo un mundo de cuento de hadas de inenarrable poesía. (...)

»Los mejores intentos del film artístico, algunos selectos, citemos el de Man Ray y el de Fernand Léger, parten de una inexplicable equivocación fundamental; la emoción más pura sin salirnos de los ojos (...).

»Sólo el cinema antiartístico, especialmente el cinema cómico, produce films cada vez más perfectos, de una emoción más inéditamente intensa y divertidísima.

»Cinema antiartístico, jovialísimo, claro, soleado, producción de máxima sensualidad dormida a copia de inyecciones de antiopio, que es la objetividad desnuda.»

En realidad, este artículo extrapoló al campo de la expresión cinematográfica su dicotomía antiarte-putrefacción, que había expuesto unos meses antes, con un lenguaje más poético, en su «Sant Sebastià». Su condena inapelable se dirigía al cine que «deviene instrumento expresivo de la más gratuita y vulgar anécdota; su palpitación pura, recién nacida, es espantosamente infectada con todos los gérmenes de la putrefacción artística».

Buñuel dirigía por entonces la sección cinematográfica de *La Gaceta Literaria* y se sintió escocido por el artículo de Dalí, ya que entendió que se apropiaba de opiniones que habían sido objeto de conversaciones entre ambos. En una carta a Pepín Bello desde París, el 8 de noviembre de 1927, le decía al respecto:

«A Dalí *le publico su artículo por misericordia.* (...) En un artículo que publiqué en *Cahiers d'Art* decía todo esto que piensa decir. Además no hay que exagerar. Hay films alemanes extraordinarios y geniales. Y algunos muy pocos franceses. *L'Image* de Feyder, *Coeur fidèle* de Epstein, *Feu Mathias Pascal* de L'Herbier, etc.»

Dalí sintió la necesidad de afinar sus puntos de vista sobre el cine, tras la irritación de su amigo, y lo hizo en un nuevo artículo tres meses después.[39] En este texto escribía:

«En mi artículo "Film-arte, Film-antiartístico", que tuvo por cierto el honor de suscitar una instructiva polémica epistolar con mi gran amigo, director de esta página, Luis Buñuel, me esforzaba en dar a entender cómo el cine antiartístico americano, especialmente el cómico, ha logrado films cada día más perfectos por un proceso netamente industrial de estandarización, llegando a realizaciones de una emoción poética cada vez más propia e inéditamente divertidísima, y añadía cómo, por el contrario, el film artístico alemán, igual que el francés, por un proceso inverso, estaba infectando con todos los gérmenes de la putrefacción artística la palpitación pura y recién nacida del cine.»

Dalí resumía su teoría, en fórmula opuesta a Benjamín Jarnés, afirmando que «el cine es la manera más irreal de expresar la realidad» y la ilustraba contrastando el film alemán *Varieté* (1925), de E. A. Dupont, con dos celebradas comedias norteamericanas protagonizadas por Adolphe Menjou –*La gran duquesa y el camarero (The Grand Duchess and the Waiter*, 1926), de Malcom St. Clair, y *El traje de etiqueta (Evening Clothes*, 1927), de Luther Reed– que le merecían la admirativa exclamación: «¡Cuánto tacto, audaciosa naturalidad!»

Estas últimas reflexiones requieren alguna meditación. Dalí replicó en su texto una propuesta teórica de Jarnés expuesta en el artículo «De Homero a Charlot»,[40] que sostenía que el cine es la manera más real de expresar lo irreal. Sorprendentemente, esta afirmación coincidiría casi literalmente con otra posterior de Cocteau, formulada en 1930, al escribir que su film *Le sang d'un poète* era «un documental realista de acontecimientos irreales»,[41] afirmación que resultaría congruente con la postulada por él treinta años después, al reiterar que el cine «permite mostrar la irrealidad con un realismo que obliga al espectador a creer en ella».[42] A partir de las premisas formuladas antes por Dalí, no es raro que se situase en las antípodas teóricas de Jarnés y de Cocteau, quienes a su vez bebieron tal vez de la fuente teórica de Jean Epstein, quien en *Bonjour Cinéma* había escrito en 1921: «El cine es el más poderoso medio de poesía, el medio más real de lo irreal.» Pero la propuesta de Dalí, más próxima a las reflexiones de los formalistas rusos y del Béla Balázs de *Der schitbare Mensch oder die Kultur des Films*[43] –libro glosado por Fernando Vela en *Revista de Occidente* en 1925–, desplazaba su acento hacia el antinaturalismo y el convencionalismo del lenguaje cinematográfico.

En cuanto al actor norteamericano Adolphe Menjou, de origen francés, de aspecto elegante y cínico, saltó a la notoriedad gracias a su personaje mundano de *Una mujer de París (A Woman of Paris*, 1923), de Charles Chaplin, y la consolidó con dos comedias consecutivas de Ernst Lubitsch: *Los peligros del flirt (The Marriage Circle*, 1924) y *La frivolidad de una dama (Forbidden Paradise*, 1924). Cuando Dalí escribió su artículo estaban recientes los éxitos en España de *El traje de etiqueta* y de *La gran duquesa y el camarero*. Esta última, que supuso el punto más elevado de la carrera del director Malcom St. Clair, estaba basada en una comedia escénica del francés Alfred Savoir. Menjou interpretaba a un millonario elegante y calavera, Albert Belfort, que para aproximarse a una bella aristócrata rusa exiliada, la gran duquesa Zenia Pavlovna (Florence Vidor), usurpaba la plaza del camarero de su habitación en el hotel. Cometía muchas torpezas en sus tareas ancilares, pero a la vez alimentaba secretamente con fondos la arruinada caja fuerte de la aristócrata. Finalmente conquistaba el corazón de la gran duquesa, demostrando que había trocado con fortuna su frac de millonario por su esmoquin de camarero de hotel. También *El traje de etiqueta* estaba basada en una obra de teatro francesa de *boulevard*, en *L'Homme en habit*, de André Picard e Yves Mirande. Su protagonista es Lucien D'Artois (Menjou), rico granjero y criador de caballos casado con Germaine (Virginia Valli), pero ella no se acostumbra a la vida rústica y le abandona. Lucien va a París para cultivar la vida frívola, refinarse y convertirse en un hombre de mundo, pero no consigue reconquistarla. Su vida disipada en la capital provoca su ruina y sus propiedades son confiscadas, con excepción de su ropa de etiqueta. Lucien todavía fantasea con que es un conde rico y, cuando vuelve a su humilde vivienda, se encuentra con que Germaine ha regresado junto a él.

Adolphe Menjou fue un personaje de culto para muchos surrealistas. Buñuel le dedicó un artículo –«Variaciones sobre el bigote de Menjou»–, Alberti le honró en un poema en *La Gaceta Literaria* en septiembre de 1929 y Dalí llegó a exhibir durante algún tiempo en París una pitillera llena de bigotes, presuntamente inspirados por el carismático mostacho de Menjou. En España, algunos periodistas de la época asociaban la figura física de Wenceslao Fernández Flórez, con su bigotito señoritil, a la imagen de Adolphe Menjou, y en la Residencia Buñuel veía en Pepín Bello un equivalente del elegante y mostachudo actor, a quien no pudo convencer para que viajara a París para actuar en *Un Chien andalou*. Es muy probable que tal imagen se plasmase luego en el Gaston Modot –burgués, elegante y con bigote– que protagonizó *L'Age d'or*.

Vista la admiración que en esta época profesaban Dalí y Buñuel hacia el cine norteamericano, como producción ejemplarmente industrial y antiartística, no ha de extrañar demasiado que cuando el pintor ampurdanés viera por vez primera *L'Age d'or* le dijera al cineasta calandino que le había gustado mucho, pues le «parecía un film americano».[44] Se trató de un juicio a primera vista sorprendente, que sólo cobraba sentido en relación con los códigos de valoración que ambos compartían en aquella época. De todos modos, no deja de proporcionar materia de reflexión que L. L. Laurence, director de la oficina en París de la muy conservadora Metro-Goldwyn-Mayer, tras ver *L'Age d'or* antes de su estreno (es decir, antes de su tan publicitario escándalo), invitase a Buñuel para que trabajara en sus estudios en Hollywood.

La admiración hacia la antiartisticidad del cine norteamericano fue una constante de Dalí, Buñuel y Gasch en los últimos años de la década. En abril de 1927, tras ver en París la abrumadora versión de cinco horas del *Napoleón* de Abel Gance, Buñuel escribió en *Cahiers d'Art*:[45] «Se ha censurado mucho la trivialidad de los films americanos en general. Pero cualquiera de ellos, incluso el más modesto, contiene siempre una ingenuidad primitiva, un encanto fotogénico integral, un ritmo absolutamente cinematográfico.» Sebastià Gasch, por su parte, se quejó de que el cine «artístico» europeo de los Dupont, Murnau y Feyder estuviese contaminando al cine de Hollywood y echándolo a perder.[46] Buñuel argumentaba en esta línea:[47] «¿Por qué se obstinan en pedir metafísica al cinema y en no reconocer que en un film bien realizado el hecho de abrir una puerta o ver una mano –gran monstruo– apoderarse de un objeto puede encerrar una auténtica e inédita belleza?» Y, casi como un eco, el poeta cordobés Rafael Porlán Merlo escribía poco después: «Mientras más folletinesca sea la intención de enterarnos de que un pie oculta un revólver bajo un mueble, más poéticamente se nos presentará ese pie impersonal y ese objeto inanimado que toma de pronto el valor de lo vivo. Lo que el cine no admite es la tutela del "gran arte"[48].»

Pero todos ellos eran conscientes de que el sentimentalismo putrefacto podía infiltrarse también en el cine norteamericano. Buñuel lo denunció desde París en un artículo en *Cahiers d'Art,*[49] en el que descalificaba el film de Victor Fleming *The Way of All Flesh*, de 1927 (titulado en España *El destino de la carne* y en Francia *Quand la chair succombe),* por «dirigirse a nuestras glándulas lacrimógenas mucho más que a nuestra sensibilidad», y le acusaba de estar «saturado de gérmenes melodramáticos, totalmente infectado de tifus sentimental mezclado con bacilos románticos y naturalistas». Como contraste con este film putrefacto elogiaba Buñuel al Buster Keaton de *College* (titulado en España *El colegial* y en Francia *Sportif par amour)*, como «gran especialista contra toda infección sentimental».

No obstante, ni Buñuel ni Dalí podrían evitar caer en incoherencias ocasionales. Si Fritz Lang era descalificado como putrefacto, la visión de su film *Der müde Tod* (1921) en el Vieux Colombier de París determinó la vocación profesional de Buñuel, y en su programación de las sesiones de la Residencia de Estudiantes y del Cineclub Español figurarían cintas europeas que no encajaban en el modelo antiartístico pregonado, dirigidas por Epstein, Dulac, L'Herbier, Paul Leni, etc.

La radicalización antiartística de Dalí y de Buñuel coincidió con la fase de preparación de *Un Chien andalou*. En febrero de 1929, *La Gaceta Literaria* publicaba en la sección «Gaceta de Arte» una noticia,[50] probablemente redactada por Dalí, que anunciaba que «el próximo mes aparecerá un número de *L'Amic de les Arts*, dirigido bajo la única responsabilidad de la extrema izquierda de dicha gaceta». Este número «ultraizquierdista», que sería el último de la revista, fue dirigido por Dalí y, tal como anunciaba el suelto, «combatirá el Arte en general: Charlot, la Pintura, la Música, la Arquitectura, la Imaginación. Defenderá las actividades antiartísticas». En la última página de esta explosiva entrega[51] Buñuel, entrevistado por Dalí, declaraba efectivamente: «Las ideas tradicionales de arte aplicadas a la industria me parecen monstruosas. Ya se trate de un film o de un auto. (...) Cuando en Europa exista una verdadera industria del cine surgirá mecánicamente el verdadero cine. Y aún así. Siempre nos faltará la maravillosa intuición que para el cine tienen los americanos.»

Uno de los territorios en que mejor se definió la cruzada antiartística contra el arte putrefacto fue el del cine cómico norteamericano. Inicialmente, Charlot gozaba del aplauso unánime de los intelectuales de la generación del 27. Pero el ascenso del impasible y estilizado Buster Keaton obligó a introducir matices en esta valoración. Un artículo de Gasch en *La Gaceta Literaria* de agosto de 1928, titulado «Films cómicos»[52] y que glosaba *El colegial*, de Keaton, y *El circo (The Circus*, 1928), de Chaplin, resultó extremadamente ilustrativo al respecto. Gasch definía a Keaton como «frío, impasible, desinfectado y esterilizado. (...) objeto impasiblemente plástico, que se enlaza con la botella, con el teléfono, con el volante, con el bidet, con la pipa, con el revólver, objetos tan obsesionantemente fotogénicos como él. Plasticidad absoluta, pura, cruda, neta, DESHUMANIZADA». Tras este exaltado panegírico con una interesante coda orteguiana, Gasch cambiaba de registro para ponderar las virtudes de *El circo* chapliniano: «Nos hallamos –escribió– ante la rigurosa aplicación del procedimiento estandarizado, que tan excelentes resultados ha dado en el campo de la cinematografía americana. Procedimiento adoptado por todas las industrias. En efecto: del mismo modo que la industria (autos, aviones, máquinas), a fuerza de purificar, de pulir, de eliminar lo superfluo, ha logrado un tipo único, un tipo ideal, un tipo standard, en el cual no falta ni sobra nada, tipo perfecto de *mise au point*, que satisface plenamente las necesidades universales que ha de satisfacer, el cinema, arte internacional, ha escogido lentamente las palabras de su idioma, y las ha pulido, las ha purificado, las ha desposeído de lo superfluo, hasta hallar el tipo ideal, hasta hacer de ellas unas palabras fijas, invariables, que, en vista de sus excelentes resultados, han venido repitiendo incansablemente. Frases hechas, podríamos decir. *El estandard es la aristocracia del lugar común*, dijo Le Corbusier en cierta ocasión.»

Es decir, tras el elogio entusiasta del arquetipo keatoniano, Gasch, ante el film de Chaplin, se despista e hilvana una reflexión elogiosa acerca de la estandarización industrial tras la que desaparece el director y su personaje, ocultos por la descripción de unos procedimientos, todo sea dicho, que poco tenían que ver con las estrategias creativas de Chaplin. De manera que Charlot, antihéroe sentimental, fue depreciando su valor a los ojos de la crítica antiartística, que le reprochaba precisamente su sentimentalismo. Así, Buñuel, en su presentación de la sexta sesión del Cineclub Español dedicada al cine cómico, escribió en 1929 en *La Gaceta Literaria:*[53] «Charlot hace diez años podía proporcionarnos una gran alegría poética. Hoy, ya no puede competir con Harry Langdon. Los intelectuales del mundo lo han estropeado, y por eso, ahora intenta hacernos llorar con los más vivos lugares comunes del sentimiento.» Harry Langdon, en efecto, que no inició su carrera continuada hasta 1923, ascendió vertiginosamente, con su imagen inerme y atolondrada, en la escala de valoración de la *intelligentzia* europea, y Vicente Huidobro le dedicó un artículo en *La Gaceta Literaria* en 1928.[54] Esta mutación de criterios estaba ya consolidada cuando Dalí dirigió el último número de *L'Amic de les Arts,* en el que colocó a Langdon en la cúspide de sus preferencias, añadiendo que «Keaton a su lado es un místico y Charlot un putrefacto».[55] En el mismo número Buñuel escupía también su desprecio hacia Charlot, que «ya no hace reír más que a los intelectuales».

La radicalización antiartística de Dalí, Buñuel y Gasch contribuyó a bifurcar los gustos de los escritores españoles atraídos por el cine. El libro de Francisco Ayala *Indagación del cinema,* contemporáneo de los exabruptos citados, lo demuestra palmariamente. En su obra Ayala prefiere Chaplin a Keaton, descalifica a Adolphe Menjou llamándole «actor de teatro ligero, sentimental y vacío»[56] y se manifiesta reticente ante *L'Étoile de mer,*[57] la película de Man Ray que Buñuel eligió para inaugurar las sesiones del Cineclub Español. Y algo parecido podría decirse de los gustos cinematográficos de autores tan diversos como Benjamín Jarnés, Arconada y Fernando Vela, admiradores todos de Chaplin, de quien estamparon elogios en varios lugares.

No solamente esto. Agustín Sánchez Vidal ha hecho notar con razón que el núcleo surrealista español era más extremista que el propio Breton, quien estimaba mucho a Charlot y le defendió desde las páginas de *La Révolution Surréaliste.*[58] Pero, a decir verdad, Dalí y

Buñuel representaron también, en el paisaje surrealista español, su ala más extrema o escandalosa, cuando se mide con las actuaciones de sus compañeros peninsulares, de Miró, Larrea, Cernuda, Hinojosa, etc., aunque les ayudó mucho en su escándalo su protagonismo en el amplificador mundo del espectáculo. Esto obligaría a cartografiar el mapa o el organigrama de las corrientes del surrealismo español, tarea que no voy a efectuar en estas páginas. Pero esta radicalidad desvela, desde la perspectiva actual, lo ridículo de algunas polémicas de la época, disputando etiquetas y legitimidades vanguardistas. Así, en 1928 *L'Amic de les Arts* se hizo eco[59] de un artículo del poeta barcelonés Sebastià Sànchez-Juan en *La Nau*, en el que polemizaba con Dalí y reclamaba para sí el título de «líder del vanguardismo catalán». Su discrepancia se evidenciaría palmariamente en el trigésimo número de *L'Amic de les Arts,*[60] cuando Sànchez-Juan publicase un poema en honor de Chaplin, en vísperas de la virulenta entrega en la que Dalí y Buñuel entronizaron a Harry Langdon a expensas del denostado cómico inglés.

Dalí entró en contacto en París con el grupo de Breton, a través de Buñuel, en marzo de 1929. Era el momento en que Dalí había desplazado en sus afectos a Lorca y lo había sustituido firmemente por Buñuel, con quien estaba colaborando en su primer film. Es también en este momento cuando ambos piensan editar en París una revista que fuera portavoz de su pensamiento radical. En abril de 1929, *La Gaceta Literaria*, en la sección «Revistas», daba cuenta del proyecto[61] que dirigirían Dalí y Buñuel: «Esta revista –añadía la nota– será el órgano de un grupo, muy restringido, más o menos afín con el superrealismo. Pero con un sentido de claridad, de precisión y de exactitud absolutas. Con la máxima salud. Sin el menor contacto con lo patológico. Y con un espíritu netamente antifrancés.» Tal revista no llegó a materializarse, pero de su enunciado publicitario se infiere que su radicalismo grupuscular –«muy restringido»– iba a tomar sus distancias con el grupo de Breton (de «espíritu netamente antifrancés»).

Y *Un Chien andalou* aparecería también como un inequívoco manifiesto antiartístico radical, como explicaría Dalí en un artículo en *Mirador,*[62] con motivo de su proyección barcelonesa: «Nuestro film –escribió el pintor–, realizado al margen de toda intención estética, no tiene nada que ver con ninguno de los intentos del denominado *cine puro.* Por el contrario, lo único importante de la película es aquello que en ella ocurre.»

LA RUPTURA

El destino natural de todo radicalismo es la ruptura y el fraccionalismo. En el verano de 1930, en su artículo «Superrealisme» publicado en el número 7-9 del *Butlletí de l'Agrupament Escolar de l'Acadèmia i Laboratori de Ciències Mèdiques de Catalunya*, Sebastià Gasch condenó formalmente el surrealismo y culminaría su operación de exorcismo personal dos años después, cuando descalificase a Dalí, su antiguo colaborador y amigo, en un artículo aparecido en *La Publicitat*.[63] Para entonces las relaciones entre Dalí y Buñuel ya se habían deteriorado.

Se ha relatado muchas veces la historia de este deterioro, que se inició con la irrupción de Gala Eluard (Helena Diakanoff) en Cadaqués en agosto de 1929.[64] Esta crisis, afectiva primero, acabó por interferirse en la sintonía estética de Dalí con Buñuel. En su disputa más emblemática de aquellos días acerca de la belleza del Cabo de Creus –en la que Buñuel dijo que le recordaba a Sorolla y Dalí le replicó: «¿Estás ciego? ¡Ésta es la Naturaleza!»–,[65] resonó la teoría de la Santa Objetividad y su descalificación de la belleza pictorialista. Este deterioro se agudizó en la secuela del estreno de *L'Age d'or*, que tuvo lugar el 28 de noviembre de 1930 en el Studio 28 de París, y como resultado de tal ruptura Dalí preparó su propio proyecto cinematográfico, el guión titulado *Babaouo*, que publicaría en julio de 1932, precedido por un «Compendio de una historia crítica del cine».[66] Aunque *Babaouo* nunca se llevó a la pantalla, pues fue rechazado por la industria,[67] el interés teórico de su prólogo es muy grande y merece alguna reflexión.

En este texto, e invirtiendo su anterior actitud hacia el cine, el frustrado Dalí escribe vengativamente: «Contrariamente a la opinión común, el cine es infinitamente más pobre y más limitado, para expresar el funcionamiento real del pensamiento, que la escritura, la pintura, la escultura y la arquitectura. Apenas hay un arte inferior a él excepto la música, cuyo valor espiritual, como todos sabemos, es casi nulo.» En este aserto tan contundente se detecta sin dificultad que Dalí está exhibiendo con despecho la contrapartida o el reverso de la Santa Objetividad, que permite la aprehensión exacta del mundo sensible, pero no la del pensamiento o del mundo espiritual. A pesar de este arranque tan estrepitosamente despectivo, en el texto se detectan fidelidades a sus posiciones del pasado, señaladamente en tres aspectos: 1) en el rechazo al carácter abstracto de la música; 2) en su aprecio por los seriales norteamericanos de aventuras (cita *Los misterios de Nueva York)* y los cómicos de Hollywood, con la exclusión de Chaplin y la inclusión novedosa de William Powell y de los hermanos Marx; 3) en su rechazo al cine de vanguardia que «crea un lenguaje aburrido basado en una abrumadora retórica visual de carácter casi exclusivamente musical, que culmina en la utilización ritmada de los grandes planos, de los travellings, de los fundidos, de las sobreimpresiones, de un divisionismo monstruoso del desglose...».

Pero, junto a estas fidelidades al pasado, aparecen también algunas novedades, especialmente dos. La primera es el encendido elogio de Dalí de los «primeros films de la escuela materialista italiana», es decir, de los grandilocuentes melodramas divísticos italianos, entre los que destaca Dalí la ejemplaridad de *Il fuoco* (1916), de Piero Fosco y con Pina Menichelli y Febo Mari, a los que consideraba «documentos reales y concretos de trastornos psíquicos de toda clase» y valoró por su «posesión completa de sus medios técnicos esenciales». Este juicio era nuevo en las reflexiones dalinianas y contrastaba con el de Pío Baroja, quien en *La caverna del humorismo* (1919) había escrito: «Es difícil hacer nada más ramplón, más estólido y de una intención más bajamente mercantilista que un film italiano.»[68] Pero, en la percepción daliniana, esta querencia por los melodramas pasionales italianos estuvo sin duda en sintonía con su imaginación barroca y con su interés por las patologías psíquicas, adquirido en las lecturas de Freud durante los años de formación de su teoría sobre el método paranoico-crítico, que se gestó en el verano de 1930. Por añadidura, la alabada cinta *Il fuoco* contenía elementos temáticos que no podían dejar indiferente a Dalí, pues estaba protagonizada por una poetisa famosa y un pintor desconocido que viven una breve e intensa historia de amor durante la cual él pinta su retrato –imagen de la lujuria–, que le convierte en famoso; pero ella le abandona y él enloquece.

Y la segunda novedad del texto daliniano reside en su defensa del nuevo cine sonoro, del que había tenido su revelación en París, al asistir a la proyección del film polinesio *Sombras blancas en los mares del sur (White Shadows on the South Seas,* 1928), de W. S. Van Dyke,[69] un film que actuaría también como un acicate poético para Luis Cernuda.

NOTAS

1. «Salvador Dalí, cineasta sin films», de Fèlix Fanés, en *Surrealistas, surrealismo y cinema*, de Julio Pérez Perucha, ed., Fundació La Caixa, Barcelona, 1991, p. 169.

2. *Buñuel, Lorca, Dalí: el enigma sin fin*, de Agustín Sánchez Vidal, Planeta, Barcelona, 1988, p. 116.

3. *Mon dernier soupir*, de Luis Buñuel, Robert Laffont, París, 1982, p. 17; *Conversaciones con Buñuel*, de Max Aub, Aguilar, Madrid, 1985, p. 41; *Buñuel por Buñuel*, de Tomás Pérez Turrent y José de la Colina, Plot, Madrid, 1993, p. 15.

4. «L'alliberament dels dits», de Salvador Dalí, en *L'Amic de les Arts*, n.º 31, 31 de marzo de 1929, p. 6.

5. *Comment on devient Dalí*, de Salvador Dalí, Robert Laffont, París, 1973, p. 139.

6. *Luis Buñuel. Obra literaria*, edición de Agustín Sánchez Vidal, Heraldo de Aragón, Zaragoza, 1982, p. 116.

7. *Luis Buñuel. Obra literaria*, pp. 108-110.

8. *La Gaceta Literaria*, n.º 51, 1 de febrero de 1929, p. 1.

9. *La arboleda perdida*, de Rafael Alberti, Seix y Barral, Barcelona, 1975, p. 173; *Conversaciones con Buñuel*, pp. 273, 287 y 293.

10. *Conversaciones con Buñuel*, pp. 319-320.

11. Entrevista con Pepín Bello por Vicente Molina Foix, en *El País*, 23 de julio de 1995, sección «Domingo», p. 13.

12. *La arboleda perdida*, pp. 172-173.

13. *«Los putrefactos» de Dalí y Lorca. Historia y antología de un libro que no pudo ser*, de Rafael Santos Torroella, Publicaciones de la Residencia de Estudiantes, Madrid, 1995, p. 17.

14. *«Los putrefactos» de Dalí y Lorca. Historia y antología de un libro que no pudo ser*, p. 11.

15. «Les conexions de l'avantguarda catalana», de Jaime Brihuega, en *Nexus*, n.º 9, Barcelona, diciembre de 1992, p. 15.

16. *L'Amic de les Arts*, n.º 10, 31 de enero de 1927, p. 3.

17. *L'Amic de les Arts*, n.º 19, 31 de octubre de 1927, p. 101.

18. *L'Amic de les Arts*, n.º 16, 31 de julio de 1927, pp. 52-54.

19. *The Shameful Life of Salvador Dalí*, de Ian Gibson, Faber and Faber, Londres, 1997, p. 79.

20. *Cinéma*, de Robert Desnos, Gallimard, París, 1966, pp. 106-108.

21. *Indagación del cinema*, de Francisco Ayala, Mundo Latino, Madrid, 1929, p. 71.

22. «Documental-París [1]», en *L'alliberament dels dits*, de Salvador Dalí, de Fèlix Fanés, ed., Quaderns Crema, Barcelona, 1995, p. 193.

23. *The Secret Life of Salvador Dalí*, de Salvador Dalí, The Dial Press, Nueva York, 1942, p. 151; *Comment on devient Dalí*, p. 56; *Mon dernier soupir*, p. 106.

24. «Del plano fotogénico», de Luis Buñuel, en *La Gaceta Literaria*, n.º 7, 1 de abril de 1927, p. 6.

25. «Algunas ideas de Jean Epstein», en *La Gaceta Literaria*, n.º 43, 1 de octubre de 1928, p. 2. La cita procede de *Le Cinématographe vu de l'Etna*, de Jean Epstein, Les Écrivains Réunis, París, 1926, p. 13.

26. *Jean Epstein*, de Pierre Leprohon, Seghers, París, 1964, p. 112.

27. *L'Amic de les Arts*, n.º 18, 30 de septiembre de 1927, pp. 90-91.

28. «Per al "meeting" de Sitges», en *L'Amic de les Arts*, n.º 25, 31 de mayo de 1928, pp. 194-195.

29. 7 de diciembre de 1928.

30. «La dada fotogràfica» en *Gaseta de les Arts*, n.º 6, febrero de 1929, en *L'alliberament dels dits*, p. 152.

31. *Comment on devient Dalí*, p. 313.

32. *L'Amic de les Arts*, n.º 23, 31 de marzo de 1928, p. 175.

33. «Les avantguardes catalanes; el seu context cultural enfront del cinema», de Joan M. Minguet, en *Cinematògraf*, vol. 4, curs 1986-1987, Barcelona, p. 46.

34. *D'Ací i d'Allà*, n.º 114, junio de 1927.

35. *Dada – art et anti-art*, de Hans Richter, Éditions de la Connaissance, Bruselas, 1965.

36. *Obras escogidas* de Vladímir Maiakowski, tomo III, Platina, Buenos Aires, 1958, p. 185; *Dziga Vertov*, de Georges Sadoul, Champ Libre, París, 1971, p. 58.

37. *La Gaceta Literaria*, n.º 43, 1 de octubre de 1928, p. 1.

38. *La Gaceta Literaria*, n.º 24, 15 de diciembre de 1927, pp. 4-5.

39. «Films antiartísticos. La gran duquesa y el camarero – El traje de etiqueta (por Adolf Menjou)», en *La Gaceta Literaria*, n.º 29, 1 de marzo de 1928, p. 6.

40. *La Gaceta Literaria*, n.º 22, 15 de noviembre de 1927, p. 3.

41. «Le Sang d'un poète», en *Le Figaro* del 9 de noviembre de 1930. Reproducido en *Du Cinématographe*, de Jean Cocteau, Belfond, París, 1988, p. 114.

42. «Le Testament d'Orphée» (1960), en *Du Cinématographe*, p. 138.

43. Ot-Oesterr Verlag, Viena, 1924.

44. *Mon dernier soupir*, p. 140; *Conversaciones con Buñuel*, p. 65.

45. *Cahiers d'Art,* n.º 3, 1927.

46. «Vers la supressió de l'art», en *L'Amic de les Arts,* n.º 31, 31 de marzo de 1929, pp. 2-3.

47. «Variaciones sobre el bigote de Menjou», en *La Gaceta Literaria,* n.º 35, 1 de junio de 1928, p. 4. Una primera versión de ese artículo había aparecido en francés, en 1927, en *Cahiers d'Art.*

48. «El arte de ver cine», en *Memoria cinematográfica de Rafael Porlán Merlo,* introducción y edición de Rafael Utrera, El Ojo Andaluz, Sevilla, 1992, p. 25.

49. *Cahiers d'Art,* n.º 10, 1927.

50. *La Gaceta Literaria,* n.º 51, 1 de febrero de 1929, p. 7.

51. *L'Amic de les Arts,* n.º 31, 31 de marzo de 1929, p. 16.

52. *La Gaceta Literaria,* n.º 39, 1 de agosto de 1928, p. 5.

53. «La próxima sesión. Lo cómico en el cinema», en *La Gaceta Literaria,* n.º 56, 15 de abril de 1929, p. 1.

54. «Harry Langdon», en *La Gaceta Literaria,* n.º 43, 1 de octubre de 1928, p. 1.

55. «... Sempre, per damunt de la música, Harry Langdon», en *L'Amic de les Arts,* n.º 31, 31 de marzo de 1929, p. 3.

56. *Indagación del cinema,* p. 53.

57. *Indagación del cinema,* pp. 160-161.

58. «Anziché aceto, iodio (Buñuel sportivo)», de Agustín Sánchez Vidal, en *Ludus. Gioco, sport, cinema nell'avanguarda spagnola,* de Gabriele Morelli ed., Jaca Book, Milán, 1994, p. 290.

59. *L'Amic de les Arts,* n.º 25, 31 de mayo de 1928, p. 200.

60. 31 de diciembre de 1928, p. 242.

61. *La Gaceta Literaria,* n.º 55, 1 de abril de 1929, p. 7.

62. «Un Chien andalou», en *Mirador,* n.º 39, 24 de octubre de 1929.

63. «L'esperit nou», en *La Publicitat,* 15 de abril de 1932.

64. *The Shameful Life of Salvador Dalí,* pp. 218-229.

65. *Mon dernier soupir,* p. 116; *Conversaciones con Buñuel,* p. 64.

66. Editions des Cahiers Libres, París. Edición bilingüe en España de Labor, Barcelona, 1978.

67. *The Secret Life of Salvador Dalí,* p. 318.

68. Citado por Rafael Utrera en *Modernismo y 98 frente a Cinematógrafo,* Universidad de Sevilla, 1981, p. 65.

69. «Documental-Paris-1929 [VI]», en *La Publicitat,* 28 de junio de 1929, en *L'alliberamet dels dits,* p. 214.

4. LA SACUDIDA ULTRAÍSTA

EL PAISAJE CULTURAL MADRILEÑO

Hacia 1919, Madrid empezó a homologarse a Barcelona en el ámbito de la modernidad cultural. Por un lado, una pequeña parte del exilio artístico europeo fue a recalar también en la capital, como hicieron Sonia y Robert Delaunay, además de un grupo importante de pintores polacos (Marjan Pazkiewicz, Ladislaw Jahl, Waclaw Zwadowski), que en abril de 1918 presentaron una sonada exposición colectiva. En *La arboleda perdida*, Alberti recuerda su impacto e influencia en los ambientes artísticos de Madrid.[1] Como también recuerda la revelación de Daniel Vázquez Díaz, regresado de su estancia en París en el mismo año y portador de nuevas propuestas plásticas, que estallaron en su controvertida exposición madrileña de 1921.[2] Fue también en la segunda mitad de este fecundo 1918 cuando el poeta chileno Vicente Huidobro llegó a Madrid, ciudad que había atravesado fugazmente en 1916, en su camino a París, aunque con tiempo suficiente para conocer a Gómez de la Serna y a Rafael Cansinos-Asséns. En este nuevo viaje, ahora procedente de la capital francesa, Huidobro inyectó en los círculos literarios madrileños el impulso vanguardista en su formulación «creacionista». Este impulso resultó fundamental en la génesis del ultraísmo madrileño.

Fue una paradoja que en el origen del ultraísmo figurase un escritor tan poco vanguardista como Rafael Cansinos-Asséns. Guillermo de Torre ha recordado que «ultraísmo era sencillamente uno de los muchos neologismos que esparcía a voleo en mis escritos de adolescente. Cansinos-Asséns se fijó en él, acertó a aislarlo, a darle relieve».[3] Desde la presidencia de su tertulia en el Café Colonial, de Madrid, Cansinos-Asséns redactó e impulsó, en el otoño de 1918 –aunque no lo firmó– el texto «Ultra. Un manifiesto de la juventud literaria», que proponía una renovación radical, y que suscribieron Guillermo de Torre, Pedro Garfias y José Rivas Panedas, entre otros. En junio del año siguiente aparecería el «Manifiesto ultraísta» de Isaac del Vando Villar, publicado en el vigésimo número de la revista *Grecia.*

Hemos mencionado antes el creacionismo de Huidobro porque el creacionismo y el ultraísmo compartían la misma voluntad de ruptura con la tradición modernista representada por Rubén Darío y con la poesía rimada, reglada, descriptiva, anecdótica, mimética y sentimental, así como por su pretensión de otorgar primacía a la imagen, sobre todo a las imágenes vinculadas al dinamismo del mundo urbano y moderno, al cine, al deporte, a la máquina, a la electricidad, al automóvil, al aereoplano... El ultraísmo fue una amalgama, y una acomodación local, de las tendencias vanguardistas que llegaban a las tertulias madrileñas desde Europa –futurismo, dadaísmo, cubismo– y que manifestó enfáticamente su voluntad de ruptura con la tradición. A pesar de su aislamiento, el ruido exterior de la modernidad había conseguido llegar a Madrid y había contaminado a algunos intelectuales. José Gaos, por ejemplo, ha recordado el gesto dadaísta de César González Ruano en 1922, en una representación de María Guerrero en el Teatro de la Princesa, y en cuyo acto el escritor proclamó a grito pelado que Cervantes era manco porque escribía con los pies.[4] Para decirlo con palabras de Guillermo de Torre, tras el agotamiento del modernismo, «confusamente el ultraísmo intentó ser una ruptura y una inauguración a la par».[5] A partir de este momento se inició la modernización literaria madrileña.

El ultraísmo dio vida a varias revistas, que fueron vehículo de dicha modernización. Entre ellas destacó la madrileña *Ultra,* en la que colaboró Gómez de la Serna, y que apareció en enero de 1921 y se clausuró con el número vigésimo en marzo de 1922. En su sexto número, de 30 de marzo de 1921, incluyó media página de publicidad de los Cines Real Cinema y Príncipe Alfonso, glosando elogiosamente el estreno madrileño de *Intolerancia (Intolerance,* 1916), de D. W. Griffith, una práctica infrecuente en las revistas literarias de la época. También Luis Buñuel participó en la corriente ultraísta, como ha recordado en varios lugares,[6] y publicó su primer texto literario, titulado «Una traición incalificable», en el penúltimo número de esta revista, en febrero de 1922. Y luego proseguiría sus colaboraciones en las revistas ultraístas *Horizonte* y *Alfar.* Por esta época Buñuel sentía especial admiración hacia Pedro Garfias, representante de la tendencia más política y anarquista del ultraísmo. Más tarde, con su viaje a París en enero de 1925, se produciría su aproximación a los postulados radicales del surrealismo.

Otra revista ultraísta importante fue *Grecia*, que apareció quincenalmente en Sevilla desde el 12 de octubre de 1918, con una orientación tradicional, pero en la primavera de 1919 conoció su inflexión ultraísta y desde junio de 1920 se publicó en Madrid. La revista coruñesa *Alfar* fue creada en 1920 por el poeta uruguayo Julio J. Casal. La madrileña *Cosmópolis* lo fue en 1919 por el guatemalteco Enrique Gómez Carrillo. Y Pedro Garfias dirigió desde 1922 *Horizonte*, que se extinguió al año siguiente.

En efecto, en 1923 el sarampión ultraísta estaba prácticamente liquidado, dejando una herencia literaria difusa. En 1920, en el reposo obligado por una enfermedad pulmonar, junto a las lecturas de Apollinaire y Max Jacob, Alberti descubrió el movimiento ultraísta, que le impresionó,[7] aunque en sus memorias proclama luego que los desviantes del ultraísmo (Alberti, Lorca, Aleixandre, Dámaso Alonso, Gerardo Diego) se revelarían como la «nueva y verdadera vanguardia».[8] Y, con su autoridad de historiador del periodo, José-Carlos Mainer podría confirmar que muy pocos poetas de la generación del 27 procedían del ultraísmo –Gerardo Diego fue su excepción más relevante–, pues la mayoría llegaron desde la disolución del modernismo.[9]

LA IMAGEN CINEMATOGRÁFICA ULTRAÍSTA

El clima de sensibilidad vanguardista en la posguerra y de receptividad admirativa hacia lo nuevo y lo moderno propició la atención de los escritores hacia el cine, un arte maquinista, vehículo de acciones trepidantes y que se dirigía a las masas. En septiembre de 1918, en la revista parisina *Le Film*, Louis Aragon escribía: «Es indispensable que el cine ocupe un lugar en las preocupaciones de las vanguardias artísticas.»[10] Y, predicando con el ejemplo, estampó sus poemas «Charlot sentimental» y «Charlot mystique».[11] Siguiendo sus pasos, Philippe Soupault publicó el poema «Cinéma-Palace» en su libro *Rose des vents* (1920). Algunos de estos textos se conocieron pronto en España. Así, Rafael Cansinos-Asséns tradujo el poema de Apollinaire «Avant le cinéma», que formaría parte de su libro *Il y a*, y lo editó con el título «Antes del cine» en el duodécimo número de *Grecia*, en abril de 1919.

La receptividad cinéfila llegó, por tanto, con prontitud a la península[12] y fue el madrileño Guillermo de Torre, «Menéndez Pelayo del vanguardismo por su erudición prodigiosa sobre todos los ismos», según Giménez Caballero,[13] quien lo hizo más patente en aquellos años. Guillermo de Torre se ocupó del cine en su doble condición de ensayista y de poeta. Pero ya en su entusiasta y torrencial «Manifiesto Ultraísta Vertical», publicado en el quincuagésimo y último número de *Grecia*, en noviembre de 1920, ocupaba un lugar privilegiado. En él podía leerse:

> Los espectadores son arrollados por las calles que desfilan cinemáticas.
>
> La imagen –protoplasma primordial del nuevo substrato lírico– se desdobla y se amplía hasta el infinito en los poemas creados de la modalidad ultraica.
>
> Participamos de las normas cubistas al iluminar sus perspectivas exaédricas, y situar la imagen en el espacio según la yuxtaposición y compenetración de planos. Y junto al *film* cinematográfico norteamericano, gran inyección vivificante, por el frenesí de sus hazañas musculares y mentales, amamos la intención de retorno hacia las primitivas estructuras y el orgasmo barroco, que implica toda esa estatuaria subconsciente, acerba e impar del Arte negro.

La exaltada poética ultraísta de Guillermo de Torre no tardaría en manifestar paladinamente que «entre la máquina y la rosa, como leit-motifs sugeridores, yo prefiero la primera».[14] Con la rosa se condenaba el sentimentalismo cursi, blandengue y pasadista, mientras que con la máquina se exaltaba al cine, al avión, a la velocidad. En su artículo «El cine y la novísima literatura: sus conexiones», publicado en *Cosmópolis,*[15] subrayó la coincidencia de ambas artes en otorgar importancia a las metáforas visuales. Y en «Cinema», estampado en 1926 en *Revista de Occidente,*[16] sostuvo que, con sus treinta años de vida, el cine «no entra ahora en su edad adulta, sino más bien en una adolescencia inquieta, de agitado ritmo primaveral».[17] Una adolescencia estética que se quería también para la bulliciosa poesía de la modernidad maquinista. Aunque Alberti, evocando años después su verso «Morena, desenrolla ante mí el film de tus ojos carburadores», haría notar su parecido con el lenguaje castizo de los chulos de Arniches,[18] evidenciando que todos los barroquismos acaban por delatar su común parentesco.

En la revista *Grecia*, en mayo de 1919,[19] publicó Guillermo de Torre su poema «Friso ultraísta. Film», que con verbo embriagado proclamaba:

> Y en el vértice multiédrico
> del lumínico haz triangular
> se refractan miles de miradas dardeantes
> ¡Oh el vibrar multánime de la pantalla cinemática!

En este caso, la saturación de vocablos procedentes de los léxicos de la geometría y de la física (vértice, multiédrico, lumínico, haz, triangular, refractan, vibrar, cinemática) no se utiliza para enfriar el poema, sino para impresionar al lector al revestir al cine con el halo de la modernidad científica. Y los adjetivos «multiédrico» y «multánime» asocian el poema a la estética cubista.

En 1921 publicó en *Ultra*[20] un texto de prosa poética exaltando la llegada de la primavera, titulado «Friso primaveral», en el que se leía:

> Sobre la pantalla impoluta del nuevo horizonte, montado por escenógrafos audaces, se proyecta el film floreal.
>
> . . .
>
> Y en los jardines y cinemas todas las neuróticas sin novio, inyectan en su endocardio morfina primaveral.

En esta ocasión Guillermo de Torre convertía a la estación primaveral en un «film floreal», equiparando el apogeo de la naturaleza y el artificio artístico. Y, más abajo, hacía de sus fabulaciones románticas en la pantalla la «morfina primaveral» para consuelo o remedio de las neuróticas sin novio. En ambos casos, la percepción del espectáculo cinematográfico era celebrativa.

En febrero de 1922 editó en *Ultra*[21] el poema «Fotogenia», que dedicó al pintor Rafael Barradas, en el que decía:

> Luz
> Desde el Zenit se abre el diafragma del objetivo fotográfico
> Sobre las perspectivas frondosas dinámicas y coloreadas
> Que multiplican sus tornátiles reflejos.
> . . .
> Ante el reflector de Helios surgen imágenes en la pantalla de mi [horizonte

Cinematografía pictórica
Alquimia y electrolisis colorista
Formación de la rosa del color
. . .

Su libro poético más característico y recordado fue *Hélices*, en donde podía leerse:[22]

> Alto voltaje
> la sala del cinema
> es una máquina electromagnética
> Foco de incitaciones
> Acciones y reacciones
> Palpita el pulso de la vida
> en las imágenes simultáneas de la pantalla.

De nuevo, la utilización retórica de términos de física otorgaba al poema un especial dinamismo modernizador, del que ni siquiera conseguía escapar el vagabundo Charlot, a quien tres páginas después calificaba de «dinamómetro del humor moderno».

Muy distinto fue el caso del santanderino Gerardo Diego, que procedía del creacionismo, y cuyo segundo libro, de 1922, se tituló precisamente *Imagen* e incluía poemas escritos entre 1918 y 1921, entre ellos uno breve titulado «Cine». La segunda parte del libro se tituló «Imagen múltiple» y en ella el poeta diseñó sus textos tipográficamente de forma casi caligramática. Esta composición espacial del texto, que algunos poetas ultraístas importaron de Francia, reveló su impulso para convertir la sustancia literaria, no sólo en imagen a través de su capacidad analógica o metafórica, sino también en un arte visual y en figura plástica, a través de la disposición caprichosa de su escritura. Esta cinematograficidad de la poesía creacionista fue tempranamente observada por un anónimo comentarista de *La Gaceta Literaria*, que escribió: «Sus versos actúan por grandes planos como el cine. Cójase si no un poema, pónganse números de orden delante de cada verso y lo habremos transformado en un *scenario.*»[23] Y como un eco de Gerardo Diego, el poeta ultraísta venezolano Miguel Ángel Queremal, residente en Málaga, anunció en 1926 un libro de poemas titulado *El trapecio de las imágenes.*[24]

El ultraísmo introdujo definitivamente en la poesía española del nuevo siglo el gusto por el visualismo, por las imágenes y por las metáforas, que se convierten en esencia de la poesía. En *La deshumanización del arte*, Ortega, que sólo citó una vez al ultraísmo de pasada,[25] fue sensible en cambio al nuevo clima poético y escribió: «La poesía es hoy el álgebra superior de las metáforas. La metáfora es probablemente la potencia más fértil que el hombre posee. (...) Al sustantivarse la metáfora se hace, más o menos, protagonista de los destinos poéticos.»[26]

Como vemos, el interés de los poetas hacia el cine no era únicamente referencial, sino que alcanzaba a algunos de sus procedimientos técnicos. La fragmentación del discurso, como los planos que segmentan una película; el uso de palabras o frases en mayúsculas, que equivalen al primer plano; las estructuras rítmicas, que son también propias del montaje cinematográfico; y el gusto por la imagen y la metáfora delatan, en su conjunto, la contaminación expresiva que la poesía ultraísta recibió, de modo autocomplaciente, del cine.

Así, en septiembre de 1919, un Juan Larrea presurrealista publicó en *Grecia* su poema «Otoño»,[27] que utilizó el efecto de travelling, con un desplazamiento del punto de vista del propio poeta, que no sería exagerado calificar como travelling subjetivo:

> Por las carreteras cinemáticas
> En aquel automóvil
> ÍBAMOS FILMANDO
>
> A nuestro paso
> de la selva enmohecida
> a bandadas aventábamos cenizas.

En mayo de 1919, Pedro Garfias publicó en *Grecia* su notable poema «Cinematógrafo»,[28] que dice:

> Los volcheviquis
> han cortado los cables eléctricos.
> La calle muere en el espejo.
> Desde una estrella
> vemos el mundo por un telescopio.
> Estamos asomados a la vida
> por el ojo de la cerradura.
> La Bertini está siempre ante el objetivo.
> El avión

extraviado, se coló en la sala
y conoció su error
al dar en la columna con las alas.
Intervino el acomodador.
Anoche volé yo sobre Madrid:
Los últimos noctámbulos
lanzaron a mi antena un radiograma
y un loco hermano me lanzó su alma...
Charlot es un muñeco de Sanz.
... ¿se reparó ya la avería?
El viento llega demasiado tarde.

Las relaciones de este poema con el cine van mucho más allá que las referencias a Francesca Bertini y al Charlot del ventrílocuo Francisco Sanz Baldoví. Pedro Garfias empieza por jugar con los puntos de vista ópticos, a partir de «la calle muere en el espejo». Desde la estrella, el poeta puede ver el mundo a través de las lentes magnificadoras del telescopio –como si fuera un objetivo cinematográfico–, del mismo modo que estamos asomados a la vida por el ojo de la cerradura. Estas curiosas figuras de ocularización sugieren los puntos de vista de una cámara cinematográfica y las diferentes visiones del espectador ante la pantalla. Cuando Garfias invoca la visión a través del ojo de la cerradura está estableciendo una analogía con la selectividad del encuadre, que guía estrechamente la mirada espectatorial. Tal vez Garfias había llegado a ver alguno de los primitivos *films-voyeurs* de principios de siglo, en los que aparecía en la pantalla la silueta de un agujero de cerradura, tras el que una señorita se quitaba algunas esprendas y quedaba bien protegida por su extensa ropa interior. En estos films supuestamente picantes, en efecto, destinados al mironismo erótico de los espectadores masculinos, no se mostraba lo que en realidad se vería espiando a través de una cerradura, sino lo que la moral pública de la época permitía que se viera en un espectáculo público. Más tarde, con el avión que se cuela en la sala y choca con una columna, Garfias mezcla el plano de la ficción representada en la pantalla y el plano de la realidad, como hará muchos años después Woody Allen con un personaje de *La rosa púrpura del Cairo (The Purple Rose of Cairo*, 1985). Pero el avión sirve después para que el poeta obtenga nuevos puntos de vista sobre Madrid.

A Pedro Garfias pertenece probablemente, por otra parte, la primera equiparación de la luz lunar y la proyección cinematográfica, que será luego tan frecuentada por otros poetas. Se produce, precisamente, en su «Poema romántico», en noviembre de 1919, cuando escribe:[29]

Y la luna proyecta
sobre la azul pantalla
un film sentimental.

Al año siguiente, Adriano del Valle insistirá en «Canción lejana»:[30]

Y la luna
pantalla cinemática
boya para los náufragos.

Lucía Sánchez Saornil (seudónimo de Luciano de San Saor) publicó en el tercer número de *Ultra* su poema «Cines»:[31]

La ventana pantalla cinemática
reproduce su película inmortal
en los espejos.

La cinta se fragmenta a cada paso
y se barajan los episodios.
Los actores son siempre distintos.

Tú y yo actores anónimos
un día pasearemos ante el objetivo.

La calle llena el cuarto.
Los espejos acuarios
fluyen sus aguas turbias.

Encendemos las baterías.
El cuarto se va por los espejos.

A toda luz mis palabras-reflectores
proyectan en tus ojos
un film sentimental.

En esta ocasión el poeta juega con la equivalencia pantalla-ventana-espejo, como eco moderno de la analogía que Giambattista Alberti estableció entre la ventana y la tela del cuadro. Y concede a este espacio un estatuto mágico, pues «El cuarto se va por los espejos». Pero además del espacio visual, invoca el poeta el flujo temporal del film: la fragmentación de la cinta, los episodios barajados, el cambio de actores. Reconociéndose él y su amada «actores anónimos/un día pasearemos ante el objetivo», al final interpela cálidamente a su pareja, haciendo de sus ojos de poeta un proyector de cine: «A toda luz mis palabras-reflectores/proyectan en tus ojos/un film sentimental.»

PUNTO Y REFLEXIÓN

Hemos dicho que en 1923 el movimiento ultraísta se había ya extinguido. Pero aquel primer toque de clarín de la modernidad estética no pasó en vano y los gustos y opciones culturales fueron, desde esta fecha, distintos. Por otra parte, en 1925 aparecieron dos libros capitales que certificaron el nuevo cambio de rumbo. Nos referimos a *La deshumanización del arte*, de Ortega y Gasset y publicado primero por entregas en *El Sol* en enero y febrero de 1924, y a *Literaturas europeas de vanguardia*, de Guillermo de Torre, el fundador del ultraísmo, y en el que podía leerse: «El Cinema proyecta sus angulares rayos luminosos, sus imágenes palpitantes y su vital ritmo acelerador sobre nuestras letras de vanguardia.»[32]

Ortega era miembro prominente de la que ha sido calificada como «generación del 14» –junto a Pérez de Ayala, Marañón, Juan Ramón Jiménez, Gabriel Miró, Américo Castro, Madariaga, Sánchez Albornoz y Manuel Azaña–, una generación definida por su neta vocación europeísta y renovadora, superadora de la denuncia y la perplejidad noventayochista. En 1915 fundó el semanario *España*, como órgano de la Liga de Educación Política y que introdujo una sección de cine, en la que colaboraron Federico de Onís, Martín Luis Guzmán y «Fósforo» (seudónimo del escritor mexicano Alfonso Reyes). En julio de 1923 lanzó la mensual *Revista de Occidente*, de la que fue secretario Fernando Vela, quien en diciembre de 1924, como ya dijimos, informó prontamente en sus páginas acerca de la nueva doctrina surrealista. Es de sobras sabido que el magisterio de Ortega fue inmenso en aquellos años y, entre muchas otras novedades, convenció al editor José Ruiz-Castillo, de Biblioteca Nueva, para que iniciara desde 1922 la edición en castellano de las obras completas de Sigmund Freud.

La deshumanización del arte fue un libro de glosa y análisis general del sentido de los terremotos estéticos que tuvieron lugar en las primeras décadas del siglo, sin pormenorizar ninguno de ellos. No fue un libro celebrativo ni panegirista, aunque aportó un marco explicativo y, por ello, legitimador de las experiencias de las vanguardias artísticas. Justificó la descalificación del arte descriptivista, mimético, narrativo y anecdótico con el siguiente diagnóstico: «Alegrarse o sufrir con los destinos humanos que, tal vez, la obra de arte nos refiere o presenta es cosa muy diferente del verdadero goce artístico. Más aún: esa ocupación con lo humano de la obra es, en principio, incompatible con la estricta fruición estética».[33] Pero además de legitimar el sentido de las nuevas tendencias artísticas, Ortega se fijó en el cine. Ya en su texto «Sobre el punto de vista en las artes», de 1924, había escrito: «La Historia, cuando es lo que debe ser, es una elaboración de films. No se contenta con instalarse en cada fecha y ver el paisaje moral que desde ella se divisa, sino que a esa serie de imágenes erráticas, cada una encerrada en sí misma, sustituye la imagen de un movimiento.»[34] La metáfora cinemática demuestra que Ortega había reflexionado sobre el artificio de la representación cinematográfica. Y en su libro escribió lapidariamente: «El triunfo del deporte [en la actualidad] significa la victoria de los valores de juventud sobre los valores de senectud. Lo propio acontece con el cinematógrafo, que es, por excelencia, arte corporal.»[35]

NOTAS

1. *La arboleda perdida*, de Rafael Alberti, Seix y Barral, Barcelona, 1975, p. 130.
2. *La arboleda perdida*, p. 131.
3. *Historia de las literaturas de vanguardia*, de Guillermo de Torre, Guadarrama, Madrid, 1965, p. 536.
4. *Conversaciones con Buñuel*, de Max Aub, Aguilar, Madrid, 1985, p. 258.
5. *Historia de las literaturas de vanguardia*, p. 519.
6. *Mon dernier soupir*, de Luis Buñuel, Robert Laffont, París, 1982, p. 91; *Buñuel por Buñuel*, de Tomás Pérez Turrent y José de la Colina, Plot, Madrid, 1993, p. 17.
7. *La arboleda perdida*, p. 143.
8. *La arboleda perdida*, p. 164.
9. *La Edad de Plata (1902-1939). Ensayo de interpretación de un proceso cultural*, de José-Carlos Mainer, Cátedra, Madrid, 1987, p. 193.

10. En el artículo «Du Décor». Citado en *Les surréalistes et le cinéma*, de Alain y Odette Virmaux, Seghers, París, 1976, p. 111.

11. En *Le Film* del 18 de marzo de 1918 y en *Nord-Sud,* n.º 15, de mayo de 1918, respectivamente.

12. Sobre la presencia del cine en la literatura ultraísta: «Il Cinema nella rivista *Grecia*», de Laureano Núñez García, en *Ludus. Gioco, Sport, Cinema nell'avanguarda spagnola*, de Gabrielle Morelli, ed., Jaca Book, Milán, 1994, pp. 261-276.

13. *Memorias de un dictador*, de Ernesto Giménez Caballero, Planeta, Barcelona, 1979, p. 60.

14. «Bengalas», en *Alfar,* n.º 42, agosto de 1924, p. 76.

15. *Cosmópolis,* n.º XXXIII, 1921.

16. *Revista de Occidente,* n.º XXXIV, 1926.

17. *Revista de Occidente,* n.º XXXIV, 1926, p. 117.

18. *La arboleda perdida*, pp. 143-144.

19. *Grecia,* n.º XVI, 20 de mayo de 1919, p. 20.

20. *Ultra,* n.º 11, 20 de mayo de 1921.

21. *Ultra,* n.º 23, 1 de febrero de 1922.

22. *Hélices. Poemas*, de Guillermo de Torre, Mundo Latino, Madrid, 1923, p. 104.

23. «Noticiario», en *La Gaceta Literaria,* n.º 24, 15 de diciembre de 1927, p. 5.

24. *Diccionario de las vanguardias en España*, de Juan Manuel Bonet, Alianza, Madrid, 1995, p. 505.

25. «El ultraísmo es uno de los nombres más certeros que se han forjado para denominar la nueva sensibilidad», en *La deshumanización del arte y otros ensayos estéticos*, de José Ortega y Gasset, Revista de Occidente, Madrid, 1960, p. 21, nota 1.

26. *La deshumanización del arte y otros ensayos estéticos*, pp. 32 y 36.

27. *Grecia,* n.º XXVII, 20 de septiembre de 1919, p. 13.

28. *Grecia,* n.º XVII, 30 de mayo de 1919, p. 6.

29. *Grecia,* n.º XXXIV, 30 de noviembre de 1919, p. 16.

30. *Grecia,* n.º XLVIII, 1 de septiembre de 1920, p. 9.

31. *Ultra,* n.º 3, 20 de febrero de 1921.

32. *Literaturas europeas de vanguardia*, de Guillermo de Torre, Caro Raggio, Madrid, 1925, p. 386.

33. *La deshumanización del arte y otros ensayos estéticos*, p. 8.

34. «Sobre el punto de vista en las artes» (1924), en *La deshumanización del arte y otros ensayos estéticos*, p. 173.

35. *La deshumanización del arte y otros ensayos estéticos*, p. 50.

5. LA GENERACIÓN DEL CINE Y LOS DEPORTES

EL ARTE DE LA MODERNIDAD

Luis Gómez Mesa inventó el epígrafe «generación del cine y los deportes» como título genérico para una serie de entrevistas que efectuó desde enero de 1929, publicadas en el semanario barcelonés *Popular Film*. Era una denominación acertada, entre otras cosas, porque los entrevistados tenían la edad aproximada del cine. Esta coetaneidad la había observado ya Fernando Vela cuatro años antes, cuando escribió en *Revista de Occidente* «el cine tiene los mismos años que nosotros».[1] Y Rafael Alberti no tardaría en evocar esta contemporaneidad con orgullo en un verso famoso de «Carta abierta» (de su libro *Cal y canto*, 1926-27):

Yo nací –¡respetadme!– con el cine.

La afirmación altiva de Alberti designaba con complacencia un doble parentesco: cronológico y estético. Y Guillermo de Torre reincidiría en valorar positivamente tal coetaneidad en un artículo de 1930 titulado expresivamente «Un arte que tiene nuestra edad»[2] y en el que añadía nuevas razones para su sintonía estética con él: «El auge del cinema, a que asistimos –escribía–, no es sino una consecuencia más de la preponderancia que lo visual obtiene en la expresión artística moderna. Sabido es, por ejemplo, hasta qué punto la poesía de estos últimos años –a partir de los Caligrammes de Apollinaire– perdió importancia auditiva, hasta desvalorizarse la rima y otras triquiñuelas retóricas, y ganó preeminencia visual. (...) [El] foco triangular [del cine] se abre hacia la poesía plástica, hacia el lirismo visual, repleto de imágenes y de metáforas que caracteriza a los poetas nuevos.»

La generación coetánea del cine fue, precisamente, la famosa generación del 27, que tomó productivamente conciencia de su sincronía con el nuevo arte. No fue un caso único. Poco antes, en Francia, el poeta Robert Desnos empezó su primer artículo sobre cine aludiendo a «la generación que llega a la edad del cine».[3] El cine era joven, tanto como los escritores que habían nacido con él y que lo admiraban. Por eso pudo leerse en el editorial del número monográfico de *La Gaceta Literaria* dedicado al cine, en octubre de 1928: «Nuestra juventud nos exime de justificar nuestros entusiasmos. Todos los jóvenes sentimos el Cinema. Es nuestro. Él es un poco nosotros.»[4] De todas las artes que aquellos escritores habían conocido, sólo una no les preexistía, sino que había crecido a su vera y había ido construyendo su lenguaje ante sus ojos. Era una buena razón para el idilio y justificaba el diagnóstico categórico que emitiría Arconada en su entrevista para *Popular Film:* «El cine es la expresión de lo moderno.»

El amor al cine formaba parte, claro está, de la modernolatría de aquellos días, un culto de raíz futurista que quedaría seriamente dañado a partir de la crisis económica de 1929, como resultó palmario en *Poeta en Nueva York*, de Lorca. Si tratamos de individualizar las diversas razones por las que el cine ejercía tanta fascinación sobre aquellos jóvenes, encontraremos por lo menos cinco.

La primera, porque el cine era visto como un arte de síntesis suprema de las restantes artes, según había establecido Ricciotto Canudo en 1911 en su «Manifiesto de las siete artes» (publicado en 1923 en *La Gazette des Sept Arts)*, y como punto de encuentro de la modernidad maquinista y de la estética. Como escribió Guillermo de Torre en el prólogo de *Literaturas europeas de vanguardia*, eran «las ruedas del nuevo maquinismo las que mueven nuestra sensibilidad en un sentido original».[5]

La segunda radicaba en la capacidad del cine para producir una nueva belleza, que reflejaba la velocidad y el ritmo de la modernidad urbana, mientras que los primeros planos suministraban experiencias perceptivas inéditas y el montaje podía producir vértigo en la mirada. Muchos escritores de la generación del 27 se habían formado en el visualismo, con dibujos, *collages* o lienzos, como García Lorca, Alberti –quien fue pintor antes que poeta–, Moreno Villa, Emilio Prados y Adriano del Valle. Y entre los pintores profesionalizados, Benjamín Palencia confeccionó fotomontajes en los años veinte. Por eso la imagen fotográfica animada, en la que acabaron por desembarcar Buñuel y Dalí, aparecía, para todos ellos, como una culminación coherente de la cultura visual.

La tercera razón se hallaba en su postura antiburguesa, que les distanciaba tanto del teatro cuanto les aproximaba al cine. Así Alberti, después de señalar en sus memorias que en el cine «centraba esquemáticamente el punto de partida de lo nuevo», añade poco después: «Al teatro iba poco. El cine era lo que me apasionaba. Nuestra escena, invadida aún en aquel tiempo por Benavente, los Quintero, Arniches, Muñoz Seca..., nada podía darme.»[6] El teatro era entonces, salvo en el caso de los géneros llamados «menores», un espectáculo burgués, solemne y elegante, mientras que el cine era, en cambio, un espectáculo popular, dinámico, vivaz, sin tradición e industrializado. En Francia ocurrió algo parecido y, como señalaron Alain y Odette Virmaux, hacia 1920 una parte de su juventud intelectual se volcó hacia el cine porque se hallaba en las antípodas de la cultura burguesa impuesta.[7] André Breton confesaría años después, por ejemplo, que en su juventud no había encontrado nada tan *magnetizante* como el cine.[8] En la España premoderna, la burguesía se hallaba varios pasos detrás de la francesa en materia de gustos y de prejuicios estéticos, hasta el punto de que Valle-Inclán ya había protestado en 1915 acerca de la imposibilidad de educarla.[9] Por lo tanto, la cinefilia de los escritores jóvenes constituía una especie de oportuno dandismo estético antiburgués. Hay que recordar que un parecido rechazo a la cultura burguesa orientó a Alberti (a través de la lectura de Gil Vicente) y a Lorca (a través de las canciones populares y las marionetas) hacia un rescate de la tradición artística popular, que se plasmó en su neopopularismo literario. Por eso sus preferencias se orientaban hacia el cine norteamericano y sus géneros comerciales. Ramiro Ledesma Ramos lo recordaba en una encuesta de *La Gaceta Literaria* en 1928: «El Cinema es popular, y esta es una de sus máximas virtudes.»[10] Y Francisco Ayala opinaba que «los ensayos de cine para minorías dan la impresión de cosa superflua, falsa, pedantesca. No llegan a satisfacer. Hacen preferible el cine de producción industrial».[11] También en 1929, en sintonía con los postulados antiartísticos de Dalí, Louis Aragon y André Breton sentenciaban: «Es en *Los misterios de Nueva York*, es en *Los vampiros* donde habrá que buscar la gran realidad de este siglo. Más allá de la moda, más allá del gusto.»[12] Ni Breton ni Aragon podían sospechar hasta qué punto su diagnóstico resultaría estremecedoramente cierto. Picasso, Max Jacob y Blaise Cendrars les habían dado ejemplo afiliándose a la Société des Amis de Fantomas.

Y en el distante clima cultural de Inglaterra, Virginia Woolf, en un texto de 1926, consideró inviable la adaptación al cine de obras literarias prestigiosas, como *Ana Karénina* de Tolstói, porque «el resultado es desastroso para ambos».[13]

La cuarta razón, implícita en la anterior, es que el cine era un arte de masas, es decir, el arte de los nuevos protagonistas de la escena social. El cine era, en este aspecto, primo hermano de la radio, un medio que cultivó con fruición Ramón Gómez de la Serna. A la radio y al gramófono dedicó *La Gaceta Literaria* varios artículos.[14] Y, paralelamente al interés por la radio y el fonógrafo, figuraba la querencia por el jazz, un nuevo ritmo descoyuntado que había llegado a Madrid en 1919, con la primera orquesta negra que actuó en el Club Parisiana, junto a la Plaza de la Moncloa. Fueron devotos del jazz Ramón Gómez de la Serna, quien escribió sobre el tema, Luis Buñuel (a quien Alberto Jiménez Fraud prohibió llevar una orquesta negra de jazz a la Residencia de Estudiantes), Luis Cernuda, Salvador Dalí (quien lo elogió como «antiartístico»), Lluís Montanyà y Guillermo Díaz Plaja. Y Moreno Villa confesaría que en su libro *Jacinta la pelirroja*, de 1929, «quise apareciera algo del espíritu y la forma sincopada de jazz, que me embargó en Norteamérica».[15]

Y la última razón explicativa de la atracción hacia el cine era por su función modernizadora de liberador de costumbres e incitador erótico, lo que no era baladí en un país tan tradicionalista como España y en el que la Iglesia católica ejercía tanta influencia moral en la vida pública y privada, aunque ello no impidió que el rey Alfonso XIII fuera un consumidor de pornografía cinematográfica en palacio. Un buen ejemplo de su influencia puritana lo suministró el director general de Seguridad, Millán de Priego, cuando ordenó en noviembre de 1920 la separación de sexos en las salas de cine, con una zona trasera para las parejas casadas, pero iluminada con luz roja. Esta disposición, que fue incumplida masivamente y por ello derogada, era un fruto lógico del clima moral creado desde púlpitos y escuelas, al que habían contribuido también no pocos escritores españoles. En este punto la generación del 27 tuvo una actitud contrastada con la del 98, en la que Unamuno vituperó desde 1907 los desnudos y exhibiciones femeninas en la pantalla.[16] Mientras que Arconada exaltó en cambio en 1928 el personaje de depredadora sexual que Greta Garbo encarnaba en *El demonio y la carne (Flesh and the Devil*, 1927), «que agita sus pasiones en ese clima heroico de los excesos, de las anormalidades, de los extralímites».[17] Y Gómez Mesa, en la misma revista, evocó con delectación a la Francesca Bertini que «nos enseñó a besar a nuestras novias en la infancia».[18] En efecto, el beso, más que el desnudo, fue tema admirativo y recurrente en las revistas cinematográficas populares de la época. En un rápido recorrido podemos espigar los siguientes artículos, de expresivos títulos: «El desnudo en la pantalla» *(Popular Film,* 23 de junio de 1927), «Los besos cinematográficos», de Doris Falberg *(El Cine,* 23 de junio de 1927), «¿Es el beso de la pantalla diferente al beso de... veras?» (*El Cine*, 2 de febrero de 1928), «La ciencia del beso» *(La Pantalla,* 24 de febrero de 1928), «¿Qué artista sabe besar mejor?» y «El beso en la pantalla» *(Popular Film,* número extra de octubre de 1928), «Los besos fotogénicos» (*Popular Film,* 15 de noviembre de 1928), «La realidad de los besos de cinematógrafo», de Aurelio Pego *(Popular Film,* 14 de febrero de 1929), «Cómo besan las estrellas», de Juan de España *(Popular Film,* 16 de enero de 1930), «Cómo besan los ases de la pantalla» de M. R. Rubí *(Films Selectos,* 1 de noviembre de 1930) y «Cómo besan las españolas» *(Popular Film,* 15 de octubre de 1931). Y hasta Carlos Fernández Cuenca, colaborador de *La Gaceta Literaria* y años después ideólogo del cine franquista, publicó en 1925, bajo los auspicios de la revista ultraísta madrileña *Tobogán*, su libro *Estética del desnudo*, y no desdeñaría estampar en la revista *La Pantalla* su artículo «Besos cinematográficos».[19]

LOS DEPORTES

El epígrafe que ideó Luis Gómez Mesa en 1929 para sus entrevistas a intelectuales rezaba «La generación del cine y los deportes». Es por ello obligado referirse al segundo término de tal calificación.

El interés por el deporte fue uno de los muchos elementos modernizadores introducidos en España por la Institución Libre de Enseñanza, con su práctica del excursionismo y de sus actividades al aire libre. Este impulso no podía sino potenciarse con la entrada de los aires futuristas en la península. Marinetti postulaba que el automóvil veloz era más bello que la Victoria de Samotracia y, en líneas generales, velocidad y fuerza física se convirtieron en dos valores propios del futurismo. En este clima, Maiakovski acertó a asociar en 1922 deporte y cine en su poema «Cine y cine», al escribir:[20]

El cine es deportivo.

Es harto improbable que Ortega y Gasset conociera este poema de Maiakovski cuando volvió a asociar cine y deporte en *La deshumanización del arte*, al escribir: «el triunfo del deporte significa la victoria de los valores de juventud sobre los valores de senectud. Lo propio acontece con el cinematógrafo, que es, por excelencia, arte corporal».[21]

El prestigio social del deporte estuvo potenciado en España a principios de siglo por su procedencia extranjera y por su terminología anglosajona, pues entonces se escribía con frecuencia *sport*, del mismo modo que se utilizaban los anglicismos *foot-ball*, *goal*, *penalty*, *round*, etc.

No es extraño, por lo tanto, que los jóvenes más inquietos de entonces practicaran el deporte como signo de atrevida modernidad. Luis Buñuel constituía un paradigma de esta actitud, pues en la Residencia de Estudiantes practicaba el atletismo y lanzaba la jabalina y –como Arthur Cravan– cultivó esporádicamente el boxeo, llegando –según algunas fuentes– a ganar un campeonato *amateur* en 1920. José María Hinojosa practicó el fútbol, el tenis, el golf y el boxeo. Y Concha Méndez, que fue novia de Buñuel y esposa de Manuel Altolaguirre, fue gimnasta y campeona de natación en San Sebastián, actividades deportivas que se infiltraron en su libro de poesía *Surtidor*, de 1928.[22]

Es comprensible que en este contexto la pasión deportiva llegase hasta la creación literaria. Buñuel, en su texto de 1927 *La Sancta Misa Vaticanae*, que fue un primerizo proyecto de film,[23] escribió: «La Iglesia, siempre atenta a las conquistas de la civilización y el deporte...», y exponía a continuación un jocoso concurso de velocidad de eclesiásticos en la celebración de misas. En abril de 1927 *La Gaceta Literaria* inició su sección dedicada a «Deportes», con el artículo de Federico Reparaz titulado «1.500»,[24] aunque, a decir verdad, fue una sección poco frecuentada. El texto literario de inspiración deportiva que resultaría más famoso sería la «Oda a Platko», escrita por Rafael Alberti a raíz de la actuación del guardameta barcelonista Platko en Santander, durante el partido final que enfrentó a la Real Sociedad de San Sebastián y el Fútbol Club Barcelona el 20 de mayo de 1928. Alberti incorporaría luego este texto a su libro *Cal y canto*.

LAS ENTREVISTAS DE LUIS GÓMEZ MESA

Luis Gómez Mesa inició las entrevistas de su rúbrica «La generación del cine y los deportes» con un encuentro con Ernesto Giménez

Caballero.[25] La elección estaba perfectamente justificada, pues el entrevistado era fundador y responsable de la prestigiosa revista *La Gaceta Literaria*, aparecida en enero de 1927, que había confiado su sección de cine a Luis Buñuel y al año siguiente había fundado el Cineclub Español, el primero de la península. El 7 de abril de 1928, Giménez Caballero había pronunciado una conferencia en la sede de Ediciones Inchausti, de Madrid, en la que situó al cine como el primer foco de interés de la nueva literatura, por encima del deporte, el circo, la alegría y el juego.[26] Espigando en algunos antecedentes de la atención de Giménez Caballero hacia el cine recordemos que, en 1927, las críticas literarias de sus *Carteles* asociaban lo icónico y lo escritural, como el cine mudo de la época. En su libro de 1928 *Yo, inspector de alcantarillas*, que ha sido calificado reiteradamente como el primer texto surrealista español, abundaron los efectos de montaje cinematográfico, por no mencionar el explícito visualismo de su texto «Fotograma», en la última parte del libro. Y en su *Julepe de menta* (que ostenta al principio del libro la fecha 1929, pero que al final indica que se imprimió en Ciudad Lineal en 1928), en el segundo capítulo, titulado «Ecuación» –que introdujo los neologismos *cineasta*, *filmófilo* y *peliculizante*– trazó una atinada genealogía del cine a partir de las aleluyas dibujadas, considerando que éstas fueron la abuela del cine y la Linterna Mágica su madre.

En 1928 publicó Giménez Caballero su volumen *Hércules jugando a los dados*,[27] título tal vez inspirado por el libro de poemas de Max Jacob *Le cornet à dés* (1917) que Guillermo de Torre tradujo al español en 1924, que contenía una colección de ensayos sobre el tema deportivo y en el que definía su época con el triángulo Atletismo-Cinema-Cornete de dados. En la tesis de Giménez Caballero, el único juego pacífico del atlético Hércules había sido el de los dados, lo que le convirtió en precursor del cubismo, y su libro contenía doce ensayos, como los famosos trabajos de Hércules y como fruto de una tirada de dados especialmente afortunada. Su canto al deporte que culminaba con la exaltación del cine le convertía en perfecto candidato para inaugurar la nueva sección de entrevistas de Gómez Mesa.

Con su habitual versatilidad, Giménez Caballero veía así al cine: «El cinema en su género más profundo es épico... y bello (...) y natural. Salvo cuando se trata de interiores, que son artificiales... y algo romántico... [del] romanticisimo de la novela naturalista, su madrastra (...). Heredero del poema de aventuras, la canción de gesta de los nuevos héroes. Para mí, el "cinema puro" no es el llamado de vanguardia, de taller europeo. Sino el film elemental de Norteamérica: el de vaqueros, indios y frágiles doncellas que suscitan el amor y la bravura del héroe (...). Me parece también genial la comedia yanqui, hecha con esencias aceleradas de Lope de Vega. (...) El culto al objeto me hace reconciliarme con el film alemán, el ruso, el francés. (...) La [cinematografía] rusa y alemana son formidables, pero no tan de público, tan mundiales, tienden demasiado a la política, a lo inmediato, al arrabal del género, a su pedagogía. (...) El cinema es la misa negra a que toda la humanidad asiste junta. Es la nueva catedral profana. (...) Los deportes nos han acostumbrado al movimiento, y como el cine es movimiento, esencialmente, ¡figúrese usted si encaja en las corrientes nuevas!»

Con este orteguiano final, la concepción de Giménez Caballero del cine como prolongación y superación de la literatura popular, del poema de aventuras, de Lope de Vega y de la literatura romántica, así como del espectáculo religioso –la sala de cine parangonada a la iglesia– reaparecería en su libro *Arte y Estado* (1935) y se mantendría con coherencia a lo largo de su vida. En otros capítulos volveremos sobre las actividades de Giménez Caballero como cineclubista y como documentalista, pero dejemos constancia aquí de su prolongado interés teórico hacia el arte cinematográfico. En enero de 1943, entrevistado por Rafael de Urbano para la revista *Primer Plano,*[28] a la pregunta de si el cine originaría una cultura, respondía: «Ya la ha originado. Y una cultura totalitaria, vital. La primera cultura del hombre fue *oral* y *auditiva.* (...) Desde la aparición del cine, la cultura del hombre se convirtió primero en *visual.* Y luego, en *sonora* y *audible.*» Con pocas palabras Giménez Caballero trazó un elegante atajo intelectual entre las ideas de Béla Balázs y las del futuro McLuhan, lo que resultaba especialmente notable en aquellos años del paleofranquismo en que era de buen tono intelectual dar las espaldas al cine. Coherente con su tesis estética «totalitaria» y su tradición futurista, cuando dos años después le preguntaron en la misma revista si creía que el color aportaría nuevos valores a la cinematografía,[29] respondió: «Estoy por toda nueva conquista técnica para el cine. Ya que el cine es técnica, ante todo. Si se admite el cine, hay que admitirle con todas sus consecuencias.»

El segundo entrevistado de la serie fue Luis Buñuel, que por entonces estaba en la fase de producción del guión de *Un Chien andalou*, en colaboración con Salvador Dalí.[30] Buñuel representaba modélicamente la nueva sensibilidad, polémicamente confrontada en materia cinematográfica con la predominante en la generación del 98. Había tenido ya la oportunidad de manifestar tal oposición por escrito, en octubre de 1928, al evocar la respuesta de Antonio Machado a una encuesta sobre el porvenir del teatro:[31] «El cine nos enseña cómo el hombre que entra por una chimenea, sale por un balcón y se zambulle después en un estanque, no tiene para nosotros más interés que una bola de billar rebotando en las bandas de una mesa.» Buñuel confesó en su texto que también pensaba antes así y recomendó a Machado que, para cambiar su opinión, fuera a ver el serial de aventuras *La moneda rota (The Broken Coin,* 1915) y un film de Francesca Bertini.

Entrevistado por Gómez Mesa, Luis Buñuel le respondió: «El cine me parece el representante más específico de nuestra época, nacido tan en función de sus necesidades espirituales, como la catedral en la Edad Media. Pero si ésta supone dolor, el cinema supone alegría. Así, tomo como tipo de film perfecto el cómico americano. (...) Creo, además, que el cinema es el instrumento más adecuado para expresar la gran poesía de nuestra época y el único que ha podido establecer ciertas verdades visuales universalmente. (...) No creo que el cine se adapte al concepto tradicional del arte (...). Es una industria. Nace del standard, de la división del trabajo. El mejor cine es el que deriva de una industria más perfeccionada. Opino que el film debería ser anónimo, como la catedral.» Y luego Buñuel manifestaba su predilección por el cine norteamericano, seguido por el alemán.

La opiniones vertidas por Buñuel eran muy similares a las que manifestó poco después en otro lugar a Dalí, en el último número de *L'Amic de les Arts,* opiniones que compartía con el pintor ampurdanés acerca de la primacía industrial del cine, lo que daba ventaja al norteamericano sobre el europeo.[32] Estas opiniones eran muy reveladoras, porque las formulaba en la etapa germinal de un film tan extraindustrial y antiestandarizado como *Un Chien andalou.*

El tercer entrevistado de la serie fue César (Muñoz) Arconada,[33] que era a la sazón redactor-jefe de *La Gaceta Literaria.* Había llegado a Madrid en 1922 y compatibilizó su carrera literaria con su actividad como funcionario de correos. Interesado por la música, su primer libro fue *En torno a Debussy* (1926), seguido del poemario *Urbe* (1928). Como tantos compañeros de generación que habían cursado la etapa ultraísta, en la aproximación de Arconada al cine se detectaban efluvios futuristas. En el número monográfico sobre el cine de *La Gaceta Literaria,* de octubre de 1928, en su artículo «Música y cinema» había escrito: «La única literatura que existe –la nueva– está al servicio del cine, de los deportes, de la vida –de la vitalidad–.»[34] Y en su posterior libro *Tres cómicos del cine* declararía todavía que «los objetivos fotográficos son las pupilas más sensibles que hay en el mundo»,[35] una afirmación de claro sabor vertoviano.

Las declaraciones de Arconada a Gómez Mesa tuvieron subido interés desde el punto de vista de la psicología social: «Para mí –declaró Arconada–, el cinema es la expresión de lo moderno, del espíritu moderno. Vemos que el cinema es un espectáculo de juventudes. Y más aún, de juventudes femeninas. En esta vida moderna, un poco brutal y terrible: deportes, individualidad, crisis del matrimonio, decadencia de la familia, etc...; las mujeres especialmente –agudas de sensibilidad–, necesitan del romanticismo del cine para curarse de la dureza realista de la vida. (...) Todos los escritores jóvenes escribimos de cine. Y a Giménez Caballero le han propuesto hacer, en película, una historia literaria de España. ¡Imagínese usted qué revolución si se realizase! (...) Los teatros industriales están muertos, porque a la gente le gusta el cine y no el teatro. Los jóvenes, sobre todo, no vamos nunca. A mí me aburre. Lo encuentro parado, lento. (...) El cine es la expresión de una época –de nuestra época–, pero no de todas las épocas futuras. También el cine, después de esta erupción, será volcán apagado. Entonces vendrá el imperio de otro arte.»

En la madrileña Editorial Ulises, de la que fue cofundador, Arconada publicó en 1929 *Vida de Greta Garbo*, que fue una hermosa biografía novelada y poetizada de la actriz escandinava, aunque muy fantasiosa e inexacta. Cuando la actriz había protagonizado ya una decena de largometrajes, tan sólo mencionó en su libro cuatro películas suyas: *La leyenda de Gösta Berling (Gösta Berling Saga*, 1924), de Mauritz Stiller, *La tierra de todos (The Temptress*, 1926), de Fred Niblo, *El demonio y la carne (Flesh and the Devil*, 1927), de Clarence Brown y *Ana Karénina (Love*, 1927), de Edmund Goulding. Pero Arconada compensó su flagrante falta de información con la arrebatada poetización de su escritura, que le hizo enunciar expresiones como «el telón es la guillotina que corta la cabeza de la sala: el escenario»; «los relojes de Stockholm reman con precisión en las aguas del tiempo»; «en el cine, la proyección es un río de instantes»; «la vida se incorpora sobre los edredones del sol»; «los automóviles reman con las bocinas»; «las imágenes bullen en los rollos, deseosas de salir hacia el balcón de la pantalla, a soñar bajo los voltios de la luna blanca del cine»; «si el día tuviese un conmutador, la gente popular saldría de sus casas cortando, antes, la corriente». La imaginación metafórica de Gómez de la Serna no andaba muy lejos de la exaltada pluma de Arconada, cuando tejió su novela-poema en honor de una estrella de la que ya había cantado el año anterior sus excelencias en *La Gaceta Literaria.*[36] Pero lo más original de su libro radicó en que el biógrafo se introdujo a veces como personaje en su texto, como primera persona del relato, transformando su historia en discurso. Este procedimiento desembocó en el antepenúltimo capítulo del libro, en el que el autor, que se presentó a sí mismo como «biógrafo de sombras», describió un fantasioso encuentro con la estrella, a la que al final empezaba a leerle la biografía que había escrito sobre ella. En *La Gaceta Literaria* Antonio de Obregón glosó así el pirandelliano libro de su colega:[37] «Es un libro grande. Un poema que dura lo que una larga novela. Una biografía. La primera biografía grande de cinema que se publica entre nosotros. La biografía de un poeta.»

En 1931 publicó Arconada, en la misma editorial, *Tres cómicos del cine. Charlot, Clara Bow, Harold Lloyd*, con portada del trotamundos polaco Mauricio Amster y que subtituló *biografías de sombras*, extrapolando una expresión de su volumen anterior. Este libro de biografías noveladas tenía que ser el primer tomo del amplio proyecto biográfico «Figuras del cinema», dirigido por Juan Piqueras y que se frustró, que debería lanzar un volumen quincenalmente. En marzo de 1930, *La Gaceta Literaria* anunciaba los siguientes:[38] Iván Mosjukine por Benjamín Jarnés, Dolores del Río por Luis Gómez Mesa, Adolphe Menjou por Miguel Pérez Ferrero, Norma Shearer por Juan Piqueras, Harry Langdon por Rafael Alberti, Greta Garbo por Jaime Torres Bodet, Douglas Fairbanks por Giménez Caballero, Max Linder por Antonio Espina, Buster Keaton por Samuel Ros, Emil Jannings por Antonio de Obregón, Norma Talmadge por Carlos Fernández Cuenca, Francesca Bertini por Ramón Gómez de la Serna, John Barrymore por Miguel Alejandro Rives, William Haynes por José María Alfaro, Pola Negri por Mateo Santos, Charles Farrell por Ernestina de Champourcin, Mary Pickford por María Luz Morales, Janet Gaynor por Francisco Ayala, Lillian Gish por Esteban Salazar y Chapela, Charles Chaplin por Edgar Neville y Harold Lloyd por José Bergamín.

El siguiente entrevistado de la serie fue el escritor ovetense Fernando Vela,[39] hombre atento a los fenómenos estéticos que se había ocupado ya tempranamente de teoría del cine en su importante texto «Desde la ribera oscura», suscitado por su lectura del libro del húngaro Béla Balázs *Der schitbare Mensch oder die Kultur des Films* (libro también muy influyente, como vimos, en la teorización de Díaz-Plaja, cuya primera versión española no vio la luz hasta 1957 en Buenos Aires), y que publicó en 1925 en el número XXIII de *Revista de Occidente.* Incluyó luego este artículo en su libro *El arte al cubo y otros ensayos*[40] y reaparecería años después en *Inventario de la modernidad.*[41] En su entrevista con Gómez Mesa sentenció, reiterando una afirmación ya presente en aquel texto: «El cine tiene un estigma en su origen: no hay manera que se le acepte por arte, porque es hijo de una técnica física y de una época capitalista y porque lo cultiva preferentemente el pueblo yanqui. (...) A ningún arte se le ha atacado nunca tan ásperamente por lo que le falta. Por el contrario, los defectos, las mutilaciones de un arte son un acicate que le obliga a progresar en otro sentido. Si los personajes cinematográficos hubieran hablado desde el principio, el cine no hubiera profundizado tanto en la dirección puramente visual. (...) El cine reproduce fielmente los objetos, pero ya he dicho, en otra parte, que "realiza" lo irreal, es decir, presenta la irrealidad con los mismos caracteres de la realidad y, viceversa, desrealiza lo real, sin que los objetos pierdan nunca su potencia objetiva.» En la entrevista se pronunciaba Vela también acerca del cine español, al que juzgaba «detestable por los actores, los asuntos y la técnica».

Resulta notable observar que la concepción antinaturalista de la representación cinematográfica de Vela, según la cual «las mutilaciones de un arte son un acicate que le obliga a progresar en otro sentido», anticipó puntualmente la teoría expuesta por el prestigioso psicólogo de la percepción alemán Rudolf Arnheim en 1932, en su muy influyente libro *Film als Kunst,*[42] que sería traducido a muchos idiomas.

El siguiente entrevistado fue el aragonés Benjamín Jarnés,[43] quien declaró: «Cuando las artes parecían enroscarse irónicamente sobre sí mismas, fatigadas de repetir los viejos temas, aparece el cine, como un chiquillo travieso, proclamando la soberanía de su infancia. (...) En el cine poseemos los dibujos de la cueva de Altamira y los romances de cordel. Ya apuntan sus clásicos y se señalan sus épocas. Quizá lo peor del cine son –somos– sus teorizantes. Me gustan *La quimera del oro* [*The Gold Rush,* 1925, de Charles Chaplin], *Amanecer* [*Sunrise,* 1927, de F. W. Murnau], *Sombras* [*Schatten,* 1923, de Arthur Robison], *Varieté* [*Varieté,* 1925, de E. A. Dupont], *El navegante* [*The Navigator,* 1924, de Buster Keaton] y *Matías Pascal* [*Feu Mathias Pascal,* 1925, de Marcel L'Herbier].»

Bejamín Jarnés formaría parte –con Antonio Barbero, Rafael Gil, Luis Gómez Mesa y Manuel Villegas López– del grupo fundacional del G.E.C.I. (Grupo de Escritores Cinematográficos Independientes), cuyo manifiesto matricial, fechado en Madrid el 26 de septiembre de 1933, definía al cine como «un arte nuevo, un medio de cultura, un arma política, económica, social...», pero bastardeado por intereses mercantiles contra los que el público no podía oponer más que a sus representantes democráticos: los críticos independientes, o desligados de los intereses comerciales de las empresas cinematográficas. G.E.C.I. creó también un cineclub y editó tres libros, entre los que figuró en 1936 *Cita de ensueños. Figuras del cinema,* de Benjamín Jarnés,[44] en el que diseñó un paralelismo entre las películas y los géneros literarios, aunque estableciendo la insustituibilidad y especificidad de ambos medios. El grueso del libro estuvo dedicado a ensayos acerca de varias estrellas femeninas, preferentemente centroeuropeas (Greta Garbo, Katharine Hepburn, Paula Wesseley, Marlene Dietrich, Brigitte Helm, Hertha Thiele, Martha Eggerth y Franciska Gaal), otros sobre Chaplin y sobre diversas películas.

A continuación apareció en *Popular Film* una entrevista con Miguel Pérez Ferrero,[45] quien también había navegado por el ultraísmo y viajado a París y ejerció la crítica de cine en *La Gaceta Literaria.* «El cinema –declaró a Gómez Mesa– me parece un enorme educador. Ha iniciado a muchas gentes en caminos estéticos, para ellos anteriormente insospechados. (...) Por excelencia es el arte de la vida y del movimiento. Presenta, por ahora, una superioridad indiscutible: que no se ha encerrado en academias.» Sobre el cine español se despachaba lapidariamente: «¿Pero de verdad existe una cinematografía española?»

La siguiente entrevista de Gómez Mesa fue con el escritor granadino Francisco Ayala,[46] quien en abril de 1928, en una encuesta de *La Gaceta Literaria* sobre arquitectura, había formulado la tangencia social de ambas artes al afirmar que «el cine y la arquitectura moderna son artes para colectividades amplias».[47] Había ya escrito Ayala por entonces dos relatos breves –*Hora muerta* (1927) y *Polar, estrella* (1928)– que se integrarían en su libro de 1929 *El boxeador y el ángel* y que tomaban al cine como motivo de inspiración. *Hora muerta* utilizaba sorprendentemente, además, el efecto de inversión cinematográfica del movimiento al escribir: «Todos los relojes marcaban la hora retrasada. Sus campanadas –campanadas del revés– eran de regreso.» El relato estaba escrito en primera persona y narraba la desilusión del espectador al término de una proyección cinematográfica –«y salí del cine con fiebre. Con violencia interior»–, al tener que enfrentarse con la prosaica realidad. *Polar, estrella* tomaba su título del nombre artístico de la entonces mítica estrella polaco-americana Pola Negri (Appolonia Chalupiek), casada con un príncipe y tan distante como la estrella polar, pero al convertirla Ayala en escandinava y describirla como «alta, celeste y quebradiza como un ángel», sugería la referencia a Greta Garbo, a quien el autor dedicaría un capítulo de su *Indagación del cinema*. El protagonista de este relato era un espectador de cine enamorado de Polar, que asistía conmovido a la proyección de un film suyo y admiraba la escena en que se desnudaba para tomar un baño, pero su figura desaparecía de pronto con un cambio de escena. «Él quedó resentido y nervioso, como si le hubieran cerrado la puerta de su alcoba con la llave del agua fría», escribe Ayala. Al día siguiente vuelve al cine y, tras la escena del cuarto de baño, se levanta y se va de la sala. Como un amante desdeñado, va a su casa y quema los trozos de película de Polar que guardaba en un cajón. Decide suicidarse y se arroja por un puente, pero cae al ralenti. Su cuerpo se rompe al llegar al suelo y su último pensamiento es para Polar: «La sentía presente, ángel ¡por fin! apiadado!»

Ayala recurre en este cuento a bellas figuras metafóricas, como al escribir: «Cuando, amanecida la ventana del *écran*, irrumpió la estrella con fresco vestido de luz, el amante se sintió conmovido por un cataclismo visceral.» Pero la contrapartida de tan luminosas figuras retóricas era la decepción, como ocurría en *Hora muerta*, pues ambos relatos convergían en desvelar lo ilusorio y artificioso del goce cinematográfico para su espectador. Se diría, con lenguaje actual, que eran dos relatos desmitificadores y, especialmente el segundo, claramente deconstructor. En *Polar, estrella*, además de patentizar la manipuladora intencionalidad del montaje (el cambio de plano que impide el goce erótico del espectador), llegaba Ayala a desvelar el artificio de la proyección cinematográfica cuando, antes de la escena del baño y su frustrante cambio de plano final, una avería del proyector hacía que la figura de la estrella quedase quebrada en la pantalla, con la parte superior de su cuerpo abajo y su parte inferior arriba. El cine era, en efecto, una ilusión fantasmática.

Todo esto revelaba que Ayala había reflexionado acerca del fenómeno cinematográfico, hecho patente por su libro de crítica y ensayo, ya citado, *Indagación del cinema*, que estaba a punto de editarse cuando respondió a Gómez Mesa lo siguiente: «El cine es algo nuestro, de nuestra generación, el cine ha contribuido a formar el espíritu de la generación joven (...). El cine es un automóvil en que se traslada el paisaje. (...) Su presente es rico. Ha llegado a realizaciones espléndidas. Pero sus posibilidades son aún mayores, son enormes. Es una América descubierta, que se tardará algo en colonizar.» Y del cine español sentenciaba categóricamente que «no existe ni como arte ni como industria».

A continuación publicó Gómez Mesa su entrevista con el prolífico escritor madrileño Antonio Espina.[48] Espina había demostrado su interés hacia el cine al publicar en 1927 en *Revista de Occidente* su ensayo «Reflexiones sobre cinematografía»,[49] en el que escribió: «El ideal sería alejar al cine todo lo posible de la realidad. Y realizar en él todo cuanto, por absurdo o fantástico, no puede realizarse en la vida o en el arte habitual».[50] Esta capacidad del cine derivaba, según Espina, de sus características técnicas: «La noción tempo-espacial tiene su clave, o, mejor dicho, se halla dentro de la clave cinematográfica –escribió– (...). La movilidad y la espacialidad adquieren en el cine un desarrollo extraordinario. La escala del movimiento se amplía desmesuradamente. La escala del movimiento despliega la enorme posibilidad de sus gradaciones».[51]

En sus declaraciones a *Popular Film* Espina insistió en la novedad estética que suponía el cine: «lo considero –manifestó– un arte nuevo, independiente, de ilimitado porvenir, estimulador de muchos resortes de nuestro espíritu, antes paralíticos (...). Original y autónomo. Y es menester cortarle con un solo golpe de bisturí el cordón umbilical que todavía le une a las estéticas tradicionales de la literatura, la pintura, la arquitectura, etc.». Manifestaba su preferencia por las películas rusas, alemanas, norteamericanas y francesas, por este orden, y «respecto a la cinematografía española, más vale callar, para no avergonzarnos –tristemente– de haberle dedicado el más pequeño elogio».

La novena y última entrevista de la serie la dedicó Gómez Mesa al novelista valenciano Samuel Ros,[52] quien declaró: «Creo que el cinema es un arte. Y por eso que es un arte definido, debe buscar sus manifestaciones en sí mismo, sin el apoyo de las otras artes (...). Es malo el cine teatral y es peor el teatro cineístico (...). El cine del porvenir está, a mi entender –como ya apunté antes– en sus dos aspectos opuestos. Esto es: debe ser exclusivamente realista, documental, informativo. Cine: ventanilla de tren, o mejor: mirilla de avión, como expresión de su más alta cualidad: dinamismo. O por el contrario, la pantalla deberá convertirse en escenario donde verificar –gracias a las habilidades y portentosidades de su técnica– todos los absurdos y todos los milagros que la realidad no nos puede dar.» Esta opción bipolar, que sólo a primera vista era ecléctica, parecía querer completar el perspicaz análisis de Fernando Vela acerca de la capacidad del cine para «desrealizar» lo real y convertir en realista lo irreal. Respecto al cine nacional, Ros declaró: «En España no se ha hecho cine. Únicamente se fotografiaron algunas zarzuelas.»

Aunque con la entrevista a Samuel Ros clausuró Gómez Mesa su enjudiosa serie sobre la generación del cine y los deportes, al año siguiente ofreció todavía en la misma revista un encuentro con Maruja Mallo,[53] con dos ilustraciones de la pintora, en el que ésta declaraba: «confieso que debo mucho al cinema». Gómez Mesa comentaba en el texto la obra de la artista y, en particular, sus ilustraciones para el libro de Alberti sobre los cómicos del cine, del que hablaremos más adelante.

CINE EXTRANJERO Y CINE ESPAÑOL

El entusiasmo manifestado hacia el cine por los escritores reseñados debe ser contextualizado históricamente. A lo largo de los años veinte el cine mudo vivió la etapa de su madurez y culminación estética, asistiendo al apogeo de la gran escuela sueca, al despegue de las originales cinematografías alemana –con su revelación expresionista– y soviética –con su realismo épico y revolucionario–, al desarrollo del inventivo cine de vanguardia en Francia y a la vital expansión del atractivo cine de Hollywood. Los nombres de Eisenstein, Murnau, Dreyer, Chaplin, Keaton, Erich von Stroheim, King Vidor, Pabst, Pudovkin, René Clair, Dovzhenko y de otros maestros se erigieron como los grandes virtuosos de un arte que había conseguido dominar sus medios de expresión puramente visuales, sin interferencia de la palabra hablada. Hasta Unamuno, que se desinteresó del cine, manifestó su admiración por el desenlace del film alemán *Varieté* de Dupont –con Emil Jannings actuando de espaldas a la cámara–, cinta a la que un amigo le arrastró para que la viese.[54]

Repasando las entrevistas que Luis Gómez Mesa efectuó en 1929 para *Popular Film* salta a la vista que el cinema preferido de los escritores españoles era el norteamericano, seguido con frecuencia por el alemán. Francisco Ayala lo veía por entonces así: «Nunca será demasiado insistido el hecho –para mí evidente– de que el aliento épico de América haya cuajado en las cintas de celuloide, rapsodas mecánicos ante la multitud».[55] Desde el archipiélago canario, Eduardo Westerdhal respondió algo después como un eco: «El cine americano representa el más grande documental histórico de los hábitos de la sociedad capitalista. Este estado espiritual aparece motivado por diversas fuerzas, entre las que se presenta como principal el maquinismo, es decir, la velocidad, el sentido rápido, instantáneo, que produjo la mirada impresionista.»[56] Y cuando Juan Piqueras entrevistó en 1929 al crítico cinematográfico de *El Sol*, *Focus* (José Sobrado de Onega), éste señaló así sus preferencias: «En evolución técnica es Rusia y Alemania lo que más interesa. Pero, a mi juicio, es Norteamérica quien, desde 1915, marcha a la cabeza.»[57]

El entusiasmo de los intelectuales hacia el cine entró en crisis al aparecer el sonoro, que puso brutalmente fin a la elaborada poética visualista de la pantalla muda, que con demasiada frecuencia fue reemplazada por torpes ejercicios de teatro filmado con la cámara paralítica. La decepción de la *intelligentzia* española fue idéntica a la que se produjo en Francia, en donde Breton lamentó en 1930 la «desoladora regresión al teatro».[58] No parece casual que, en este momento de crisis, los socios del Ateneo madrileño, los ateneistas que Giménez Caballero había contrapuesto peyorativamente a los universitarios y que Pepín Bello había satirizado en su brillante y celebrado poema «El ateneísta»,[59] acogiesen con calor papanata en su sede la proyección en preestreno de la primera película sonora norteamericana que llegaba al mercado español, la adocenada cinta musical *La canción de París (Innocents of Paris)*, de Richard Wallace y con Maurice Chevalier.[60]

Al igual que sus colegas surrealistas franceses, a los escritores españoles de la generación del 27 les fascinó el cine norteamericano mudo, con su ritmo trepidante, y dentro de él, sus portentosos cómicos. Pero también les impresionaba el cine alemán de Fritz Lang o de Murnau, y el cine revolucionario soviético que llegaba con cuentagotas a los cineclubs, o el cine de vanguardia francés, aunque en diversa medida. Pero mostraban un olímpico desprecio hacia la producción española, como acabamos de comprobar. En este punto, los escritores españoles se distinguían de los franceses, que apreciaban en cambio los seriales de aventuras de Louis Feuillade o los documentales científicos de Jean Painlevé.

En efecto, en contraste con el cine norteamericano, el cine español aparecía entonces como menos que insignificante. Podemos añadir ahora algunas nuevas opiniones descalificadoras. Así, Cipriano Rivas Cherif, en la encuesta «¿Qué opina usted del cine?» del semanario madrileño *La Pantalla*, manifestaba:[61] «La producción cinematográfica española no puede competir ciertamente todavía con las que cuentan en Europa. Y no digamos con la norteamericana. Falta para ello la organización capitalista adecuada a la escala propia de tan gran negocio; pero, sobre todo, falta una orientación artística.» Poco después, Eduardo Zamacois –que había vivido en 1919 la adaptación de *El otro* a la pantalla– reiteraba en la misma revista:[62] «Para que nuestra cinematografía prospere le son indispensables dos elementos básicos. A saber: autores y dinero. (...) [El cine] requiere de los literatos un nuevo "modo de hacer". Tenemos que aprender a escribir películas. La cinematografía exige una literatura especial.»

En una encuesta efectuada en *La Gaceta Literaria* en 1928,[63] Miguel Pérez Ferrero declaraba: «Los cineastas españoles –exceptuando algún emigrado [en alusión a Buñuel] o algún posible incógnito– deberían comprender que su porvenir está en dedicarse a otra cosa.» El emigrado aludido por Pérez Ferrero había escrito precisamente el año anterior sobre los cineastas indígenas que «ni uno solo de ellos comulga en el altar de Apolo. A lo más merienda en el de Mercurio».[64] Y Concha Méndez escribía en octubre de 1928 sobre el cine español en la misma revista: «por el camino que hemos emprendido no iremos a ninguna parte».[65] El comentario de Concha Méndez resultó insólito, porque *La Gaceta Literaria* apenas prestó atención al cine español y, una de las pocas veces en que lo hizo, fue para apoyar el pateo que había recibido el film de Eusebio Fernández Ardavín *Rosa de Madrid* (basado en una comedia de su hermano Luis), en su estreno en el madrileño Palacio de la Música.[66]

Sólo en dos ocasiones *La Gaceta Literaria* trató con aprecio sendas películas españolas. Una fue *Zalacaín, el aventurero*, con motivo de la proyección de algunos fragmentos de la cinta en la tercera sesión del Cineclub Español, de la que nos ocuparemos en otro capítulo. Y la otra fue *La aldea maldita* (1930), de Florián Rey, a la que Juan Piqueras dedicó dos elogiosos textos.[67] Florián Rey había dirigido poco antes la comedia *Fútbol, amor y toros* (1929), que fue un fracaso y de la que, rodada en plena transición del mudo al parlante y sonorizada luego con discos, su productor y protagonista Ricardo Núñez me confió un día que fue un desastre artístico. Aunque hoy no se conservan copias de este film, su evocación es aquí pertinente porque escenificó la rivalidad proverbial de los aficionados a los toros y al fútbol en la época, oponiendo tradicionalismo y modernidad en el sector de los espectáculos y de la cultura de masas. En la cinta, la rivalidad se resolvía cuando el as del fútbol se enamoraba de la hija de un ganadero.

Pero, a pesar de vivir de espaldas al cine español, *La Gaceta Literaria* apoyó con varios artículos la convocatoria y celebración del Primer Congreso Español de Cinematografía, que se celebró en octubre de 1928 en Madrid, patrocinado por *La Pantalla*, y del posterior Congreso Hispanoamericano de Cinematografía, de octubre de 1931.[68] Y el número monográfico extraordinario de *La Gaceta Literaria* sobre cine del primero de octubre de 1928 se editó precisamente con motivo del citado Primer Congreso Español de Cinematografía, sobre el que se informó cumplidamente a los lectores en su segunda página.

NOTAS

1. «Desde la ribera oscura (sobre una estética del cine)», en *Revista de Occidente,* n.º XXIII, 1925, p. 205.
2. *La Gaceta Literaria*, n.º 81, 1 de mayo de 1930, p. 7.
3. *Paris-Journal*, 6 de abril de 1923, en *Cinéma*, de Robert Desnos, Gallimard, París, 1966, p. 95.
4. *La Gaceta Literaria,* n.º 43, 1 de octubre de 1928, p. 1.
5. *Historia de las literaturas de vanguardia*, de Guillermo de Torre, Guadarrama, Madrid, 1965, p. 85.
6. *La arboleda perdida*, de Rafael Alberti, Seix Barral, Barcelona, 1975, pp. 235 y 279.
7. *Les Surréalistes et le cinéma*, de Alain y Odette Virmaux, Seghers, París, 1976, p. 13.
8. «Comme dans un bois», de André Breton, en *L'Age du Cinéma*, número especial de agosto-noviembre de 1951.
9. Entrevistado por El Caballero Audaz, Valle-Inclán declaró que «un público inculto tiene la posibilidad de educarse, y ésa es la misión del artista. Pero un público corrompido con el melodrama y la comedia ñoña es cosa perdida». En *La Esfera*, año II, n.º 62, 6 de marzo de 1915.
10. *La Gaceta Literaria,* n.º 43, 1 de octubre de 1928, p. 5.
11. *Indagación del cinema*, de Francisco Ayala, Mundo Latino, Madrid, 1929, pp. 33-34.
12. «Le Trésor des jésuites», en *Variétés*, número especial sobre «Le Surréalisme en 1929», Bruselas, junio de 1929.

13. «The Cinema», de Virginia Woolf, en *Arts*, Londres, junio de 1926. Reproducido en *The British Avant-Garde Film. 1926 to 1995*, de Michael O'Pray ed., University of Luton Press, 1996, p. 34.

14. «Radiotecnia. Ondas cortas y ondas largas», de C. Fernández Casado, en el n.º 10, 15 de mayo de 1927, p. 6; «De la Universidad», sobre un reportaje radiofónico emitido por Fernando G. Mantilla desde la universidad, en el n.º 74, 15 de enero de 1930, p. 4; «Filosofía y estética del fonógrafo», de Carlos Fernández Cuenca, en el n.º 77, 1 de marzo de 1930, p. 2.

15. *Vida en claro*, de José Moreno Villa, El Colegio de México, 1944, p. 154.

16. *Modernismo y 98 frente a Cinematógrafo*, de Rafael Utrera, Universidad de Sevilla, 1981, pp. 128-129.

17. «Posesión lírica de Greta Garbo», de César M. Arconada, en *La Gaceta Literaria*, n.º 37, 1 de julio de 1928, p. 5.

18. «Subrayaciones a la actualidad», de Luis Gómez Mesa, en *La Gaceta Literaria*, n.º 94, 15 de noviembre de 1930, p. 5.

19. *La Pantalla*, n.º 42, 14 de octubre de 1928, p. 679.

20. Poema «Cine y cine» en la revista *Kino-phot*, Moscú, agosto de 1922. Reproducido en *Obras escogidas* de Vladímir Maiakowski, tomo III, Platina, Buenos Aires, 1958, p. 185.

21. *La deshumanización del arte y otros ensayos estéticos*, de José Ortega y Gasset, Revista de Occidente, Madrid, 1960, p. 50.

22. Sobre las actividades deportivas de Concha Méndez véase «Concha Méndez Cuesta: poetessa e nuotatrice», de Alfonso Sánchez Rodríguez, en *Ludus. Gioco, sport, cinema nell'avanguarda spagnola*, de Gabriele Morelli, ed., Jaca Book, Milán, 1994, pp. 165-179.

23. *Luis Buñuel. Biografía crítica*, de J. F. Aranda, Lumen, Barcelona, 1975, p. 60; *Luis Buñuel. Obra literaria*, edición de Agustín Sánchez Vidal, Heraldo de Aragón, Zaragoza, 1982, p. 258.

24. *La Gaceta Literaria*, n.º 7, 1 de abril de 1927, p. 6.

25. *Popular Film*, n.º 127, 3 de enero de 1929, pp. 15-16.

26. «Cartel de la nueva literatura», de Ernesto Giménez Caballero, en *La Gaceta Literaria*, n.º 32, 15 de abril de 1928, p. 7.

27. La Nave, Madrid, 1928.

28. *Primer Plano*, n.º 120, 31 de enero de 1943.

29. Encuesta «¿Cree usted que el color aporta nuevos valores a la cinematografía?», en *Primer Plano*, n.º 241, 27 de mayo de 1945.

30. *Popular Film*, n.º 128, 10 de enero de 1929.

31. «Nuestros poetas y el cine», en *La Gaceta Literaria*, n.º 43, 1 de octubre de 1928, p. 6.

32. *L'Amic de les Arts*, n.º 31, 31 de marzo de 1929, p. 16.

33. *Popular Film,* n.º 129, 17 de enero de 1929, pp. 3-4.
34. *La Gaceta Literaria,* n.º 43, 1 de octubre de 1928, p. 4.
35. *Tres cómicos del cine,* Ulises, Madrid, 1931, p. 55.
36. «Posesión lírica de Greta Garbo», cit.
37. *La Gaceta Literaria,* n.º 77, 1 de marzo de 1930, p. 5.
38. *La Gaceta Literaria,* n.º 77, 1 de marzo de 1930, p. 13.
39. *Popular Film,* n.º 130, 24 de enero de 1929, pp. 18-19.
40. *Cuadernos Literarios,* n.º 19, Madrid, 1927.
41. Edición a cargo de José-Carlos Mainer, Noega, Gijón, 1983.
42. *Film als Kunst,* E. Rowohlt, Berlín, 1932.
43. *Popular Film,* n.º 131, 31 de enero de 1929.
44. Reeditado por Ediciones del Centro, Madrid, 1974.
45. *Popular Film,* n.º 137, 14 de marzo de 1929.
46. *Popular Film,* n.º 139, 28 de marzo de 1929, pp. 18-19.
47. «Nuevo arte en el mundo. Arquitectura 1928», en *La Gaceta Literaria,* n.º 32, 15 de abril de 1928, p. 2.
48. *Popular Film,* n.º 148, 30 de mayo de 1929.
49. *Revista de Occidente,* n.º XLIII, enero de 1927. Este texto fue incorporado luego a *Lo cómico contemporáneo,* La Lectura, Madrid, 1928.
50. Ibíd, p. 15.
51. Ibíd, pp. 40-41.
52. *Popular Film,* n.º 154, 11 de julio de 1929.
53. «Cinema y arte nuevo. Originalidad de Maruja Mallo», en *Popular Film,* n.º 198, 15 de mayo de 1930, p. 3.
54. *Modernismo y 98 frente a Cinematógrafo,* p. 120.
55. *Indagación del cinema,* p. 85.
56. «Conducta funcional del cinema», en *Gaceta de Arte,* n.º 8, Tenerife, septiembre de 1932, p. 3.
57. «Visitas de cinema», en *La Gaceta Literaria,* n.º 55, 1 de abril de 1929, p. 6.
58. *Les Surréalistes et le cinéma,* p. 84.
59. *L'Amic de les Arts,* n.º 31, 31 de marzo de 1929, p. 14.
60. «Autobiografía intelectual», de Luis Gómez Mesa, en *Anthropos,* n.º 58, 1986, p. 10.
61. *La Pantalla,* n.º 1, 18 de noviembre de 1927, p. 2.
62. *La Pantalla,* n.º 3, 2 de diciembre de 1927, p. 34.
63. «Encuesta a los escritores. ¿Desde su punto de vista literario, qué opinión tiene usted del cinema?», en *La Gaceta Literaria,* n.º 43, 1 de octubre de 1928, p. 6.
64. «Del plano fotogénico», de Luis Buñuel, en *La Gaceta Literaria,* n.º 7, 1 de abril de 1927, p. 6.

65. «El cinema en España», en *La Gaceta Literaria,* n.º 43, 1 de octubre de 1928, p. 5.

66. «*Rosa de Madrid,* en Madrid», en *La Gaceta Literaria,* n.º 27, 1 de febrero de 1928, p. 3.

67. «Sentido social de *La aldea maldita*» en el n.º 89, 1 de septiembre de 1930, p. 7; «Captaciones para la cinematografía y la danza», sobre la exhibición de *La aldea maldita* en París, en el n.º 94, 15 de noviembre de 1930, p. 6.

68. Número 86, 15 de julio de 1930, p. 8; n.º 103, 1 de abril de 1931, p. 9; n.º 117, 1 de noviembre de 1931, p. 12.

6. PROCESOS DE INTERTEXTUALIDAD

LA CONTAMINACIÓN CINEMATOGRÁFICA

Algunos miembros de la generación de 1927, impulsados por su cinefilia, decidieron ensayar la práctica cinematográfica. El caso más notorio fue el de Luis Buñuel, quien tras el impacto que le produjo en París *Der müde Tod*, de Fritz Lang, decidió probar sus armas en el oficio. Para ello se enroló como alumno –el alumno decimonoveno, precisamente– en la Académie du Cinéma que regentaban en París Jean Epstein y los actores Camille Bardou y Alex Allin, y cuyos discípulos eran mayoritariamente rusos blancos. Pero es menos sabido que también se enrolaron entonces en esa academia los pintores Fernando Regoyos y José María Ucelay.[1] Por otra parte, en las primeras películas de Buñuel intervinieron como actores amigos suyos del mundo del arte y de las letras. Jaume Miravitlles y Salvador Dalí, en papeles de curas, y Pancho Cossío, trabajaron en *Un Chien andalou*. Y ante la cámara de *L'Age d'or* actuaron el ceramista Llorens Artigas (en el papel de gobernador) y los pintores Manuel Ángeles Ortiz (guardabosques) y Pancho Cossío y Juan Esplandiu como bandidos, junto a Miravitlles, mientras Joaquín Peinado, Domènec Pruna y Joan Castanyer aparecían como invitados en la fiesta burguesa. Esto no fue todo. En carta de Buñuel desde Michel-en-Grèves a León Sánchez Cuesta, el 28 de julio de 1927, le escribió: «Hernando [Viñes] haciendo muñecos-maquetas para un film de Henri Gad, el *metteur* con quien tal vez colabore yo si Ramón envía su *scenario.*» Desgraciadamente, no nos ha sido posible identificar el título del film aludido por Buñuel.

Para los artistas plásticos, la vocación cinéfila tuvo su más inmediata concreción en su propio campo creativo. Greta Garbo inspiró en 1930 dos obras plásticas importantes: la escultura titulada *Greta Garbo con sombrero*, de Pablo Gargallo, y el cuadro *La juventud de Greta Garbo*, del malagueño Alfonso Ponce de León, que fue adquirido por Samuel Ros. Y, según informa Lucía García de Carpí, la visión del film *Tabú* (1931), de Murnau, en su estreno en el madrileño Cine del Callao en enero de 1932, impresionó vivamente al pintor surrealista Mariano Rodríguez Orgaz y le sugirió varios paisajes polinesios.[2] Un poco más tarde los carnosos labios de Mae West, de fuertes connotaciones sexuales, irrumpirían en la iconografía de Salvador Dalí a partir de su lienzo *Visage de Mae West* (1934-35).

El coqueteo del teatro con el joven cinematógrafo fue mucho más temprano y mucho más prolongado. En la humorada lírica *El amigo del alma*, estrenada en el Teatro Eslava de Madrid el 16 de noviembre de 1905 por la compañía de Loreto Prado y Enrique Chicote, se insertó ya una proyección cinematográfica. Y, al año siguiente, la pieza de Salvador María Granés *Delirium tremens* apareció con el subtítulo *Película sensacional*, inspiración que no acabó ahí, pues uno de los mayores éxitos de Granés se tituló *Lorencín o el camarero del cine* (1910). En 1907 se estrenó el sainete arrevistado *Cinematógrafo nacional*, de Guillermo Perrin y Miguel Palacios y con música de Jerónimo Jiménez, y en 1913 la revista musical *La última película*, con música de Quinito Valverde.

Rafael Utrera ha distinguido con pertinencia los dramaturgos que incorporaron proyecciones al espectáculo teatral (como Pedro Muñoz Seca y Gregorio Martínez Sierra) y los dramaturgos que crearon un teatro espectacular de características cinematográficas, aprovechando las innovaciones técnicas ofrecidas por el cine (como Arniches, Valle-Inclán o Azorín).[3] Pedro Muñoz Seca fue uno de los comediógrafos que, de modo más sistemático, se valió del cine en la escena. En 1913 estrenó en el Teatro Cervantes de Madrid la comedia *Entre trampa y cartón*, que ofrecía entre el primer y segundo actos la proyección de una breve película rodada por Enrique Blanco con los mismos actores de la obra y como enlace entre ambos actos. Repitió el recurso al cine en otras piezas, como *El modelo de virtudes*, del mismo año, *Los marinos de papel* y *Presentencompanigraf*. Y en *Calamar* (1925), que fue una sátira del mundo del cine sobre una trama detectivesca, utilizó rótulos y otros recursos extrapolados del lenguaje cinematográfico.

Mucho más interesante, y de muy superior nivel literario, fue el caso de García Lorca, quien también había bebido en las teorías de

Jean Epstein, a quien citó en su conferencia en el Ateneo de Granada el 13 de febrero de 1926, titulada *La imagen poética de don Luis de Góngora*, al repetir con él que la metáfora «es un teorema en el que se salta sin intermediario desde la hipótesis a la conclusión». Esta coincidencia de criterios evidenciaba que, para Lorca, los principios retóricos del cine eran extrapolables a la poesía, o al revés. Por eso no es raro que Lorca descubriera también afinidades entre cine y teatro. Definió la escena primera del segundo acto de *La zapatera prodigiosa*, estrenada en 1930, señalando: «Ésta es casi una escena de cine.» C. B. Morris atribuye a la influencia de las escenografías dislocadas del cine expresionista alemán[4] que en el cuadro tercero de *Amor de Don Perlimplín con Belisa en su jardín* (1931) el poeta indique que en el comedor de Perlimplín «las perspectivas están equivocadas deliciosamente. La mesa con todos los objetos pintados como en una "cena" primitiva». Lorca parece estar evocando la escenografía de telas pintadas con canon bidimensional de *El gabinete del doctor Caligari (Das Kabinett des Dr. Caligari*, 1919), una cinta que también conmocionó a Alberti. Y en el cuadro cuarto de *El público* (1930) indicó también Lorca una similar distorsión escenográfica: «en el centro de la escena, una cama de frente y perpendicular, como pintada por un primitivo». Pero, en cambio, en el preámbulo de *La casa de Bernarda Alba* (1936) el poeta «advierte que estos tres actos tienen la intención de un documental fotográfico». El contraste fotográfico de la tragedia con la estilización plástica de *Amor de Don Perlimplín* es manifiesto, como oposición entre farsa y tragedia. Uno puede preguntarse si la indicación fotográfica de Lorca era una referencia social-realista o puramente estética. A la vista de las fotografías de su escenificación en la época parece detectarse la influencia de la fotografía y del cine soviéticos, ya ampliamente difundidos en España por aquella época, por cineclubs y revistas militantes, como *Octubre* y *Nuestro Cinema* (en la que Lorca colaboró, precisamente, en una encuesta de 1935 en favor del cine soviético represaliado por la censura). Y, por último, en el cuadro cuarto de *El público*, una anotación indica que «la luz toma un fuerte tinte plateado de pantalla cinematográfica». Estaba claro que la sensibilidad escénica de Lorca había sido contaminada por la estética fotográfica y cinematográfica y, desde luego, desde antes de 1930. En 1926 planeó, en efecto, un *Drama fotográfico*, protagonizado por personajes representados en ampliaciones fotográficas que «están fijos en un momento del cual no pueden salir»,[5] observación interesante por cuanto su prisión física contrapone implícitamente el artificio limitador de la fotografía estática al flujo vital representado por el cine.

El caso de Lorca no fue único. Los comediógrafos Enrique Jardiel Poncela y Edgar Neville –quien dedicó su primera novela, *Don Clorato de Potasa* (1929), a Charles Chaplin, a Ramón y a Belmonte– colaboraron sin complejos en el semanario cinematográfico *La Pantalla*, una publicación que se interesó especialmente por las relaciones entre cine y literatura. En sus páginas se novelizaron los argumentos de *Una aventura de cine*, de Wenceslao Fernández Flórez, producción cinematográfica de la Sociedad Española Helios Film dirigida por Juan de Orduña,[6] y de *Los vencedores de la muerte*, de Alberto Insúa, en la versión dirigida por Antonio Calvache,[7] tras el gran éxito cosechado el año anterior por la adaptación de Benito Perojo de su novela *El negro que tenía el alma blanca.*

Un temprano e importante polo de inspiración que atrajo la mirada de muchos escritores fue la figura del cómico británico Charles Chaplin, como ya vimos páginas atrás. Su imagen llegó por vez primera a España con la cinta *Mabel y el auto infernal (Mabel at the Wheel)*, un cortometraje de la Keystone con Mabel Normand que fue presentado en Barcelona en diciembre de 1914 por la casa Verdaguer, empresa que distribuyó en aquellos años mucho cine cómico norteamericano. Al año siguiente, en agosto de 1915, ya se le conocía en España como Charlot, adoptando la denominación francesa derivada de Charles, que bloqueó los intentos de rebautizarle Carlitos, como se le conocía en muchos mercados iberoamericanos. El atractivo de su figura para los artistas e intelectuales se explica por varias razones. Por una parte, encarnaba al vagabundo independiente, marginal y rebelde, enfrentado al orden social burgués, del que era víctima con frecuencia, pero capaz también de burlarse de él. Era un arquetipo apto para la identificación en unos momentos en que la revolución bolchevique y las turbulencias sociales de la posguerra estaban cuestionando el papel del individuo zarandeado por los poderes económicos. Sus vicisitudes se presentaban, por otra parte, con una sabia dosificación de lo cómico y de lo sentimental, de lo humorístico y de lo afectivo, con un amplísimo registro que multiplicaba su eficacia comunicativa. Y a su universalidad contribuía decisivamente su lenguaje pantomímico, su modulación gestual y corporal hiperexpresiva, que hacía innecesaria la palabra. Para decirlo con la fórmula de José M. del Pino, Charlot era un «heroe estético de la vida moderna».[8]

De Charlot se ocuparon ensayistas, biógrafos, narradores y poetas. Uno de los primeros, como se dijo en el primer capítulo, fue Ramón Gómez de la Serna, quien tituló «Le Charlotisme» su colaboración en la revista belga *Le Disque Vert,* n.º 4-5 de 1924, dedicada monográficamente a este cómico, texto que ampliaría luego en la versión española de «Charlotismo». Poco después, el riojano Antonio Marichalar publicó en *Revista de Occidente*[9] el artículo «Charlot solista», en el que llamó al cómico «ángel patudo, embotado en el acordeón sentimental», y en esta misma publicación Fernando Vela estampó al año siguiente «Charlot»,[10] tras su visión de *El circo,* y cuyo texto señaló que «el paso de Charlot es el paso con alas, alas tullidas. Si un ángel bajase a la tierra andaría, pato fuera del agua, como Charlot. (...) Charlot es un vagabundo porque se ha extraviado en este mundo. (...) Los trucos de Charlot son a lo cómico como el plano de Galileo a toda la ciencia mecánica. Son lo cómico puesto al desnudo, en claro, reducido a sus componentes más simples y esenciales. (...) Charlot juega a las cuatro esquinas con el público, que nunca acierta hacia cual va a correr. (...) al fin, es Charlot quien vence, porque transfigura, transmuta, metamorfosea los objetos, convirtiéndolos en cosa distinta de lo que son, haciéndoles servir para otro fin, en un juego malabar con las realidades, que nos muestra el profundo parentesco de todas las cosas, la vanidad, la comicidad de toda solidificación de las cosas».

Francisco Ayala también se ocupó de Chaplin y sobre él escribió: «Charlot es un producto inconfundible de la ciudad moderna y del moderno afán; en un medio distinto, no se le concebiría. Es el hombre de los muelles, de los mercados, de las calles, de los rincones urbanos o suburbanos. El hombre sobrante...»[11] Pero más tarde, tras ver *El circo,* comparó sus nuevas andanzas con las de sus viejos cortometrajes: «Ahora, en sus películas últimas, Charlot abre el cielo con su sonrisa. En las antiguas lo rasga. Es más radical. Muestra la calavera por la herida de la boca.»[12]

La primera biografía española sobre el cómico británico fue la del crítico Santiago Aguilar *Charlie Chaplin, el genio del séptimo arte,* en 1930,[13] pero pisándole los talones apareció la de Arconada, abriendo el tríptico de *Tres cómicos del cine,*[14] en donde escribió: «Charlot es el poeta que vive la poesía, que hace una poesía de imágenes plásticas; una poesía real, material, construida con actitudes, con expresiones, con gestos.»[15] El crítico donostiarra Manuel Villegas López, futuro autor, durante su exilio argentino, de una considerable biografía de Chaplin,[16] en sus comentarios cinematográficos para Unión Radio, de Madrid, habló en varias ocasiones sobre el cómico. El 11 de noviembre de 1932 dijo que «Charlot era lo humano, que llegaba al cine. (...) La humanidad de Charlot ha trascendido a todos los personajes del cine para hacerlos comprensibles, sencillos y cercanos».[17] Y el 7 de octubre de 1933 añadió: «Toda la obra de Charlot pudo ser un drama gorkiano. Pero no. Para rehuir la tragedia, el protagonista es un payaso. Es Charlot, el actor, que vive así el drama concebido por Charlie Chaplin, el autor. Para Charlot el hacer reír no es un fin, sino un medio. Es lo que diferencia al cómico del humorista. Para Charlot la risa es un medio de relatar un drama.»[18]

Benjamín Jarnés, en el relato «Charlot en Zalamea», incluido en su libro *Escenas junto a la muerte,*[19] se atrevió a incorporar en la Zalamea calderoniana del siglo XVII al vagabundo chapliniano, para desacreditar con él al alcalde Pedro Crespo. Jarnés era un entusiasta de Charlot, a quien caracterizó en 1936 como «primer tragicómico de nuestro tiempo».[20] En el mismo texto escribió: «No vino a sugerir panoramas originales de vida, porque precisamente su vida en el film está elaborada con despojos de otras vidas en torno a una incopiable –e insobornable– intimidad. (...) Charlot, hombre triste y solo, de ritmo vacilante, roto a cada paso en un choque brusco –porque todas las cosas le ofrecen siempre su arista más dura–, va buscando un ritmo grato con el cual poder acompañar el suyo. (...) Charlot es un asesino de las situaciones extremas. Las apunta sobriamente, llega hasta ellas con brío, pero en el momento de la fruición se retira, magnífico, genial desdeñoso de lo fácil.»

Fueron muchos los poetas que evocaron al entrañable *tramp* de la pantalla, con cuyo individualismo e inconformismo se hallaban en sintonía. El más tempranero fue Guillermo de Torre en 1923, en su poema «Charlot», de *Hélices,*[21] en el que le adornaba con su usual retórica rimbombante:

> Charlie Chaplin
> Rey de la Creación Fotogénica
> Signo de la nueva aurora cómica
> Dinamómetro del humor moderno.

Veremos en otro lugar como Rafael Alberti evocó al vagabundo universal, personaje que frecuentó también las páginas de José María Hinojosa, Antonio de Obregón, Rogelio Buendía y Luis Cardoza y Aragón, los dos últimos con poemas estampados en *La Gaceta Litera-*

ria. Federico García Lorca dejó inconcluso el poema en prosa «La muerte de la madre de Charlot», fechado el 7 de septiembre de 1928, es decir, pocos días después del fallecimiento en una clínica de Glendale (California), el 28 de agosto, de Hannah Hill, la madre del cómico. Está dividido en dos meditaciones, separadas por el texto de una especie de coro, que lleva el título «Voz del pueblo», y que se expresa en seis pareados. El poeta simula que en California fue huésped de la madre de Chaplin y afirma que cuando su hijo se comió el zapato –aludiendo a una célebre escena de *La quimera del oro (The Gold Rush*, 1925)–, ella comprendió que debía morir, pues su misión estaba cumplida. Añade que al recibir la noticia de la muerte de su madre Charlot no lloró, sino que se desmayó, con lo que «se ha descubierto el corazón de señorita que tenía guardado. Charlot con alas. Charlot de los cisnes. Charlot de los lirios del valle. Charlot del lenguaje de los abanicos y el rubor de novia. Cursi. Bello. Femenino. Astronómico».[22] Esta feminización del personaje de Chaplin resulta interesante, entre otras cosas, porque fue afín al tratamiento que dio al protagonista de *El paseo de Buster Keaton*, como veremos más adelante. Luego el poeta afirma que la madre de Charlot fue amortajada por su perro favorito y por una monja y que Benito Mussolini y Rockefeller le enviaron sus presentes.

«La muerte de la madre de Charlot» fue un texto poético de aliento surrealista, que jamás se completó ni vio la luz. Rafael Utrera ha sugerido que tal autocensura pudo deberse al temor de Lorca de que Dalí y Buñuel le acusaran de «putrefacto» por su culto a Charlot.[23] No obstante, aunque en diciembre de 1927 –en su cuarto artículo, *La dama de las camelias*– Buñuel ya amonestó cordialmente a Chaplin, en septiembre de 1928 todavía no se habían producido las descalificaciones categóricas y virulentas de ambos amigos contra el cómico inglés, que arreciarían desde marzo de 1929.

Señalemos, para concluir, que no sólo fueron los poetas los que celebraron al vagabundo de la pantalla. El músico catalán Manuel Blancafort tituló «Homage to Charlot» la tercera parte de su composición *Transatlàntic en ruta*, de 1923.

LOS POETAS Y EL CINE

Estudiando los fenómenos de intertextualidad entre poesía y cine en los escritores españoles de anteguerra, C. B. Morris escribió atinadamente que «quienes veían o fingían ver poesía en el cine tenían su contrapartida en quienes buscaban la huella de las películas en la poesía».[24] En efecto, como fruto del idilio entre los intelectuales del 27 y el cine se produjo un intenso fenómeno de intertextualidad, no sólo entre el cine y la escritura, sino entre cine, escritura y pintura. Existió una harto conocida y debatida intertextualidad entre las imágenes pictóricas de Dalí y las cinematográficas de Buñuel. Pero también entre las de Maruja Mallo y Giménez Caballero, como veremos. Y tal vez entre las de Georges Méliès y García Lorca.

Aquí prescindiremos de las referencias a la pintura, para centrarnos únicamente en las relaciones entre cine y escritura poética. Pero, a poco que se piense, se descubre que existieron varias categorías de influencia o interrelación, que podemos reducir a cuatro.

La primera sería la influencia temática, en la medida en que el cine proporcionó a los poetas una nueva iconografía, un nuevo repertorio de significantes visuales y de situaciones cómicas o dramáticas. De este modo, los arquetipos, géneros y tópicos del cine comercial –preferentemente del de Hollywood– inspiraron a los poetas y se trasladaron a su escritura, en un fenómeno de ósmosis entre la *mass-cult* y la cultura *highbrow*.

La segunda conexión se produjo a través de los personajes del *star-system* cinematográfico celebrados en los versos de los poetas. Ésta sería una influencia divística o mitogénica, de la que es buena muestra el *corpus* de celebración chapliniana que antes hemos examinado.

La tercera, seguramente la más enjudiosa y la más propiamente estética, se refiere a la utilización por parte de los escritores de estructuras, ritmos, figuras retóricas o efectos de montaje inspirados por el lenguaje cinematográfico. Que existió una conciencia de tal analogía lo reveló Alberti en sus memorias, al referirse a las películas de René Clair, Germaine Dulac, Alberto Cavalcanti y Jean Epstein que «se desplegaban ante nuestros ojos en un desfile de imágenes sorprendentes, montaje de imprevistas y absurdas metáforas muy en consonancia con la poesía y la plástica europeas del momento (Tzara, Aragon, Eluard, Desnos, Péret, Max Ernst, Tanguy, Masson, etc.)».[25] De manera que, a pesar de las diferencias semióticas entre textura verbal y textura icónica, se produjo lo que Morris llamó «una fecundación de las palabras por las imágenes».[26]

Y, por último, algunos poetas trataron de aprehender con su escritura el estatuto perceptivo, artístico o social del cine, como hizo

Pedro Salinas en «Cinematógrafo» o Alberti en varios poemas suyos. Se trató, en este caso, de una alusión ontológica.

Pero, naturalmente, estas categorías aparecieron a veces mezcladas en las plumas de los poetas. Un óptimo ejemplo de lo dicho lo constituye el libro de Moreno Villa *Jacinta la pelirroja,*[27] fruto de una turbulenta relación amorosa que le arrastró hasta Estados Unidos y no se coronó con un final feliz, episodio que el poeta relataría en sus memorias.[28] En la progresión de los poemas que componen el libro introdujo Moreno Villa varias referencias cinematográficas acerbamente críticas. En la primera etapa, en su fase admirativa, escribe en el poema «De un modo u otro»:[29]

> ¡Pasa otra vez, Jacinta,
> como cariátide recta o virgen romana,
> como sombra silenciosa y sumisa
> por delante de la pantalla!

Pero, más tarde, el poeta tiene que medir su atractivo para Jacinta con la seducción del actor John Gilbert en la pantalla, que encandila a la protagonista:[30]

> Aunque luego te vea palidecer
> ante un drama sentimental
> donde Gilbert, John Gilbert,
> sufre la derrota de una estrella fotogénica.

La desigual competencia erótica con John Gilbert se veía agravada porque la tipología de Gilbert era latina, como la del poeta, de modo que competía en la misma arena antropológica que la estrella, aunque Moreno Villa no era obviamente un *latin lover* como el actor, quien desde 1927 fue pareja romántica de Greta Garbo en *El demonio y la carne*, *Ana Karénina* y *La mujer ligera (A Woman of Affairs*, 1928). En las siguientes referencias cinematográficas del libro, el tono es ya de clara amonestación o reproche. Así, en «Observaciones con Jacinta», le dice:[31]

> Mira, peliculera Jacinta,
> mira bien lo que tiene por nariz el elefante.

Y en «Jacinta empieza a comprender», el tono es ya irritado cuando le reprocha su inconsciencia con estos versos:[32]

¡Mundo resuelto,
vida resuelta,
final besucón de película!

Esta descalificación irritada del dolido poeta reaparecerá como idea en 1931, en su «Caramba 49», cuando corrobore el estatuto del cine como engaño efímero o espejismo, en su verso:[33]

y los «cines» originan pasiones de oropel

La aparición en las poesías de temas, situaciones y personajes procedentes de la pantalla fue el recurso más obvio y tuvo su apogeo en los poemas de Alberti sobre los cómicos del cine, que examinaremos al referirnos a la sexta sesión del Cineclub Español. El poeta tinerfeño Emeterio Gutiérrez Albelo, por ejemplo, publicó desde diciembre de 1932 en *Gaceta de Arte* una serie de poemas sobre figuras del cine, que se integrarían luego en su libro *Romanticismo y cuenta nueva*, publicado en 1933 por la editorial de aquella revista y con cubierta de Óscar Domínguez. El primero de ellos, titulado «Minuto a Brigitte Helm»,[34] se inspiró en la notabilísima escena de *Metrópolis* (1926), de Fritz Lang, en la que el malvado sabio Rotwang persigue y acosa a la actriz en las catacumbas con el rayo de luz de un proyector, para raptarla. El poeta ve a Brigitte Helm:

Con los brazos en cruz.
Bajo la luna mala.

La luz que acosa a la Brigitte Helm altruista y en postura crística es comparada aquí con la luna, evidenciando la polisemia poética de este astro, que en otros contextos literarios, como vimos, adquiere connotaciones hedonistas o celebrativas. Posteriormente publicó Gutiérrez Albelo «Rapto de Greta Garbo»,[35] «Zumo de Charlot» y «Film vampiresco», que alude a la vampiresa cinematográfica y no a los vampiros sanguinarios.[36] El cordobés Rafael Porlán Merlo, por su parte, dedicó un acerbo poema en prosa surrealista a Greta Garbo, titulado «Juicio final de Greta Garbo (Manifiesto contra)», y una narración dedicada a la actriz Olive Borden, «Primera y segunda parte de Olive Borden», que editó en enero de 1930,[37] inspirada en esta actriz que fue compañera de reparto de Tom Mix, Lew Cody y Malcom McGregor.

Tal vez el más afortunado de todos los poemas inspirados en películas se lo debamos a Luis Cernuda, un poeta solitario y atormentado por su homosexualidad –como René Crevel–, que encontró un refugio para sus fantasías privadas en las oscuras salas cinematográficas. El título que dio a su gran compilación poética de 1936 –*La realidad y el deseo*– fue casi un manifiesto, una declaración contra la ingrata realidad y en favor del apremiante deseo, que sólo en parte fue colmado por las fantasías cinematográficas. *Un río, un amor*, de 1929, supuso la asunción por parte de Cernuda de los postulados surrealistas, aunque acomodándolos a sus propias necesidades expresivas, fruto, como este libro, de una frustración amorosa.

A partir de este volumen los guiños cinematográficos de Cernuda salpican sus páginas, a veces de un modo evidente y otras veces lo averiguamos por confesión del propio autor. Así sabemos que su poema «Nevada»[38] debió su inspiración y su segundo verso –«Los caminos de hierro tienen nombre de pájaro»– a un rótulo de una película muda que vio en Toulouse. Y, siguiendo a Morris, podemos inferir que el corsario interpelado en «Adónde fueron despeñadas»[39] es una reminiscencia del Douglas Fairbanks que en 1926 protagonizó *El pirata negro (The Black Pirate)*, de Al Parker, mientras que el poema «¿Son todos felices?»[40] fue una respuesta amarga a la muerte de los soldados de *El gran desfile (The Big Parade*, 1925), de King Vidor.[41]

Detengámonos, en cambio, en «Sombras blancas», que fue fruto del impacto que le produjo la visión en París de *Sombras blancas en los mares del Sur (White Shadows in the South Seas)*, un film producido en 1927-28 por la Metro-Goldwyn-Mayer y dirigido por un antiguo ayudante de Griffith, W. S. Van Dyke.[42] El punto de partida del film fue el libro del mismo título del periodista y marino Frederick O'Brien, de 1919, que denunciaba los estragos provocados por la colonización blanca en las islas Marquesas. Para llevar a cabo el proyecto se requirió la colaboración del documentalista Robert J. Flaherty, que había rodado en Samoa entre 1923 y 1925 su celebrada *Moana*, subtitulada expresivamente *A Romance of the Golden Age*. Pero Flaherty, disconforme con los métodos de trabajo del cine comercial de Hollywood, abandonó pronto el rodaje en Tahití, que completó Van Dyke. Precisamente, por la estructura novelesca de su historia de amor y de aventuras –que no poseía el documental *Moana*– alcanzó un gran éxito popular y puso de moda el ciclo de «cine exótico», que prosiguió *The Pagan* (1929), *Tabú* (1931), etc.

Sombras blancas en los mares del Sur, protagonizado por una nativa polinesia (Raquel Torres) y un médico occidental (Monte Blue), quien tras un idilio con ella cede a la codicia colonialista, pero al final se arrepiente y es muerto por los invasores blancos sin escrúpulos, constituía una denuncia de la explotación colonial y del racismo de los depredadores occidentales en el Pacífico sur, en donde introdujeron el alcohol, la rapacidad, la prostitución y diversas enfermedades. Una de las bazas estéticas de la película derivó de haber sido rodada íntegramente en película pancromática, novedad técnica que permitió unas imágenes de calidad deslumbrante, que fueron recompensadas con el Oscar a la mejor fotografía de la temporada.

Sombras blancas en los mares del Sur fue el primer film sonoro proyectado en París, estrenado el 13 de noviembre de 1928 en el Madeleine-Cinéma, en donde fue acogido con entusiasmo y en donde lo vieron Luis Cernuda y Salvador Dalí. Se trataba de una película sonora, pero sin diálogos, en la que sólo se pronunciaba una palabra –*civilización*–, cuando el protagonista contemplaba amargamente la obra depredadora de las «sombras blancas» entre los indígenas. Poseía en cambio música de fondo, además de cantos y lamentos indígenas y los ruidos de la naturaleza, como el mar, el viento y el gorjeo de los pájaros. En una escena, la pareja protagonista escuchaba el piar de los pájaros e intentaba imitar su canto.

La novedad sonora contribuyó al enorme éxito del film, que Dalí reseñó puntualmente en su crónica para *La Publicitat* en junio de 1929:[43] «Anoto –escribió Dalí– los gritos y los cantos de las chicas de las islas de Oceanía en el baño, sincronizados en el film sonoro *Sombras blancas*, y todavía el rumor del mar al llegar a los bancos de coral y del viento pasando entre las palmeras.» El film se estrenaría en Madrid más tarde, en noviembre de 1929.[44] En su monografía sobre Van Dyke, Hervé Dumont escribió sobre él:[45] «el estetismo incondicional del realizador remite al sueño y de ahí a las aspiraciones humanas más fundamentales. La belleza intemporal y casi estática de la naturaleza se convierte en Van Dyke en irradiación de una felicidad absoluta.»

Sombras blancas en los mares del Sur se convirtió en un film de culto para los surrealistas. En una presentación de *Un Chien andalou* en 1938, André Breton evocaría su voz de lo irracional «de un amor restituido a su genio primitivo».[46] Buñuel lo incluyó en la lista de sus films preferidos, indicando que le pareció muy superior a *Tabú.*[47] Y el máximo estudioso y exégeta del cine surrealista, Ado Kyrou, escribió: «Es imposible describir la belleza magnética de este río de amor.»[48] Curiosamente, el «río de amor» propuesto por Kyrou suena extrañamente afín a *Un río, un amor* de Luis Cernuda.

El poema de Cernuda «Sombras blancas», de *Un río, un amor,*[49] resultó paradójico en relación con el film que lo inspiró, pues en la película de Van Dyke las «sombras blancas» son los occidentales codiciosos que llegan a las islas para apropiarse de las perlas del fondo del mar, depredar sus costas y arruinar la vida de los indígenas con sus baratijas y su alcohol. En el rótulo inicial del film queda sancionado este sentido, al explicar que «en su irresistible conquista del planeta, el codicioso blanco arrojó su sombra infamante sobre estas islas». Y aunque el film concluye trágicamente, con el asesinato del médico protagonista y el desarraigo colonial de la nativa que fue su compañera, Cernuda revoca en su poema el sentido negativo que poseen las *sombras* en el film y en la tradición poética occidental, asociadas a tinieblas y tristeza, por efecto del contradictorio adjetivo *blancas*, que caracterizan el paraíso «de azar abolido», y estableciendo con ello la primacía de lo lingüístico sobre lo visual en el lenguaje poético. Por eso puede escribir:

> Sombras frágiles, blancas, dormidas en la playa,
> Dormidas en su amor, en su flor de universo,
> El ardiente color de la vida ignorando
> Sobre un lecho de arena y de azar abolido.

En la segunda estrofa alude el poeta a una escena específica del film, a aquella en que un nativo arroja una perla al mar, considerándola algo inútil y sin valor:

> Libremente los besos desde sus labios caen
> En el mar indomable como perlas inútiles.

A esta situación paradisíaca contrapone Cernuda la última estrofa, que es nocturna, como la escena en que el médico, enfebrecido por la codicia, atrae con una hoguera a los navegantes occidentales, que acabarán asesinándole y devastando la isla:

Bajo la noche el mundo silencioso naufraga;
Bajo la noche rostros fijos, muertos, se pierden.
Sólo esas sombras blancas, oh blancas, sí, tan blancas.
La luz también da sombras, pero sombras azules.

Este último verso puede leerse a la luz de una arraigada convención del lenguaje cinematográfico de la época, según cuyo código las escenas nocturnas solían virarse en color azul, mientras que las de atardecer podían ser amarillas y las de incendio tintadas de rojo. Por eso, la luz nocturna, luz ominosa en este caso, proyecta sombras azules. Pero si se quiere dar una lectura optimista y celebrativa a este último verso, corroborando la autonomía poética y en contra del penoso desenlace del film, habría que evocar la luz del azul del cielo y del mar polinesios, que baña al conjunto de la obra de Van Dyke.

También el cine ocupó un lugar privilegiado en la obra de Rafael Alberti, quien, como André Malraux, tuvo la revelación de su potencial imaginario a través de *El gabinete del Doctor Caligari*, que «había sido la primera sorpresa de lo mágico en medio de un silencio de locura, crueldades y crímenes».[50] En su libro de 1925 *Marinero en tierra*, en el poema «Verano»,[51] evocó por vez primera las sesiones veraniegas del cine al aire libre, que eran tan comunes en Andalucía y, al igual que haría J. V. Foix, expuso la paradoja de la imagen en la pantalla:

una mar mentida y cierta
que no es la mar y es la mar.

El poema se enuncia como un diálogo confidencial del autor con su madre, modelado en el formato de las canciones populares tradicionales. La madre, prudente, después de escuchar a su hijo, le desaconseja la frecuentación del cine al aire libre, para escapar a su engaño sensorial:

Al cinema al aire libre,
hijo, nunca has de volver,
que la mar en el cinema
no es la mar y la mar es.

De manera que si Moreno Villa enfatizó el estatuto del cine como engaño sentimental, Alberti, más materialista, destaca su condición de engaño perceptual o de ilusión óptica.

Su siguiente volumen *Cal y canto*, con poemas de 1926-27, fue un libro –titulado primero *Pasión y forma*– de impregnación gongorista, del que su autor escribió: «Perseguiría como un loco la belleza idiomática, los más vibrados timbres armoniosos, creando imágenes que a veces, en un mismo poema, se sucederían con una velocidad cinematográfica, porque el cine, sobre todo, entre otros inventos de la vida moderna, era lo que más me arrebataba, sintiendo que con él había nacido algo que traía una nueva visión, un nuevo sentimiento que a la larga arrumbaría de una vez al viejo mundo desmoronado ya entre las ruinas de la guerra europea.»[52]

En *Cal y canto* reapareció el cine al aire libre y junto al mar, con hedonismo y nostalgia, en el poema «Invierno postal»:[53]

> ¿Dónde os vi yo, nostálgicas postales?
> ¿En qué cine playero al aire libre
> o en qué álbum de buques lineales?

Este mismo hedonismo del cine playero irrumpe de nuevo al final del libro, en «Carta abierta»,[54] con un *collage* de recuerdos cinematográficos, en el que se mezclan las evocaciones del cine histórico alemán (Henny Porten interpretando a Ana Bolena en 1920 a las órdenes de Ernst Lubitsch) y algún policía de film norteamericano:

> ... Y el cine al aire libre. Ana Bolena,
> no sé por qué, de azul, va por la playa.
> Si el mar no la descubre, un policía
> la disuelve en la flor de su linterna.

Que Alberti se imaginara a Ana Bolena paseando por la playa pudo no ser casual, pues la primera secuencia de la citada *Anna Boleyn*, de Lubitsch, muestra a la futura reina a bordo de un barco que se aproxima a la costa de Inglaterra. Pero lo más notable de esta evocación cinéfila reside en que Alberti trató de reproducir verbalmente el efecto visual del fundido encadenado, al disolver con la linterna la imagen de Ana Bolena andando por la playa.

El tema del engaño sensorial o la ilusión cinematográfica, ya presente en *Marinero en tierra*, volvió en «Venus en ascensor», esta vez en una ambientación mitológica:[55]

Cinema. Noticiario. Artificio. Mentira.

En la pantalla anunciadora, Ceres
instantánea, embustera,
imprime a Baco un saldo de mujeres
de alcanfor y de cera.

En «Telegrama»,[56] Alberti evocó en cambio a Nick Carter. Este detective norteamericano –creado en 1886 por John Russell Coryell– vio su popularidad potenciada gracias a los seriales cinematográficos que protagonizó en Francia desde 1908, bajo la dirección de Victorin Jasset, y que culminaron en 1912 con *Zigomar contre Nick Carter*, en cuatro partes. Es seguro que Alberti lo había admirado en su infancia y su recuerdo afloró paródicamente en el escenario neoyorquino imaginado por el poeta, en el que se comete un asesinato, pues:

Un triángulo escaleno
asesina a un cobrador.

El triángulo regresa a su pizarrra y tan surrealista situación explica que:

Nick Carter no entiende nada.

También en su libro *Sobre los ángeles* (1929) irrumpieron los recuerdos cinéfilos. En «El alma en pena»[57] evocó Alberti –como desveló C. B. Morris– las cortinas que arden, al prender en ellas el fuego de las velas, en una escena muy dramática de *La Chute de la maison Usher* (1928), film de Jean Epstein que el poeta pudo ver en la octava sesión del Cineclub Español. Y en «Los ángeles sonámbulos»[58] los «ojos invisibles, grandes, atacan» pudo ser un recuerdo del *collage* de enormes ojos inquisitivos que contemplan el baile de Brigitte Helm en *Metrópolis.*

Vicente Aleixandre, que frecuentó el cine desde su niñez, en su primer libro de poesía, *Ámbito*, de 1928, ofreció un poema titulado «Cinemática»,[59] que evocó, de modo entrecortado, como un montaje cinematográfico *staccato*, la fotogénica iconografía de una calle nocturna azotada por el viento. El poeta ve la noche como si fuera una mujer, pero de un modo desasosegante y no exenta de amenaza, connotada por el frío, el viento y las cuchillas. Y tal vez debido a la contaminación ultraísta de la retórica de Guillermo de Torre el poeta habla de «planos simultáneos»:

> Planos simultáneos –sombras:
> abierta, cerrada–. Suelos.
> De bocas de frío, el frío.
> Se arremolinaba el viento
> en torno tuyo, ya a pique
> de cercenarte fiel. Cuerpo
> diestro. De negro. Ceñida
> de cuchillas. Solo, escueto,
> el perfil se defendía
> rasado por los aceros.

Pedro Salinas, en su libro *Seguro azar* (1929), incluyó dos poemas de inspiración cinematográfica. En «Cinematógrafo»[60] comparó la creación cinematográfica a la creación del mundo, dividiendo su poema en dos secciones. La primera se tituló «Luz», en la que únicamente existía:

> Sólo la tela blanca
> Y en la tela blanca, nada...

La diestra de Dios pone en marcha la palanca y se genera la vida y con ella el hombre y la mujer. En la segunda sección, titulada «Oscuridad», la proyección cinematográfica hace que la pantalla se convierta en un paraíso:

> Ha vuelto la tela blanca.
> Pero ya es otra; se hizo
> tela maravillosa.

Se trató de un poema impregnado de elegante ironía y de reflexividad sobre el medio, en el que no falta la voz de un erudito que, desde el fondo, pregunta: «¿Y la palabra y la palabra?» Por aquellas fechas el cine sonoro empezaba a despuntar.

En el mismo libro publicó Salinas el poema «Far West»,[61] en el que alude a la actriz cómica Mabel [Normand], pero su insistencia en el tema del viento sugiere también alusiones a dos famosas películas norteamericanas de la época: *El héroe del río (Steamboat Bill jr.*,

1928), con Buster Keaton víctima de un tornado, y *El viento (The Wind*, 1928), de Victor Sjöström y con Lillian Gish azotada por las ventiscas de la pradera tejana.

El poeta madrileño José Rivas Panedas, que procedía del ultraísmo, publicó en la sección cinematográfica de *La Gaceta Literaria* «Poema cinemático. Un ladrón»,[62] en el que la frustrada persecución de un caco llevada a cabo por dos guardias parece inspirada en algún corto cómico de Mack Sennett, con sus famosos y siempre ridiculizados *Keystone Cops*. En la misma revista publicó el sevillano Rafael Laffón dos poemas, «Programa mínimo» y «Mecánica celeste»,[63] en los que se detectaba la huella ultraísta, con su invocación al vértice, al triángulo, al cubo, al cono, al eje, a la bobina, al voltaje, a la tangente y a la retina. En el primero, dividido en cuatro secciones (*Écran*, Voz triangulada, Gallo-Pathé, Tecnicolor) metaforizó a la pantalla como «luna cuadrangular» y a la luz proyectada en ella como «cono de alegría», de manera que, con connotacones cosmogónicas:

> Y el verbo se hizo imagen
> de luz civilizada.

«Mecánica celeste» estuvo dedicada al Charlot de *El circo* y cantó su frenético dinamismo coreográfico:

> Yo fui a mirarte y me encontré bailando
> sobre una plataforma giratoria,
> sin pensar que bailaba en tu retina.

En este mismo número de *La Gaceta Literaria*, el venezolano Rufino Blanco-Fombona, residente en Madrid, publicó el poema «Cine».

Y cerramos este elenco con el andaluz José María Hinojosa, considerado a veces como el poeta español surrealista más genuino, pero cuya figura se ha visto históricamente ensombrecida por su trayectoria política y su fusilamiento por los republicanos en 1936. Hoy nadie discute que la prosa poética de *La flor de Californía* (con acento en la i), editada en 1928 con prólogo de Moreno Villa y dibujos de Joaquín Peinado, es un libro clave en el imaginario surrealista español. Por otra parte, Californía, inventada para que rime con el nombre de pila del poeta (y que rima también con utopía, ucronía, poesía, mitología y fantasía) propone un lugar más mítico que California, edénica sede de la industria del cine norteamericano, y con ello puede enlazar con su universo imaginario, un universo que parece subyacente también en los textos que componen el libro, con sus exóticas invocaciones geográficas a Singapur, Oriente, China, el Sahara, Niágara, el río Niger y el Polo Norte. Diríase un recorrido por los escenarios del cine de aventuras de Hollywood.

Hinojosa dedicó su poema «Calma» a Luis Buñuel y «Canción» a Juanita Rucar, su novia (recogidos ambos en su libro *Poesía de perfil*, editado en París en 1926). En 1927 publicó Hinojosa en Málaga *La rosa de los vientos*, dedicada al pintor Francisco Bores, ilustrador del libro, y al aviador Carlos Benítez, amigo del poeta. En él hizo sus primeras referencias cinematográficas explícitas. En su poema «SSE» escribió:[64]

> Yo perdí la noción del calendario
> y de días microbios,
> pero continuaré mi papel de hierático,
> con sonrisa de insomnio,
> en este film inacabado.

En este texto la vida aparece percibida por el poeta como un film, preludiando la concepción semiótica de Pier Paolo Pasolini, quien parangonaría la vida humana a un prolongadísimo plano-secuencia.[65] En el poema titulado «O» incluyó Hinojosa en su última estrofa un homenaje a Charles Chaplin:[66]

> Los Ángeles extienden sus secretos;
> Charlot, con su pañuelo, me saluda,
> Y en la playa dorada del Pacífico
> mojan las olas mi cansada nuca.

En su siguiente libro *Orillas de la luz*, de 1928, ilustrado por Benjamín Palencia, reapareció su inspiración cinematográfica con la figura de Lillian Gish –a quien consagró el texto «Su voz Lillian Gish»–,[67] una actriz rubia, frágil, con un eficaz registro patético y especializada en papeles de ingenua, favorita del director D. W. Griffith, quien la dirigió en más de treinta películas, como *El sombrero de Nueva York (The New York Hat*, 1912), *Judit de Betulia (Judith of Bethulia*, 1914), *El nacimiento de una nación (The Birth of a Nation*, 1915), *Intolerancia (Intolerance*, 1916) y *La culpa ajena (Broken Blossoms*, 1919). En 1928, el año en que se publicó *Orillas de la luz*, Lillian Gish interpretó su última película muda y la última con verdadero estatuto estelar, *El viento*, que antes hemos citado. Al año siguiente iniciaría la actriz su declinante carrera en el cine sonoro. Por eso, la intención de Hinojosa en este poema en prosa parece un lamento por la próxima muerte de la imagen silente de Lillian Gish, quien en 1927, cuando escribe su texto, es todavía una figura resplandeciente en las pantallas mudas. Hinojosa clausura su texto escribiendo:

> Todos los corazones estallaban en el aire como pompas de jabón dejando en el espacio una vibración Lillian Gish que envuelve mis oídos con su voz desenfocada.
>
> ¡Oh, Lillian Gish, Lillian Gish! ¿Por qué me llena su voz de Lillian Gish?

La «voz desenfocada» de Lillian Gish constituyó tal vez un lamento por la próxima pérdida ya anunciada de su poética mudez, una carencia técnica a la que la generación literaria de Hinojosa, como veremos inmediatamente, valoraba como una virtud estética.[68]

FRONTERAS, INFILTRACIONES Y ANALOGÍAS

Si los poetas de los años veinte acusaron recibo con alborozo de la buena nueva cinematográfica, como acabamos de ver, también el cine quiso emular, a sus ojos, al antiquísimo arte poético. Benjamín Jarnés detectó esta ambición en 1927, cuando escribió que «el nuevo poema lo oiremos con los ojos».[69] Luis Buñuel concordaba por entonces con él, pues en su crítica a *Metrópolis*, después de descalificar la anécdota del film, se refirió elogiosamente a alguna de sus escenas como «una novísima poesía para nuestros ojos».[70] Como un eco del diagnóstico de Buñuel, Antonio Suárez Guillén titularía un artículo suyo: «Fritz Lang, el poeta moderno de la cinematografía».[71] Pero también la primera película de Buñuel apareció a los ojos de algunos comentaristas de la época como poesía. Así la vio Eugenio Montes, quien escribió precisamente: «Porque su film es eso: poesía. No lo otro: literatura.»[72]

La analogía entre los lenguajes artísticos y los lenguajes naturales se asentó en la universalización del aserto de Roman Jakobson, postulando que todos los lenguajes se generan en virtud de dos operaciones: de la selección de elementos y de la combinación de los elementos seleccionados. En el caso del cine se trataba de los planos y de su montaje.

Los procesos de intertextualidad entre cine y poesía se explican fácilmente porque ambas artes son artes del tiempo –y por lo tanto del ritmo– y artes de las asociaciones figurativas y de las metáforas. En el cine mudo menudearon las metáforas visuales y las alegorías icónicas, a las que tan aficionado se reveló Griffith. Como es obvio, tales metáforas y alegorías eran figuras retóricas nacidas del caudal de la poética verbal y se instalaron sin esfuerzo, procedentes de este ámbito literario, en el nuevo lenguaje de las imágenes en movimiento.

Como antes vimos, la imaginación metafórica de la nueva poesía española tuvo una fuente precursora y avasalladora en la producción de Gómez de la Serna y se plasmó en efectos de montaje, de contraste, de eufonía, en estructuras rítmicas y efectos de extrañamiento, aunque menos contundentes que el famoso ojo cortado de Buñuel y Dalí. Y, análogamente, los films vanguardistas de la época utilizaron recursos propios de la poesía. Al fin y al cabo, el motor último de la poesía es el inconsciente, el mismo que el de los sueños. Y el cine surrealista nació, no se olvide, como un intento de plasmar sueños sobre película. No de otro modo nació en Figueras el proyecto de *Un Chien andalou.*

En octubre de 1928, en una encuesta de *La Gaceta Literaria* que preguntaba a varios escritores su opinión sobre el cine, desde su punto de vista literario, Benjamín Jarnés contestó:[73] «Se ve que las metáforas, hace tiempo desechadas por el arte de escribir, puede ahora utilizarlas el cinema. Y con éxito: nos parecen nuevas.» En esta perspicaz observación se reconocía no sólo la deuda del cine con la poesía, sino también la regeneración que la pantalla había propiciado para aquellas viejas figuras retóricas. Pues, en efecto, cuando rima y ritmo habían sido cuestionados por amplios sectores de la poesía moderna, el cine heredaba y asimilaba estos y otros viejos conceptos retóricos, para admiración de los poetas nuevos, como pronto veremos, pues su nueva sustancia semiótica –la sustancia icónica en movimiento– les otorgaba un estimulante efecto regenerador. Pero, al mismo tiempo, prácticamente todos los encuestados diferenciaban con radicalidad la estética cinematográfica y la literaria. Como explicaba en aquella encuesta Esteban Salazar y Chapela: el cine «tiene para un literato el encanto de no ser nunca –cuando es verdadero cine (arte)– literatura». Y enunciaba lo mismo la pirueta de Felipe Ximénez de Sandoval: «es necesario hacer literatura para el cinema, si se quiere salvar al cinema de la literatura».

Estas afirmaciones constituían un eco de una corriente de pensamiento establecida en Francia por cineastas como Germaine Dulac, quien en 1925 había escrito:[74] «El cine debe desembarazarse de todo lo que es literario. Hay que meditar estas dos palabras: film... sinfonía...» Y cuando, en 1931, la implantación del cine hablado aparecía ya como irreversible en la producción internacional, Rafael Porlán Merlo escribió:[75] «Lo que pedimos al cine se concreta en una regla naturalísima: será recusable toda película en que el lenguaje visual sea una equivalencia del lenguaje escrito o verbal. (...) El objeto del cine es contarnos historias de cuerpos y movimientos y no de almas y problemas.» Precisamente, uno de los argumentos esgrimidos con más reiteración en contra del nuevo cine sonoro era que la palabra hipotecaba el libérrimo juego de las imágenes mudas, su organización, su longitud, su montaje y su ritmo, es decir, que la literatura (verbal) avasallaba la poesía (visual).

Tal vez quien mejor definió este criterio en la encuesta citada fue Antonio Espina, al sentenciar: «El punto de vista literario es mal punto de vista para el cinematógrafo.» Sin embargo, ya hemos visto, al examinar los textos de los poetas cinéfilos, que la afirmación contraria fue en cambio válida: es decir, que el punto de vista cinematográfico era considerado buen punto de vista para la literatura moderna. Entre los ejemplos más brillantes de lo dicho se halla el texto de Claudio de la Torre «El tranvía al ralenti (Caminos para Luis Buñuel)» que publicó en 1928 *La Gaceta Literaria*.[76] En efecto, en este texto el tranvía en que viaja el autor avanza al ralenti, como en una película fantástica, aunque al final consigue llegar al estudio de Epinay, donde Jean Epstein rueda *La Chute de la maison Usher*, un film que utilizó precisamente el ralenti con gran virtuosismo dramático y en el que Buñuel trabajó como ayudante de dirección. Pero el propio Buñuel ya había ensayado tres años antes el ralenti escritural en su texto protosurrealista «Diluvio», en donde escribe que el «diluvio caía como en los sueños, al ralenti».[77]

Todo esto significa que, a mediados de los años veinte, los escritores cinéfilos españoles reconocían una especificidad estética al cine. Lo había entendido Arconada cuando escribió su crítica de *Varieté* (1925), de E. A. Dupont, en *La Gaceta Literaria*:[78] «*Varieté* es un drama vulgar y agudo –escribió Arconada–. Esquemáticamente, el drama en sí –pasión y celos– carece de novedad. (...) En manos directoras poco expertas, un argumento de esta índole hubiese tenido una aplicación desventurada. [Su verdadero valor] consiste en los procedimientos técnicos empleados. (...) la máquina impresionadora en un trapecio. (...) Impresiones desde lo alto. Efectos de luces. Instantes de tráfico nocturno. Una curiosa originalidad de hacer que los personajes entren en escena de espaldas a la máquina, y, por lo tanto, enfocados por atrás. Incluso, para buscar sorpresas de efectos, una escena burlesca tomada a través de las aspas de un ventilador.» Con estas observaciones Arconada orillaba lo literario del drama, carente de interés para él, para fijarse en los recursos de la puesta en escena, en la organización formal de la imagen, reivindicando su especificidad estética.

La tradición historiográfica ha atribuido generalmente al cine mudo, juzgado más «puro» en términos de sincretismo semiótico que el sonoro, una mayor capacidad para la expresión poética. La primera razón, como ha quedado apuntado, reside en la libertad de su montaje, que permitía la producción y experimentación de estructuras rítmicas a través de la combinación de los planos, no pocas veces extrapoladas del arte musical y el arte poético. Tan tempranamente como en 1919, el compositor y crítico musical francés Emile Vuillermoz escribió: «La composición cinematográfica obedece, sin duda alguna, a las leyes secretas de la composición musical. Un film se escribe y se orquesta como una sinfonía. Las frases luminosas tienen su ritmo.»[79] En el ámbito en que resultó más obvio y más fácil tomar al ritmo musical como modelo y ensayar la orquestación de las formas visuales fue en el del cine abstracto, llamado en los años veinte «cine puro», «cine integral» o «film absoluto». Aunque instituido por pintores no figurativos como Viking Eggeling, Hans Ritcher y Walter Ruttmann, el cine abstracto derivaba de las estructuras dinámicas musicales y su conexión con la poesía se hallaba precisamente en su valoración del ritmo, que era una categoría musical antes que poética, pues la poesía la había adoptado históricamente del arte musical. Pero, en cualquier caso, el resultado cinematográfico era radicalmente antiliterario.

Desde una perspectiva moderna, Patrick De Haas ha analizado la erupción de aquellos ensayos que asociaban el cine a la música, señalando que «hay que entenderla en el marco de la problemática de la energía. Se opone a una concepción de la materia como sólido para sustituirla por la visión de un mundo en perpetuo movimiento –como los líquidos y gases–, después se busca una representación de la energía psíquica, de la pura duración, y el mejor modelo parece hallarse en este caso en la música».[80]

El pintor sueco Viking Eggeling es considerado el fundador del cine abstracto con su *Diagonal Symphony*, iniciada en 1921 pero no concluida hasta 1924 y estrenada en Berlín el 3 de mayo de 1925. Junto a él figura su amigo, colega y colaborador alemán Hans Richter, quien había sido alumno del compositor musical Ferruccio Busoni en 1918 y que ofreció en aquellos años *Rhytmus 21* (titulado originalmente *Film is Rhytmus*, de 1921), *Rhytmus 23* (1923) y *Rhytmus 25* (1925), cuyos títulos explican a las claras sus ambiciones y que no vamos a analizar aquí.[81]

En los años veinte los realizadores y teóricos franceses especularon abundantemente sobre las bases técnicas del ritmo cinematográfico. Así, Jean Epstein explicó en 1923: «Se llaman pasajes ritmados en un film a los compuestos por encuadres cuyas longitudes estén estrictamente determinadas las unas por las otras. Para que un pasaje ritmado produzca un efecto agradable al ojo, es menester que, además de sus cualidades dramáticas, las longitudes de los pasajes tengan una relación simple entre ellas. Es necesario sobre todo para un montaje rápido en el que los trozos de 2, 4, 8 imágenes creen un ritmo, que será forzosamente destruido por la introducción de un corte de 5 o 7 imágenes. Hay aquí una analogía muy evidente con las leyes de los acordes musicales.»[82] Y Germaine Dulac abundó: «Pienso que una visión cinegráfica debería ser como una audición musical: una sucesión de líneas, de volúmenes, de claroscuros, ordenados siguiendo un ritmo, y con armonías y disonancias.»[83]

Estas teorías llegaron pronto a España, y Sebastià Gasch, quien solía citar en sus textos la revista *L'Esprit Nouveau* en la que colaboraba Epstein, se hizo eco de ellas en varias ocasiones: «El ritmo –escribió Gasch en 1928– es uno de los principales elementos, o mejor dicho, el elemento principal del cinema. Gracias al ritmo, se logra el ponderado encadenamiento de las imágenes, tan necesario para nuestros ojos como el ritmo musical lo es para nuestros oídos.»[84] Y en el prefacio de *Una cultura del cinema*, de Díaz-Plaja, insistió en los mismos conceptos.[85]

No tardó en resultar evidente que también el cine figurativo y narrativo, que tanto debía a las estructuras de la novela decimonónica, podía experimentar con los ritmos poético-musicales, aunque sólo fuera en algunos de sus pasajes. La película de Abel Gance *La rueda (La roue*, 1922), en la que colaboró Blaise Cendrars, ofreció incluso un fragmento de montaje rápido, mostrando la veloz carrera de una locomotora, que pasaría a ser conocido como *la chanson du rail* y que inspiraría a Arthur Honegger su famoso poema sinfónico *Pacific 231* (1923) –comentado por Arconada en *Alfar,* n.º 55–, texto musical que fue objeto, a su vez, de interpretaciones cinematográficas en la Unión Soviética en 1931 por Mijaíl Zezhanovski, con dibujos animados, y en Francia en 1949 por Jean Mitry, demostrando palmariamente la reversibilidad de las influencias. *La rueda* marcó un hito en este tipo de experiencias y Germaine Dulac comentó así aquel famoso pasaje: «El raíl, un camino rígido de acero, empotrado, el raíl tan lejano de la vida, un poema cuya rima son simples líneas que se mueven, multiplicadas después. Jamás el cine alcanzó, me parece, un nivel tan alto como en este corto poema debido a nuestro maestro Abel Gance.»[86]

Pero *La rueda* no fue la única película que suscitó este tipo de valoraciones. Emile Vuillermoz, después de ver *Coeur fidèle* (1923), de Jean Epstein, escribió: «Si existiera en París un director de sala dispuesto a ofrecer en el ámbito del cine espectáculos correspondientes a nuestros conciertos sinfónicos, le aconsejaría inmediatamente proyectar la prodigiosa fiesta verbenera del film de Epstein.»[87] Y, desde Madrid, Carlos Fernández Cuenca concordaba en 1927 con estos criterios, al escribir: «Si la literatura –y cien obras hay que lo demuestran– ha conseguido efectos de armonía e instrumentación que se consideraban exclusivos de la música, ¿qué no podrá conseguir el arte cinematográfico, donde es factible jugar hasta el infinito las combinaciones más extraordinarias de líneas, de luces, de reflejos, de figuras?» Y abogaba para que se experimentara con estas sinfonías visuales más allá de las películas de «cinema integral», citando como ejemplo afortunado de ello *El difunto Matías Pascal (Feu Mathias Pascal*, 1925), de Marcel L'Herbier: «En esta obra maestra del séptimo arte –añadía Fernández Cuenca– existen pasajes de pura fusión cinematográfico-musical. Por ejemplo: la maravillosa escena del tren, en doble impresión, en la que la melodía de los pensamientos del viajero se armoniza perfectamente, impecablemente con el acompañamiento de la visión continuada de los rieles por donde corre el convoy.»[88]

Significativamente, en la segunda mitad de los años veinte aparecieron bastantes películas figurativas autotituladas o subtituladas poemas, melodías o sinfonías, tributarias de una concepción sinestésica de la percepción visual. Entre las más famosas figuró el «poema urbano» de Walter Ruttmann –uno de los fundadores del cine abstracto– titulado *Berlín, sinfonía de una gran ciudad (Berlin, die Symphonie einer Grosstadt*, 1927), antesala de su siguiente *La melodía del mundo (Melodie der Welt*, 1929), ya sonora. Ruttmann concibió su poema visual berlinés de un modo casi abstracto, traicionando así la preocupación social que había querido imprimirle su guionista Carl Mayer. Guillermo de Torre exaltó la belleza del film en su presentación en el Cineclub de Buenos Aires, porque «[me ha] interesado desde siempre la poesía objetivada sobre motivos modernos».[89] Y tres años después de la sinfonía berlinesa, cuando Ernesto Giménez Caballero rodó *Esencia de verbena*, sin conocer el film de Ruttmann, lo subtituló también *Poema documental de Madrid en 12 imágenes*, mientras que en el mismo 1930 aparecía en Estados Unidos *A City Symphony*, rodada en Nueva York por Herman G. Weinberg, quien había estudiado música en el Institute of Musical Art of New York.

En estas designaciones –sinfonía, melodía, poema– se evidenciaba que en aquel cine existía una explícita voluntad de intertextualidad en relación con las estructuras, las cadencias y los metros acuñados por la poética verbal y musical. Un ejemplo especialmente llamativo de esta orientación lo ofreció Germaine Dulac, quien en 1928 realizó *Disque 927*, un film mudo inspirado en los preludios 5 y 6 de Chopin, al que siguieron *Thèmes et variations*, sobre diversas melodías conocidas, y *Étude cinégraphique sur une arabesque* (1929), otro film inspirado por el segundo *Arabesque* de Claude Debussy. Y hasta en la lejana Unión Soviética, el cineasta bolchevique Dziga Vertov, que había estudiado también música, dio significativos subtítulos a sus combativos films: *¡Adelante, Soviet! (Shagái, soviet*, 1926) se subtituló *Sinfonía del trabajo creador; La sexta parte del mundo (Shestaia chast mira*, 1926) llevó por subtítulo *Cine-poema lírico*; y al ya sonoro *Entusiasmo (Entuziazm*, 1930) añadió el calificativo *Sinfonía del Donbass (Simfonia Donbassa)*.

Fue precisamente el cine soviético el que, en su conjunto, exploró más a fondo las virtualidades del montaje como instrumento formativo de una poética cinematográfica. Uno de los puntos más elevados de este experimentalismo lo constituyó *Octubre (Oktiabr*, 1927), en donde Eisenstein ensayó hasta sus últimas consecuencias las posibilidades del cine metafórico y conceptual, a través de lo que el realizador denominó «montaje intelectual», uno de los cinco tipos de montaje que teorizó por entonces, junto con el métrico, el rítmico, el tonal y el armónico.[90] Pero no fue el único director soviético que efectuó este tipo de ensayos. Vertov desarrolló unos cine-poemas en los que vertebró sintagmas mediante asociaciones figurativas y conceptuales. En *El hombre de la cámara (Cheloviek s kinoaparátom*, 1929), por ejemplo, propuso la siguiente cadena sintagmática:

Una muchacha se lava la cara con una toalla y abre los ojos/Las tabillas de una persiana se abren/El objetivo de la cámara tomavistas enfoca unas flores, que se van tornando nítidas/La muchacha cierra y abre los ojos/Las tablillas de la persiana se abren y se cierran/El diafragma de la cámara se cierra y luego se abre.

En este caso, la cadena sintagmática está estructurada en base a las analogías figurativas y conceptuales de los ojos, del objetivo de la cámara y de las tablillas de las persianas que dejan pasar la luz, asociando la misma función en la naturaleza (ojos), en la artesanía (persiana) y en la tecnología óptica (objetivo de la cámara). Y cuando, tras los ojos de la muchacha que se abren, vemos las tablillas de la persiana abriéndose, no resultaría exagerado referirse a un «efecto de rima» visual. Como la luna atravesada por una nube que da paso a un ojo cortado por una navaja en *Un Chien andalou.*

Incluso algunos directores soviéticos tenidos por menos experimentalistas, como V. I. Pudovkin, exploraron de modo atrevido el territorio del cine poético. En el desenlace de *Tempestad sobre Asia (Potómok Chinguis Jana*, 1928), Pudovkin presentó a los soldados británicos barridos de Asia por un huracán alegórico que simbolizaba la revolución anticolonialista. En todos estos casos se halló la misma preocupación por ensayar los procedimientos retóricos y prosódicos de la poesía mediante las imágenes icónicas, de un modo más complejo del que era posible en la pintura, gracias a la movilidad de los signos inherente a la expresión cinematográfica.

Pero no existió unanimidad en la apreciación de estos virtuosismos. Los surrealistas, por ejemplo, repudiaron el cine abstracto, que se había forjado precisamente en el seno del dadaísmo. Y César Arconada, que se había ocupado de estudios musicales, escribió en 1928:[91] «El cinema es la afirmación de las cosas. Flotación. Superficie. La música es un arte vertical. De ascensión, de vaga estructuración. El cinema es un arte horizontal. De asiento, de volumen, de estructuración concreta. (Por eso mismo, yo no comprendo que algunos cineastas traten de realizar el film puro o absoluto. Esto significaría querer alcanzar un film de esencias –música–).»

Los surrealistas españoles, y concretamente Buñuel y Dalí, fueron todavía más radicales en su repudio que Arconada, como ya hemos anticipado. Pues si fue un lugar común de ciertos escritores de la época asociar la fascinación ejercida por el cine a la poesía o a la música, como eco de aquel *Rythme ou mort* que Léon Moussinac había proclamado en 1924 en su libro *Naissance du cinéma,*[92] Buñuel ya les replicaba en 1927: «Un cinedrama, sabiamente realizado, conseguido plenamente, resulta más nuevo, más insólito que un film de los llamados *sinfonía visual*».[93] Este postulado se fue radicalizando y cuando en 1929 Dalí le entrevistó para *L'Amic de les Arts*[94] y le preguntó acerca de la importancia del ritmo en el cine, Buñuel replicó con rotundidad al entrevistador que no sabía qué era el ritmo.

Por otra parte, las concepciones puristas acerca del ritmo cinematográfico se derrumbaron en cuanto se instauró el cine hablado, en el que la longitud de los planos y su montaje, tanto como la de las escenas, pasó a supeditarse a la longitud de los diálogos. Pero en el período 1928-30 era necesario establecer una importante distinción técnica entre el cine sonoro (con música y ruidos, pero sin diálogos) y el cine hablado. Algunos escritores defendían al primero pero repudiaban al segundo, pero la desconfianza hacia el invento era bastante general, como evidenció una encuesta que sobre este tema efectuó *La Gaceta Literaria* a finales de 1929.[95] Juzgue el lector por las respuestas: «el cine sonoro conseguirá efectos admirables, [pero] uno de los grandes atractivos del cine, para mí, era precisamente su mudez» (José María Salaverría); «[Será] un arte forzosamente híbrido, tributario en muchos aspectos del teatro, de la novela, de la escenografía, etc. [y] el cine oral y sonoro nos resultará una cosa tan desagradable, a ratos, como la fusión del teatro fotográfico y el gramófono» (Antonio Espina); «el cine parlante será siempre una mixtificación, un género híbrido» (Esteban Salazar y Chapela); «no es artísticamente viable. (...) El cine hablado es una mixtificación truculenta» (Francisco Ayala); «la lenta dicción y extensos parlamentos de la nueva modalidad robarán parte de la atención del cinéfilo-oyente» (Miguel Pérez Ferrero). Pero Antonio de Obregón y Luis Gómez Mesa avanzaban en la encuesta cautas esperanzas acerca de aquel invento. Cuatro meses más tarde Juan Piqueras recababa en la revista la opinión de Edgar Neville al respecto, quien se sumó al coro de los detractores:[96] «El mudo es cine para gente con imaginación –afirmó Neville–. El hablado es cine para explicar lo mismo que el mudo a las personas que carecen de ella.»

Neville pronunciaba su pesimista diagnóstico en 1930, el mismo año en que Buñuel rodó en París el film sonoro *L'Age d'or*, en el que exploró el nuevo medio de un modo radical y atrevido, proponiendo un soliloquio asincrónico de Gaston Modot, con la voz de Paul Eluard, de modo que aunque sus labios no se movían en la pantalla el espectador podía oír sus palabras. Pero esta audacia no era solamente técnica, sino que enlazaba con la poética del monólogo interior de Joyce, abriendo nuevas rutas al cine hablado, totalmente ajenas a la estética del cine mudo.

Un escritor atento al nuevo medio, como Arconada, declaró aquel mismo año: «Creo en el cine sonoro, entre otras razones, porque tengo una fe supersticiosa en ese pequeño aparato que se llama micrófono. (...) Es inútil la protesta, el reproche, la disconformidad de las individualidades –de los espirítus puros: de los burgueses–; el micrófono representa la voz común, universal, dispersa, única del mundo nuevo de las masas.»[97] La aceptación del nuevo cine sonoro se estaba tiñendo de connotaciones políticas radicales.

LOS NARRADORES Y EL CINE

C. B. Morris ha puesto de relieve la influencia de las técnicas cinematográficas en la narrativa de Francisco Ayala, Benjamín Jarnés, Rosa Chacel y José Díaz Fernández, tales como el estilo de escritura *staccato* similar al montaje rápido de las películas.[98] Pero hay que añadir que una característica fundamental que diferencia al cine de la novela es que aquél *narra mostrando* y su dimensión ostensiva e iconográfica tiene por ello decisiva relevancia diferencial. Y a pesar de ser un arte icónico le separan también de la pintura muchas características diferenciales. Por poner tan sólo un ejemplo, la técnica plástica del *collage*, nacida en el ámbito de la pintura e impracticable en el de la novela, puede adquirir en el cine la forma de sobreimpresión o de *split-screen* y, con tales recursos, convertirse en simultaneísmo o unanimismo narrativo, tal como lo había ensayado Apollinaire y lo estaba practicando John Dos Passos en sus grandes novelas corales.

El trasiego de textos literarios a la pantalla empezó tempranamente en España, como es notorio. Los fracasos de Jacinto Benavente en estas lides constituyen uno de sus capítulos más conocidos.[99] Y, en los albores del cine sonoro, Gregorio Martínez Sierra declaró: «Los españoles no fuimos clarividentes con el cinematógrafo. Hace muchos años, en los días cimeros de la Bertini y de la Hesperia varios escritores de España fuimos invitados por los productores más florecientes, que entonces lo eran los italianos, para escribir argumentos cinematográficos. Y a pesar de lo novedoso del asunto ninguno de nosotros se interesó por él.»[100] Pero Martínez Sierra acabaría por ver varias de sus comedias adaptadas al cine, incluso en Hollywood, en donde escribió expresamente para la pantalla *La ciudad de cartón*

–aunque José López Rubio ha reivindicado la paternidad del texto–, una comedia que se tituló primero *Hollywood, la ciudad de cartón* y que produjo en 1933 la Fox, con dirección de Louis King y con Catalina Bárcena y Antonio Moreno en los papeles protagonistas.

De todos modos, cuando se estudian las relaciones entre novelistas e industria cinematográfica durante la etapa muda, brota de inmediato el nombre estelar de Vicente Blasco Ibáñez, que fue el novelista mejor pagado por Hollywood, en donde inició sus colaboraciones con la contratación de su novela de propaganda proaliada *Los cuatro jinetes del Apocalipsis*, por la que la Metro-Goldwyn-Mayer pagó 20.000 dólares de adelanto sobre el diez por ciento de los royalties.[101] Rex Ingram dirigió en 1921 esta versión, que alcanzó un éxito descomunal y lanzó al actor Rodolfo Valentino como estrella. La magnitud del triunfo fue tal, que antes de que la Metro-Goldwyn-Mayer llevase a cabo su segunda adaptación del autor –*Sangre y arena (Blood and Sand*, 1922), de Fred Niblo–, ya el novelista había escrito expresamente para la pantalla *El paraíso de las mujeres*, que publicó como serial el semanario *Blanco y Negro* a finales de 1921. Se trataba de un relato con mucha acción, ambientado en un país en el que las mujeres habían hecho una revolución contra los hombres y gobernaban con eficacia, aunque con métodos despóticos. La Metro-Goldwyn-Mayer rechazó el proyecto alegando excusas técnicas, pero probablemente le asustó el polémico tratamiento de la guerra de sexos, recién victoriosa la revolución bolchevique en Rusia y en el año en que las mujeres norteamericanas ganaron el derecho al voto. Todavía escribió Blasco Ibáñez otros proyectos originales para los estudios norteamericanos, como *La encantadora Circe* (1924) y *Argentine Love* (1924), cuyos manuscritos se conservan en la Motion Picture Academy Library de Los Ángeles.

Pero incluso muchos autores que no escribieron sus novelas pensando en su adaptación al cine, fueron contaminados por este medio. Así, Mainer ha destacado el «montaje casi cinematográfico» de las escenas de *Tirano Banderas* (1926), de Valle-Inclán.[102] Y Eugenio de Nora ha analizado la construcción cinematográfica de *Las siete columnas* (1926), de Wenceslao Fernández Flórez,[103] un novelista poco proclive a los experimentalismos. Tal contaminación se produjo porque las películas cinematográficas se habían impuesto en el espacio público del ocio y cuando no eran ellas las que influían directamente en los escritores, eran sus irradiaciones y prolongaciones omnipresentes, en las revistas ilustradas, la publicidad, los relatos populares, las modas y las diversiones. No solamente se estaba imponiendo un nuevo imaginario en las sociedades urbanas, por efecto del cine, sino también nuevas formas de sintaxis visual y nuevas estrategias narrativas.

Un ejemplo evidente de lo dicho se halla en la obra narrativa de Francisco Ayala, quien en 1987 admitió: «Algunas de mis piezas poético-narrativas de vanguardia, y aún de diversa manera, otras posteriores, contienen materiales que, directa o indirectamente, se remiten al cine.»[104] En el capítulo anterior hemos examinado los relatos de Ayala *Hora muerta* y *Polar, estrella*, de los que en su momento de publicación ya se observó su influencia cinematográfica. Glosando el primero de estos relatos en *La Gaceta Literaria*, Miguel Pérez Ferrero escribió:[105] «La narración se ha escrito con un sistema de cortes radicales en la acción –que la hay– y de superposiciones: con técnica de cinema.»

Pero el texto de Ayala más emblemático y que mejor ilustra la ósmosis entre literatura y técnica cinematográfica es *Cazador en el alba* (1930), un relato que Eugenio de Nora ha calificado como «un extraordinario poema narrativo»,[106] desarrollado a partir de una situación muy simple: un recluta campesino convertido en soldado de Cazadores, convaleciente del golpe producido por la caída de un caballo, rememora en la duermevela del alba su pasado y su presente. Esta estructura memorialista permite desarrollar diversos planos narrativos, que a su vez se estructuran con una vivacísima diversificación de los puntos de vista ópticos, cual emplazamientos de cámara distintos, propios de un *découpage* cinematográfico.

En el tercer párrafo de su relato propone ya Ayala al lector una zambullida en las imágenes mentales del protagonista, producto de la fiebre, señalando el autor su analogía con el cine: «la fiebre le fue mostrando sus descabalados trozos de *film*».[107] Poco después propone, en el recuerdo del protagonista cabalgando, el punto de vista móvil de un travelling subjetivo, al escribir: «sus ojos y los de su caballo sacaban astillas a los perfiles de los edificios».[108] El carácter óptico de la escenificación se remacha al escribir que el sol «introducía espadas por las rendijas».[109] El efecto visual de plano-contraplano, con punto de vista subjetivo y en contrapicado, no tarda en aparecer: «El soldado Antonio Arenas abrió los ojos. El rostro del médico avanzaba, todo raso, impecable, como el anuncio de un jabón de afeitar.»[110] Y su posición tumbado en el lecho permite que «la blancura contagiosa del techo borraba el rostro delicado».[111]

Los reclutas campesinos, en el vagón del tren, tienen la percepción del paisaje urbano de la gran ciudad, a través de la ventanilla, en un travelling subjetivo: «La locomora rompió el cinturón suburbano, y panoramas de formas rectangulares y colores vivos sobre fondo gris rojizo pugnaban por acoplar todos sus componentes en el medido espacio de la ventanilla.» Esta visión novedosa y chocante hace que el narrador guíe luego la mirada del lector hacia «los reclutas, caras atónitas... (...). De pronto, todo quedó inmóvil, parado (un *film* que se corta)».[112] Las luces de neón del paisaje urbano se presentan ante el sorprendido protagonista rural, al modo de un montaje sincopado, como «trazos azules, rojos, aparecían y desaparecían con un parpadeo capaz de fingir la pulsación normal de las paredes».[113] Ayala insiste en la mirada subjetiva del protagonista cuando entra en un burdel y mira los pies de las chicas: «Su mirada rodó por los suelos; encontró, alineados, tres pares de zapatos: charol, blancos y rojos.»[114] El punto de vista subjetivo del protagonista reaparece obsesivamente, incluso con movimiento panorámico alternante: «Entre ella y su hermano repartía Antonio miradas equitativas; anotaba semejanzas y diferencias faciales.»[115] A veces la escena parece un cuidadoso encuadre cinematográfico, como cuando escribe: «Dentro del marco de la ventana se veía su cabeza.»[116]

Ayala dinamiza en varios lugares la acción con efectos de travelling: «Paseaban. Paseaban ante las puertas sucesivas: ante las templadas tahonas; ante las fruterías, cargadas de aromas tropicales; ante la carpintería...»[117] Y en otro lugar: «Paseaban entre los fugitivos, perseguidos árboles.»[118] Pero lo más característico de *Cazador en el alba* son las percepciones visuales subjetivas del protagonista: «Él era el desocupado que se para ante los rascacielos, viendo cómo chorrea el sol por sus aristas hasta regar las anchas avenidas»;[119] «su vista viajaba, inmóvil, en las maquetas de los grandes transatlánticos»;[120] «Todo su pasado se reducía a signos. Las sensaciones que persistían iban unidas, uncidas a imágenes visuales: el trote de un caballo...».[121] Este pasado mental contrasta, por montaje, con el presente: «Pero el presente se componía de dos planos cinematográficos: un gran plano con el rostro de Aurora y, a través de él, todo el paisaje en movimiento.»[122] Y, después de beber en abundancia, «ante los ojos de Antonio, la sidrería oscilaba como la cubierta de un navío».[123]

Cazador en el alba está diseñado como la transcripción literaria de un film visto en la pantalla o imaginado en la mente. Por eso ha podido escribir Óscar Barrero Pérez que «muchas de sus páginas parecen estar filmadas al mismo tiempo que son escritas, como si el narrador estuviera provisto de pluma en una mano y cámara en otra».[124]

También Antonio Espina utilizó las técnicas del montaje cinematográfico en su novela *Pájaro pinto,*[125] técnicas y estructuras que fueron detectadas y bien analizadas, antes que nadie, por Esteban Salazar y Chapela en su época.[126] En fecha reciente, José M. del Pino ha ampliado los análisis de la cinematograficidad de este texto,[127] lo que nos excusa de extendernos sobre él. Pero estos fenómenos de intertextualidad se detectan en muchos otros narradores y el mismo estudioso lo ha hecho notar en el relato «Entrada en Sevilla», en *Víspera del gozo* (1926), de Pedro Salinas,[128] en el que se describe un paseo en automóvil del protagonista que equivale a las tomas de una cámara cinematográfica en movimiento, animadas además por el montaje.[129] Se diría que en su texto, que contiene una loa implícita a la velocidad del automóvil como símbolo de modernidad, Salinas ha reproducido el efecto óptico de un travelling rápido, que genera impresiones visuales fugitivas, dos años después de que Murnau hubiese revelado las potencialidades expresivas de la cámara en movimiento en *El último (Der letzte Mann,* 1924). Escribe Salinas que «la calle, inmóvil, pero poseída con la marcha del coche de una actividad vertiginosa y teatral, empieza a desplegar formas, líneas, espacios multicolores y cambiantes, rotos, reanudados a cada instante, sin coherencia alguna».[130] Pero la visión impresionista desde el coche no escapa a la metáfora tipista: «De pronto, en un cruce, la calle por donde iban hizo un esguince, se torció a la derecha, escapó, toda ondulada y colorinesca, como una huida de gitana».[131] Y hasta se deleita en el efecto de angulación contrapicada: «De cuando en cuando miraba hacia arriba: precipitado desfile de miradores torcidos, de balcones desenfocados, todos herméticos y sin gentes; y más alto el cielo, vereda azul, escasa y blanda, entre márgenes de claveles y geranios, por las macetas de las azoteas.»[132]

Y comentarios parecidos podrían efectuarse de bastantes pasajes de la primera novela de Rosa Chacel *Estación. Ida y vuelta* (1925-26, pero publicada en 1930 por Ediciones Ulises).

ESCRITURA Y PRÁCTICA CINEMATOGRÁFICA

A pesar de la fascinación que los escritores de anteguerra sintieron por el cine, fueron muy pocos quienes lo cultivaron profesionalmente. Luis Buñuel y Salvador Dalí, sobre todo el primero, constituyó un contraejemplo emblemático, pero a pesar de su admiración hacia el cine de Hollywood, sólo llegaría a rodar dos películas para productoras californianas: *Robinson Crusoe* (1952) y *La joven (The Young One*, 1960). De Giménez Caballero, que rodó unos cuantos cortometrajes, nos ocuparemos más tarde. Claudio de la Torre acabó dirigiendo la sección de cine en español de la Paramount en Joinville-le-Pont y en 1941 se incorporó sin brillo, con *Primer amor* (basado en la obra de Turguéniev), a la nómina de directores del primer cine franquista, como hizo también Antonio de Obregón en 1943 con *Mi vida en tus manos.* Edgar Neville adaptó guiones y diálogos en español para la Metro-Goldwyn-Mayer en Hollywood, antes de iniciar en 1931 en Madrid una carrera interesante, que se extendió hasta el período franquista, como director ilustrado en un cine sin lustre. También Enrique Jardiel Poncela, José López Rubio y Antonio de Lara (Tono) escribieron guiones o diálogos para la producción en lengua española de Hollywood antes de 1936.[133] El cine sonoro actuó, en efecto, como un estímulo para que bastantes escritores, tras haber repudiado muchos de ellos la pantalla parlante, se aproximaran a la práctica cinematográfica, como Wenceslao Fernández Flórez, quien escribió el asunto de *Odio* (1933) para el peruano Richard Harlan. El dramaturgo y novelista Ángel Villatoro *(El llanto de Pierrot, Tres cuentos subversivos)* realizó numerosos cortometrajes para la causa republicana durante la guerra civil: *Defensa de Madrid* (1936-37), *Hombres del porvenir* (1937), *El tribunal de las aguas* (1937), *Caballería heroica* (1937), *Cerámica* (1937), *Tesoro artístico nacional* (1937), *El telar* (1938), *Cemento* (1938), *España ante el mundo* (1938), *Orquesta nacional de conciertos* (1938), *Valencia* (1938). Luego se exilió en México, país que, como es notorio, acogió a muchos escritores y artistas españoles. Y allí colaboró en el guión de *Mi viuda alegre* (1941), de Miguel M. Delgado y basada en una obra de Arniches.

Manuel Altolaguire también recaló en México, en donde se inició como guionista cinematográfico con la adaptación de la novela *La casa de la Troya* (1947), en versión dirigida por Carlos Orellana. Pero en 1950 fundó la empresa Producciones Isla, utilizando el mismo nombre que poseía su editorial mexicana, para dedicarse a la producción de películas. Con esta marca editó en 1950 *Yo quiero ser tonta*, un film del español Eduardo Ugarte que vertía una pieza de su suegro, Carlos Arniches, en texto adaptado también por Altolaguirre. Con la misma marca apareció también *Doña Clarines*, de Ugarte, adaptación de los hermanos Álvarez Quintero y de la que el poeta fue también coguionista. En 1951 fue argumentista y productor, con su marca, del melodrama cabaretero *El puerto de los siete vicios*, film que no estuvo a la altura de su prometedor título, dirigido también por Ugarte. De 1951 dató también su producción de *Subida al cielo*, de Luis Buñuel, y de la que fue también argumentista y coguionista, si bien las dificultades financieras que atravesaba el poeta obligaron a un rodaje muy modesto y apresurado, plagado de contratiempos. Aun así, *Subida al cielo* –que describe en realidad un accidentado y pintoresco viaje en autobús– contiene algunos de los momentos poéticos más brillantes de Buñuel, como el sueño del protagonista, con claves edípicas. Con *Cautiva del pasado* (1952), último film de Ugarte y sobre argumento de la poetisa Concha Méndez, esposa de Altolaguirre, canceló definitivamente el poeta sus actividades de productor de cine comercial. Pero poco antes de regresar a España realizó en México, con muy pocos medios, el ensayo poético *Cantar de los cantares*, basado en Fray Luis de León, film que presentó públicamente en 1959 en el VII Festival de Cine de San Sebastián, fuera de concurso, poco antes de su muerte en accidente automovilístico.

También en México recaló Max Aub, después de haber trabajado como coguionista y ayudante de André Malraux en el espléndido film bélico *Sierra de Teruel/Espoir* (1938-39), con actores profesionales y no profesionales, que tendió un puente entre el realismo épico soviético y el neorrealismo italiano y cuya estética documental y antirretórica pudo influir en su *Campo cerrado*, escrito en 1939. *Sierra de Teruel* constituyó una espléndida llamada a la solidaridad antifascista internacional frente al bloqueo de la No Intervención, producida con un ojo puesto en el influyente mercado norteamericano, pero su accidentado rodaje, con las tropas de Franco a las puertas de Barcelona, padeció graves carencias materiales, pero también turbulencias políticas y Aub me relató cómo expulsó del rodaje a su comisario comunista, Fernando G. Mantilla.[134] En México, Aub fue nombrado consejero técnico de la Comisión Cinematográfica y profesor del Instituto Cinematográfico de México, entre 1943 y 1951. En 1943 inició también su copiosa aportación literaria a la producción mexicana, no sobrada de guionistas de talento. Del mismo año data *Distinto amanecer*, film de Julio Bracho inspirado en algunos elementos de *La vida conyugal*, de Aub, con un planteamiento político que, pese a su tratamiento melodramático, le valió muy elogiosas críticas. En el mismo año adaptó *El globo de Cantolla*, original de Alberto Quintero Álvarez y con diálogos de Eduardo Ugarte, film realizado por Gilberto Martínez Solares y que el historiador Emilio García Riera calificó como «la más divertida de las comedias de época».[135] Volvió Aub a colaborar con Ugarte en la adaptación de *La monja alférez* (1944), de Marco Aurelio Galindo, y llevada a la pantalla por Emilio Gómez Muriel, con la ascendente estrella María Félix, quien obtuvo un gran éxito con esta cinta. Plegado con frecuencia a los imperativos comerciales dominantes en la industria del cine azteca, Aub fue dialoguista de *Amok* (1944), la novela de Stefan Zweig llevada a la pantalla por el español Antonio Momplet; también fue coadaptador con Neftalí Beltrán de la zarzuela *Marina* (1944), en versión dirigida por su compatriota Jaime Salvador; guionista también de *Sinfonía de una vida* (1945), de Celestino Gorostiza, de *La viuda celosa* (1945) de Fernando Cortés (adaptando *La viuda valenciana*, de Lope de Vega), coguionista de *El sexo fuerte* (1945) de Emilio Gómez Muriel, de *La rebelión de los fantasmas* (1946), *Contra la ley de Dios* (1946) y *Otoño y primavera* (1947), los tres films realizados por Adolfo Fernández Bustamante, guionista de *Hijos de mala vida* (1946), de Agustín P. Delgado, coguionista de *Al caer la tarde* (1949) de Rafael E. Portas, argumentista y coguionista de *Mariachis* (1949) de A. Fernández Bustamante, y guionista de *El charro y la dama* (1949), adaptación de *La fierecilla domada* y realizada por Fernando Cortés.

Como puede observarse por la relación de títulos, la herterogénea producción de Aub supuso un encuadramiento profesional pleno, para bien y para mal, en la adocenada industria del cine mexicano, con tareas muchas veces de modesto empeño artístico, pero a las que aportó siempre su excelente oficio literario y su capacidad de observación visual. En 1950 colaboró, aunque no figuró en los títulos de crédito, en los diálogos de *Los olvidados*, film con el que su compatriota y amigo Luis Buñuel fue recuperado por la crítica internacional al ser proyectado en el Festival de Cannes. Luego prosiguió su entrega a las urgencias de la industria como coguionista de *Para que la cuña apriete* (1950), de Rafael E. Portas, coargumentista de *Pata de palo* (1950) y coguionista de *Entre tu amor y el cielo* (1950), ambas de Emilio Gómez Muriel –y basada la segunda en *El místico*, de Santiago Rusiñol–, coguionista de *Historia de un corazón* (1950) de Julio Bracho, y de *Cárcel de mujeres* (1951) de Miguel M. Delgado y con Sara Montiel, que se convirtió en un film de culto popular. Prolongó esta carrera como coargumentista y coguionista del melodrama *La segunda mujer* (1952), del emigrado español José Díaz Morales, y del film policiaco

Ley fuga (1952), de Emilio Gómez Muriel, y la clausuró en el año 1954, en que apareció como coargumentista con Mauricio de la Serna de *La desconocida*, de Chano Urueta, cancelando así una carrera cinematográfica que no siempre le satisfizo.

La aportación de Aub al cine no acabó con su copiosa relación de guiones. En efecto, en 1949 tradujo y publicó *El silencio es oro (Le silence est d'or)*, el guión de René Clair llevado al cine en 1947. En 1965 publicó en Francia *Campo francés*, nuevo eslabón de su serie *Campos*, que retomaba los elementos de *Morir por cerrar los ojos*, basados en su exilio francés al acabar la guerra civil pero expuestos aquí con un tratamiento de guión cinematográfico. Tratamiento que no debía sorprender a quien hubiera leído con alguna atención los textos que componían *El laberinto mágico*, dotados muchas veces de una impresionante evidencia óptica, que invitaba a su trasplante cinematográfico. En 1965 participó en el jurado del Festival Internacional de Cannes.

México acogió a muchos periodistas y escritores, no pocos de los cuales colaboraron, de modo continuo o episódico, con el cine azteca. Entre ellos figuró el catalán Paulino Massip, que había sido director de *La Voz*, colaborador de *El Sol* y *La Estampa* y, durante la guerra, de *La Vanguardia*. Cultivó la poesía (*Líricos remansos*, 1917) y el teatro (*Dúo*, 1929; *La frontera*, 1932; *El báculo y el paraguas*, 1936) antes de exiliarse en México en 1939. Allí comenzó a colaborar con la industria del cine mexicano en 1941, adaptando su farsa teatral *El barbero prodigioso*, que dirigió Fernando Soler Pavía. Hasta 1957 trabajó como argumentista, adaptador o guionista en una treintena de producciones, que vertían a veces textos literarios de autores españoles, como *El verdugo de Sevilla* (1942), de Pedro Muñoz Seca, la emblemática obra del exilio valenciano *La barraca* (1943), que dirigió Roberto Gavaldón, o *Canción de cuna* (1952), de Gregorio Martínez Sierra. Fue también argumentista de una película que trató de tender un puente entre dos culturas distantes y teñidas de suspicacia política: *Jalisco canta en Sevilla* (1948), de Fernando de Fuentes y con Jorge Negrete.[136]

Rafael Alberti escribió en su exilio americano el guión en verso rítmico del documental uruguayo *Pupila al viento* (1949), realizado por el italiano Enrico Gras, cuyo comentario fue leído por él y por María Teresa León, su esposa. Y ésta escribió para el realizador argentino Luis Saslavsky los guiones de *Los ojos más bellos del mundo* (1943) y *La dama duende* (1945), adaptando a Calderón de la Barca.

A pesar de estos escritores que colaboraron, de modo más o menos esporádico, con la industria del cine, el elenco de los escritores-cineastas frustrados de esta época está todavía por confeccionar. Baste saber, como muestra de tal frustración, que el 21 de abril de 1927 Buñuel escribía a León Sánchez Cuesta, explicándole: «El film de Pitaluga *[sic]* tal como lo tiene concebido cuesta unas ¡¡¡125.000!!!. Las 15.000 las daba un hermano de Concha Méndez pero ha partido y nada se sabe de él. Ahora querían ir a ver a McKinley para proponerle el negocio. Estos muchachos son de una imaginación calenturienta.»

De este proyecto de Carlos o Gustavo Pittaluga nunca más se supo.

Naturalmente, la nómina de guionistas sin películas fue la más llamativa, a comenzar por Federico García Lorca, de cuyo *Viaje a la luna* no parece que hiciera demasiados esfuerzos prácticos para verlo trasvasado a la pantalla. Sí los hicieron Juan Larrea y Luis Buñuel para producir *Ilegible, hijo de flauta*, un texto del primero originado en 1927 y que Gerardo Diego juzgó en 1929 muy cinematográfico, pero que luego se extravió y fue reconstruido en México en 1947, a petición de Buñuel, para conocer dos conatos frustrados de producción efectiva en aquel país, en 1957 y 1963.[137]

En algunos casos, que no fue el de Larrea y Buñuel, hay razones para sospechar que los guiones nacieron como meros ejercicios literarios, sin pretender seriamente su realización cinematográfica. Es algo que no debe sorprender, pues en Francia ocurrió algo parecido con guiones de Antonin Artaud, Philippe Soupault, Benjamin Péret, etc., textos que dieron vida a un curioso y atípico género literario marginal formado por ensueños cinematográficos virtuales, sin destinatario ni incidencia en la producción cinematográfica. Tal parece ser también el caso del notable texto de Rafael Porlán Merlo titulado *El arpa y el bebé*, publicado en septiembre de 1929 en Buenos Aires, es decir, antes del estreno de *Un Chien andalou* en España.[138] Este guión se tituló primero *David, rey*, pero aunque luego adquirió el nuevo título se le añadió el subtítulo *Tragedia bíblica* y una cita de *Bethsabé* de André Gide, pues, en efecto, en el guión comparecen varios elementos de la historia bíblica de David. El primero y más obvio es el arpa, que David tocaba para calmar y sanar a Saúl (I Samuel: 16, 23). Aparece también el baño de Betsabé espiado por el protagonista desde su terraza (II Samuel: 11, 2), la muerte de su esposo Urías en combate (II Samuel: 11, 24) y la muerte del hijo de Betsabé (II Samuel: 12,

18). Pero estos motivos bíblicos aparecen fantasiosamente distorsionados en el texto. Dividido en 109 números, el guión contiene situaciones surrealistas que exigen trucajes técnicos complejos para la época, sobre todo en el subdesarrollado cine español, por ejemplo: [4] el hombre que bosteza en primer plano y en el fondo de su bostezo «gira lentamente la bola del mundo», figura que equivale a la técnica pictórica del *collage* o a la cinematográfica de la sobreimpresión. En [39] «el arpa, sin apagarse, se levanta y sale», apareciendo en movimiento autónomo en planos posteriores [40, 41, 42, 43, 90, 91, 93, 95, 96, 97, 99 y 101]; además de un bebé que estalla [88], un niño que vuela en su cuna [101], etc.

En su exilio mexicano esbozó también Moreno Villa unos someros proyectos de guiones cinematográficos, ocho de los cuales se conservan hoy en la Residencia de Estudiantes de Madrid, cuatro de ellos bautizados con títulos: *Casa a control remoto*, *Colomba*, *No hay que asustarse* y *Los tres hermanos en 1925*. También en México, León Felipe editó en 1951 *La manzana*, texto poético calificado por su autor como «poema cinematográfico».

El caso de Vicente Huidobro fue distinto. A finales de 1927 ganó un concurso de guiones en Nueva York con su *Cagliostro*, redactado originalmente en 1923, según informó puntualmente *La Gaceta Literaria*,[139] título que apareció en inglés como *Mirror of a Mage*. Dos años más tarde se publicó su libro *Mío Cid Campeador. Hazaña*, con ilustraciones en blanco y negro y color de Santiago Ontañón.[140] El libro incluyó como preámbulo una «Carta a Mr. Douglas Fairbanks», en la que el autor reconocía el estímulo entusiasta de este actor norteamericano, en un encuentro en el Hotel Crillon de París en el verano de 1927, para escribir la historia del guerrero castellano. No era la primera vez que este héroe tentaba al cine, pues toda la prensa cinematográfica francesa anunció en mayo de 1924 que Benito Perojo lo llevaría a la pantalla.[141] Pero si Fairbanks aspiraba a encarnar al guerrero, muy acorde con su tipología estelar aventurera y gallarda, lo cierto es que cinco años después canceló su carrera y nunca llevó a la pantalla la figura del caballero castellano. Pero Huidobro, en una nota final de su carta, admite que ya había pensado, con anterioridad a su encuentro con Fairbanks, en recrear el romance del Cid Campeador. En mayo de 1930 Juan Piqueras informó que el actor Pedro Larrañaga –que acababa de protagonizar *La aldea maldita*–, tras leer el texto de Huidobro aspiró a llevar su héroe a la pantalla.[142] Desde entonces bastantes directores intentaron transportar la caballeresca leyenda al cine –entre ellos los italianos Augusto Genina en 1949 y Alessandro Blasetti en 1950–, pero sería el norteamericano Anthony Mann quien lo conseguiría en 1961, al rodar *El Cid* en España, protagonizado por el actor Charlton Heston.

NOTAS

1. *Conversaciones con Buñuel*, de Max Aub, Aguilar, Madrid, 1985, pp. 54 y 57.

2. *La pintura surrealista española*, de Lucía García de Carpí, Istmo, Madrid, 1986, pp. 247-248.

3. *Escritores y cinema en España*, Ediciones JC, Madrid, 1985, p. 18.

4. *This Loving Darkness. The Cinema and Spanish Writers. 1920-1936*, de C. B. Morris, University of Hull/Oxford University Press, Oxford, 1980, p. 34.

5. *Obras completas* de Federico García Lorca, de Miguel García-Posada, ed., tomo II, Círculo de Lectores, Barcelona, 1997, p. 754.

6. Desde *La Pantalla* n.º 1, del 18 de noviembre de 1927, hasta el n.º 3, del 2 de diciembre de 1927.

7. Desde *La Pantalla* n.º 9, del 24 de febrero de 1928, hasta el n.º 11, del 9 de marzo de 1928.

8. «El héroe estético de la vida moderna: Charlot y los vanguardistas españoles», de José M. del Pino, en *Cine-Lit II. Essays on Hispanic Film and Fiction*, Portland State University, Oregon State University y Reed College, 1995, pp. 192-203. Sobre Chaplin y los escritores españoles véase también *Homenaje literario a Charlot*, de Rafael Utrera, Editora Regional de Extremadura, Mérida, 1991.

9. *Revista de Occidente*, n.º L, agosto de 1927.

10. *Revista de Occidente*, n.º LIX, 1928.

11. *Indagación del cinema*, de Francisco Ayala, Mundo Latino, Madrid, 1929, p. 85.

12. *Indagación del cinema*, p. 98.

13. Compañía Iberoamericana de Publicaciones, Madrid, 1930.

14. *Tres cómicos del cine*, Ulises, Madrid, 1931.

15. *Tres cómicos del cine*, p. 83.

16. *Charles Chaplin, el genio del cine*, Americalee, Buenos Aires, 1943.

17. «Una figura en el cine o el cine en una figura», en *Espectador de sombras. Crítica de films*, de Manuel Villegas López, Talleres Plutarco, Madrid, 1935, pp. 32-33.

18. «Charlot de retorno», en *Espectador de sombras. Crítica de films*, p. 75.

19. Espasa-Calpe, Madrid, 1931.

20. «Consideración de Charlot», en *Cita de ensueños* (1936), Ediciones del Centro, Madrid, 1974, pp. 69-79.

21. *Hélices*, Mundo Latino, Madrid, 1923, pp. 106-107.

22. «La muerte de la madre de Charlot», en *Obras completas* de Federico García Lorca, de Miguel García-Posada, ed., tomo I, Círculo de Lectores, Barcelona, 1996, p. 750.

23. *Federico García Lorca/Cine. El cine en su obra, su obra en el cine*, de Rafael Utrera, Asecan, Sevilla, 1987, pp. 65-66.

24. *This Loving Darkness*, p. 43.

25. *La arboleda perdida*, de Rafael Alberti, Seix Barral, Barcelona, 1975, p. 279.

26. *This Loving Darkness*, p. 165.

27. *Jacinta, la pelirroja*, Revista Litoral, Málaga, 1929. Reeditado por Beltenebros/Ediciones Turner, Madrid, 1977. Las citas son de esta reedición.

28. *Vida en claro*, de José Moreno Villa, El Colegio de México, 1944, pp. 123-141.

29. *Jacinta, la pelirroja*, p. 22.

30. *Jacinta, la pelirroja*, p. 28.

31. *Jacinta, la pelirroja*, p. 35.

32. *Jacinta, la pelirroja*, p. 67.

33. *Poesías completas*, de José Moreno Villa, El Colegio de México-Residencia de Estudiantes, Madrid, 1998, p. 354.

34. *Gaceta de Arte*, n.º 11, diciembre de 1932, p. 3.

35. *Gaceta de Arte*, n.º 2, enero-febrero de 1933, p. 3.

36. Ambos en *Gaceta de Arte*, n.º 14, abril de 1933, p. 2.

37. Ambos textos están recogidos por Rafael Utrera en su *Memoria cinematográfica. Rafael Porlán Merlo*, El Ojo Andaluz, Sevilla, 1992.

38. *Poesía completa*, de Luis Cernuda, tomo I, Siruela, Madrid, 1993, p. 147; «Historia de un libro», en *Poesía y literatura I y II*, de Luis Cernuda, Biblioteca Breve de Bolsillo, Barcelona, 1975, p. 188.

39. *Poesía completa*, tomo I, p. 176.

40. *Poesía completa*, tomo I, p. 166.

41. *This Loving Darkness*, pp. 118-120.

42. Woodbridge Strong Van Dyke.

43. «Documental-Paris-1929 [IV]», en *La Publicitat* del 28 de junio de 1929, en *L'alliberament dels dits*, de Salvador Dalí, de Fèlix Fanés ed., Quaderns Crema, Barcelona, 1995, p. 214.

44. Santiago Aguilar publicó su crítica al film en *El Imparcial*, 16 de noviembre de 1929.

45. *W. S. Van Dyke*, de Hervé Dumont, *Anthologie du Cinéma*, n.º 84, julio-septiembre de 1975, p. 198.

46. *Oeuvres complètes* de André Breton, tomo II, Gallimard, París, 1992, p. 1264.

47. *Mon dernier soupir*, de Luis Buñuel, Robert Laffont, París, 1982, p. 278.

48. *Le Surréalisme au cinéma*, de Ado Kyrou, Le Terrain Vague, París, 1963, p. 126.

49. *Poesía completa*, tomo I, p. 144.

50. *La arboleda perdida*, p. 278.

51. *Marinero en tierra*, de Rafael Alberti, Losada, Buenos Aires, 1956, p. 106.

52. *La arboleda perdida*, p. 234.

53. *Cal y canto*, de Rafael Alberti, Alianza, Madrid, 1988, pp. 35-36.

54. *Cal y canto*, pp. 93-95.

55. *Cal y canto*, pp. 67-69.

56. *Cal y canto*, p. 75.

57. *Sobre los ángeles*, de Rafael Alberti, edición de C. Brian Morris, Cátedra, Madrid, 1996, pp. 116-117.

58. *Sobre los ángeles*, pp. 120-121.

59. *Ámbito*, de Vicente Aleixandre, edición de Alejandro Duque Amusco, Castalia, Madrid, 1990, pp. 89-91.

60. *Poesías completas (I)*, de Pedro Salinas, Alianza, Madrid, 1989, pp. 77-79.

61. *Poesías completas (I)*, pp. 67-68.

62. *La Gaceta Literaria*, n.º 27, 1 de febrero de 1928, p. 3.

63. *La Gaceta Literaria*, n.º 41, 1 de septiembre de 1928, p. 2.

64. *Obras completas* de José María Hinojosa, Diputación de Málaga, 1974, p. 159.

65. «La lengua escrita de la acción», de Pier Paolo Pasolini, en *Ideolo-gía y lenguaje cinematográfico*, Alberto Corazón Editor, Madrid, 1969, p. 23.

66. *Obras completas*, p. 166.

67. *Obras completas*, p. 304.

68. Sobre la obra de Hinojosa véanse los estudios de Julio Neira, como «El surrealismo en José María Hinojosa (Esbozo)», en *El surrealismo*, de Víctor García de la Concha ed., Taurus, Madrid, 1982, pp. 271-285, y «Surrealism and Spain. The Case of Hinojosa», en *The Surrealist Adventure in Spain*, de C. Brian Morris, ed., Dovehouse, Ottawa, 1991, pp. 101-118.

69. «De Homero a Charlot», en *La Gaceta Literaria,* n.º 22, 15 de noviembre de 1927, p. 3.

70. «Metrópolis», en *La Gaceta Literaria,* n.º 9, 1 de mayo de 1927, p. 6.

71. *La Pantalla* n.º 77, 28 de julio de1929, p. 1268.

72. «*Un Chien andalou*», en *La Gaceta Literaria,* n.º 60, 15 de junio de 1929, p. 1.

73. *La Gaceta Literaria,* n.º 43, 1 de octubre de 1928, p. 6.

74. «Le véritable esprit du septième art», en *Le Soir,* 16 de abril de 1925, en *Écrits sur le cinéma (1919-1937),* de Germaine Dulac, Paris Experimental, París, 1994, p. 54.

75. *Memoria cinematográfica. Rafael Porlán Merlo*, p. 40.

76. *La Gaceta Literaria,* n.º 34, 15 de mayo de 1928, p. 5.

77. *Luis Buñuel. Obra Literaria*, edición de Agustín Sánchez Vidal, Heraldo de Aragón, Zaragoza, 1982, p. 101.

78. *La Gaceta Literaria,* n.º 3, 1 de febrero de 1927, p. 5.

79. *Le Temps*, 4 de junio de 1919, citado por Jean Mitry en *Historia del cine experimental*, Fernando Torres Editor, Valencia, 1974, p. 92.

80. *Cinéma intégral. De la peinture au cinéma dans les années vingt*, de Patrick De Haas, Transédition, París, 1985, p. 124.

81. Para un análisis de los procedimientos formales que determinan el ritmo de los films abstractos de Eggeling y Richter véase: *Indagine strutturale sul linguaggio dei Ritmi 21, 23, 25 e Filmstudio 1926 di Hans Richter*, de Armando Brissoni, Liviana Editrice, Padua, 1968, y «Cinéma graphique et cinéma subjectif», de P. Adam Sitney, en *Cinéma dadaiste et surréaliste,* Centre Georges Pompidou, París, 1976, pp. 8-12.

82. Conferencia de Jean Epstein ante el Comité Nancy-París, citada por Pierre Leprohon en *Jean Epstein,* Seghers, París, 1964, p. 118.

83. «L'avenir du ciné», entrevista con Germaine Dulac por Paul Guiton, en *Le Petit Dauphinois,* 6 de enero de 1927, reproducida en *Écrits sur le cinéma (1919-1937),* p. 82.

84. «Pintura y cinema», en *La Gaceta Literaria,* n.º 43, 1 de octubre de 1928, p. 4.

85. Prefacio a *Una cultura del cinema (Introducció a una estètica del cinema),* de Guillem Díaz-Plaja, Publicació de La Revista, Barcelona, 1930, p. 14.

86. «Le mouvement créateur d'action», en *Cinémagazine* de 19 de diciembre de 1924, en *Écrits sur le cinéma (1919-1937),* p. 48.

87. *Jean Epstein,* p. 35.

88. *Fotogenia y arte,* de Carlos Fernández Cuenca, Proyecciones, Madrid, 1927, pp. 43-48.

89. «Obertura a la sinfonía metropolitana de Walter Ruttmann», de Guillermo de Torre, en *La Gaceta Literaria,* n.º 85, 1 de julio de 1930, p. 6.

90. «Métodos de montaje», en *La forma en el cine,* de S. M. Eisenstein, Losange, Buenos Aires, 1958, pp. 77-88.

91. «Música y cinema», en *La Gaceta Literaria* n.º 43, 1 de octubre de 1928, p. 4.

92. *Naissance du cinéma,* compilado en *L'Age ingrat du cinéma,* de Léon Moussinac, Les Editeurs Français Réunis, París, 1967, p. 75.

93. Crítica a *La dama de las camelias,* en *La Gaceta Literaria,* n.º 24, 15 de diciembre de 1927, p. 4.

94. *L'Amic de les Arts,* n.º 31, 31 de marzo de 1929, p. 16.

95. «Una encuesta sobre el cinema sonoro», en *La Gaceta Literaria,* n.º 69, 1 de noviembre de 1929, p. 2.

96. «Los escritores: Edgar Neville», de Juan Piqueras, en *La Gaceta Literaria,* n.º 76, 15 de febrero de 1930, p. 16.

97. «Profesión de fe: 100 por 100», en *Nosotros,* n.º 1, 1 de mayo de 1930.

98. *This Loving Darkness,* pp.140-163.

99. *Benito Perojo. Pionerismo y supervivencia,* de Román Gubern, Filmoteca Española, Madrid, 1994, pp. 77-80.

100. «Martínez Sierra habla de *Mamá*», de Fernando Rondón, en *Popular Film,* n.º 268, 1 de octubre de 1931, p. 11.

101. *Rex Ingram. Master of the Silent Cinema,* de Liam O'Leary, The Academy Press, Dublin, 1980, p. 72.

102. *La Edad de Plata (1902-1939). Ensayo de interpretación de un proceso cultural,* de José-Carlos Mainer, Cátedra, Madrid, 1987, p. 260

103. *La novela española contemporánea (1927-1939),* de Eugenio de Nora, tomo II, Gredos, Madrid, 1968, p. 27.

104. *El escritor y el cine,* de Francisco Ayala, Aguilar, Madrid, 1968, p. 8.

105. *La Gaceta Literaria,* n.º 54, 15 de marzo de 1929, p. 3.

106. *La novela española contemporánea (1927-1939),* tomo II, p. 3.

107. «Cazador en el alba», en *Narrativa completa,* de Francisco Ayala, Alianza, Madrid, 1993, p. 307.

108. «Cazador en el alba», p. 308.

109. «Cazador en el alba», p. 308.

110. «Cazador en el alba», p. 308.

111. «Cazador en el alba», p. 310.

112. «Cazador en el alba», p. 312.

113. «Cazador en el alba», p. 312.

114. «Cazador en el alba», p. 313.
115. «Cazador en el alba», p. 317.
116. «Cazador en el alba», p. 320.
117. «Cazador en el alba», p. 320.
118. «Cazador en el alba», p. 327.
119. «Cazador en el alba», p. 325.
120. «Cazador en el alba», p. 327.
121. «Cazador en el alba», p. 327.
122. «Cazador en el alba», p. 327.
123. «Cazador en el alba», p. 328.
124. «Introducción» a *Relatos*, de Francisco Ayala, Castalia, Madrid, 1997, p. 41.
125. Revista de Occidente, Madrid, 1927.
126. «Literatura plana y literatura del espacio», de Esteban Salazar y Chapela, en *Revista de Occidente*, n.º XLIV, 1927.
127. «Narrativa cinematográfica o novela cinemática: el montaje como principio constructor de *Pájaro pinto* de Antonio Espina», de José M. del Pino, en *Letras peninsulares*, vol. 7.1, primavera de 1994, pp. 313-331.
128. Revista de Occidente, Madrid, 1926.
129. «De la mecedora al aeroplano: la narrativa del 27 y de la vanguardia», de José M. del Pino, en *El universo creador del 27. Literatura, pintura, música y cine*, de Cristóbal Cuevas García, ed., Biblioteca del Congreso de Literatura Española Contemporánea, Málaga, 1997, p. 73.
130. «Entrada en Sevilla», en *Narraciones completas* de Pedro Salinas, Península, Barcelona, 1998, p. 21.
131. «Entrada en Sevilla», p. 22.
132. «Entrada en Sevilla», p. 22.
133. Sobre los escritores incorporados al cine norteamericano de habla española: *Cita en Hollywood*, de Juan B. Heinink y Robert G. Dickson, Mensajero, Bilbao, 1990; *Los que pasaron por Hollywood*, de Florentino Hernández Girbal, Verdoux, Madrid, 1992; *¡Nos vamos a Hollywood!*, de Jesús García de Dueñas, Nickelodeon, Madrid, 1993.
134. Sobre *Espoir* véase «Significación política de *Sierra de Teruel*», de Román Gubern, en *Secuencias*, n.º 2, abril de 1995, pp. 31-41.
135. *Historia documental del cine mexicano*, de Emilio García Riera, tomo II, Era, México, 1970, p. 171.
136. Sobre los escritores españoles que en el exilio se ocuparon de actividades cinematográficas, véase: *Cine español en el exilio*, de Román Gubern, Lumen, Barcelona, 1976, pp. 47-70. Sobre el caso de Paulino Massip: «Paulino Massip, un escritor español en el cine mexicano», de Bernardo Sánchez Salas, en *Secuencias*, n.º 7, octubre de 1997, pp. 41-60.

137. *Ilegible, hijo de flauta* fue publicado en dos entregas por la revista mexicana *Vuelta*, que dirigía Octavio Paz: en el n.º 39, de febrero de 1980, y en el n.º 40, de marzo de 1980. Pero en esta edición faltan dos textos que figuran en el manuscrito original, conservado en la Residencia de Estudiantes madrileña: la «Introducción» y «Algunos símbolos del film *Ilegible*».

138. Se publicó originalmente en *Síntesis,* n.º 29, Buenos Aires, septiembre de 1929. Rafael Utrera ha reproducido el guión en *Memoria cinematográfica. Rafael Porlán Merlo*, pp. 63-91.

139. *La Gaceta Literaria,* n.º 24, 15 de diciembre de 1927, p. 5.

140. Compañía Ibero-Americana de Publicaciones, Madrid, 1929.

141. *Benito Perojo. Pionerismo y supervivencia*, p. 87.

142. «Lo que es, lo que ha sido y lo que quiere ser Pedro Larrañaga», en *Crónica,* n.º 25, 4 de mayo de 1930.

7. UNA VANGUARDIA SIN CINE

LOS VANGUARDISTAS ESPAÑOLES

En sus memorias, Ernesto Giménez Caballero tituló precisamente el capítulo dedicado a la generación del 27, a *La Gaceta Literaria* y al Cineclub Español con una afirmación categórica: «Mi primera revolución: la vanguardista.»[1] El concepto de vanguardia ha agrupado genéricamente, en los tratados de historia cultural, a un conjunto de *ismos*, de voluntad transgresora o experimental, polémicamente enfrentados a las corrientes artísticas dominantes y socialmente legitimadas. Su cronología suele iniciarse en 1907, fecha oficial del nacimiento del cubismo, y puede concluir en 1930, tras el inicio de la Gran Depresión, o de un modo más genérico, en 1939, fecha del inicio de la Segunda Guerra Mundial y de la victoria militar fascista en España.

La palabra *vanguardia* procedió del léxico militar y fue extrapolada al campo del arte en la Francia del siglo XIX, como una prolongación y extensión de la querella de los «antiguos» y «modernos». A principios del siglo siguiente esta palabra ya servía para designar la subversión antiacadémica y la transgresión radical de los códigos estéticos de representación dominantes. Erigida como movimiento multiforme, pero ante todo antirromántico y antirrealista, alzado contra las dos grandes herencias estéticas del siglo XIX, su protesta estaba animada, por decirlo con palabras de De Michelis, por «la aspiración a un estado de pureza, la voluntad de encontrar un lenguaje virgen, fuera de la tradición ya contaminada y transformada en el bajo patrimonio del arte oficial».[2] Desde una metodología afín a la semiótica, es posible postular que los dos polos de focalización de las prácticas vanguardistas radicaron en el plano del significante, plasmado en la exploración técnica y formal fuera de las convenciones establecidas, o en el plano del significado, como propuesta de subversión ideológica. Pero con frecuencia ambas aspiraciones aparecieron asociadas, pues la transgresión estética o formal en el plano del significante era a veces consecuencia derivada de la novedad ideológica radical del segundo, como en el caso del dadaísmo, del surrealismo y del constructivismo.

En junio de 1930 *La Gaceta Literaria* inició una encuesta, formulando la pregunta «¿Qué es la vanguardia?»,[3] a la que contestaron treinta y tres personalidades culturales: Gregorio Marañón, Ernesto Giménez Caballero, José Bergamín, José Moreno Villa, Rosa Chacel, Valentín Andrés Álvarez, Jaime Ibarra, Melchor Fernández Almagro, Antonio Marichalar, César M. Arconada, Jaime Torres Bodet, Ernestina de Champourcin, Enrique González Rojo, Ramón Gómez de la Serna, Benjamín Jarnés, Esteban Salazar y Chapela, Ramiro Ledesma Ramos, Mauricio Bacarisse, Agustín Espinosa, Samuel Ros, Luis Gómez Mesa, Eugenio Montes, José María Cossío, José Emilio Herrera, Claudio de la Torre, Teófilo Ortega, Felipe Ximénez de Sandoval, Rafael Laffón, Guillermo Díaz-Plaja, José María Alfaro, Juan Aparicio, Eduardo de Ontañón y Francisco Vighi. Si se agrupan las respuestas más significativas, se comprueba que configuraron tres actitudes dominantes.

Por una parte, un grupo de encuestados creía en la vigencia de la vanguardia, como Ernestina de Champourcin y Samuel Ros (ambos responden: «la vanguardia ha existido, existe y existirá»), Benjamín Jarnés («la vanguardia española existe, puesto que hablamos de ella»), Ximénez de Sandoval («siempre ha existido lo que hoy se llama vanguardia»), Eugenio Montes, José María Cossío y Luis Gómez Mesa.

Otro grupo consideró que la vanguardia ya había fenecido, como Giménez Caballero («en el mundo literario, del arte y de las letras, ha existido. Ya no existe»), Salazar y Chapela («la vanguardia existió, gozó y murió»), Valentín Andrés Álvarez («habrá existido, pero ya no existe. Es cosa desaparecida») y Claudio de la Torre («existió, naturalmente, la vanguardia»).

Y hubo finalmente quienes, sin negar necesariamente la existencia de la vanguardia, se desmarcaron de ella con radicalidad o impertinencia. Así, Arconada manifestó: «Si en este momento hay vanguardia, yo soy un desertor. Y no para irme a un lado, o al centro, o a la retaguardia, sino para irme a la soledad, a mi soledad individualista.» Mientras que Bergamín opinaba que era «respecto al arte literario y poético, una noción incongruente, impertinente e indefinida: esto es, inexistente o inexacta».

La encuesta de *La Gaceta Literaria* resultó extraordinariamente interesante para pulsar el estado de opinión cultural en el crítico año 1930, en vísperas de la caída de la monarquía, en plena expansión del ciclo económico depresivo irradiado desde Estados Unidos y el mismo año en que se clausuraron las emblemáticas Galerías Dalmau de Barcelona, en que el cine mudo se extinguió y el cine de vanguardia lanzaba su canto del cisne.

Habían pasado sólo tres años de la eufórica explosión que supuso el homenaje a Luis de Góngora, que dio nombre a la generación del 27, y el optimismo renovador parecía estar cuarteándose. En realidad, la eclosión de la generación del 27 había constituido sólo un episodio, aunque muy brillante y de los más significativos, de la victoria de la modernidad europeizante –con el pretexto de un antiguo poeta cordobés– sobre la tradición en la vida cultural española. Pero dicho esto, hay que recordar una vez más que la famosa etiqueta generacional resulta insatisfactoria y que, motivada anecdóticamente por el homenaje a Góngora y formalizada por la antología de poetas que compiló Gerardo Diego, incluyó a personalidades, intereses y poéticas tan singulares y acentuadas como diversas. En este caso es el bosque el que tiende a tapar a cada árbol, pero esta etiqueta generalizadora y ultrasimplificadora ha sido un fruto típico de la necesidad que tienen los críticos, historiadores y profesores de organizar y sistematizar la información histórica, escindiéndola en categorías (generaciones, escuelas, movimientos, corrientes, géneros...) diferenciados y que les parecen más o menos homogéneos.

Llámese generación o grupo, es verdad que existieron amistades y afinidades entre sus miembros (en unos casos más que en otros), pero cada uno de ellos manifestaba un universo poético propio, con su personalidad perfectamente individualizada, de manera que Alberti era Alberti, Buñuel era Buñuel, Lorca era Lorca, y en modo alguno eran homogéneos e intercambiables. Y dada su fuerte personalidad individual, más que de grupo habría que referirse a ellos como a una constelación estelar. Y esto prescindiendo de lo que José López Rubio denominó, en su discurso de ingreso en la Academia de la Lengua en 1983, «la otra generación del 27».

Moreno Villa reconoció la confusión magmática de este grupo literario cuando se refirió a los «poetas nuevos [que] eran en el fondo tradicionalistas», citando a Lorca y Gerardo Diego, que «han titubeado entre lo formal antiguo y lo informal moderno, hicieron sonetos a la vez que poemas a lo francés en boga».[4] Existieron, por lo tanto, varios frentes estéticos a la vez. Por un lado estaban los reivindicadores de la autonomía formal del lenguaje poético, que convergieron en el emblemático homenaje a Góngora, pero Juan Ramón Jiménez le negó su adhesión, colocándose en el bando conservador. Por otro lado estaban los transgresores radicales atraídos por el surrealismo, como Buñuel, Dalí, Larrea, Miró y J. V. Foix, aunque Dalí y Larrea colaboraron en el homenaje a Góngora, mientras Buñuel escribiría desde París a Pepín Bello que este poeta era «la bestia más inmunda que ha parido madre».[5] Y en otro bando no faltarían, por otra parte, las contaminaciones, adherencias o efluvios surrealistas, sobre todo de tipo técnico y/o estilístico. Que Estela Harreteche pudiera titular en 1987 un artículo suyo «Una cuestión debatida: el surrealismo de Lorca»,[6] constituye toda una declaración. Los surrealistas veían con reticencia a sus poetas amigos/enemigos, unos poetas fascinados por Góngora y tocados muchas veces por la musicalidad andalucista y su imaginería pintoresca. A Buñuel, por ejemplo, no le gustaron los poemas de Alberti sobre los cómicos cinematográficos y mucho menos el *Romancero gitano* de García Lorca. Se ha dicho muchas veces que *Un Chien andalou* era un exabrupto contra estos poetas andaluces y, aunque no lo fuera, sabemos que Lorca se dio por aludido. Y a los improperios de Buñuel y Dalí contra la blandenguería de *Platero y yo* se añadieron encima los burros putrefactos sobre pianos en su primer film.

Si la generación del 27 no fue homogénea, sus centros de irradiación aparecen en cambio más nítidos, como la Residencia de Estudiantes de Madrid, o las revistas *La Gaceta Literaria* o *Litoral*, que dedicaron números al homenaje a Góngora. Pero la Residencia de Estudiantes puede ser calificada como el *locus nascendi* del grupo. Fruto positivo del centralismo universitario español, la Residencia se convirtió en un crisol de inquietudes procedentes de todos los lugares de España. Había sido creada en 1910 por la Junta para Ampliación de Estudios e Investigaciones Científicas, presidida por Santiago Ramón y Cajal y fundada en enero de 1907 por el Ministerio de Instrucción Pública. La dirigían, con criterios liberales e ilustrados, Alberto Jiménez Fraud y María de Maeztu, directora de la ulterior Residencia de Señoritas. Dalí recordó que en la Residencia de Estudiantes había muchos grupos y subgrupos,[7] corroborando la heterogeneidad intelectual que antes hemos señalado, y entre quienes llegarían a ser más notorios figuraban Juan Ramón Jiménez y José Moreno Villa, que era los *seniors* de la casa, García Lorca, Alberti, Buñuel, Dalí,

Emilio Prados y Manuel de Falla. Buñuel se incorporó en octubre de 1917, García Lorca en noviembre de 1919 y Dalí en septiembre de 1921. Este triángulo ibérico daría mucho juego en el futuro, como es notorio.

Los escritores de la Residencia se definían por un refinamiento británico, por una cultura cosmopolita que les había familiarizado con Apollinaire y Cocteau[8] y por un dandismo –recordado por Dalí con un deje de displicencia–[9] que explica también su interés hacia el cine como forma de expresión antiburguesa o antitradicional.

En los años veinte, seguramente los movimientos culturales más renovadores en el plano de la teoría del arte aparecieron en Francia y en la Unión Soviética. Pero los textos capitales de los formalistas rusos tardarían en difundirse en los países occidentales, mientras que la cultura francesa penetró fácilmente en España, como hemos recordado al principio de este libro. En 1922 Biblioteca Nueva inició, a sugerencia de Ortega y Gasset, la publicación de las obras completas de Freud, que Buñuel leyó asiduamente desde 1923.[10] En diciembre de 1924 Fernando Vela publicó su temprano artículo sobre el surrealismo en *Revista de Occidente* y el 25 de abril de 1925 el diario *ABC* estampó el artículo «Los nuevos poetas de Francia: los superrealistas», enviado desde París por Enrique Gómez Carrillo. El mismo mes se produjo la conferencia de Louis Aragon sobre el surrealismo en la Residencia de Estudiantes, cuando André Breton había dado otra precursora en noviembre de 1922 en el Ateneo de Barcelona.

Estos datos resultan muy relevantes cuando se bucea en los orígenes del surrealismo español. La memoria de los protagonistas de este movimiento es más difusa. En 1959 Alberti, contestando una carta de Vittorio Bodini sobre aquellos orígenes, escribió: «Nunca he prestado mucha atención a teorías o manifiestos poéticos. La *cosa* estaba en la atmósfera.»[11] Y resulta notabilísimo que Buñuel, en sus memorias, utilizase años después una frase muy parecida: «algo estaba en el aire».[12]

Dicho esto, se abre la enojosa cuestión de acotar el censo del surrealismo literario español, lo que también resulta controvertido, por lo menos desde el día en que el documentado Guillermo de Torre escribió lapidariamente que su «existencia en las letras españolas es más que dudosa».[13] Pero el arco de trabajos eruditos que van desde Vittorio Bodini en 1963 hasta los de Ramón Buckley, John Crispin, Víctor García de la Concha, Jaime Brihuega, J. F. Aranda, Antonio Bonet, José-Carlos Mainer, Jorge Urrutia y Agustín Sánchez Vidal, en las dos décadas siguientes, pasando por los fundamentales de C.B. Morris, avalan la tesis de que existió, efectivamente, un surrealismo español –e incluso un arrabal suyo contaminado por sus efluvios–, aunque apareciera diferenciado en muchos rasgos del movimiento francés.

Según el temprano estudio de Bodini, las cuatro figuras centrales del surrealismo literario español fueron Larrea, Aleixandre, Alberti y Lorca. El caso de Cernuda lo considera especial.[14] Curiosamente, omite a Hinojosa, quien según testimonios tan autorizados como el de Alberti sería el único escritor español surrealista legítimo.[15] Y ahora que se conoce mejor la obra literaria de Buñuel y de Dalí, su exclusión parece inaceptable.

Antes admitimos que el surrealismo español se diferenció en varios aspectos del francés. Uno de ellos fue la descentralización, pues si el surrealismo francés fue parisino, el español tuvo focos relevantes en Cadaqués-Figueras, en Tenerife y en Málaga. La «facción surrealista de Tenerife»[16] fue el único grupo surrealista organizado y cohesionado como tal en la cultura española de anteguerra y el único que fue reconocido y bendecido por Breton. El grupo de Málaga fue también importante, vinculado a la revista *Litoral*, que apareció en noviembre de 1926, dirigida por Emilio Prados y Manuel Altolaguirre, aunque los dos últimos números lo fueron por Hinojosa. En su órbita se movieron también Vicente Aleixandre y Luis Cernuda. El grupo surrealista malagueño, que era muy cinéfilo, acudía a las proyecciones, según J. F. Aranda, como un «ritual de grupo», que hace pensar en las gozosas veladas cinematográficas de los jóvenes Breton y Jacques Vaché en Nantes. «No iban a ver una película –escribe Aranda–, sino determinados planos de ella, y volvían una y otra vez para recoger las imágenes que ellos habían decidido que eran surrealistas, como también les pasó a los de París. Un primer plano de un pie desnudo les ponía casi en trance, por sus implicaciones fetichistas.»[17]

Otra diferencia importante entre el surrealismo francés y el español radicó en que éste no estuvo sujeto a la disciplina tiránica de un líder como André Breton, ni a la estructura sectaria que éste imprimió a su grupo. Los surrealistas españoles, como recordó Bodini, lo fueron en el plano de la creación estética, pero no tanto, como los franceses, en el plano de la moral y de la política. En efecto, el surrealismo español anterior a la Segunda República se diferenciaba del francés en su mayor despolitización y en su mucha menor incidencia en las actividades públicas polémicas, para «cambiar la vida» (Rimbaud) y «transformar el mundo» (Marx), como quería Breton. Según A. Leo Geist, el surrealismo español desempeñó, sobre todo, la función crítica de transición entre la poesía pura y el arte de compromiso social que surgiría en la etapa republicana.[18] Volveremos sobre este tema en el próximo capítulo.

Pese a todo lo dicho hasta aquí, si existió una cultura de vanguardia en España –literaria y plástica– en los años veinte, no existió en cambio una producción cinematográfica de vanguardia.

CINE Y VANGUARDIA

Fue en el tramo final del cine mudo, de 1920 a 1930, cuando el proyecto vanguardista, extrapolado con cierta demora de las artes plásticas y literarias, se instaló en la producción cinematográfica europea, a pesar de que el cine, por su juventud, difícilmente tenía una tradición académica propia a la que combatir. Pero, como habían temido los futuristas, una porción importante de la producción cinematográfica no era más que «teatro sin palabras» o, en el mejor de los casos, como en las obras de Griffith y Stroheim, «novelas visuales». El cine había heredado y asimilado de la tradición decimonónica dos modelos narrativos establecidos –literarios y escénicos–, además de la figuratividad de la cultura icónica dominante, y con ello había desembocado en propuestas de *representatividad narrativa* tan académicas como las que los vanguardistas de las primeras décadas del siglo combatían con sus manifiestos y sus obras.

Bastantes historiadores –como Langlois,[19] Ado Kyrou[20] y Patrick De Haas–[21] concuerdan en que el cine de vanguardia nació con las deformaciones ópticas exhibidas por Abel Gance en *La folie du Dr. Tube* (1915). Estaba entonces también a punto de nacer la primera experiencia del cine futurista y, al acabar la guerra, estallaría en Alemania el cine expresionista como prolongación de su pintura y su teatro de anteguerra. La conciencia estética de la novedad no tardaría en calar y en 1926 apareció en Berlín el primer libro que versó sobre el cine y la vanguardia: *Expressionismus und Film*, de Rudolf Kurtz.[22]

Desde entonces, mucho se ha escrito sobre el cine de vanguardia de entreguerras, distinguiendo entre innovación técnica e impugnación estética, entre afiguratividad y anarratividad, y considerándolo sea como corriente histórica o como categoría estética. Su motivación última se ha sustentado en el rechazo y la transgresión de un sistema consolidado institucionalmente de representatividad narrativa, al que de modo muy laxo se podría identificar, siguiendo a Noël Burch, como el Modo de Representación Institucional.[23] En su multiforme territorio se diferenciaron propuestas tan diversas como el cine futurista, que se ramificó en Italia y Rusia, el dadaísmo alemán (con Hans Richter), el dadaísmo francés (René Clair, Picabia, Man Ray), el impresionismo poemático (Alberto Cavalcanti, Walter Ruttmann) y el surrealismo francés (Dulac, Buñuel, Cocteau). Y a pesar de que la aportación española más señera fue al cine surrealista, conviene ya dejar apuntada la paradoja ontológica de tal cine, que es en rigor imposible en razón de su compleja y laboriosa mediación tecnológica en las fases de su rodaje y de su montaje, opuesta al espontaneísmo de la escritura automática, lo que confinaría propiamente la gestación del cine surrealista al estadio de la escritura de sus guiones.

Los escritores cinéfilos españoles que se movieron en el ámbito de las vanguardias no cultivaron la producción cinematográfica en aquellos años, según ya se explicó en el capítulo anterior. Como la mayor parte de sus colegas franceses adoptaron el estatuto de espectadores –de *voyeurs* exigentes y a veces maravillados– antes que el de fabricantes efectivos de fabulaciones sobre película, salvo el caso notorio de Buñuel y Dalí. Cultivaron el placer espectatorial más que el placer de la producción, que requería un cierto número de habilidades prácticas y organizativas y un desembolso financiero significativo. Por esta razón se produjo una llamativa asimetría entre una cultura de vanguardia muy vital en la literatura y las artes plásticas, en contraste con el páramo cinematográfico español.

Si se entiende por cine de vanguardia aquel que subvierte radicalmente los códigos narrativos y los modos de representación tradicionales de la producción dominante, en España no existió cine de vanguardia en los años veinte, aunque existieron algunas rarezas y obras atípicas –de las que pronto daremos cuenta– que no podían ser homologadas a las obras de Man Ray, Ruttmann, Richter o Vertov. Para decirlo con palabras de Eugeni Bonet y Manuel Palacio, en España el cine de vanguardia ha vivido «en perpetuo estado de embrión».[24] A tal carencia habría que añadir que el franquismo desacreditó de modo explícito, en su larga etapa, los movimientos cinematográficos de vanguardia.[25]

Dicho esto, es necesario recordar que artistas españoles –como algunos de los que dimos cuenta en el capítulo anterior– acariciaron proyectos cinematográficos, o esbozaron guiones, o rondaron en torno a cineastas vinculados a la vanguardia. Así, Picasso, antes del proyecto cinematográfico *Rythme coloré*, de Léopold Survage, a comienzos de 1912 consideró dinamizar las formas plásticas realizando un film, lo que no era raro dado su interés cubista hacia la representación plástica del cambio y el movimiento. En esta línea de experiencias se inscribió su serie de 1913 titulada *Construction au joueur de guitarre*, que realizó manipulando y pegando fotografías sobre un soporte.

En otro frente, algunos cineastas españoles se movieron en el entorno de personajes asociados a la vanguardia cinematográfica francesa. En España trabajó, a veces con profesionales españoles, el director Marcel L'Herbier *(El Dorado*, 1921; *Don Juan et Faust*, 1922; *La barraca de los monstruos/La Galerie des monstres*, 1924). Y Domènec Pruna, hermano del pintor Pere Pruna, residió en París en los años veinte y fue ayudante de Abel Gance y de Alberto Cavalcanti; mientras que el pintor y escritor Joan Castanyer fue en París colaborador de Luis Buñuel y de Jean Renoir, antes de dirigir, durante la guerra civil, el departamento de producción cinematográfica de la Generalitat catalana, Laya Films. Pero tales colaboraciones profesionales no alumbraron frutos prácticos en el campo de la vanguardia cinematográfica.

RAZONES DE UNA CARENCIA

De manera que, en contraste con una cultura de vanguardia muy vital en la literatura y las artes plásticas, esta ebullición no tuvo su correspondencia en el cine. Es cierto que los ecos de la vanguardia foránea llegaron hasta el gran público. De otro modo no podría explicarse la caricatura de Picatostes publicada en el quinto número de la popular revista *Siluetas* titulada «Y la vanguardia le volvió loco»,[26] satirizando a un director de cine enloquecido tras acabar un film de este corte. Aunque fuera con connotaciones burlescas, como en este caso, *vanguardia* era en 1930 un concepto introducido en el léxico de la cultura de masas y del que se sabía que abarcaba desde la pintura al cine. Sólo que en España no existió cine de vanguardia, si exceptuamos las producciones parisinas de Luis Buñuel.

Existen, por supuesto, varias razones que explicaron tal carencia. La primera se halla en la endeblez del discurso teórico y la reflexión estética en torno al cine en la España de los años veinte. Por entonces ya se habían publicado en el extranjero textos capitales de Ricciotto

Canudo (quien residió esporádicamente en Barcelona, como vimos), Hugo Münsterberg, Louis Delluc, Germaine Dulac, Léon Moussinac, Jean Epstein, Béla Balázs y, menos asequibles por estar en ruso, de Vertov, Pudovkin y Eisenstein. Comparados con ellos, las reflexiones teóricas de Juan Piqueras aparecen flagrantemente anémicas. Y los mejores trabajos en este campo, como los de Fernando Vela y Díaz-Plaja, procedían de escritores ajenos al quehacer cinematográfico y que nunca se plantearon profesionalizarse en él. Sus preocupaciones estéticas no llegaron a calar en quienes trabajaban, de modo harto azaroso y precario, en la producción de películas.

La segunda razón radica en que la vanguardia cinematográfica se desarrolló en dos países europeos –Francia y Alemania– que poseían industrias cinematográficas potentes. En España, las industrias culturales vivían en estado embrionario, salvo excepciones tan llamativas como la representada por el empresario de estirpe vasca Nicolás María de Urgoiti.[27] Urgoiti impulsó el primer proyecto de industria cultural moderna, basado en el modelo que hoy denominamos *multimedia*. Formado en la gerencia de La Papelera de Cadagua, en 1901 fundó en Bilbao La Papelera Española, de la que sería director general; en 1913 fue nombrado presidente del consejo de administración de Prensa Gráfica (editora de *Mundo Gráfico, Nuevo Mundo* y *La Esfera*) y en diciembre de 1917 lanzó *El Sol*, diario moderno, renovador e ilustrado, tutelado intelectualmente por Ortega y Gasset. En 1918 creó la Editorial CALPE (Compañía Anónima de Librerías, Publicaciones y Ediciones), que debutó con un *Diccionario etimológico* a cargo de Ramón Menéndez Pidal e inauguró, con su Colección Universal, la fórmula del libro de bolsillo, y en julio de 1920 lanzó el diario vespertino *La Voz*. Tras su brillante despegue en la cultura gutenbergiana, su hijo Ricardo Manuel de Urgoiti, ingeniero de profesión, se introdujo en los medios electrónicos como director de Unión Radio, de Madrid, constituida en diciembre de 1924 e inaugurada en junio de 1925, tres meses antes de que CALPE se asociara con la Editorial Espasa, para dar vida a la Editorial Espasa-Calpe. Unión Radio, ligada a multinacionales del sector eléctrico, creó o compró estaciones en otras ciudades españolas, en el primer intento serio de formar una red privada de cobertura estatal y en la cual se emitieron los primeros «diarios hablados» de la península. A finales de 1929, Ricardo Urgoiti creó en Madrid el estudio de grabación sonora de películas Filmófono, mediante dos discos gramofónicos sincrónicos con la cinta. En agosto de 1931 fundó una empresa, también llamada Filmófono, para importar y distribuir películas cinematográficas en el mercado español, entre las que figuraron tempranos títulos soviéticos *(La línea general, Tempestad sobre Asia, El expreso azul,* etc.), seleccionados desde París por Juan Piqueras, y cuya dudosa comercialidad era compensada por las primeras *Silly Symphonies* de Walt Disney importadas, cuya popularidad era tan grande, que se exhibían al final de la sesión. Para potenciar la promoción de sus títulos menos populares fundó Urgoiti el Cineclub Proa-Filmófono, cuya dirección confió a Luis Buñuel. Tras adquirir una cadena de cines en Madrid, en 1935, para extender el ciclo de su negocio cinematográfico a todas sus etapas, fundó la productora Filmófono, atendiendo a una sugerencia de Buñuel, quien aportó además al proyecto 150.000 pesetas prestadas por su madre, es decir, la mitad del coste de un film de la época, y se convirtió en el productor ejecutivo de la empresa.[28]

La actividad multimedia de la familia Urgoiti constituyó un caso atípico que, por otra parte, recibió un golpe mortal con la guerra civil. Y, desde luego, no ha de considerarse casual que Buñuel se integrase en esta empresa tan dinámica, aunque fuera para producir comedias y melodramas comerciales, ni que Urgoiti fuera quien presentara su *L'Age d'or* en Madrid. Pero en los años veinte, antes de la fundación de Filmófono y de Cifesa, no podía hablarse propiamente de la existencia de una industria del cine en España.

Hemos indicado que el cine de vanguardia se desarrolló en países con industrias cinematográficas potentes. Por una parte, las propuestas de la vanguardia nacieron en aquellos países como réplica estética radical y negación del cine-mercancía estereotipado y convencional generado por tales industrias (Pathé y Gaumont en Francia, la UFA en Alemania), por no mencionar al cine importado de Hollywood. Pero, por otra parte, la prosperidad industrial suministraba a la vez en esos países sus competentes técnicos y sus infraestructuras a los cineastas experimentales. Existen excelentes ejemplos de ello. Ya vimos cómo la Gaumont colaboró con Léopold Survage en su proyecto *Rythme coloré*, que debería haberse rodado en Gaumont Color. Hans Richter y Viking Eggeling dispusieron para sus primeros experimentos de cine abstracto de una subvención de diez mil marcos, que les dio un banquero, y del apoyo logístico de la UFA, que en 1920 les cedió un estudio de animación y un equipo técnico, que hizo posible la confección de *Rhythmus 21*.[29] No sólo esto. La UFA encargó a Richter la introducción de su film *Die dame mit der Maske* (1928), de Wilhelm Thiele, de la que surgió su cortometraje figurativo *Infla-*

tion.[30] Y, por añadidura, la UFA, además de distribuir films experimentales, como los de Walter Ruttmann y Lotte Reiniger,[31] el 3 de mayo de 1925, en su céntrica y lujosa sala UFA Palast de Berlín, realizó la primera exhibición de cine internacional de vanguardia, con la proyección de *Entr'acte,* de René Clair, *Le Ballet mécanique,* de Fernand Léger y Dudley Murphy, *Diagonal Symphony,* de Viking Eggeling, y *Rhythmus 23,* de Hans Richter.[32]

En Estados Unidos la implicación industrial no fue tan rotunda, pero la casa Dupont suministró gratuitamente película a Paul Fejos para su film experimental *The Last Moment* (1928), a cambio de aparecer en los créditos del principio y el final y el Fine Arts Studio le dejó rodar en decorados de otras producciones en curso.[33] Mientras que los cineastas norteamericanos de vanguardia de los años veinte –como Robert Florey, Dudley Murphy, Paul Fejos o Warren Newcombe– produjeron sus films simultánea o consecutivamente a su trabajo como profesionales de la industria del cine, de la que no se divorciaron. Y David Bordwell ha analizado cómo los estudios de Hollywood mostraron en la era clásica algún interés hacia el cine de vanguardia, para reutilizar en su producción comercial, domesticándolos, sus atrevimientos formales y sus hallazgos.[34]

En España nada de esto ocurrió. Buñuel debutó en los estudios franceses de Billancourt-Epinay –financiado por su madre, es cierto– y supo sacar provecho de técnicos tan competentes como el operador francés Albert Duverger y el escenógrafo ruso Pierre Schildknecht. Como escribieron Bonet y Palacio, «ni la vanguardia española puede funcionar como transgresión, como alternativa a la industria cinematográfica, por el simple motivo de su infradesarrollo desde todos los puntos de vista, ni puede tampoco funcionar como laboratorio de experimentación formal para posteriormente reciclarse en la misma industria, y ello porque la industria española no tenía necesidad de tal laboratorio».[35]

La tercera razón de tal carencia se halla en la falta de financiación. Las producciones europeas de vanguardia más características fueron fruto de un mecenazgo culto, aristocrático o familiar: el conde Étienne de Beaumont como mecenas de Henri Chomette; el vizconde Charles de Noailles de Man Ray, Buñuel y Cocteau; la madre de Buñuel para *Un Chien andalou.* Esta actividad de mecenazgo, que se produjo en España para actividades artísticas más tradicionales, no existió ante el muy desprestigiado panorama del cine español. Nemesio Sobrevila, como luego se verá, tuvo que autofinanciarse ruinosamente *Al Hollywood madrileño* y *El sexto sentido*, y ninguna de las dos cintas llegó a tener una explotación regular.

La cuarta razón es de orden territorial. En el periodo de expansión del cine figurativo de vanguardia en Europa, en la segunda mitad de los años veinte, la modesta actividad cinematográfica española había desplazado su capitalidad peninsular a Madrid, mientras que las actividades de este sector se eclipsaron en Barcelona. Pero Barcelona era en cambio la sede principal de la burguesía ilustrada de la península, con mayor tradición de mecenazgo en los campos de la música, de las editoriales, de la arquitectura, etc. Pero también para ella el cine autóctono carecía de todo prestigio y potencialidades artísticas.

La quinta razón, asociada a la anterior, radica en que toda vanguardia implica un proyecto de público, de unos canales de difusión y de un mercado muy selectivo. Esta burguesía ilustrada, que podía movilizar a unos cientos de espectadores para presenciar en los cineclubs lo más escogido del cine extranjero, no podía suministrar en cambio un mercado suficiente para amortizar un hipotético cine de vanguardia de producción nacional. Tampoco existían en España los estudios o salas de arte que empezaron a funcionar en París desde 1924. Cuando se piensa que la burguesía ilustrada de París suministró público para nueve meses de exhibición de *Un Chien andalou* en el Studio 28, se constata su asimetría en relación con el mercado burgués español. Es por ello por lo que Urgoiti, como antes dijimos, en su ambicioso diseño de Filmófono, organizó un cineclub que difundió films para un mercado elitista (cine soviético y films de Pabst, Ruttmann, Renoir, Dreyer), mientras que su productora se dedicó a confeccionar en cambio comedias y melodramas populares de muy bajo coste. No se trató de una esquizofrenia cultural, sino de una estrategia comercial razonada y razonable, diseñada por el vanguardista Buñuel.

La sexta razón se localiza en que la era de la vanguardia cinematográfica europea, en su modalidad figurativa o no abstracta y por ello más ofensiva para ciertas tradiciones morales, se correspondió en España con la dictadura del general Primo de Rivera, cuyas censuras en diversos niveles administrativos no podían hacer viable un cine desinhibido, iconoclasta y transgresor, como el que era propio de tal vanguardia.

Ante el panorama cultural de los años veinte que acabamos de describir, no es raro que el único vanguardista que se enfrentó al cine con vocación de auténtica profesionalidad, y que fue Buñuel (asistente de Epstein desde 1926 y participante en octubre de 1928 en el Primer Congreso Español de Cinematografía celebrado en Madrid), se exiliase para iniciar su carrera cinematográfica en esa barricada subversiva, pues aunque *Un Chien andalou* resultó financieramente española, fue rodada en París, en estudios y con profesionales de aquel país, y con título y rótulos originales en francés.

Y, por último, cuando en abril de 1931 se instauró en España un régimen de libertades públicas que pudo haber propiciado una normalización cultural y una eclosión vanguardista en el cine español, ya era demasiado tarde. Por entonces el impulso cinematográfico vanguardista internacional se había ya cancelado, por la superior complejidad técnica y mayor costo del nuevo cine sonoro, por la depresión económica y el ascenso de los fascismos en Europa, que convirtieron al combativo y admirado cine soviético, a los ojos de muchos intelectuales, en un modelo ejemplar de arte realista, pedagógico y utilitario. Ya el 6 de octubre de 1929, el prestigioso crítico comunista Léon Moussinac, en su artículo «Sur trois films dits d'avant-garde» aparecido en *L'Humanité*, había expuesto sus serias reservas ante *Un Chien andalou* y *Les Mystères du Château de Dé*, de Man Ray, calificando al primero de «divertimento decadente de mal gusto». Y hasta Eisenstein, cuyo experimentalismo en *Octubre* había sido vapuleado por la crítica soviética, tras contemplar *Un Chien andalou* en La Sarraz el mes anterior, opinó con disgusto que «exponía el alcance de la desintegración de la conciencia burguesa».[36] Por si quedaba algún equívoco, en una conferencia pronunciada en la Sorbona el 7 de febrero de 1930, Eisenstein reprochó al cine vanguardista occidental que «no se preocupa de organizar ni de provocar las emociones básicamente sociales del público».[37] Los tiempos estaban cambiando y mientras el surrealismo se debatía en Francia ante el dilema de la militancia comunista de sus miembros, en España un significativo número de artistas e intelectuales republicanos –Alberti, Arconada, Emilio Prados, José Domenchina, Josep Renau, Alberto Sánchez, Juan Piqueras, etc.– ingresaban en el Partido Comunista. Y en este nuevo contexto Buñuel, de regreso a su país, debutó en el cine peninsular con su documental de denuncia social *Tierra sin pan* (1933).

LA PERIFERIA VANGUARDISTA

Aunque en los años veinte no se produjeron en España películas homologables a las adscritas al cine de vanguardia francés o alemán, aparecieron en cambio algunos títulos atípicos o excéntricos que, en el mejor de los casos, acusaron en algún aspecto los efluvios o la contaminación de las corrientes renovadoras que llegaban de Europa. Es necesario, por lo tanto, examinar tales títulos.

Lo primero que hay que lamentar del largometraje *Madrid en el año 2000* (1925), que es el primero de los films que se van a considerar, es que no existe hoy ninguna copia del mismo, lo que relativiza cualquier juicio sobre él. Pero, de entrada, el título es adscribible a una derivación específica del futurismo, la que Eisenstein denominó «urbanomanía».[38] El marco histórico del aquel fenómeno es bien conocido. En 1919, el mismo año en que se fundó en Weimar la Bauhaus, se inauguró el metro de Madrid, una ciudad cuya fisonomía estaba cambiando con rapidez, como subproducto de la prosperidad económica en los años de la guerra. El colorismo del mundo urbano, símbolo de modernidad, invadió la literatura en diferentes países. En Francia produjo Paul Morand *Ouvert la nuit* en 1922 y en Estados Unidos John Dos Passos ofreció en 1925 su considerable *Manhattan Transfer*, traducido en España por Editorial Cenit.

En pintura, los temas urbanos habían aparecido como fruto de la ruptura antiacadémica del siglo anterior, como testimonian las telas de Edvard Munch *Música en la calle Karl Johan* (1889) o *Tarde de primavera en la calle Karl Johan* (1892). El futurismo italiano dio un impulso decisivo a este género, con *La città sale* (1911) de Umberto Boccioni, exhibido en París, Londres, Berlín y Bruselas, suscitando una «sensación enorme».[39] Poco después apareció *Città futurista* (1914), del arquitecto Antonio Sant'Elia, mientras que en 1916-17 Georg Grosz pintó en Alemania su abigarrado e impresionante *Metrópolis* (de 100 × 102 cm) y Fernand Léger produjo en 1919 su gran óleo *La Ville* (de 227 × 294 cm), que inició una veta urbana en su obra (*Les hommes dans la ville*, 1919; *Les disques dans la ville*, 1920-21, etc.).

Los artistas españoles no fueron impermeables a la nueva iconografía urbana. Así, Ramón Acín pintó hacia 1909 su óleo sobre tabla *Calle con veladores* y el polaco Josef Pankiewicz el óleo sobre lienzo *Calle de Madrid* (1916), con efluvios cubistas; Rafael Barradas el colorista óleo *Calle de Barcelona a la 1 p.m.* (1918); Joaquín Torres García *Nueva York* (1920) y Salvador Dalí *Madrid nocturno* (1922). El bilbaíno Antonio de Guezala no renunció a dramatizar anecdóticamente su estimable óleo sobre lienzo *Choque de tranvías en el Arenal*, mientras Gabriel García Maroto ofrecía un vigoroso *Paisaje de Madrid* (1925), de sabor expresionista.

El cine no tardó en entrar en sintonía con esta sensibilidad urbanista, característica de los nuevos tiempos. En 1921 el pintor Charles Sheeler y el fotógrafo Paul Strand rodaron en Nueva York el espléndido documental *Manhatta.* Al año siguiente el húngaro László Moholy-Nagy preparó en la Bauhaus el proyecto cinematográfico *Dynamik der Grosstadt (Dinámica de la ciudad)*, que nunca llegó a realizarse. Por esta época surgió en Alemania un ciclo de películas en las que las calles de la ciudad –aunque reconstruidas en los estudios– desempeñaban una importante función dramática. La película que inauguró esta senda se tituló emblemáticamente *Die Strasse (La Calle*, 1923) y en ella Karl Grüne contrapuso enfáticamente la seguridad del hogar burgués con la arriesgada aventura de las calles, en un ciclo que llegaría hasta *Asfalto (Asfalt*, 1929), de Joe May. Para reforzar esta impresión amenazadora, los escenógrafos de *Die Strasse* (Ludwig Meidner y Karl Goergen) infundieron a algunos objetos callejeros personalidad animista.[40] Del mismo año dató también la fantasía urbana de *París dormido (Paris qui dort)*, que marcó el debut de René Clair. Murnau, por su parte, inscribió en *El último (Der letzte Mann*, 1924) un discurso en torno a los dos territorios y los dos rostros de una gran ciudad: el barrio de los hoteles de lujo y el de las casas de los trabajadores en la periferia urbana. Al año siguiente Robert Flaherty rodó el documental neoyorquino *The Twenty-Four Dollar Island* y el músico estonio Dimitri Kirsánov, emigrado a Francia, completó su extraordinario *Ménilmontant*, filmado en este barrio parisino.

Pero nada comparable a estos títulos se había producido hasta entonces en España. Y aunque ya no sea posible juzgar el exitoso serial de intriga en ocho episodios *Los misterios de Barcelona* (1916), por no existir copias de esta producción de la Hispano Films, el hecho de ser una adaptación de un copioso folletín escrito por Antonio Altadill en 1860, inspirado en *Los misterios de París* de Eugène Sue, hace presumir su dudoso interés en este apartado que ahora nos ocupa.

En febrero de 1925, la revista corporativa barcelonesa *Arte y Cinematografía* daba cuenta de que la empresa Madrid Film había terminado la producción de *Madrid en el año 2000*, «prodigio de arte y de técnica».[41] Y el mes siguiente el semanario *El Cine* informaba de la preparación de este título, por parte de Selecta Films, dirigida por Juan Vilá Vilamala, y la firma madrileña Ediciones Maurente, de Luis Maurente.[42] Las discrepancias de ambas informaciones no eran sustantivas, pues la primera era una revista mensual e impuntual y la segunda era semanal. Y Madrid Film era el establecimiento con estudios y laboratorios, propiedad de Enrique Blanco, en donde se rodó la película y se efectuaron sus trucajes. El realizador de tan atrevida cinta era el trotamundos asturiano Manuel Noriega, un hombre inquieto que había sido antes actor en el cine mexicano primitivo –país en el que cancelaría también su carrera–, combatiente en las huestes de Pancho Villa y luego actor y desde 1920 director en Nueva York de sainetes para los circuitos hispanos. En 1923 se incorporó al cine madrileño y en 1924 la censura primorriverista prohibió su drama *Venganza isleña*, impresionado en parte en Mallorca. Para protagonizar su nuevo film Noriega requirió al actor canario Javier de Rivera, quien también había actuado en su infausta producción anterior y sería un actor habitual en su filmografía. Y, como novedad reseñable, hizo debutar en él al actor teatral Roberto Rey, nacido en Valparaíso de padres españoles, quien llegaría a ser una figura popularísima en el cine republicano.

Nada sabemos de la génesis de *Madrid en el año 2000*, un título futurista *avant la lettre* muy propio de los sueños megalómanos de una sociedad premoderna, pero su fecha de producción resulta significativa, pues si bien es anterior al rodaje de *Metrópolis* en Berlín, su gestación bien pudo inspirarse en la nutrida publicidad que rodeó la preparación de aquel famoso film, cuya elaboración se extendió desde marzo de 1925 a octubre de 1926, para ser distribuido por la UFA en España en la temporada 1926-27. Ejemplos de aprovechamiento oportunista de la publicidad de grandes producciones extranjeras no habían faltado en el raquítico cine español y seguirían surgiendo en el futuro. El film de Noriega bien pudo constituir un ejemplo de tal estrategia y, de hecho, el propio título se adhiere a la ambición del cine alemán de la época de crear espacios escenográficos imposibles, irreales y utópicos, propios del imaginario expresionista.

Pero los medios materiales disponibles no estuvieron a la altura del ambicioso proyecto y, como no se pudieron construir decorados futuristas satisfactorios, hubo que aprovechar una exposición de muebles y decorados modernos de los Almacenes Madrid-París, para rodar en ellos de prestado. El resto de fantasía lo suministraron los trucajes técnicos y los laboratorios, para hacer de Madrid un puerto de mar por medio de la canalización del río Manzanares, de modo que ante el asombrado espectador se presentaba la parte posterior del Palacio de Oriente a modo de puerto ante el que pasaban grandes transatlánticos.[43] Según el testimonio de Eduardo G. Maroto, Bernardo Perrote, técnico de los laboratorios Madrid Film, fue el responsable de este memorable trucaje, que puso un mar ficticio en los jardines de Sabatini.[44] El historiador Antonio Cabero, que pudo ver el film en su día, escribió que «de toda aquella tramoya, lo único digno de mencionarse fue la labor de los laboratorios de Madrid Film y la de Enrique Blanco en las dobles impresiones».[45] Y Julio Pérez Perucha, sin poder ver este film perdido, añadió que uno de sus objetivos manifiestos fue «poner de relieve la excelente preparación técnico-profesional de los estudios que lo producen».[46]

Madrid en el año 2000 se estrenó el 16 de abril de 1925 en el Teatro Rey Alfonso de la capital, en una sesión de alto copete, coincidiendo precisamente con un cursillo sobre urbanismo que se impartía en la Sociedad Central de Arquitectura de la ciudad, dando fe de la urbanomanía de la época a que antes nos hemos referido. El día del estreno del film, el conferenciante del curso era don César Cort Botí, profesor de la Escuela Superior de Arquitectura.[47] Que la película despertaba expectación lo demuestra que hubiese sido elegida para inaugurar la conversión del Teatro Rey Alfonso, en la calle Génova, en su nueva función de sala cinematográfica y que la familia real decidiera asistir al completo a tal estreno, cuya recaudación se destinó a la Cruz Roja.[48]

La sesión en que se exhibió el film de Noriega se completó con el corto cómico de dos rollos de la Fox *Los exploradores (The Explorers*, 1923), de Thomas Buckingham, y la producción francesa *La venganza de una hermosa (La dame au ruban de velours*, 1923), de 1.600 metros, de Joseph Guarino y con Arlette Marchal. Y el acompañamiento musical corrió a cargo de la orquesta dirigida por el maestro Yust.[49]

Curiosamente, la prensa no se ocupó de tan prometedor estreno, bendecido por la Casa Real, desmintiendo el eslogan publicitario que pronto se puso en pie para apuntalarlo comercialmente: «La película más discutida es *Madrid en el año 2000.*»[50] A la vista de tal silencio crítico hay que inferir que la presencia de los reyes en su estreno significaba que el film era juzgado lo bastante llamativo, insólito y espectacular como para motivar la presencia real y la recaudación benéfica, pero a la vez desvela que no se trataba de un film transgresor, agresivo, iconoclasta, anómalo o subversivo –de vanguardia, en suma–, que pudiera provocar la extrañeza, desconcierto o incomodidad de la familia real. Bonet y Palacio mencionan este film hoy invisible, en su recorrido sobre el cine de vanguardia español, reduciendo su interés a los trucajes técnicos y colocándolo en el apartado de los films «de avanzada», que es como Cabero lo calificó en 1949.[51] Y Pérez Perucha lo sitúa como «presunto cruce de casticismo y cosmopolitismo europeo».[52] Su inclusión en el cine de vanguardia español resulta, según todos los indicios, forzada.

Distinto es el caso de algunas secuencias de la obra de Benito Perojo, como la de la pesadilla de Conchita Piquer en *El negro que tenía el alma blanca* (1927), rodada en estudios parisinos por el operador aragonés Segundo de Chomón, y el fragmento de poema urbano en su coproducción hispanoalemana *Corazones sin rumbo/Herzen ohne Ziel* (1928), con Imperio Argentina. Es sabido que Benito Perojo, viajero inquieto y gran modernizador del provinciano cine español a lo largo de dos décadas –en las etapas del cine mudo y del cine republicano–, fue criticado por los plumíferos más chovinistas con los epítetos de «afrancesado» y «cosmopolita», supuestamente descalificadores. En la etapa del cine mudo español, Perojo fue el único realizador que asimiló las innovaciones técnicas europeas y las puso en práctica en algunos de sus films. La pesadilla femenina que inventó para *El negro que tenía el alma blanca* desarrolló creativamente una escueta anotación de la novela de Alberto Insúa que adaptaba[53] y, con ella, desplegó plásticamente una fantasía onírica de intenso contenido erótico, asociada al mito clásico de la bella y la bestia y anticipando la iconografía de *King Kong.*[54] En 1923 había causado sensación la escena onírica recurrente de *El caballero de la pesadilla (Le braiser ardent*), producción de Albatros dirigida e interpretada por Iván Mosjukin, y al año siguiente Murnau ofreció en la pantalla un sueño de gratificación compensatoria del frustrado portero protagonista de *El último.* Perojo fue más lejos y añadió a su escena el desdoblamiento de la protagonista por sobreimpresión cuando se levanta de la cama, el uso del ralenti, la dislocación del espacio y el desplazamiento freudiano de sujetos –propio de la organización neurótica de estructura obsesiva de Emma–, pues tras haber identificado al negro protagonista que le repugna y que cae a su dormitorio desde el techo con un gorila amenazador, al final del sueño aquél la besa dentro de la húmeda cavidad de la boca del simio, entre sus caninos fálicos. El contraste entre el camisón blanco de la chica y el cuerpo desnudo del negro que la abraza cargan la escena con un violento erotismo de connotaciones sádicas. La escena causó en su momento verdadera sensación –era anterior a la obsesión erótica que Germaine Dulac plasmó en *La coquille et le clergyman*– y Perojo, al final de su carrera, la recordaba como su creación favorita.

En *Corazones sin rumbo*, en cambio, en la escena en que Imperio Argentina es expulsada de su hotel, Perojo tradujo la confusión y aturdimiento de la chica con un segmento virtuoso modelado al modo de los «poemas urbanos», con una sinfonía visual figurativa con montaje rápido, sobreimpresiones y angulaciones de cámara desniveladas, que emulaban los fragmentos impresionistas de títulos como *Berlín, sinfonía de una gran ciudad (Berlin, die Symphonie einer Grosstadt*, 1927), de Walter Ruttmann. La presencia del codirector austríaco Gustav Ucicky en la producción puede alimentar dudas acerca de la verdadera autoría de este brioso fragmento del film, que no guarda relación con el tratamiento novelesco tradicional del resto de la trama en la pantalla.[55] Pero es seguro que estos minutos de brillante sinfonía urbana resultaron estéticamente más avanzados y creativos que la utopía urbana propuesta por *Madrid en el año 2000.*

Otra experiencia singular en el cine español apareció en 1928 con el título de *Historia de un duro*, debida a Sabino Antonio Micón, film que Carlos Fernández Cuenca situó, junto a *El sexto sentido* y *Esencia de verbena*, como una de las tres obras cumbres del cine de vanguardia español.[56] Nacido en Bilbao en 1890, su padre había sido capitán del buque de guerra *Reina Mercedes*, hundido en Santiago de Cuba, y su madre era ibicenca. Estudió Micón la carrera de Derecho, pero prefirió dedicarse al cine y hacia 1920 inició su actividad de redactor de rótulos en la empresa Fraga, actividad que desplegó con gran intensidad y que le condujo, ocasionalmente, a actuar como montador para remendar las incoherencias de las películas que pasaban por sus manos o las disfunciones narrativas producidas por los cortes de censura.[57] Viajó a París y Berlín para estudiar la producción cinematográfica en aquellos países y ejerció como crítico en los diarios *El Imparcial* y *Ahora*, llegando a ser el primer presidente de la Asociación de Periodistas Cinematográficos de Madrid en 1928. En 1926 rodó su primera película, un corto cómico de dos rollos titulado *Isidro labrador*, que imitaba las películas de Charlot y de Fatty que habían pasado por su taller de rotulador. Luego acometió *El médico a palos* (1926), versión de la comedia de Molière arreglada al español por Moratín, que interpretaron, entre otros, Faustino Bretaño y Javier de Rivera, y tomó en distribución Selecciones Capitolio, de Saturnino Huguet.[58] En 1929 publicó el libro *Cómo se hacen las películas*, que mereció una recensión de Juan Piqueras en *La Gaceta Literaria*,[59] al que seguiría años después *El manual del cinemista* (1941), que presentó el primer vocabulario técnico de la profesión publicado en nuestro país. Y durante la delicada transición del mudo al sonoro rodó *La alegría que pasa* (1929-30), versión de la obra de Santiago Rusiñol que fue sonorizada con discos.

Fue, por lo tanto, tras sus inicios en la comedia comercial cuando decidió Micón llevar a cabo el experimento de *Historia de un duro* (1928), un cortometraje que tenía la particularidad de no mostrar ningún rostro, sino sólo las extremidades o el torso de los sucesivos propietarios de la moneda que pasaba de mano en mano y, en una ocasión, su sombra en una pared. Como era previsible, la película, tras proyectarse en sesión privada en junio de 1928 para la crítica, no consiguió difusión comercial.

No era la primera vez que se acometía una experiencia de este tipo en el cine mundial. Vittorio Martinelli ha señalado, por ejemplo, la distribución en Francia en 1910 del film elocuentemente titulado *L'Histoire de Lulu racontée par ses pieds,*[60] del que aparentemente no existen copias. Existen en cambio de *Amore pedestre*, una feliz producción de la compañía Ambrosio de Turín de 1914, dirigida por el realizador y cómico Marcel Fabre (seudónimo del español Marcelo Fernández Pérez) e interpretada por él y por Nilde Baracchi. Mostrando sólo los pies de los personajes relata cómo un hombre corteja a una mujer casada, hasta que aparece el marido celoso, con quien entabla un duelo en el que es herido. El film, al que Mario Verdone calificó de «prefuturista»,[61] segmenta sus quince minutos de duración en las diversas fases de la aventura: pasión, celos, duelo y desenlace. En la reseña de este film en el catálogo del Museo de Arte Moderno de Nueva York se hace notar pertinentemente que este sistema elíptico permitía «una sugestión erótica».[62] Probablemente Verdone consideró este film «prefuturista» porque al año siguiente aparecieron publicados en *Teatro Sintetico Futurista* dos proyectos escénicos basados en la misma idea: *Le mani*, de F. T. Marinetti y Bruno Corra, en la que sólo aparecían manos de diversos personajes, y *Le basi*, de Marinetti, sólo con piernas y pies, pero esta vez con diálogos.[63] El propio Verdone afirmó que los futuristas Enrico Prampolini y Fortunato Depero prepararon proyectos de films interpretados sólo por manos, que no llegaron a realizar,[64] y que, de hecho, estaban concebidos con primeros planos, puesto que el primer plano aísla y amplía los objetos.[65]

En otros países surgieron iniciativas similares. En 1926 Berthold Viertel rodó en Berlín las aventuras de un billete de diez marcos en *Die Abenteuer eines Zehnmarkscheins*, con argumento y guión de Béla Balázs y fotografiadas por Karl Freund. Ese mismo año el operador aficionado Merle Johnson rodó en Nueva York *Knee Deep in Love*, en donde los rostros de los amantes protagonistas nunca eran visibles.[66] Y Verdone cita en este apartado, sin indicar fecha, el film *Berlín desde abajo*, de Strasser.[67]

Cuando Micón acometió su proyecto, el relato del humorista gallego Julio Camba *Historia de una peseta* (1923) había alcanzado gran popularidad y no es descartable que fuera uno de los detonantes de *Historia de un duro*, si bien la iconicidad del cine imponía un tratamiento estético específico del asunto, con la opción de eliminar los rostros de los personajes. Esta omisión, que el cine europeo había comenzado a explorar por lo menos desde 1910, suponía un ensayo acerca de la capacidad sinecdóquica del lenguaje cinematográfico, haciendo que una parte de la figura sustituyese y representase a la vez a su todo. Griffith se había servido de esta figura retórica en varias de sus películas –como *La conciencia vengadora (The Avenging Conscience*, 1914)– y en una escena satírica de *El fin de San Petersburgo (Koniets Sankt Peterburga*, 1927), Pudovkin había mostrado los torsos uniformados y condecorados de altos oficiales zaristas, sin rostro, como marionetas inhumanas, pero este recurso no se utilizaba de un modo tan sistemático y radical como lo haría Micón. La opción que exploró Micón en su film se oponía frontalmente a la tendencia del cine comercial dominante de hipostasiar el valor estético y dramático del rostro mediante el primer plano, en virtud de las necesidades dramáticas y de los imperativos comerciales del *glamour* y del *star-system.* En otras artes no ocurría lo mismo. Resulta llamativo considerar que la primera acuarela abstracta de Kandinsky sea de 1910, del mismo año en que aparece *L'Histoire de Lulu racontée par ses pieds.* La irrupción del arte abstracto, después de la ruptura cubista, había supuesto una violenta sacudida a la dramatización icónica tradicional. Fernand Léger, desde otras coordinadas plásticas, manifestaría: «para mí, el rostro humano, el cuerpo humano, no tiene más importancia que las llaves o las bicicletas. (...) Por esto mismo, en la evolución de mi obra desde 1905 hasta la fecha, el rostro humano permanece deliberadamente inexpresivo».[68] La devaluación de la expresividad facial fue una característica inducida en las artes plásticas por la difusión de las experiencias pictóricas vanguardistas posteriores a 1907 que, entre otras impugnaciones estéticas, habían evacuado el retratismo burgués. No pretendemos con ello decir que el trabajo de Micón se inscribió disciplinada o conscientemente en la nueva tendencia, pero el dato ha de retenerse como significativo acerca de un nuevo clima cultural en la producción plástica del siglo, de la que *La deshumanización del arte* de Ortega se había hecho eco entre nosotros. El rótulo inicial de la película avala que la opción emprendida por Micón no era estéticamente ingenua: «Siempre se consideró la fisonomía –se lee allí– como medio único de expresión; pero hoy podemos asegurar que también son expresivos y, por lo tanto fisonómicos, los pies y las manos.» Se trató de una declaración beligerantemente anti-retratista.

En junio de 1928 *La Pantalla* anunció el inminente rodaje del film de Micón.[69] Y en agosto del mismo año, cuando el film había sido ya producido y con motivo de una proyección privada, *La Pantalla* publicó una sinopsis bastante detallada de su argumento.[70] No obstante, esta sinopsis ofrece discrepancias con la transcripción que del film efectuó plano a plano el historiador aragonés Manuel Rotellar en diciembre de 1948, visionándolo en la moviola. Reproducimos a continuación la parte más informativa de esa sinopsis, una vez se ha roto la olla con monedas de oro que encontró un obrero al cavar y que se ha separado de ellas el modesto duro de plata con el busto de Amadeo de Saboya que hace de hilo conductor del film: «Desde ahora –dice el articulista– el duro intervendrá en escenas de ingenuidad y picardía, recorrerá lo canalla y lo sublime, será precio de una botella de vino, de una heroica medicina, de un horóscopo de naipes. El duro irá por los cabarets y por las casas de empeño y viajará por las callejuelas polvorientas del extrarradio en el sucio bolsillo de un chiquillo harapiento. En un instante de dolor, Carmen Rico da toda la sensación angustiosa del momento trágico en la silueta que se estampa en la pared. Éste es el único rostro que ha utilizado Micón en su película: la sombra del rostro de Carmen Rico. Y, aun así, podría haberlo suprimido, pues la expresión dolorosa y trágica está dada en esta escena mucho más acabada y perfectamente por la expresión de la sombra de las manos, que suplican, que se entrelazan y se torturan, que titubean al coger de sobre el cuerpo yacente un rosario, que será tasado por el prestamista en un duro, en el duro de nuestra historia. (...) El Amadeo termina donde comenzó. Caído en manos avarientas, es depositado bajo un ladrillo y allí dormirá año tras año.»

En el *découpage* transcrito por el malogrado Manuel Rotellar, y que me transmitió en su día, ni el ciclo de la moneda se cierra de modo tan evidente –aflorando bajo tierra hasta ir a parar al final bajo un ladrillo–, ni aparece como trueque por una botella de vino, una medicina, un horóscopo de naipes, o un servicio de cabaret, que tal vez imaginó el cronista. Con la obligada salvedad de que la copia que analizó Rotellar pudo ser incompleta, reproducimos su detallada planificación:

A – RÓTULO:

«Siempre se consideró la fisonomía como medio único de expresión; pero hoy podemos asegurar que también son expresivos y, por lo tanto fisonómicos, los pies y las manos. Estad atentos.»

B – RÓTULO:

«Al director artístico de este aparente absurdo lo concebiréis como un grave personaje, embutido en una estrafalaria ropa portador de una bocina enorme y reyezuelo de una legión de ayudantes...»

C – RÓTULO:

«ÉPOCA PRIMERA. Comenzaremos esta historia como los cuentos de la infancia: Érase una vez un hombre humilde que cavando, cavando...»

1 – Primer Plano. Pies de hombre que cava la tierra. Descansa y se aleja del hoyo hecho con la azada. La cámara desde el mismo encuadre capta el trabajo del hombre. Metros: 2,37

2 – Un botijo a la sombra de un árbol. Entran en campo unas manos que cogen el botijo. El dueño de las manos bebe agua sin que se nos descubra su rostro. Metros: 2,26

3 – Igual que el plano 1. Entra en campo un perro que olfatea y se pone a escarbar. Metros: 6

4 – Continuación del plano 2. Las manos del hombre dejan el botijo en la sombra del árbol. Metros: 1,37

5 – Continuación del plano 3. El perro sigue rebuscando. Metros: 3,13

6 – P.P. Una azada abandonada en el suelo. La sombra de una persona se dibuja en la tierra. Metros: 0,48

7 – Continuación del plano 5. El perro prosigue su búsqueda. Alza la cabeza al oír pasos y huye. Los pies del hombre entran en campo. Empieza su trabajo de nuevo. Metros: 2,80.

8 – Una piedra blanca. Las manos la apartan y aparece una gran olla repleta de monedas. Metros: 8,46

9 – P.P. Torso del hombre. Alza la olla repleta de duros y las manos los acarician voluptuosamente, dejando que se deslicen por entre los dedos. Luego saca un pañuelo que lleva metido en la faja y cubre el puchero para ocultar el contenido. Los pies salen de campo. Metros: 6,10

10 – Unas palomas picotean en un sendero; de improviso emprenden el vuelo. Entra en campo el hombre que lleva la olla de duros.
Metros: 4,48

11 – Pies de un grupo de personas en torno a una caja. Una mano saca de la caja una paloma. La deposita en el suelo. Metros: 3,97

12 – Sendero de un parque. Los pies de un hombre que lleva una azada. Metros: 1,42.

13 – Encadena con 12: Otro lugar del parque. Por izquierda del encuadre aparece el torso del hombre, por la derecha el mango de la azada. Se aproximan ambos en sentido contrario y el mango de la azada se coloca en el brazo del hombre. Metros: 0,50

14 – Pie de hombre. La olla se estrella en el suelo y las monedas se desparraman. Metros: 0,21

15 – Igual que el plano 11: El grupo de curiosos que contemplaban la paloma, se disuelve al oír el sonido del dinero. Metros: 0,72

16 – Un coche parado en el borde de una acera. En campo entran el bastón y los pies de un caballero que calza botines. Se detiene de pronto. Metros: 0,65

17 – Otro lugar del parque. Las piernas de tres hombres caminan hacia la cámara. Se detienen y vuelven rápidamente, alejándose.
Metros: 1,07

18 – Entran en campo las espectaculares piernas de una mujer. Se detienen y luego vuelven rápidas, alejándose. Metros: 1,71

19 – Continuación del plano 14: La olla rota. Unas manos extienden un pañuelo en el suelo y recogen el dinero. Van entrando en campo manos avarientas que, febrilmente, recogen dinero. . Metros: 3,29

20 – M.P.P. del torso del elegante caballero de los botines. Saca un cigarrillo que enciende parsimonioso. Metros: 2,52

21 – Continuación del plano 19: Las manos siguen cogiendo dinero.
Metros: 1,00.

22 – Continuación del plano 20: El caballero parece contemplar la escena anterior. Metros: 0,57

23 – Continuación del plano 21: En el encuadre chistera del caballero y sus manos enguantadas afanando dinero. Metros: 0,92

24 – La cintura del dueño del dinero que está agachado. Al fondo, el sendero del parque. Aparece la mano de un agente de la autoridad que asiéndolo del brazo, le invita a seguirle. El rústico obedece. El sendero, solitario. Metros: 2,66

25 – Manos del público recogiendo el dinero desparramado.
Metros: 0,65

26 – Pies del caballero, al pie del estribo del coche. Metros: 2,47
27 – Los pies de un niño calzado con botas, parado en la acera. Metros: 0,97
28 – Torso de un caballero. Entra en campo una mano extendida pidiendo dinero. El señor pone una moneda. Metros: 1,39
29 – Igual que el plano 27. Metros: 0,34
30 – Pies del caballero de los botines. Suben al coche, que se pone en marcha saliendo de campo. Metros: 2,82
31 – Banco de un paseo. Las piernas del niño, corriendo. Metros: 0,65
32 – (Contraluz) Puerta de una tienda de juguetes vista desde el interior. Al fondo la calle. El niño se detiene. Metros: 1,18
33 – Muestrario de juguetes. Panorámica en diagonal de izquierda a derecha. Al final la cámara eleva su mira. Metros: 2,68
34 – (Contraluz) Continuación del plano 32. El niño sigue parado ante el bazar. Muestras de juguetes. Grandes muñecas (Encadenado). Metros: 3,00
35 – 36 – Continuación del plano 34: (Contraluz) Los pies del niño. Metros: 1,00
37 – Rótulo de la tienda. La cámara parece leerlo poco a poco. Panorámica de izquierda a derecha: «EL PARAÍSO DE LOS NIÑOS». Vertical: juguetes diversos. Metros: 4,00
38 – Cabeza de muñeco. Metros: 1,50
39 – Continuación del plano 36: (Contraluz). El niño a la puerta del bazar. Otro niño se detiene también. Pasa un carruaje por la calle. Pies de transeuntes. Metros: 1,47
40 – Mano y parte del cuerpo de un hombre. Cuenta con los dedos. Al fondo, peatones. Metros: 1,90
41 – Juguetes. Un cine infantil («OMBRO-CINEMA»). Varias muñecas. Metros: 0,48
42 – Balones colgados. Metros: 0,48
43 – (Contraluz) Juguetes. El muchacho se aleja del lugar. Una ristra de pequeños cubos. Metros: 4,04
CH – RÓTULO:

«En los arrabales de la ciudad, vivía un "capitán de ladrones", *recordman* en la categoría de objetos "plumas".»

44 – Mano sosteniendo un periódico, que deja sobre la mesa. La mano acciona como si el individuo conversara. Es una conversación, en efecto. Su interlocutor le da un duro, después le entrega una cartera y se aleja. La mano saca de la cartera un documento. Metros: 5,69

45 – Casa de los arrabales de la ciudad. La tapia del jardín.
Metros: 0,82
46 – Patio de la casa. Las piernas de un muchacho entran en la casa.
Metros: 2,70
47 – Mesa camilla. El brazo de un hombre, apoyado en la mesa. El niño llega hasta él, lo sujeta por un brazo y luego le propina un puntapié. Metros: 3,24
48 – Continuación del plano 44. El muchacho se aleja llevándose las manos al trasero. Metros: 1,93
49 – Botellas de licores. Una mano se apoya en el mostrador, indicando que el hombre quiere beber. Saca un duro. Otra mano le coloca un vaso lleno de vino. Metros: 2,57
D – RÓTULO:

«ÉPOCA SEGUNDA. Como el dinero se hizo redondo para que corriera, aquel duro rodó, y rodó, y en su curso, unas veces fue precio de alegrías, así como otras lo fue también de amarguras.»

50 – Silla rústica apoyada en la pared. La sombra de una mujer se dibuja sobre el muro. La sombra eleva las manos como si suplicara. En el suelo vemos un mísero jergón. Metros: 9,46
51 – Parte del jergón en donde yace un cadáver en cuyas manos vemos un crucifijo. Una mano quita un rosario de entre las del muerto.
Metros: 6,92
52 – Las manos de una mujer se juntan en actitud piadosa y angustiada. Metros: 4,40
53 – Mano apoyada en una puerta. Poco a poco cierra la puerta.
Metros: 2,80
54/55 – Dintel de una puerta y rótulo: «PRÉSTAMOS». (Encadenado). Ventanilla por la que se ve una balanza. Mano huesuda que aproxima la balanza hacia la taquilla. Pesa un objeto y cuenta cierto dinero.
Metros: 6,94
E – RÓTULO:

«ÉPOCA TERCERA. El destino estaba marcado para la moneda. Poco antes de llegar a él había de vibrar con la música del siglo, y hasta señalar el falso porvenir de quien vive eternamente del presente.»

56/57 – Manos tocando el jazz. Metros: 1,47
58 al 60 – Manos tocando el violín, la trompeta, el violoncelo.
Metros: 0,80
61 – Igual que el plano 55. Metros: 1,05
F – RÓTULO:

«¿Verdad que los pies y las manos tienen una expresión y una fisonomía? En su mudo lenguaje os han relatado unos trozos sencillos de la vida cotidiana, con más fidelidad que los mismos rostros, ya que sólo en ellos reside la falsía del gesto. FIN.»

El 27 de junio de 1928 *Historia de un duro* fue proyectada en Barcelona en la sala de la distribuidora Fox para la crítica y este pase privado generó algunos comentarios en las revistas del sector. Un artículo en *Arte y Cinematografía* decía:[71]

«La nueva producción titúlase *Historia de un duro*, y su director la califica de "película de vanguardia" por haberse éste empeñado en darnos una nueva modalidad del séptimo arte, editando una película sin más elementos de interpretación que los pies y las manos, demostrándonos que las extremidades son por sí solas un valiosísimo elemento de expresión, tanto sentimental como de situaciones.

»Nos interesó *La historia de un duro* porque representa un esfuerzo noble, digno, y el resultado logrado es de un positivo valor cinematográfico.»

En *La Pantalla*, Antonio Gascón escribió:[72] «Los pies y las manos tienen, también, su expresión; poseen, aunque no se crea, su gesto. Son, por lo tanto, fotogénicos. La mejor prueba de este aserto sería realizar una película sin la intervención de rostro alguno. Un film en el que los personajes nos dieran a conocer la acción mediante movimientos expresivos realizados solamente con las manos y los pies.» Después de proclamar Gascón su hastío de las empalagosas y cursis estrellas, señala como virtudes de *Historia de un duro* la no aparición de rostros y el convertir un objeto en protagonista del film, aunque critica la sombra en la pared de Carmen Rico, pues la de sus manos gesticulando le parecería suficientemente expresiva, aunque este plano fue precisamente el más largo del film, evidenciando la gratificación estética que supuso para Micón su estilizada recreación expresionista, seguramente inspirada por el cine alemán. Resumió Gascón la calidad del film con estas palabras: «El asunto y su resolución es un alarde de psicología, de humorismo y de ternura. Sabino A. Micón puede estar muy satisfecho de su obra.»

Naturalmente, una cinta tan atípica cosechó también comentarios jocosos. En *El Cine* podía leerse:[73]

«La película sin caras *Historia de un duro* está llamada a revolucionar el arte cinematográfico. Porque si no salen las caras, ¿para qué se necesitan los actores?

»En películas así pueden tomar parte los hombres sin cabeza; los locos, porque la perdieron también; los que nunca dan la cara. (...) En cambio no pueden intervenir los cojos de ambos pies, y en ocasiones de uno; el «mala pata»; el manco, los de manos largas, porque se saldrían del fotograma, y los que no tengan pies ni cabeza.»

El comentarista de *Popular Film* también optó por la chirigota:[74]

«Se ha pasado de prueba una película hecha por un compañero de la prensa cinematográfica, en la cual, según nos dicen, aparecen las escenas hechas a base de los pies y las manos de los personajes, sin que se les vea la cabeza.

»La cinta dicen que es interesante por su novedad, pero dudamos que sea negocio... por eso: porque les falta la cabeza.

»Si nos hubiera consultado el querido compañero le hubiéramos aconsejado que le suprimiera también los pies..., porque en cinematografía los negocios más lucrativos son los que no tienen pies ni cabeza.»

Años más tarde, Micón evocaba así su experimento y la acogida que tuvo:[75] «No intervenían más que los pies, las manos y las sombras de los personajes –recordó Micón–. Ni un rasgo fisonómico que diese expresión a la acción. Era la acción misma la que definía expresivamente. Película de vanguardia, por tanto. Y cuando la realicé no encontró un distribuidor ni un empresario a quien interesase. Sólo Saturnino Huguet se apiadó de mí y me dio el importe de su coste: unas mil quinientas pesetas. Sin embargo, después fue elegida como exponente del cine de vanguardia español para un congreso internacional de esta especialidad. Hoy la película sigue siendo de vanguardia y en *Paraíso sin Eva* [1944] he aplicado algo del ensayo.» En otros lugares añadiría que «fue muy elogiada y se proyectó en muchos cineclubs españoles y extranjeros»[76] y que fue «seleccionada para el Concurso Internacional de Ginebra».[77]

J. F. Aranda, que fue quien primero valoró *Historia de un duro* con criterios modernos, escribió en 1953 que «fue un film muy bien montado, inteligente y contado con modestia y gracia. Es una película importante desde cualquier punto de vista».[78] Y tres años más tarde añadió: «obra modesta, de veinte minutos de duración, hecha con medios casi de amateur, pero conseguirá crear algo realmente nuevo en la vanguardia y de sabor nacional».[79] En ambos comentarios valoró Aranda, significativamente, la modestia de la obra, pero resulta interesante que le atribuyese un «sabor nacional». Bonet y Palacio asociaron[80] *Historia de un duro* al género «drama de objetos», propio de las vanguardias estéticas de su tiempo, género al que volvería Micón al final de su carrera con *Historia de una botella* (1949).

Hay que añadir en justicia que la fórmula desarrollada por Micón en 1928 no era excesivamente original. Le había precedido en Berlín el film citado de Berthold Viertel y en el mismo año apareció en la Unión Soviética el largometraje de A. Lundin *Las aventuras de una moneda de cincuenta kopeks (Prikliuchenia poltinika).* En cuanto a las extremidades inferiores, Man Ray demostró cumplidamente su querencia hacia las piernas femeninas en *Emak Bakia* (1927) y *L'Étoile de mer* (1928). En 1928, con la colaboración de Pierre Prévert se dedicó a seguir con la cámara las piernas de bellas parisinas para un film completado treinta años más tarde con el título de *Paris la Belle.* Y un primerizo Jacques Feyder rodó para Gaumont un film titulado *Des pieds, des mains.*[81] Pero tal vez la obra más famosa de este ciclo es *Hände/Hands* (1928), rodado en Berlín por la fotógrafa norteamericana Stella Simon, que a través de unas manos que actúan coreográficamente en decorados miniaturizados de influencia expresionista, sin que jamás se vean sus cuerpos, representó un encuentro amoroso de un hombre y una mujer, una infidelidad, un intento de suicidio y su reconciliación final.[82] En 1934 Ralph Steiner y Willard Van Dyke realizaron en Estados Unidos *Hands*, una escenificación de las tareas de ayuda social de la Work Progress Administration de Roosevelt durante la Depresión, mostrando sólo manos: desocupadas, trabajando y recogiendo el dinero ganado.[83] Y del mismo año sería la producción checa *Ruce v Utery (Manos el martes)*, de Vladimir Smejkal y fotografiada por Cenèk Zahradnicèk, un reportaje poético sobre unas manos que trabajan, aman, juegan y descansan.[84] Añadamos por fin que Maiakovski escribió en 1927, en la misma línea sinecdóquica, por encargo de la productora VUFKU, el guión *Historia de una pistola (Istoria odnogo nagana)*, que no llegó a realizarse.

EL CASO DE NEMESIO M. SOBREVILA

Autor maldito por excelencia del cine mudo español, el arquitecto y vitralista Nemesio Manuel Sobrevila, nacido en Bilbao en 1889, fue caracterizado por Carlos Fernández Cuenca como «hombre de amplia formación cultural, inquieto y ambicioso, muy al corriente de las más vivas tendencias creadoras de aquel tiempo, sobre todo las alemanas y las francesas».[85] Su personalidad, eclipsada durante muchos años, ha atraído la atención de los historiadores del cine español en los últimos años y es deseable que algunos de los enigmas que todavía rodean su obra se disipen próximamente.

Sobrevila estudió arquitectura en Barcelona y en la École des Arts Décoratifs de París, en donde tuvo que conocer las experiencias vanguardistas que, sobre todo en el ámbito de las artes plásticas, se desarrollaron allí durante la anteguerra. Asimiló sucesivamente la influencia del novecentismo –que difundía la elegante revista bilbaína *Hermes*–, la del Art Déco y la del Racionalismo.[86] En 1913 se adhirió a la Asociación de Artistas Vascos, fundada dos años antes con vocación de contacto con las corrientes europeas. En una carta de 1911 del pintor Darío de Regoyos a su animador, Manuel Losada, citada por Brihuega, le escribía: «Sé que organizan ustedes una exposición sin madrileños, sin sevillanos ni valencianos. ¡Qué delicia! En fin, que en dicha exposición habrá extranjeros y algún vascongado solamente. De modo que *habrá arte* gracias a tan buena medida.»[87] Sobrevila fue vicepresidente de la Asociación de Artistas Vascos en 1917 y en 1919 formó parte del jurado de selección y adquisiciones de la Exposición Internacional de Pintura y Escultura de Bilbao. Especialista en diseño de jardines, vitralista y también inventor (entre otros artilugios, de una máquina hidráulica para obtener energía barata), en abril de 1927 viajó a Madrid para iniciar su carrera cinematográfica, integrándose en la nutrida nómina de arquitectos-cineastas que ha reunido, entre otros, a Eisenstein, Fritz Lang, Alberto Lattuada, Luigi Comencini, Renato Castellani, Jacinto Esteva Grewe y Ricardo Bofill. Según un testimonio periodístico de este mismo año, Sobrevila era entonces admirador ferviente «del modo de hacer películas de alemanes y rusos».[88]

En los estudios Madrid Film, y con dinero procedente de la herencia familiar, acometió como productor, guionista, escenógrafo y director la filmación del largometraje *Al Hollywood madrileño*. Es posible que en la personalidad de Sobrevila existiese una vertiente megalómana, pues Aranda recogió el testimonio de Buñuel, asegurando que el bilbaíno era «un verdadero loco»,[89] calificativo que curiosamente encontramos también en un reportaje de la época, que señala que para Fernando Milicua, Carranque de los Ríos y Ricardo Baroja, Sobrevila «ha sido para ellos como un loco, como un visionario».[90] En cualquier caso, el diario bilbaíno *El Liberal* informaba en julio de 1927 que Sobrevila rodaba su película «con prodigalidad que en los medios peliculeros de la Corte causa asombro. (...) No le duele a Sobrevila el dinero. Dispuesto a gastarse unos cuantos miles de duros, paga espléndidamente a los artistas y no retrocede ante ningún dispendio para la puesta en escena».[91]

Para el reparto de su película eligió Sobrevila a actores profesionales y otros no profesionales. Así, junto a profesionales como la popular Elisa Ruiz Romero, José Montenegro y Barón de Kardy, y el ya fogueado escritor-actor Andrés Carranque de los Ríos, figuraron escritores, artistas e intelectuales vascos, sin experiencia ante las cámaras. A tal efecto Sobrevila hizo pruebas al pintor Aurelio Arteta, a José Félix de Lequerica (futuro embajador del general Franco), al poeta Ramón de Basterra, al pintor y grabador Ricardo Baroja, al poeta y crítico de arte mexicano Fernando Milicua y a Estanislao María de Aguirre. Los tres últimos intervinieron efectivamente en el film y fue especialmente celebrada la actuación del popular escritor bohemio, crítico de arte y pintor bilbaíno Estanislao María de Aguirre, conocido con el seudónimo «Sánchez» (también usó los seudónimos «Fígaro», «Florito Loud» y «J. Luno»), quien había sido secretario de la Asociación de Artistas Vascos y, en el film de Sobrevila, ejerció como protagonista del sketch que adaptó *El horroroso crimen de Peñaranda del Campo*, de Pío Baroja, en el papel del asesino.

Porque *Al Hollywood madrileño* era una comedia satírica estructurada en sketches, a partir de un pretexto argumental unitario. Un director yanqui convencía a un tabernero madrileño adinerado, con una hija atrapada por ensueños cinematográficos, para que financiara un film y reunía para ello en su mesón –que trocaba su rótulo castizo por el de «Hollywood»– a siete autores para que propusieran ideas para el film, cuyos relatos se iban visualizando en la pantalla. El primero explica un argumento de divulgación médica, pero es interrumpido groseramente por el séptimo, quien es un vividor de la cinematografía y critica acerbamente los temas propuestos por todos los demás. El segundo propone que sean los grandes literatos quienes suministren argumentos y plantea adaptar *El horroroso crimen de Peñaranda*, obra teatral escrita por Pío Baroja en 1926 con el subtítulo *Farsa villanesca*, un asunto que Sobrevila trató con poco respeto, «permitiéndose añadir pinceladas cómicas de su cosecha, como la del reo en capilla (interpretado por Estanislao María de Aguirre) que baila de alegría al enterarse de la victoria de Paulino Uzcudun en su combate de boxeo con Harry Wills».[92] El tercer autor no ve en el cine más que una industria y trata de competir en este terreno con Estados Unidos, proponiendo una película de persecuciones a la americana, a través de los montes, con un automóvil Renault descapotable y nuevo que se despeña por un precipicio, escena que se rodó en las inmediaciones del salto de Roldán al profundo cauce del Flumen, en Huesca, tierra natal de Simeón Sobrevila, padre del director.[93] El cuarto autor indica el camino a seguir, desechando toda fórmula vieja, y propone por ello un tema de ambientación cubista y contenido simbólico. El quinto narra un episodio histórico, que también se rodó en Huesca, del reinado de Pedro III de Aragón, la persecución y muerte de Ferrán Sánchez en 1275, hijo bastardo de Jaime I, quien perseguido por su hermano, el infante don Pedro, se escapó disfrazado de pastor del castillo de Pomar, pero el infante le descubrió y lo arrojó al Cinca. El sexto episodio desarrolló un imaginativo tema futurista, con la guerra entre la Ciudad de los Bárbaros de la Mecánica y la Ciudad de los Cerebrales, que resultaba destruida, con unos decorados audaces y espectaculares que luego comentaremos. Tampoco este asunto es del agrado del séptimo autor. Éste se levanta y, sin ninguna preparación, exaltando las formas más bajas de patriotismo, adulando a la hija del tabernero que quiere ser actriz y haciendo uso de los recursos más demagógicos y populacheros en su propuesta de «españolada», consigue el aplauso del director y la aprobación del tabernero. Sobre este último episodio disponemos del testimonio directo de Eduardo García Maroto, que intervino en él. «Toda la película tenía un fondo de humor –recordó García Maroto–, quizá no muy adecuado para la gran masa de espectadores, pero muy a tono con el ambiente de cada episodio. En la sátira de la España de la pandereta que era esta película, Sobrevila quiso que yo interpretara el papel de un mozo de estoques en la secuencia de una corrida. Como se trataba de ridiculizar al ricachón que se metía a productor de películas, yo empujé la barrera tras la que nos protegíamos peones y asistencias y caímos todos sobre ella con una naturalidad muy "charlotiana".»[94] Tras varias peripecias la «españolada» se rueda. Llega por fin el día de la proyección, y cuando el tabernero espera casar a su hija con el director, se entera de que éste está detenido por varios delitos y que la cinta es un fracaso.

Anunciada en un cartel publicitario diseñado por Sobrevila como «el film de los siete argumentos», esta película hoy desaparecida parodiaba satíricamente ciertos géneros y estilos entonces en boga, a la vez que denunciaba el oportunismo y la chapucería de quienes confeccionaban entonces películas en España y, por último, al papanatismo suscitado por el cine yanqui y sus admirados profesionales. Se trataba, por lo tanto, de una obra autorreflexiva acerca del quehacer cinematográfico –como lo sería su siguiente *El sexto sentido*– y se anticipó en medio siglo al experimento que realizó Stanley Donen con *Movie. Movie* (1978), film formado por la yuxtaposición de una comedia dramática en blanco y negro a la vieja usanza y una comedia musical en Technicolor, lo que permitió al director ironizar sobre las convenciones de los géneros cinematográficos canónicos. El comentario que escribió en *El Sol* Luis Araquistain después de ver *Al Hollywood madrileño* en 1927 ofrece pistas luminosas para valorar el esfuerzo de Sobrevila, afirmando que su comedia «acaso haga época en la historia de la cinematografía española, como la hizo *La comedia nueva o El café*, de Moratín, en la historia del teatro español del siglo XVIII, o *Seis personajes en busca de un autor*, de Pirandello, en la historia del teatro contemporáneo. Su actitud es la misma que la de estos renovadores, satirizar un género artístico decadente o desorientado con sus mismas armas; en este caso, burlarse del cinematógrafo que se hace habitualmente en España con sus mismas armas (...). La cinta podría titularse también: "Siete autores en busca de un caballo blanco cinematográfico"».[95]

De la triple sátira propuesta por Sobrevila –a los géneros canónicos, a los medios cinematográficos nacionales y al papanatismo ante el director yanqui–, las dos primeras aparecían asociadas, pues la elección de la «españolada» y sus tópicos estereotipados por parte del tabernero-productor aparecía vinculada al chapucero oportunismo de su guionista promotor. Esta sátira cobraba todo su sentido en el contexto del subdesarrollo profesional del cine español de aquellos años, caracterizado por lo que se llamó la «caimanía», bien descrita por Carranque de los Ríos en su novela *Cinematógrafo*.[96] Llamábase entonces «caimanía» a la pléyade picaresca de actores y técnicos cinematográficos en paro que pululaban por ciertos cafés de Madrid –su centro era la Maison Dorée–, a la busca del aldeano o incauto con ahorros, para proponerle una inversión en un proyecto cinematográfico. Se llamó «caimanía» por la cantidad de agua que bebían los «caimanes», para no pagar consumiciones.[97] Estos arribistas sólo podían existir en el caldo de cultivo de una pseudoindustria raquítica, en la que su mayor estrella femenina, Carmen Viance, lo fue sin abandonar nunca su profesión estable de secretaria, o en la que el pintoresco Barón de Kardy (seudónimo derivado del ron Bacardí), cuando no interpretaba películas se ganaba la vida exhibiéndose por los pueblos como hipnotizador de gallinas.

La dilatada y atípica producción de *Al Hollywood madrileño* generó bastantes artículos y reportajes. Se inició en junio de 1927 y concluyó en noviembre, con rodajes en los estudios Madrid Film y en escenarios de Biarritz, Bilbao y Huesca. Sobrevila se rodeó de competentes profesionales, como el operador Agustín Macasoli y Francisco Camacho en funciones de ayudante,[98] pero se reservó para sí el diseño de escenografías y maquetas, que constituían valiosas bazas espectaculares. En particular, la revista *Popular Film* publicó en septiembre un extenso reportaje-entrevista, ilustrado con cinco fotos, en el que Sobrevila declaraba a Mauricio Torres: «Yo soy el director y el autor de la obra; el capitalista, el arquitecto, el escultor, el diseñador del decorado y de los muebles. Es mucho abarcar, ¿verdad?, pero quiero asumir la responsabilidad de los resultados.»[99] Y al concluir el rodaje podía leerse en *La Pantalla:* «He aquí que se ha filmado una película española sin la rutina de la *conocida película* española. Un film con una visión moderna en cuanto a técnica y argumento.»[100]

Lo que más llamó la atención durante el rodaje fueron las innovaciones técnicas, los decorados y las maquetas utilizados por Sobrevila. En el citado reportaje de Mauricio Torres para *Popular Film* podía leerse:

«Sobrevila nos hace pasar a la galería donde está acabando de montar un decorado que llama poderosamente nuestra atención, de un estilo moderno, avanzado. Trátase de una maqueta –la primera vez que nuestros ojos ven trabajar en España por este procedimiento–, dividida en dos cuerpos por una pequeña balsa de agua, que al público le hará la sensación de un inmenso y poético lago. En primer término figura la Ciudad de los Bárbaros de la Mecánica; el grupo del fondo es la Ciudad de los Cerebrales. La primera se reduce al interior de un bello parque, con una fuente de pilón cuadrado y una soberbia arquería de líneas elegantes, que se eleva a favor de una monumental escalinata. La segunda es un conjunto de rascacielos a cuyos pies se levanta un verdadero "ejército" de chimeneas, de trazado sobrio. Es como la visión de una ciudad fantástica, de una audacia y genialidad sólo comparable a la que presenta *Metrópolis*, la película de las bellas y originales audacias. Todo este decorado, que no llena un lugar mayor de seis metros cuadrados, ha de reflejar en la pantalla la grandeza soñada de un país fuerte, cerebral, poderoso, y revela en sus más mínimos detalles la intervención de un arquitecto de concepciones poéticas, soñadoras, ideales, que caben en la Arquitectura, como lo demuestra maravillosamente el señor Sobrevila en la construcción y concepción de la maqueta que tenemos ante nosotros:

»–¿Es la primera vez que se trabaja en España con maquetas?

»–Creo que sí. Es una labor ímproba que, desde luego, no me hubiera sido posible afrontar sin poseer mis conocimientos de arquitectura.

»–¿Y esos diminutos muñecos que figuran charlar bajo la arcada?

»–Esos muñecos darán la sensación de una "realidad" reducida. Luego, los artistas de verdad, siguiendo siempre el mando de la escala, serán "tomados" con el mismo fondo e idéntico vestuario. Repito que se trata de un trabajo abrumador, de mucha paciencia y matemático en su realización.

»Macasoli, el operador, pide luz. Tiene la cámara montada casi a ras de suelo, y va tomando el movimiento de los "personajes" –esta vez muñecos articulados, movidos por la mano de Sobrevila– fotograma por fotograma. Como dice muy bien Sobrevila, es un trabajo ímprobo, pacienzudo. Llevan rodando cerca de tres horas, y en todo este tiempo sólo han impresionado siete metros de película.»

Sobre tan aparatosa escenografía gravitó sin duda, como observó Mauricio Torres, la influencia de *Metrópolis*, pero Joan Minguet ha ampliado tal influencia[101] a la ejercida por los rascacielos y, en general, por la arquitectura racionalista que, sin duda, Sobrevila debía conocer a través de su propio oficio y, con más claridad, las ciudades sugeridas en la iconografía de Giorgio de Chirico.

Una prueba del impacto que tan novedosa escenografía suscitó en su época se halla en la excepcional iniciativa de *La Gaceta Literaria*, que solía ignorar al cine español, de reproducir una foto de la citada maqueta al pie del artículo «Films antiartísticos» de Dalí, con el epígrafe «La ciudad futura (producción Sobrevila)».[102] Eduardo García Maroto, testigo de esta producción, recordó que «la maquetería de una de sus historias era tan lograda, que de haberse contado con las ópticas actuales, las transparencias y los efectos, el resultado hubiera sido perfecto e incluso revolucionario».[103] Y Carlos Fernández Cuenca, que pudo ver la película en su época, elogió sus «numerosas y admirables maquetas, superiores a todo lo que antes se viera en nuestro cine».[104]

A finales de 1927 Sobrevila efectuó una proyección privada de su film, que tuvo su reflejo en el elogioso artículo de Luis Araquistain en *El Sol* antes citado, y a raíz de las observaciones recogidas efectuó algunos arreglos en su obra. De manera que en enero de 1928 ofreció su nueva versión a la prensa. Antonio Suárez Guillén, que no había contemplado la primera versión, glosó con calor *Al Hollywood madri-*

leño escribiendo: «[he salido entusiasmado] más que por lo que la cinta vale –y no es poco– por cuanto promete en ella su autor y director. [Sobrevila ha escrito] un asunto rezumante del más agudo humorismo, sazonado por la causticidad y la socarronería vasca (...). Si la sorprendente originalidad del asunto nos ofrecía medios de interesar nuestra curiosidad, en la sucesión de argumentos aquilatamos los valores culturales que le inspiraron: la audacia científica en la parte de las dos ciudades futuras, el espíritu innovadoramente moderno en el episodio simbólico, la fiel interpretación de la farsa histórica, la exacta pintura de las escenas americanas, etc., y sobre todos ellos, como halo que lo remata, el suave aticismo que ridiculiza todas las cosas y todos los actos humanos, dignos en verdad del más agudo comentario de la ironía. Pero hay más; sobre los éxitos que obtuvo el señor Sobrevila en la composición de las maquetas y sobre los efectos de luz que alcanzó con la cooperación del electricista, están los triunfos conseguidos en la fotografía. La superposición de figuras, el desdoblamiento de las mismas, hasta el juego de letreros es audacia no lograda aún en producción nacional alguna.»[105]

A mediados de febrero de 1928 se anunció la próxima proyección de *Al Hollywood madrileño* en Barcelona[106] y en esta nota de *El Cine*, su anónimo cronista, que sin duda había visto ya la cinta, la describió así: «Pudiera decirse que la producción del señor Sobrevila es una sátira contra la actual industria cinematográfica española; si no fue tal la intención de su autor, los resultados sí lo parecen: sátira fina, correcta, cariñosa: un poco de reprimenda paternal y un poco de advertencia profesional. (...) Es posible que el vulgo no acierte a descifrar y a comprender el símbolo que encierra la mayoría de las escenas; es una cinta para profesionales y para intelectuales. Quizá sea esto un pequeño defecto comercial.»

También exhibió Sobrevila en febrero *Al Hollywood madrileño* en un pase privado en el salón Olimpic de Bilbao, mereciendo un comentario laudatorio en el diario *El Liberal,*[107] en el que se calificaba a la producción como «algo original que marca nuevos moldes en lo que a la forma se refiere. (...) Entre las modalidades o aspectos que Sobrevila presenta hay algunos trozos de gran fuerza cómica y punzante sátira, dando ocasión a exhibir muy bonitas fotografías». José María Unsain apunta que se efectuó otro pase privado de la cinta en el Cine Callao, de Madrid, originando «gran escándalo con rotura de sillas».[108]

En el mes de mayo se anunció el próximo estreno de *Al Hollywood madrileño,*[109] pero tal expectativa no se cumplió. En vista de ello, en diciembre de 1928 procedió Sobrevila a remontar su película y a cambiarle su título por el de *Lo más español*, con la esperanza de que la nueva versión interesara a algún distribuidor.[110] Volvió a proyectarla en un pase privado en Madrid Film y recibió de nuevo elogios de la crítica. En *La Pantalla* podía leerse: «Satirizando y poniendo de relieve el que podemos llamar "timo de la película", nos presenta otros aspectos cinematográficos en extremo interesantes. Y así la fantástica ciudad de los científicos es una maravilla de concepción y de logro. Pero en donde Sobrevila triunfa plenamente es en los momentos en que da rienda suelta al humorismo, un humorismo tan inglés, tan sutil, que a veces desconcierta por bordear el feudo de una aparente ingenuidad.»[111]

A pesar de los buenos augurios de la crítica, ningún distribuidor se atrevió a hacerse cargo de una película tan atípica en relación con la producción habitual. Hubo que esperar a la crítica transición del mudo al sonoro, cuando algunas salas quedaron rezagadas en su equipamiento de reproducción acústica, para que la distribuidora Renacimiento Films la ofreciera al mercado, de modo que se estrenó tardíamente en el Teatro Principado de Oviedo, el 27 de enero de 1931, con acompañamiento musical del cuarteto Fresno. El crítico del diario asturiano *El Carbayón*, que tituló expresivamente su comentario «Juicio crítico a la cinematografía nacional», sentenció: «magnífica la interpretación y extraordinaria la fotografía».[112]

Durante el improductivo año 1928, y con *Al Hollywood madrileño* sin estrenar, Sobrevila anunció en el mes de abril un proyecto basado en la vida de San Ignacio de Loyola, para el que en octubre se adelantó el nombre de Andrés Carranque de los Ríos para interpretar al protagonista,[113] aunque luego su función se redujo a un «rol de importancia». Pero, sin poder recuperar la inversión de su film anterior, su proyecto –que sería caro como suelen serlo los films de época– embarrancó definitivamente. Como consuelo, Carranque de los Ríos tendría la oportunidad de volver a actuar ante las cámaras en *Miguelón o el último contrabandista* (1933), de Adolfo Aznar, lo que sin duda le ofrecería materia prima para su futura novela *Cinematógrafo*, de 1936.

En mayo de 1929 Sobrevila rodó el reportaje *Las maravillosas curas del doctor Asuero*, sobre las supuestas curaciones espectaculares de este médico donostiarra basadas en un tratamiento del nervio trigémino, que comprensiblemente debieron interesar al cineasta-inventor, pero el cortometraje fue prohibido al mes siguiente, al parecer a petición del propio galeno.[114]

Pero en aquel mismo mes de mayo, abandonado ya el proyecto jesuítico, Sobrevila estaba embarcado en una nueva aventura cinematográfica, de superior interés desde el punto de vista de la reflexión vanguardista. La primera noticia que hemos localizado del rodaje de *El sexto sentido* se halla en *El Imparcial* del 4 de mayo, refiriéndose vagamente a que Sobrevila está realizando «unos ensayos de cámara y laboratorio, en colaboración con [Eusebio Fernández] Ardavín y [Armando] Pou, a cuyos ensayos les ha puesto por título *El sexto sentido*». Aquella misma semana, una nota de *La Pantalla* intentaba desentrañar la significación del título, escribiendo:[115] «Este sexto sentido es el peculiar de cada uno, es lo que pudiéramos llamar sentido estético. Y guiándose el realizador de la película por él, está llevando a efecto una cinta documental, en la que se verá Madrid según su sexto sentido.» Tras tan inexacta descripción del proyecto, el cronista se mostraba más acertado al añadir: «Sobrevila ensaya poniendo a contribución su propio peculio. ¡Cuántos han ensayado y ensayarán poniendo en gravísimo riesgo el capital ajeno!» Ya dijimos que *Al Hollywood madrileño* fue financiado también por el realizador, y, años después, Ricardo Baroja, protagonista de *El sexto sentido*, evocó así la prodigalidad del realizador en sus memorias: «Hace algunos años –escribió–, un querido amigo mío se había empeñado en perder el peculio familiar heredado de sus padres filmando películas. Mi amigo pretendía ser simultáneamente autor del argumento, del guión, director, gerente, capitalista, y no era actor que realizara todos los papeles porque no poseía el don de la ubicuidad.»[116]

A lo largo de mayo y de junio continuó Sobrevila su producción, según reflejaron las notas de prensa,[117] con la asistencia técnica de Fernández Ardavín y el portorriqueño Armando Pou como operador. Por entonces era ya Fernández Ardavín un director consolidado y aportó al proyecto los servicios de sus Laboratorios Ardavín y su equipo de colaboradores habituales, entre ellos el competente operador, tal vez para otorgarle más solidez profesional y evitar el infausto destino de su producción anterior. Pero *El sexto sentido*, que lució efectivamente un *look* técnico impecable, tampoco consiguió estrenarse, aunque esta obra afortunadamente se conserva. Relatamos a continuación el argumento de *El sexto sentido*.

La película se abre con un rótulo que dice así: «A pesar de los múltiples sistemas filosóficos, desconocemos la Verdad. Para conocerla necesitamos añadir a nuestros imperfectos sentidos, la precisión de la mecánica. El atrabiliario Kamus, mezcla de artista, borracho y filósofo, cree haber descubierto en el cinematógrafo un SEXTO SENTIDO.» El extraño Kamus (interpretado por Ricardo Baroja), en efecto, ve en la cámara un «sexto sentido» mecánico capaz de conocer la Verdad (con mayúscula), enlazando así sus convicciones con la mitología del maquinismo futurista y sus derivaciones cinematográficas (el Cine-ojo de Dziga Vertov y las capacidades «sobrenaturales» que Epstein atribuyó a la cámara y que plasmó en la fórmula de la *intelligence d'une machine*). Junto a este elemento parafuturista, el film desarrolla la historia de dos parejas jóvenes: la formada por el optimista Carlos (Enrique Durán) y la corista de revista musical Carmen (Antoñita Fernández) y la formada por el pesimista León (Felipe Sánchez) y por Luisa (Gher Paj, seudónimo de Gertrudis Pajares). Carlos regala una sortija a Carmen, pero ésta es hija de un desocupado (Faustino Bretaño) que pasa apuros económicos y no tiene dinero para comprar una entrada para los toros, su afición favorita, y por ello le obliga a vender el anillo. Carmen va a hacerlo con gran pesadumbre y por ello llega tarde al ensayo de la revista, provocando las iras del director de escena. Su padre, sentado en una butaca de platea, asiste al ensayo y luego, en el camerino, recibe el dinero de su hija, producto de la venta del anillo. Se reanudan los ensayos y el director escénico humilla a Carmen y luego intenta propasarse con ella, lo que provoca una airada reacción del progenitor, quien sube al escenario y derriba al director de un puñetazo. El consiguiente despido de la chica y la pesadumbre de ambos provoca una reacción del padre, quien asegura a Carmen que ella no pisará más un escenario de teatro y que en adelante él trabajará para los dos.

Entretanto, el pesimista e infeliz León vive atormentado porque cree que Luisa le engaña. Carlos trata de animarle y le ofrece una tarjeta para que vaya a visitar a Kamus, el «hombre que es capaz de conocer la verdad». Siguiendo su consejo, León va a visitar a Kamus y lo encuentra dormitando en una tumbona con una cámara tomavistas entre sus brazos. Kamus explica a León sus teorías y le asegura que «el ojo extrahumano nos traerá la verdad», ya que la cámara puede mostrar la realidad «más grande, más pequeña, más deprisa y más despacio». Un muchacho que lee ávidamente novelas de aventuras ilustradas, ayudante de Kamus, es el encargado de proyectar ante ellos, para evidenciar sus teorías, una película experimental, una «sinfonía en blanco y negro» que evoca a Richter y a Léger, con profusión de trucajes ópticos y ángulos enfáticos de cámara, mostrando luego tejados y edificios prosaicos e impersonales: «Éste es el verdadero Madrid –dice Kamus– visto sin ninguna deformación literaria.» Después de mostrar el tráfico urbano de la capital, aparece una playa de moda, una piscina con su público bañista y luego una serie de planos de piernas de mujeres, rodadas en ángulos contrapicados, lo que produce una reflexión de Kamus acerca de la cámara-voyeur: «y qué cosas habrá visto, sin que ellas se enteren». Entre las piernas femeninas exhibidas aparecen las de Carmen en la escena en el camerino, con su padre, cuando le entrega el dinero producto de la venta de su sortija y dándole un beso. A la vista de este detalle, León queda convencido de que Carmen engaña a Carlos y esta información provocará la ruptura de la pareja. El padre de Carmen, furioso, va a ver a Kamus provisto de un garrote y le propina una paliza, la segunda que recibe en el film, pues la madre de su joven ayudante le ha asestado ya una tanda de escobazos. También a Kamus acude Carlos, para averiguar la verdad, pero al examinar la película delatora descubre que el hombre que está con Carmen no es otro que su padre y espeta: «¡Es peor un pesimista que un canalla!» Luego el padre de Carmen, que ha encontrado empleo como conserje de la Sociedad de Investigaciones Científicas y luce con arrogancia su uniforme, explicará a Carlos lo de la venta del anillo, por culpa suya, y ello provocará la reconciliación final de la pareja.

Con *El sexto sentido* completó Sobrevila en nuestra subdesarrollada cinematografía un insólito díptico autorreflexivo acerca de su popia actividad creativa, pues si el primer film versó sobe la génesis capitalista que está en la base de la industria (o subindustria, en España) cinematográfica, en el segundo desplazó su atención hacia la naturaleza de la cámara tomavistas y la ontología de su modo de representación. Se trató de una iniciativa verdaderamente atípica y descabellada en nuestro deprimido panorama cinematográfico y no es raro que su atrevida propuesta cayese en el vacío. No eran en 1929, desde luego, una novedad las películas de ficción en las que se escenificaban rodajes o actividades cinematográficas. Ya en la sorprendente *A Big Swallow* (1901), del británico James Williamson, un sujeto engullía aparentemente la cámara que le estaba filmando. En 1910 el cómico francés Max Linder rodó *Séance de cinématographie* y *Les Débuts de Max au cinéma.* Y en *Toribio en el cinematógrafo (Cretinetti al cinematografo*, 1911) su protagonista, el cómico André Deed, se convertía en proyeccionista y se hacía un lío con el aparato. Luego aparecieron *Charlot hace cine (A Film Johnnie*, 1914), *Charlot artista de cine (The Masquerader*, 1914) y *Charlot en el estudio de cine (Behind the screen*, 1916), mientras en *Clarita y Peladilla en el fútbol* (1915) Benito Perojo colocó a dos operadores de actualidades entre el público, filmando el partido. El futurista Vladímir Maiakovski exploró la fórmula del cine en el cine en *Encadenada al film (Zakovannazha fil'moj*, 1918), de Nikandr Turkin, y de la que fue guionista y protagonista. En 1928 King Vidor rodó *Espejismos (Show People)*, ambientada en la industria del cine, y Buster Keaton *El cameraman (The Cameraman)*, pero esta última se estrenó en España en octubre de 1929, cuando Sobrevila ya había completado su producción.

En la operación autorreflexiva de Sobrevila acerca de las potencialidades de la cámara cinematográfica ocupa un lugar central Kamus, interpretado por Ricardo Baroja, por lo que es menester examinar con atención el diseño de este personaje. El extraño Kamus, con un exótico nombre que contrasta con los de Carlos, León, Carmen o Luisa, no es definido nunca como sabio por Sobrevila, sino precisamente como «mezcla de artista, borracho y filósofo», mucho más pertinente para sus propósitos. Su aire bohemio y su entorno le convierten, de hecho, en una caricatura o contrafigura del arquetipo de «sabio cinematográfico» que la producción mundial ya había difundido por entonces (la ya citada *Metrópolis* ofrecía un buen ejemplo de ello). Hay, además, razones para pensar que algunos elementos de la personalidad del propio Ricardo Baroja fueron utilizados por Sobrevila para la creación de su pintoresco personaje.

Parece, en efecto, que el artista-filósofo que interpretó Baroja era, de alguna manera, una parodia de sí mismo, a juzgar por la descripción que nos ha legado su sobrino, Julio Caro Baroja. Le gustaban las ciencias, realizó trabajos de mecánica, dibujaba planos de barcos, se relacionó con De la Cierva, fue miembro del Aero-club madrileño, inventó un sistema de notación musical e hizo planes de «cambios de especies y razas sobre la superficie de la Tierra».[118] Y poco antes de interpretar *El sexto sentido* escribió un relato futurista titulado *El pedigree* (1926).[119] En este aspecto tenía que entenderse bien con su paisano Sobrevila, persona interesada también en la innovación tecnológica, inventor y propietario de varias patentes, tales como una maquina hidráulica para obtener energía barata, de una estructura de hormigón para construcciones, de un aparato para mejorar la seguridad del vuelo en los aeropuertos, etc.[120] Este perfil de ambos personajes hace, desde luego, más entendible el asunto de *El sexto sentido.*

A favor de Kamus jugaba la presencia física de Ricardo Baroja. Su sobrino le describió como «hombre muy alto, huesudo, con un cráneo ancho calvo, cara triangular, gran nariz ligeramente torcida, ojos pequeños chispeantes y la boca con las comisuras hacia arriba que parecía sonreír siempre. Era como tipo el que correspondía más a la imagen del vasco de caricatura o de cuadro folklórico: al vasco de buena planta».[121] La rotunda calvicie del actor favorecía la composición de su pintoresco e irónico personaje, a quien Miguel Marías encontraría un aspecto «vagamente stroheimiano».[122] Sobrevila le da un tratamiento plástico expresionista en la primera parte del film, con iluminación dramática y frecuentes angulaciones contrapicadas, de modo que su cráneo pelado evoca al Nosferatu de Murnau y explica que Aranda le viese como un «pequeño y amable Dr. Mabuse nacional».[123] Pero al final, después de su fracaso, es ridiculizado, apaleado y cubierto exageradamente de vendajes, como un personaje grotesco de tebeo. Se produce en el film, por lo tanto, un deslizamiento intencionado en su iconografía, que pasa de su inicial aspecto intrigante y dramático a su desmitificación satírica final.

El arranque de la película es perfectamene tradicional. Bajo un almendro en flor, el optimista Carlos escancia vino a Carmen mientras, a su lado, el pesimista León, con gafas, ofrece leche a Luisa. Esta escena campestre constituye casi una alegoría decimonónica y, como observó Marías, irradia una idílica ingenuidad que evoca a Griffith.[124]

Sobrevila parece ser perfectamente consciente de esta opción, pues en su mosaico costumbrista establece una oposición y contraste entre el padre de Carmen, un aficionado a los toros extraído del casticismo popular y el arcaísmo sainetesco, y la modernidad generacional que representa su hija, que baila en una revista musical a la americana. Con este contraste generacional y cultural consigue Sobrevila una reformulación distanciada del sainete castizo, como pretexto y marco para su estridente intrusión de un discurso acerca de las capacidades de la cámara tomavistas y de la vanguardia cinematográfica.

También el joven ayudante de Kamus pertenece al registro tradicionalista. Lee novelas de aventuras y representa mímicamente sus personajes –recuerda al revoltoso ayudante del fabricante de autómatas Hilarius en la farsa *Mi muñeca (Die Puppe*, 1919), de Ernst Lubitsch–,[125] y su madre, que ataca a escobazos a Kamus, es también ridiculizada y presentada como «monstruo materno», en línea con las sátiras antimatriarcales de los cómics festivos.

Pero junto a estos elementos sainetescos y tradicionales, Sobrevila inserta aquí y allá toques de procedencia expresionista. Ya hemos mencionado las primeras apariciones inquietantes de Kamus, dramatizadas por la luz y la angulación. Más tarde, en la escena del ensayo teatral de Carmen, su padre, entre bastidores, proyecta una sombra exageradamente magnificada en la pared. Y cuando irrumpe orgulloso con su flamante uniforme de portero de la Sociedad de Investigaciones Científicas, parece una cita icónica literal de *El último*, de Murnau. Este hibridismo estético fue ya observado por J. F. Aranda, quien señaló que «influenciado por el expresionismo alemán en su planificación, fotografía y realización, posee, con todo, la gracia del sainete español», añadiendo luego que «con más ambiciones y sabor cosmopolita [que la *Historia de un duro*] intentó conjugar la actualidad estética europea con una pobre, pero ya fuerte, tradición cinematográfica española».[126] Y Carlos Fernández Cuenca corroboraría su hibridismo, al caracterizar *El sexto sentido* por su «curiosa mezcla de estilización vanguardista y de costumbrismo español».[127]

Para reforzar el hibridismo de su comedia con elementos casticistas y localistas, Sobrevila añadió a *El sexto sentido* la incrustación vanguardista de un film experimental, con el que Kamus intenta demostrar a León –con ánimo futurista-maquinista– la perfecta omnividencia de la cámara tomavistas y sus capacidades ópticas extrahumanas. Rescatando la terminología de Pasolini,[128] podría afirmarse que *El sexto sentido* es un film en prosa, con una incrustación de «cine de poesía» en su interior, a modo de llamativo *collage.* Y esta incrustación vanguardista hace que en *El sexto sentido* converjan cuatro propuestas: la comedia costumbrista tradicional; la incursión en las retóricas del cine de vanguardia; la sátira de la picaresca cinematográfica (ya desarrollada en su cinta anterior) y la sátira del charlatanismo pseudocientífico.

El azar hizo que en 1929 tanto el protagonista inhumano de *El sexto sentido* como el de *El hombre de la cámara (Cheloviek s kinoaparátom)*, del soviético Dziga Vertov, fuera la cámara tomavistas, investida en ambos casos de atributos sobrehumanos y casi mágicos, del mismo modo que la estrella del guión *Benz n.º 22*, que Maiakovski escribió en 1923 tras un viaje a Berlín y París, fuera un automóvil.

En abril de 1923, en el tercer número de la revista de vanguardia *LEF*, Vertov había lanzado su célebre manifiesto de los *kinoks*, en el que proclamaba con entusiasmo: «Soy el cine-ojo, soy el ojo mecánico, soy la máquina que os muestra el mundo como sólo ella puede verlo. A partir de ahora estaré liberado de la inmovilidad humana. Estoy en movimiento perpetuo, me acerco a las cosas, me alejo, me deslizo entre ellas, entro en ellas...»[129] Y exaltaba «el uso de la cámara como un cine-ojo, más perfecto que el ojo humano, para explorar el caos de los fenómenos visuales que llenan el espacio».[130] Se comprueba sin esfuerzo que estos postulados futuristas eran coincidentes con los del Kamus de Sobrevila. Es cierto que Vertov llevó su entusiasmo y su fetichismo de la cámara más lejos, hasta el punto de antropomorfizar el aparato cuando le hizo caminar sobre su trípode –sus piernas– y le hizo guiñar el objetivo en *El hombre de la cámara.* Pero cuando Kamus afirma que su cámara ve Madrid «sin deformaciones literarias», no sólo está coincidiendo con los deseos de los escritores españoles que contestaron a la encuesta de *La Gaceta Literaria* en octubre de 1928, sino también con el Vertov que postuló en 1929 que *El hombre de la cámara* era un nuevo paso hacia «la plena separación del lenguaje del cine del del teatro y la literatura».[131]

Pero lo notable del caso es que en 1929, según el autorizado testimonio del crítico comunista francés Léon Moussinac, ningún film de Vertov había sido proyectado en Francia,[132] y menos aún en España. La afirmación de Moussinac no es enteramente exacta, pues *El Cine-ojo-La vida captada al improviso (Kino-glaz-Zhizn vrasploj*, 1924) había sido presentado y premiado en la Exposición de París de 1926 y, según Abrámov, «suscitó el interés de los cineastas franceses de izquierdas».[133] Habría que matizar, por tanto, que la obra de Vertov era apenas conocida en Occidente y, pese a lo que escribió Abrámov, cuando Moussinac, tras un viaje a la Unión Soviética, le dedicó un capítulo de su libro *Le Cinéma soviétique* (1928), en su texto no faltaron las reservas críticas hacia la obra del cineasta. Así, tras exponer sus teorías, escribió Moussinac:[134] «Quiero decir que, en definitiva, sólo las obras cuentan, y que éstas son significativas y bellas, pero lo que ganan en pureza, con Vertov, lo pierden en radiación. (...) Pero en los films de Vertov aparece una contradicción teórica bastante grave. ¿Cómo puede concebirse que se pueda aplicar un procedimiento "artístico" de construcción a un film cuyos elementos seleccionados no son ellos mismos artísticos?»

Con todo ello hemos de suponer que, si Sobrevila desconocía en 1929 el famoso cine-ojo de Vertov, no desconocía en cambio otras manifestaciones de la vanguardia cinematográfica, como resultó palmario en el film experimental que Kamus proyecta ante León para ilustrar sus teorías y que constituye un habilidoso *pastiche* del cine experimental de la época, como muestrario y escaparate morfológico de sus estilemas. Antes de la proyección Kamus enunciaba las virtudes de su aparato con estas palabras: «Este ojo extrahumano nos traerá la verdad. Ve más profundamente que nosotros, más grande, más pequeño, más deprisa, más despacio... Lo han prostituido haciéndole ver como nosotros pensamos, pero yo le dejo solo... y él me trae lo que ve con precisión matemática.» Extrayendo de los diversos textos de Kamus en el film los atributos enunciados, la cámara tomavistas queda configurada por las siguientes características:

1) Ojo extrahumano.

2) Veracidad de la aprehensión fílmica («me trae lo que ve con precisión matemática»).

3) Versatilidad de tamaños (ampliación y reducción de formas).

4) Versatilidad del tiempo (acelerado y ralenti).

5) Potencialidades comunicativas distintas –y superiores– a las literarias («éste es el verdadero Madrid visto sin ninguna deformación literaria»).

6) Potencialidades eróticas de la escopofilia cinematográfica («y qué cosas habrá visto, sin que ellas se enteren»).

El film que exhibe Kamus ante León está compuesto por varios segmentos, que pueden agruparse en las categorías de la sinfonía visual abstracta, el documental lírico impresionista y el cine-ojo de intención voyeurista. Al segmento de film abstracto lo denomina Kamus «sinfonía en blanco y negro». Al segmento documental lírico-impresionista corresponde la visión de Madrid «sin ninguna deformación literaria» y fue rodado cuando el emblemático *Berlín, sinfonía de una gran ciudad*, de Ruttmann, no se había exhibido todavía en España. El segmento más sustantivo, y con una importante implicación argumental en la película, es el voyeurista, y conviene detenerse en él.

Al analizar el poema de Pedro Garfias «Cinematógrafo» en el cuarto capítulo, hemos mencionado los orígenes históricos del film-voyeur. Como en aquel género, Sobrevila también simula espiar aquí la anatomía femenina, pero se concentra en las piernas, encuadradas en ángulo contrapicado. Por entonces las piernas femeninas formaban ya parte privilegiada de la iconografía erótica del cine. René Clair, en *Entr'acte* (1924), se había divertido cinematografiando a una bailarina desde abajo, con el eje óptico azimutal y ella bailando sobre un vidrio, para después de haber despertado el deseo de los espectadores masculinos, mostrar el rostro del sujeto danzante, un caballero barbudo. Las piernas femeninas fueron enfatizadas saliendo repetidamente de un coche en *Emak Bakia* (1927), de Man Ray; en

Paris-Express (1928), con la cámara del mismo realizador siguiendo a bellas parisinas, y por Jean Vigo en *A propos de Nice* (1929), filmando a unas muchachas que bailan desde debajo de sus faldas. Hasta Dziga Vertov, en *El hombre de la cámara*, mostraba un plano del objetivo de la tomavistas sobreimpresionado con un ojo humano, seguido por el plano de las piernas de una mujer estirada en un banco. Y también en el cine comercial norteamericano se hallan ejemplos de tal mironismo: al principio de *El séptimo cielo (Seventh Heaven*, 1927), de Frank Borzage, un trabajador espía desde una cloaca parisina las piernas de dos mujeres que están encima, en la calle. El segmento voyeurista de Sobrevila incidía en la misma iconografía y servía para introducir la parte inferior del cuerpo de Carmen cuando le entregaba el dinero, producto de la venta de su anillo, a su progenitor.

Pero esta escena sinecdóquica desencadenaba precisamente la confusión y el conflicto sentimental del film, revelando que el aparato teóricamente tan prodigioso de Kamus era en la práctica un instrumento de engaño y de confusión. Es decir, *El sexto sentido*, en vez de ser una exaltación entusiasta de la tecnología cinematográfica de aliento futurista, como postulaba Kamus, acababa siendo una sátira de las vanguardias cinematográficas –seguramente prefigurada ya en *Al Hollywood madrileño*– y de las teorías basadas en el fetichismo maquinista-milagrista de la cámara. Porque *El sexto sentido* propone, en efecto, tres miradas radicales sobre la realidad: la de la máquina tomavistas –mirada extrahumana–, la optimista de Carlos y la pesimista de León. La primera es cuestionada por Sobrevila como mirada espontánea y salvaje, a la que sólo la racionalidad del realizador puede imponer un sentido. La materia visual bruta y polisémica producida por la cámara es confrontada primero con la mirada pesimista de León, con resultados catastróficos, pues inviste a sus datos fragmentarios con un sentido negativo. Luego esta misma cadena de signos ópticos es confrontada con la mirada optimista de Carlos, que es la que acaba triunfando, según los cánones de toda comedia. En la frase final de Carlos «¡Es peor un pesimista que un canalla!» se adivina el terco voluntarismo cinematográfico de Sobrevila.

El aspecto verdaderamente audaz y moderno de *El sexto sentido* radica en la reflexión propuesta por Sobrevila acerca de la producción de sentido mediante la puesta en escena, desvelando el peligro de la manipulación a través de la imagen cinematográfica. En contra de las teorías panegiristas de la cámara que predica Kamus, Sobrevila nos demuestra que sus imágenes pueden engañar. Concretamente, la escena rodada por Kamus en que Carmen entrega el dinero a su padre, inserta en un festival de piernas femeninas, desmitifica el valor de la sinécdoque *pars pro toto*, demostrando la debilidad y ambigüedad semántica de esta figura retórica. En la imagen no reside jamás la verdad, sino que la imagen es un elemento del que el realizador se sirve para construir intencionadamente un sentido. Más verdad encierra en cambio la amarga meditación final del escarmentado Kamus, cuando concluye «cada uno prefiere su mentira a la verdad de los otros». Puede verse también en ella un sano escepticismo, teñido de amargura, que resulta aplicable al infantil optimismo del raquítico cine español de la época.

Sobrevila no ocultó cuál era el verdadero significado de *El sexto sentido*, pues en octubre de 1929 lo calificó como «película de retaguardia». En el artículo de *Popular Film* que comentaba este calificativo de Sobrevila, el cronista añadía:[135] «La película rebosa ironía. Es a trozos un sarcasmo de las teorías modernas; fina sátira contra las tendencias vanguardistas; parodia felicísima de ciertas corrientes». Con los mismos calificativos, como «una sátira de la vanguardia», definiría J. F. Aranda años después esta película.[136]

Esta actitud era lógica. A pesar de la atipicidad de sus películas, por sus declaraciones sabemos que Sobrevila intentaba insertarse en la producción española comercializable, aunque a la postre no lo consiguiera, ni cuando trabajó a las órdenes de Buñuel en Filmófono en 1935. Sobrevila no tenía vocación de autor marginal o maldito, aunque acabaría siéndolo. Por eso, si *El sexto sentido* era una comedia costumbrista con un subrelato acerca de la supuesta omnividencia de la cámara, era natural que el discurso de la primera acabara arrollando y ridiculizando deliberadamente al segundo. Y, de este modo, en el discurso ideológico de *El sexto sentido* triunfó el cine narrativo tradicional, adscrito al modo de representación institucional que el propio film de Sobrevila ejemplifica, sobre las excrecencias vanguardistas que en él incrustó como exótico contrapunto.

El sexto sentido fue proyectado en pase privado a la prensa en noviembre de 1929. De la frialdad de la recepción da idea el comentario del cronista de *El Imparcial*, quien escribió:[137] «No se puede negar al Sr. Sobrevila sus buenas intenciones de hacer vanguardia en el sentido artístico de la frase; pero hay que reconocer que su *Sexto sentido* no tiene asunto cinematográfico, a pesar de algunas escenas que recuerdan la manera de hacer de los directores germanos o rusos, en las que la luz [no] es una luz cualquiera y la cámara un ojo avizor situado en el sitio menos teatral, que es decir en el más real. Es lástima que el Sr. Sobrevila no coja un tema que tenga su argumento, su principio, su intriga y su desenlace, pues creemos sinceramente que sólo en el manejo psicológico de las figuras es donde el director puede sobresalir o no de los otros directores. Y él hasta ahora sólo se ha distraído en tímidos ensayos, en cosas para una minoría de amigos selectos, no en cosas para el verdadero público.»

El sexto sentido no consiguió estrenarse y pasó a ser una rareza marginal e invisible en el cine español. Cuando en 1931 Juan Piqueras se refirió a la producción de Sobrevila, escribió que «son dos films indefinidos, situados en un plano comercial y nacidos bajo la influencia de los films de vanguardia».[138] Nada más.

En 1949 Juan Antonio Cabero se refirió a la obra de Sobrevila, en su *Historia de la cinematografía española*, afirmando que «sus proyectos de avanzada y visiones de lo que la cinematografía había de ser hizo concebir en él al Mesías esperado».[139] Pero su obra siguió siendo invisible hasta que Luis Gómez Mesa rescató *El sexto sentido* y fue estrenada en el Cineclub de Salamanca el 4 de febrero de 1954, es decir, cuando Sobrevila permanecía todavía en su exilio americano. Era una exhumación tardía, pero que permitió a algunos críticos e historiadores, como J. F. Aranda, ver por vez primera la película. Diez años más tarde, Fernando Méndez Leite von Hafe escribió, inexactamente, a tenor de lo recogido en las hemerotecas, que *El sexto sentido* promovió «grandes discusiones entre los profesionales por su mezcla de vanguardismo audaz y de costumbrismo ciertamente interesante; su ensayo, que rompía moldes, sólo fue proyectado en sesiones privadas, a falta de los cineclubs que funcionaban en las principales capitales de Europa regularmente».[140] También es inexacta la referencia a los cineclubs, pues en 1929 funcionaban ya en Madrid y Barcelona, como luego se verá.

En la generación siguiente, Miguel Marías llamó públicamente la atención hacia *El sexto sentido* en la revista *Nuestro Cine*, en 1970, al escribir: «Esta película, bien fotografiada e interpretada, con un ritmo excelente y una trama compleja, pero claramente narrada, se presenta como una de las mejores que se ha hecho en el país, y, dentro del periodo mudo, supera incluso a la muy notable *La aldea maldita*, de Florián Rey.»[141]

En febrero de 1990, la Asociación Española de Historiadores del Cine celebró en San Sebastián su tercer congreso, dedicado en esta ocasión a «Las vanguardias artísticas en la historia del cine español».

Eugeni Bonet, en su ponencia titulada «Entre el cine experimental y el cine excepcional», propuso un juicio histórico distanciado de *El sexto sentido*, afirmando que «no es, en rigor, un film experimental o de vanguardia, aunque sí uno de esos films inusuales que, visto actualmente, cobra una modernidad que le distingue del grueso de la producción de su época (y lo sitúa así entre lo "excepcional"). Sobrevila es uno de los grandes "malditos" del cine español y, en cierto modo, uno de los pioneros del cine independiente entre nosotros, pero en sus films no parece que hubiera intención alguna de ruptura con las convenciones dominantes. Se le supone bien informado de las tendencias y postulados vanguardistas, pero lo que de ahí recoge se enmarca en versiones/revisiones un tanto descabelladas del género de la comedia costumbrista española».[142]

NOTAS

1. *Memorias de un dictador*, de Ernesto Giménez Caballero, Planeta, Barcelona, 1979, pp. 54-66.
2. *Las vanguardias artísticas del siglo veinte*, de Mario De Michelis, Editorial Universitaria de Córdoba, 1968, p. 57.
3. *La Gaceta Literaria*, n.º 83, 1 de junio de 1930.
4. *Vida en claro*, El Colegio de México, 1944, p. 145.
5. Carta del 17 de febrero de 1929.
6. *Surrealismo. El ojo soluble*, Revista Litoral, Torremolinos, 1987, pp. 259-267.
7. *The Secret Life of Salvador Dalí*, de Salvador Dalí, The Dial Press, Nueva York, 1942, p. 174.
8. *Buñuel por Buñuel*, de Tomás Pérez Turrent y José de la Colina, Plot, Madrid, 1993, p. 18.
9. *The Secret Life of Salvador Dalí*, pp. 159 y 175; *Comment on devient Dalí*, Robert Laffont, París, 1973, p. 65.
10. *Conversaciones con Buñuel*, de Max Aub, Aguilar, Madrid, 1986, p. 158.
11. *Los poetas surrealistas españoles*, de Vittorio Bodini, Tusquets, Barcelona, 1971, p. 115.
12. *Mon dernier soupir*, de Luis Buñuel, Robert Laffont, París, 1982, p. 127.
13. *Historia de las literaturas de vanguardia*, Guadarrama, Madrid, 1965, p. 572.
14. *Los poetas surrealistas españoles*, p. 10.

15. *Conversaciones con Buñuel*, pp. 291 y 293. Alfonso Sánchez Rodríguez calificaría también a Hinojosa como «nuestro primer surrealista», en *Surrealismo. El ojo soluble*, p. 134.

16. *Facción española surrealista de Tenerife*, de Domingo Pérez Minik, Tusquets, Barcelona, 1975; *«Gaceta de Arte» y su época. 1932-1936*, Viceconsejería de Cultura y Deportes del Gobierno de Canarias-Centro Atlántico de Arte Moderno, 1997.

17. *El surrealismo español*, de J. F. Aranda, Lumen, Barcelona, 1981, p. 72.

18. «Los ángeles del infierno: una lectura de *Sobre los ángeles*, de Rafael Alberti», en *Surrealismo. El ojo soluble*, p. 231.

19. «L'Avant-garde Française» (1952), en *Trois cents ans de cinéma*, de Henri Langlois, Cahiers du Cinéma-Cinémathèque Française, París, 1986, p. 227.

20. *Le Surréalisme au cinéma*, de Ado Kyrou, Le Terrain Vague, París, 1963, p. 29.

21. *Cinéma intégral. De la peinture au cinéma dans les anneés vingt*, de Patrick De Haas, Transédition, París, 1985, p. 173.

22. Lichtbild-Buehne, Berlín, 1926.

23. *El tragaluz del infinito*, de Noël Burch, Cátedra, Madrid, 1987, pp. 17-18.

24. *Práctica fílmica y vanguardia artística en España 1925-1981*, de Eugeni Bonet y Manuel Palacio, Universidad Complutense de Madrid, 1983, p. 10.

25. Véase el artículo «Viejas vanguardias. "Cinema Club"», de Lorenzo Villalonga, en *Primer Plano*, n.º 182, 9 de abril de 1944.

26. 1 de febrero de 1930, p. 15.

27. Sobre Nicolás María de Urgoiti véase: *La industria, la prensa y la política. Nicolás María de Urgoiti (1869-1951)*, de Mercedes Cabrera, Alianza, Madrid, 1994.

28. Sobre Filmófono véase: «Buñuel, Sáenz de Heredia and Filmófono», de Roger Mortimer, en *Sight and Sound*, verano de 1975, pp. 180-182, y *A la sombra de Lorca y Buñuel: Eduardo Ugarte*, de Juan A. Ríos Carratalá, Universidad de Alicante, 1995.

29. *The Cubist Cinema*, de Standish D. Lawder, New York University, 1975, p. 46; *Experimental Cinema*, de David Curtis, Universe Books, Nueva York, 1971, pp. 45-46; *Cinéma intégral*, p. 66.

30. *Experimental Cinema*, p. 26.

31. «Dada/Cinema?», de Thomas Elsaesser, en *Dada and Surrealist Film*, de Eudolf E. Kuenzli, ed., The MIT Press, Cambridge, 1996, p. 15.

32. *The Cubist Cinema*, pp. 183-184; *Experimental Cinema*, p. 26.

33. «The Limits of the Experimentation in Hollywood», de Kristin Thompson, en *Lovers of Cinema. The First American Film Avant-Garde, 1919-1945*, de Jan-Christopher Horak, ed., The University of Wisconsin Press, Madison, 1995, p. 89.

34. *The Classical Hollywood Cinema. Film Style and Mode of Production*, de David Bordwell, Jane Staiger y Kristin Thompson, Routledge, Londres, 1996, pp. 70-74.

35. *Práctica fílmica y vanguardia artística en España 1925-1981*, p. 11.

36. *Luis Buñuel. Una biografía*, de John Baxter, Paidós, 1996, p. 125.

37. *Reflexiones de un cineasta*, de Serguéi M. Eisenstein, Lumen, Barcelona, 1990, pp. 224 y 231-232.

38. «Es bárbaro lo que, en aquellos años, nos atraía la urbanomanía»: en *Reflexiones de un cineasta*, p. 47.

39. *Arti senza frontiere*, de Mario Verdone, Bora, Bolonia, 1993, p. 43.

40. Sobre *Die Strasse*: *From Caligari to Hitler. A Psychological History of the German Film*, de Sigfried Kracauer, Dennis Dobson, Princeton University Press, 1947, pp. 119-123; *Film Architecture: Set Designs from «Metropolis» to «Blade Runner»*, de Dietrich Neumann, ed., Prestel, Munich-Nueva York, 1996, pp. 26-28.

41. *Arte y Cinematografía*, n.º 287, febrero de 1925.

42. «El mundo de la cinematografía. Dos nuevas manufactureras más», en *El Cine*, n.º 674, 12 de marzo de 1925.

43. *Historia de la cinematografía española*, de Juan Antonio Cabero, Gráficas Cinema, Madrid, 1949, p. 233.

44. *Aventuras y desventuras del cine español*, de Eduardo García Maroto, Plaza y Janés, Barcelona, 1988, p. 27.

45. *Historia de la cinematografía española*, p. 233.

46. *Historia del cine español*, de Román Gubern *et al.*, Cátedra, Madrid, 1997, p. 108.

47. *ABC*, 16 de abril de 1925.

48. *ABC*, 16 de abril de 1925; *El Imparcial*, 15 y 16 de abril de 1925.

49. *El Imparcial*, 18 de abril de 1925; *ABC*, 25 de abril de 1925.

50. *El Imparcial*, 21 de abril de 1925; *ABC*, 23 de abril de 1925 y días siguientes.

51. *Práctica fílmica y vanguardia artística en España 1925-1981*, p. 12; *Historia de la cinematografía española*, p. 233.

52. *Historia del cine español*, p. 108.

53. *El negro que tenía el alma blanca*, de Alberto Insúa, Espasa-Calpe, Madrid, 1969, p. 46.

54. *Benito Perojo. Pionerismo y supervivencia*, de Román Gubern, Filmoteca Española, Madrid, 1994, pp. 129-136.

55. *Benito Perojo. Pionerismo y supervivencia*, p. 160.

56. «Vanguardia española» en *Filmoteca* (boletín de la Filmoteca Nacional de España), n.º 1, curso 1972-73, p. 32.

57. Entrevista con Sabino A. Micón por Rafael de Urbano en *Primer Plano*, n.º 241, 27 de mayo de 1945.

58. *Popular Film*, n.º 22, 30 de diciembre de 1926, p. 11.

59. *La Gaceta Literaria*, n.º 67, 1 de octubre de 1929, p. 5.

60. *Il Cinema muto italiano 1914*, Primera parte, Bianco e Nero, Roma, 1993, p. 35.

61. *Cinema e letteratura del futurismo*, Bianco e Nero, Roma, 1968, p. 114.

62. *Circulating Film Library Catalog*, MOMA, Nueva York, 1984, p. 44.

63. Ambos textos han sido reproducidos por Mario Verdone en *Poemi e scenari cinematografici d'avanguardia*, Officina Edizioni, Roma, 1975, pp. 23-27.

64. *Travelling*, n.º 56-57, Lausana, primavera de 1980, p. 107.

65. *Arti senza frontiere*, p. 131.

66. *Lovers of Cinema. The First American Film Avant-Garde, 1919-1945*, p. 19.

67. *Cinema e letteratura del futurismo*, p. 46.

68. *Funciones de la pintura*, de Fernand Léger, Cuadernos para el Diálogo, Madrid, 1969, p. 78.

69. *La Pantalla*, n.º 24, 10 de junio de 1928, p. 383.

70. *La Pantalla*, n.º 32, 5 de agosto de 1928, p. 507.

71. *Arte y Cinematografía*, n.º 327, julio de 1928.

72. «Algo sobre una película muy original», en *La Pantalla*, n.º 32, 5 de agosto de 1928, p. 507.

73. «Madrid cinematográfico», en *El Cine*, n.º 845, 14 de junio de 1928, p. 19.

74. *Popular Film*, n.º 101, 5 de julio de 1928, p. 13.

75. Micón entrevistado por Rafael Urbano en *Primer Plano*, n.º 241, 27 de mayo de 1945.

76. Entrevista de Micón con Juan de Diego, en *Primer Plano*, n.º 177, 3 de marzo de 1944.

77. «Quién es quién en la pantalla nacional», de Gómez Tello, en *Primer Plano*, n.º 437, 27 de febrero de 1949.

78. *Cinema de vanguardia en España*, de J. F. Aranda, Guimeraes Editores, Lisboa, 1953, p. 17.

79. «Sobre a vanguarda em Espanha», en *Visor,* n.º 33, 15 de agosto de 1956, p. 5.

80. *Práctica fílmica y vanguardia artística en España 1925-1981*, p. 12.

81. *Histoire générale du cinéma*, de Georges Sadoul, tomo 5, vol. 1, Denoël, París, 1975, p. 164; *Le Surréalisme au cinéma*, p. 32.

82. *Lovers of Cinema. The First American Film Avant-Garde, 1919-1945*, p. 43; *Experimental Film*, p. 26.

83. *Documentary. A History of the Non-Fiction Film*, de Erik Barnouw, Oxford University Press, 1974, p. 113.

84. *Travelling,* n.º 56-57, pp. 113 y 150.

85. «Vanguardia española», p. 32.

86. *Nemesio Sobrevila, peliculero bilbaíno*, de José María Unsain, Filmoteca Vasca, 1988, pp. 11-12.

87. *Las vanguardias artísticas en España (1909-1936)*, de Jaime Brihuega, Istmo, Madrid, 1981, p. 166.

88. «Peliculeros bilbaínos en Madrid», de Luis Prieto, en *El Liberal* de Bilbao, 31 de julio de 1927, citado en *Nemesio Sobrevila, peliculero bilbaíno*, p. 48.

89. *El surrealismo español*, p. 78.

90. «*Al Hollywood madrileño*», reportaje de Dede, en *La Pantalla,* n.º 4, 9 de diciembre de 1927, p. 52.

91. «Peliculeros bilbaínos», en *El Liberal* de Bilbao, 16 de julio de 1927, citado en *Nemesio Sobrevila, peliculero bilbaíno*, p. 46.

92. *Nemesio Sobrevila, peliculero bilbaíno*, p. 23.

93. «Un film en Huesca y unos peliculeros oscenses», en *Diario de Huesca*, 8 de octubre de 1927. Agradezco a Luis Fernández Colorado el suministro de esta información.

94. *Aventuras y desventuras del cine español*, pp. 36-37.

95. «Al sesgo. Una película española», en *El Sol*, 31 de diciembre de 1927.

96. *Cinematógrafo*, de Andrés Carranque de los Ríos, Espasa-Calpe, Madrid, 1936, pp. 54-56.

97. Entrevista con Florentino Hernández Girbal por José Luis Martínez Montalbán y Daniel Sánchez Salas, en *Secuencias,* n.º 6, abril de 1997, p. 67.

98. Entrevista con Florentino Hernández Girbal, p. 69.

99. «España cinematográfica. *Al Hollywood madrileño*», de Mauricio Torres, en *Popular Film,* n.º 58, 8 de septiembre de 1927, p. 13.

100. *«Al Hollywood madrileño»,* reportaje de Dede, con dos fotos, en *La Pantalla,* n.º 4, 9 de diciembre de 1927, p. 52. Véase también «Cinegramas», en *La Pantalla,* n.º 2, 25 de noviembre de 1927, p. 22.

101. «Las vanguardias históricas y el cine español», en *Cuadernos de la Academia,* n.º 1, octubre de 1997, p. 65.

102. *La Gaceta Literaria,* n.º 29, 1 de marzo de 1928, p. 6.

103. *Aventuras y desventuras del cine español,* p. 36.

104. Citado por J. F. Aranda en «Sobre a vanguarda em Espanha», en *Visor,* n.º 33, p. 5.

105. «Viendo pasar *Al Hollywood madrileño*», en *Popular Film,* n.º 78, 26 de enero de 1928, p. 12.

106. *El Cine,* n.º 828, 16 de febrero de 1928, p. 8.

107. «Presentación de *Al Hollywood madrileño*», en *El Liberal,* 13 de febrero de 1928, en *Nemesio Sobrevila, peliculero bilbaíno,* p. 66.

108. *Nemesio Sobrevila, peliculero bilbaíno,* p. 24.

109. *La Pantalla,* n.º 19, 6 de mayo de 1928, p. 291.

110. *La Pantalla,* n.º 48, 2 de diciembre de 1928, p. 811.

111. *La Pantalla,* n.º 50, 16 de diciembre de 1928, p. 838.

112. *El Carbayón,* 28 de enero de 1931, citado en *Nemesio Sobrevila o el enigma sin fin,* de Luis Fernández Colorado, Filmoteca Vasca/Filmoteca Española, 1994, p. 43.

113. «Noticias de Madrid», en *La Pantalla,* n.º 16, 15 de abril de 1928, p. 255; «Ecos», en *La Pantalla,* n.º 42, 14 de octubre de 1928, p. 661; «Pantalla madrileña», en *La Pantalla,* n.º 47, 25 de noviembre de 1928, p. 788.

114. *Nemesio Sobrevila o el enigma sin fin,* pp. 33-36.

115. «Pantalla madrileña», en *La Pantalla,* n.º 65, 5 de mayo de 1929, p. 1082.

116. *Arte, cine y ametralladora* (1936), de Ricardo Baroja, Cátedra, Madrid, 1989, p. 267.

117. *La Pantalla,* n.º 67, 19 de mayo de 1929, p. 1119; n.º 71, 16 de junio de 1929, p. 1170; *Popular Film,* n.º 151, 20 de junio de 1929.

118. *Los Baroja,* de Julio Caro Baroja, Caro Raggio, Madrid, 1997, pp. 82-86.

119. *Los Baroja,* p. 20.

120. *Nemesio Sobrevila, peliculero bilbaíno,* p. 16.

121. *Los Baroja,* p. 85.

122. «Sexto sentido», de Miguel Marías, en *Nuestro Cine,* n.º 97, mayo de 1970, p. 7.

123. «Sobre a vanguarda em Espanha», en *Visor,* n.º 33, p. 5.

124. «Sexto sentido», p. 7.

125. «Sexto sentido», p. 7.

126. «Sobre a vanguarda em Espanha», en *Visor,* n.º 33, pp. 4-5.

127. «Vanguardia española», p. 32.

128. «Cine de poesía», de Pier Paolo Pasolini, en *Pier Paolo Pasolini contra Eric Rohmer. Cine de poesía contra cine de prosa*, Anagrama, Barcelona, 1970, pp. 9-41.

129. *Dziga Vertov*, de Nicolaj Abramov, Bianco e Nero, Roma, 1963, p. 11; *Dziga Vertov*, de Georges Sadoul, Champ Libre, París, 1971, p. 81; *Articles, journaux, projets*, de Dziga Vertov, Union Générale d'Éditions, París, 1972, p. 30.

130. *Dziga Vertov*, de Georges Sadoul, p. 71; *Articles, journaux, projets*, pp. 31-32.

131. *Dziga Vertov*, de Nicolaj Abramov, p. 104.

132. *Panoramique du cinéma*, de Léon Moussinac, A Paris au sans pareil, 1929, p. 134.

133. *Dziga Vertov*, de Nicolaj Abramov, p. 58.

134. *Le cinéma soviétique*, en *L'Age ingrat du cinéma*, Les Éditeurs Français Réunis, París, 1967, pp. 215-216.

135. «*El sexto sentido*, película de retaguardia», en *Popular Film*, n.º 169, 24 de octubre de 1929.

136. *El surrealismo español*, p. 78.

137. *El Imparcial*, 16 de noviembre de 1929.

138. «Cinema independiente en 1930», en *La Gaceta Literaria*, n.º 97, 1 de enero de 1931, p. 14.

139. Gráficas Cinema, Madrid, 1949, p. 290.

140. *Historia del cine español*, tomo I, Rialp, Madrid, 1965, p. 270.

141. «Sexto sentido», p. 7.

142. «Entre el cine experimental y el cine excepcional. Hipótesis, episodios y reconsideraciones acerca del cine y las vanguardias artísticas en España», de Eugeni Bonet, en *Las vanguardias artísticas en la historia del cine español*, Filmoteca Vasca, San Sebastián, 1991, p. 114.

8. «LA GACETA LITERARIA» Y EL CINE

LA SECCIÓN CINEMATOGRÁFICA DE «LA GACETA LITERARIA»

Aparecida el primero de enero de 1927, la revista quincenal *La Gaceta Literaria* fue fundada con el mecenazgo de diez mil pesetas aportadas por Nicolás María de Urgoiti, Gregorio Marañón, Ángel Ossorio y Gallardo, José Antonio de Sangróniz, el duque de Maura, el editor Gustavo Gili, Ramón de Basterra, Félix de Lequerica, José María de Areilza y Jules Supervielle. Ramón Gómez de la Serna figuró entre quienes animaron a Ernesto Giménez Caballero a emprender tal iniciativa y, de hecho, su revista podría considerarse, en cierta medida, continuadora del espíritu cultural renovador del *Prometeo* de anteguerra, ya que la revista de Ramón se canceló en 1912. Entre los colaboradores cuyas firmas aparecieron en ambas revistas figuraron, además de la del propio Gómez de la Serna, las de Marinetti, Enrique Díez Canedo, Antonio de Hoyos y Vinent, Giovanni Papini, Juan Ramón Jiménez, Cipriano Rivas Cherif, José Francés, Rafael Cansinos-Asséns y Pedro Salinas.

El secretario de *La Gaceta Literaria* en su primera etapa fue Guillermo de Torre, pero en 1928 se estableció en Buenos Aires y contrajo matrimonio con la pintora Norah Borges, siendo reemplazado entonces por César M. Arconada. Giménez Caballero mantuvo su nombre en la cabecera de su revista hasta el último número de 1928.

Ortega y Gasset escribió el editorial de la primera entrega de la revista, en el que pidió «excluir toda exclusión». En efecto, Giménez Caballero siempre se enorgullecería de que su revista fuese puente de enlace y plataforma de convergencia de las generaciones del 98, del 14 y del 27. Esta amplitud de sus aportaciones explica que *La Gaceta Literaria* no fuese una revista monolítica ni sus artículos homogéneos, sino un vasto escaparate plural, que acogió eclécticamente tanto a los eruditos y a los divulgadores como a los modernizadores y a los rupturistas-vanguardistas. Supuso en su conjunto un notabilísimo esfuerzo de regeneración y modernización cultural en la vida española. Y si no fue exactamente una «revista de vanguardia» –como lo fue *La Révolution Surréaliste*, por ejemplo–, informó puntualmente de las experiencias vanguardistas europeas, que tuvieron ocasional acomodo en sus páginas. Guillermo de Torre la recordaría en 1953 como «publicación que como pocas otras había contribuido intensamente al auge y extensión de las vanguardias europeas».[1] Y en sus memorias Giménez Caballero diría de ella que «fue la precursora del vanguardismo en la Literatura, Arte y Política. Una política que por dos años resultó unitiva y espiritual y desde 1930 divergente, pues la juventud se fue politizando. Y de *La Gaceta* saldrían los inspiradores del comunismo y del fascismo».[2]

La Gaceta Literaria generó un vasto campo de influencia y una red de actividades diversificadas, como el Cineclub Español y La Galería, una sala de exposiciones ubicada en la calle Miguel Moya, n.º 4, cuyos socios capitalistas fueron Sangróniz, Ignacio Olagué y Manuel Conde. Y muchos de sus colaboradores mantuvieron una tertulia en el local de la Unión Ibero Americana, que dirigía Sangróniz en la calle Recoletos.[3]

El primer artículo cinematográfico publicado por *La Gaceta Literaria* apareció en su segundo número, del 15 de enero, con el título «Una noche en el Studio des Ursulines» y firmado por Luis Buñuel, quien publicaría todavía otros dos artículos –«Del plano fotogénico» en abril y «Metrópolis» en mayo– antes de que en el número del 15 de diciembre de 1927 firmase Giménez Caballero su artículo «El cineasta Buñuel», en el que le presentaba solemnemente como responsable de la sección de cine de la revista, a la vez que anunciaba que iba a filmar un guión de Gómez de la Serna. La consolidación del interés de *La Gaceta Literaria* hacia el cine desembocó en su número monográfico, del primero de octubre de 1928, en el que colaboraron, entre otros, Vicente Huidobro, Buñuel, Jean Epstein, Carlos Fernández Cuenca, Miguel Pérez Ferrero, Jaime Miravitlles, Guillermo de Torre, Sebastià Gasch, César M. Arconada, Francisco Cossío, Concha Méndez y Ramiro Ledesma Ramos. Y el paso siguiente fue la fundación del Cineclub Español, con su dirección confiada a Buñuel. Pero su dedicación a *Un Chien andalou* le fue alejando de esta tarea y revelaría años después a Max Aub que cuando este film se estrenó en

Madrid, en diciembre de 1929, ya hacía un año que no dirigía aquella sección.[4] Esta fecha coincide con la inauguración de las sesiones del Cineclub Español, que dirigió desde París por lo menos hasta su sexta sesión, en mayo de 1929, pues se declaró responsable de ella en un artículo –su último artículo en la revista–, como veremos. Juan Piqueras sucedió a Buñuel en la dirección de su página de cine. Pero cuando en mayo de 1930 estableció su residencia en París, fue reemplazado a su vez por Luis Gómez Mesa.

Cuando Buñuel empezó a escribir en *La Gaceta Literaria* estaba colaborando con su maestro parisino, el cineasta francopolaco Jean Epstein, con quien participó ya en el rodaje de *Mauprat*, film que se presentó a la prensa francesa en octubre de 1926. El nombre de Epstein ha aparecido en capítulos anteriores, pero es menester referirse de nuevo a este influyente personaje, con quien muchos escritores españoles estaban familiarizados por sus colaboraciones en *L'Esprit Nouveau*, revista que circulaba por los cenáculos de la península. Calificado por Paul Hammond como «teosofista bergsoniano»,[5] la filosofía estética de Epstein procedía del simbolismo literario francés. Se ocupó primero de estética general, y de literatura en particular, antes de dedicarse al cine. Jean Mitry declararía que «fue el puente entre los primeros teóricos literarios o estéticos exteriores al cine y los teóricos del cine».[6] En efecto, siendo estudiante de Medicina, Epstein, apoyándose en las investigaciones de neurólogos y de psicólogos, diseñó las líneas maestras de su primer libro *La Poésie d'aujourd'hui, un nouvel état d'intelligence*, que concibió como una «tesis de psico-fisiología literaria», y envió su proyecto a Blaise Cendrars, quien le dio su apoyo.[7] El libro fue publicado por Éditions La Sirène en abril de 1921, con un postfacio de Cendrars. Su influencia no tardó en llegar a España y Guillermo de Torre lo citaría en un artículo de diciembre de 1924[8] y García Lorca en una conferencia de febrero de 1926.[9]

Es decir, cuando Buñuel marchó a París en enero de 1925 conocía las teorías de Epstein.[10] Recientemente, tanto Antonio Monegal[11] como Sánchez Vidal[12] han demostrado que las teorías cinematográficas del director aragonés debieron mucho a la obra de Epstein, autor que Buñuel citó explícitamente en su artículo «Del plano fotogénico».[13] En este artículo, por otra parte, Buñuel llamó al cine «instrumento inteligente», anticipándose en casi veinte años al título de un futuro volumen de Epstein, *L'intelligence d'une machine*.[14]

No es por tanto raro que, por mediación de su ayudante en París, publicara Epstein tres artículos en *La Gaceta Literaria*. El primero, aparecido en diciembre de 1927, fue «Tiempo y personajes del drama».[15] En el «Noticiario» impreso en la página siguiente de la revista, su anónimo cronista [Buñuel] informó de la terminación del rodaje de su film *La Glace à trois faces*, del que decía que no era una película de vanguardia, sino un «film de élite». El segundo artículo de Epstein publicado en *La Gaceta Literaria* fue «Amor de Charlot».[16] Y el tercero y último «Algunas ideas de Jean Epstein»,[17] que contenía fragmentos de su último libro, *Le Cinématographe vu de l'Etna*,[18] traducidos por Arconada.

Hemos dicho que Juan Piqueras reemplazó a Buñuel al frente de la página de cine de *La Gaceta Literaria*. El valenciano Piqueras fue introducido en el mundillo cinematográfico por su paisano Luis Guarner, quien le recomendó a Samuel Ros y éste a Luis Gómez Mesa.[19] Gómez Mesa recordaría que Piqueras llegó a Madrid «ataviado de bohemio, al darse cuenta de que los tiempos de Henri Murgen habían pasado, se vistió ya normal. De extraordinaria simpatía, con un innato don de gentes, al considerar que había conseguido sus objetivos en Madrid –poder vivir del cine como comentarista y agente de publicidad–, preparó con un buen lanzamiento el éxito del film soviético *La aldea del pecado*, y decidió irse a París».[20] Militante comunista, Piqueras dedicó, en efecto, especial y admirativa atención al cine soviético en las páginas de *La Gaceta Literaria*, escribiendo ocho textos acerca de él entre el 15 de septiembre de 1929 y el primero de mayo de 1931. En mayo de 1930 se instaló en París,[21] en donde se introdujo en sus ambientes cinematográficos y fue corresponsal de la distribuidora Filmófono. Por escrúpulos ideológicos declinó trabajar en 1931 como ayudante de René Clair en *Viva la libertad (A nous la liberté)*, cuando la prensa cinematográfica española había celebrado ya su colaboración.[22] Tras el estreno de esta película, Piqueras escribiría que «no es una obra social admisible desde el campo proletario».[23] Y añadiría más tarde: «A René Clair le pasa lo que a Chaplin. Fustigando a la clase elevada, como la fustigan, no defienden tampoco a la clase oprimida ni a sus ideales concretos. Si alguna vez defienden al oprimido es por humanidad o sentimentalismo.»[24] Este *affaire* no fue baladí, pues el cineasta surrealista francés Albert Valentin desempeñó finalmente esta función y fue por ello expulsado del grupo de Breton. Paul Eluard y René Crevel denunciaron *Viva la libertad* como «gravemente contrarrevolucionario».[25] Visto hoy, aparece como un simpático sainete filolibertario que anticipó e inspiró la sátira social de *Tiempos modernos (Modern Times*, 1936) de Chaplin, pero durante la Depresión debió de percibirse de modo distinto. La última colaboración del comunista Piqueras con la publicación ya abiertamente profascista de Giménez Caballero se produjo en el número del primero de julio de 1931. Quince días antes había aparecido la que sería última contribución de Gómez Mesa a la revista.

Los artículos cinematográficos de *La Gaceta Literaria* cubrieron un amplio arco, que abarcó desde los artículos de reflexión teórica general (como algunos de Arconada, de Salvador Dalí o de Benjamín Jarnés), en los que además de la citada influencia de Jean Epstein se detectó a veces el magisterio de Béla Balázs, hasta los comentarios específicos a películas concretas, preferentemente a títulos norteamericanos –con especial predilección por sus cómicos–, alemanes, soviéticos o franceses. Pero aunque el cine norteamericano era tan admirado, veremos cómo estaría poco presente en las sesiones del Cineclub Español organizadas por la revista desde 1928, al ser ya visible en las salas. Y publicó además dos importantes encuestas: una sobre las relaciones entre cine y literatura en 1928 y otra sobre el nuevo cine sonoro en 1929. El cine español fue el gran ausente en sus páginas.

Enumeramos a continuación a los autores de colaboraciones cinematográficas en las páginas de *La Gaceta Literaria*, por orden decreciente de número de artículos publicados:

Juan Piqueras (34), Luis Gómez Mesa (19), Ernesto Giménez Caballero (18), Miguel Pérez Ferrero (12), Luis Buñuel (10), Rafael Alberti (6), Ramón Gómez de la Serna (6), Francisco Ayala (5), Sebastià Gasch (5), César M. Arconada (5), Guillermo de Torre (4).

Con tres artículos: Salvador Dalí, Jean Epstein, Benjamín Jarnés, Concha Méndez, Juan Ángel Perales.

Con dos artículos: Julio Álvarez del Vayo, Agustín Aragón Leyva, Pío Baroja, Alberto Corrochano, Antonio Espina, Carlos Fernández Cuenca, Ramiro Ledesma Ramos, Eugenio Montes, Antonio de Obregón, José Palau, José María Salaverría, Esteban Salazar y Chapela.

Con un artículo: Grigori Alexándrov, José Bergamín, André Beucler, Rufino Blanco-Fombona, Rogelio Buendía, Juan del Brezo, Luis Cardoza y Aragón, Jean Cassou, Rosa Chacel, Carmen Conde, Francisco G. Cossío, Eugène Deslaw, Guillermo Díaz-Plaja, S. M. Eisenstein, Adolphe de Falgairolle, Luciano De Feo, Robert Florey, *Focus* (José Sobrado de Onega), M. García Blanco, Francisco Ginestal, Vicente Huidobro, Enrique Lafuente, Rafael Laffón, Marcel L'Herbier, Pierre Mac Orlan, Gregorio Marañón, F. T. Marinetti, Ramón Martínez de la Riva, L. Martínez Ferry, Sabino A. Micón, Jaime Miravitlles, Léon Moussinac, Armando Palacio Valdés, Vinicio Paladini, Oreste Plath, V. I. Pudovkin, Humberto Rivas, José Rivas Panedas, Carlos Ruizfunes Amorós, Pedro Sangro y Ros de Olano, Francisco Santa Cruz, Antonio G. Solalinde, Ramón Soldevila, Kate Steinitz, Claudio de la Torre, Amparo Verardini, C. M. Wilson, Felipe Ximénez de Sandoval, Eloy Yanguas.

RELACIÓN DE ARTÍCULOS CINEMATOGRÁFICOS POR AUTORES

Alberti, Rafael: *De la 6ª sesión del Cineclub. Harold Lloyd, estudiante*, n.º 58, 15-V-29; *Homenaje y autohomenaje 1* [poemas *Harry Langdon hace por vez primera vez el amor a una niña* y *A Rafael Alberti le preocupa mucho ese perro que casualmente hace su pequeña necesidad contra la luna*], n.º 60, 15-VI-29; *Yo era un tonto y lo que he visto me ha hecho dos tontos (1),* [Tres poemas: a Wallace Beery, Larry Semon y Buster Keaton], n.º 62, 15-VII-29; *Yo era un tonto y lo que he visto me ha hecho dos tontos (2),* [poemas a Stan Laurel y Oliver Hardy, Buster Keaton y Charlot], n.º 64, 15-VIII-29; *Yo era un tonto y lo que he visto me ha hecho dos tontos (3),* [Tres poemas a Ben Turpin, a Louise Fazenda-Bebe Daniels-Harold Lloyd y a Charles Bower(s)], n.º 65, 1-IX-29; *Yo era un tonto y lo que he visto me ha hecho dos tontos (4),* [Dos poemas, sobre la pareja cómica Raymond Hatton-Wallace Beery y sobre Adolphe Menjou], n.º 66, 15-IX-29.

Alexándrov, Grigori: *Rusia y el cine hablado*, n.º 43, 1-X-28.

Álvarez del Vayo, Julio: *Elisabeth Bergner en España*, n.º 15, 1-VIII-27; *Diez minutos de cine ruso*, n.º 75, 1-II-30.

Anónimo: *Noticias* [anuncia que Buñuel exhibirá en breve en la Sociedad de Cursos y Conferencias una sesión de «cine moderno» con *Entr'acte* de René Clair y *Rien que les heures*, «sincopado por un jazz-band»], n.º 10, 15-V-27; *Noticiario* [sobre *La glace à trois faces* de Epstein, Vicente Huidobro y su guión de *Cagliostro*, la procedencia de los directores de cine europeos, *La pasión de Juana de Arco* de Dreyer, Blaise Cendrars y E.A. Dupont], n.º 24, 15-XII-27; *Eco* [sobre una encuesta a cineastas en *Les Cahiers du Mois,* n.º 16-17 y la *Vida de Charlot* de Edouard Ramón], n.º 24, 15-XII-27; *Napoléon vu par Abel Gance*, n.º 27, 1-II-28; *Luis Buñuel, en Madrid*, n.º 27, 1-II-28; *«Rosa de Madrid», en Madrid*, n.º 27, 1-II-28; *En la aldea soviética*, n.º 29, 1-III-28; *Hollywood superado*, n.º 30, 15-III-28; *Anécdotas de*

Charlot, n.º 30, 15-III-28; *Títulos sintéticos* [sobre D.W. Griffith], n.º 30, 15-III-28; *Una organización. Cinema para minorías* [anuncia el proyecto de Cineclub], n.º 41, 1-IX-28; *Convocatoria a los cineastas. Cineclub Español*, n.º 43, 1-X-28; *Primer Congreso Nacional de Cinematografía*, n.º 43, 1-X-28; *Un film de la Universidad* [sobre *El hombre que ríe*, de Paul Leni], n.º 43, 1-X-28; *El Cineclub Español*, n.º 44, 15-X-28; *Próxima inauguración. El Cineclub Español*, n.º 46, 15-XI-28; *Ante la inauguración del Cineclub* y *El Cineclub en el resto de España*, n.º 47, 1-XII-28; *Cineclub (Boletín de Cinema)* [Lista de socios, organización del Cineclub, composición del primer programa y llamamiento a los cineastas de Barcelona], n.º 48, 15-XII-28; *Boletín del Cineclub. La segunda sesión*, n.º 51, 1-II-29; *Buñuel y Dalí en el Cineclub*, n.º 51, 1-II-29; *Visitas de cinema. Los empresarios: Armenta (Madrid)*, n.º 51, 1-II-29; *Noticias del Cineclub*, n.º 51, 1-II-29; *El Cineclub en España* [Oviedo, San Sebastián, Bilbao, Vitoria y Castilla], n.º 52, 15-II-29; *Noticias del Cineclub*, n.º 52, 15-II-29; *Cuarta sesión del Cineclub*, n.º 54, 15-III-29; *El Cineclub en Vitoria*, n.º 55, 1-IV-29; *El Cineclub* [quinta sesión], n.º 56, 15-IV-29; *Sexta sesión del Cineclub*, n.º 57, 1-V-29; *La última sesión del Cineclub*, n.º 58, 15-V-29; *La última sesión del Cineclub*, n.º 59, 1-VI-29; *Una encuesta sobre el cine sonoro* [con José María Salaverría, Antonio Espina, E. Salazar y Chapela, Francisco Ayala, Antonio de Obregón, Sabino A. Micón, L. Gómez Mesa, Amparo Verardini y Miguel Pérez Ferrero], n.º 69, 1-XI-29; *El perro andaluz*, n.º 69, 1-XI-29; *Boletín del Cineclub*, n.º 71, 1-XII-29; *Reorganización del Cineclub Español*, n.º 73, 1-I-30; *Cooperación intelectual y cinematografía educativa*, n.º 77, 1-III-30; *Figuras del cinema* [anuncio de la colección de biografías de cine dirigida por Juan Piqueras], n.º 77, 1-III-30; *Anuncio de la 12ª sesión del Cineclub*, n.º 79, 1-IV-30; *Lo peor en el nuevo cine* [sobre el cine sonoro], n.º 81, 1-V-30; *¿Pérez de Ayala en Hollywood?*, n.º 81, 1-V-30; *Cineclub en la Universidad*, n.º 81, 1-V-30; *Juan Piqueras, a París*, n.º 83, 1-VI-30; *Cineclub en Sevilla (Autocrítica)*, n.º 88, 15-VIII-30; *García Sanchiz a Hollywood*, n.º 94, 15-XI-30; *Elenco de films del Cineclub en su tercera temporada*, n.º 94, 15-XI-30; *Sistema de abono al Cineclub*, n.º 94, 15-XI-30; *Anuncio de la 15ª sesión del Cineclub*, n.º 94, 15-XI-30; *Historia del Cineclub Español*, n.º 105, 1-V-31; *El Instituto Internacional de Cinematografía* [sobre el Instituto Internacional de Cinematografía Educativa], n.º 109, 1-VII-31.

Aragón Leyva, Agustín: *Eisenstein en México*, n.º 101-102, 15-III-31; *Desarrollo hispanoamericano de los cineclubs*, n.º 112, 15-VIII-31.

Arconada, César M.: véase Muñoz Arconada, César.

Ayala, Francisco: *Hotel Imperial*, n.º 22, 15-XI-27; *El colegial*, n.º 27, 1-II-28; *Perfil de Janet Gaynor. En una postal sin fecha*, n.º 36, 15-VI-28; *Encuesta a los escritores. ¿Desde su punto de vista literario, qué opinión tiene usted del cinema?*, n.º 43, 1-X-28; *Una encuesta sobre el cine sonoro*, n.º 69, 1-XI-29.

Baroja, Pío: *Nuestros novelistas y el cine. Pío Baroja*, n.º 24, 15-XII-27; *En torno a «Zalacaín, el aventurero». Palabras de Pío Baroja*, n.º 53, 1-III-29.

Bergamín, José: *De veras y de burlas*, n.º 71, 1-XII-29.

Beucler, André: *Charlot, Buster Keaton y Harold*, n.º 43, 1-X-28.

Blanco-Fombona, Rufino: *Cine* [poema], n.º 41, 1-IX-28.

Buendía, Rogelio: *La quimera del oro* [poema], n.º 44, 15-X-28.

Buñuel, Luis: *Una noche en el Studio des Ursulines*, n.º 2, 15-I-27; *Del plano fotogénico*, n.º 7, 1-IV-27; *Metrópolis*, n.º 9, 1-V-27; *La dama de las camelias*, n.º 24, 15-XII-27; *Variaciones sobre el bigote de Menjou*, n.º 35, 1-VI-28; *Nuestros poetas y el cine*, n.º 43, 1-X-28; *Noticias de Hollywood (Última hora)*, n.º 43, 1-X-28; *«Découpage» o segmentación cinegráfica*, n.º 43, 1-X-28; *«Juana de Arco» de Carl Dreyer*, n.º 43, 1-X-28; *La próxima sesión: lo cómico en el cinema*, n.º 56, 15-IV-29.

Brezo, Juan del: *Encuesta a los cineastas. ¿Desde su punto de vista cinematográfico, qué opinión tiene usted de la literatura?*, n.º 43, 1-X-28.

Cardoza y Aragón, Luis: *Oda a Charlot (Fragmento final)*, n.º 19, 1-X-27.

Cassou, Jean: *Desafección de la palabra*, n.º 44, 15-X-28.

Chacel, Rosa: *Vivisección de un ángel* [sobre *El ángel de la calle*], n.º 44, 15-X-28.

Conde, Carmen: *Oda al gato Félix*, n.º 56, 15-IV-29.

Corrochano, Alberto: *Panorámica*, n.º 43, 1-X-28; *Retorno parcial* [sobre el cine documental], n.º 98, 15-I-31.

Cossío, Francisco G.: *Nuestros pintores y el cine*, n.º 43, 1-X-28.

Dalí, Salvador: *Film-arte Film-antiartístico*, n.º 24, 15-XII-27; *Films antiartísticos. La gran duquesa y el camarero-El traje de etiqueta (por Adolf Menjou)*, n.º 29, 1-III-28; *El perro andaluz*, n.º 69, 1-XI-29.

Deslaw, Eugène: *Después de mis primeros films*, n.º 55, 1-IV-29.

Díaz-Plaja, Guillermo: *Una cultura del cinema*, n.º 79, 1-IV-30.

Eisenstein, Serguéi Mijáilovich: *Rusia y el film hablado*, n.º 43, 1-X-28.

Epstein, Jean: *Tiempo y personajes del drama*, n.º 24, 15-XII-27; *Amor de Charlot*, n.º 29, 1-III-28; *Un cineasta francés. Algunas ideas de Jean Epstein*, n.º 43, 1-X-28.

Espina, Antonio: *Encuesta a los escritores. ¿Desde su punto de vista literario, qué opinión tiene usted del cinema?*, n.º 43, 1-X-28; *Una encuesta sobre el cine sonoro*, n.º 69, 1-XI-29.

Falgairolle, Adolphe de: *Francia-Panorama del cine* [sobre un libro de Georges Charensol], n.º 83, 1-VI-30.

Feo, Luciano De: *Décima sesión del Cineclub. El cinema y sus posibilidades culturales*, n.º 76, 15-II-30.

Fernández Cuenca, Carlos: *Encuesta a los cineastas. ¿Desde su punto de vista cinematográfico, qué opinión tiene usted de la literatura?*, n.º 43, 1-X-28; *La decoración en el cinema. Naturaleza real y naturaleza falsa*, n.º 43, 1-X-28.

Florey, Robert: *Debut de Charlot*, n.º 30, 15-III-28.

Focus (José Sobrado de Onega): *Encuesta a los cineastas. ¿Desde su punto de vista cinematográfico, qué opinión tiene usted de la literatura?*

García-Blanco, M.: *Un libro de Charles Chaplin*, n.º 43, 1-X-28.

Gasch, Sebastià: *Etapas*, n.º 29, 1-III-28; *Films cómicos*, n.º 39, 1-VIII-28; *Pintura y cinema*, n.º 43, 1-X-28; *Una película rusa* [sobre *El fin de San Petersburgo*], n.º 43, 1-X-28; *Cinema y arte nuevo*, n.º 44, 15-X-28.

Giménez Caballero, Ernesto: *El cineasta Buñuel*, n.º 24, 15-XII-27; *Circo y Charlot*, n.º 30, 15-III-28; *El Cineclub, la vanguardia y los tacones*, n.º 51, 1-II-29; *Un manual de cinema*, n.º 61, 1-VII-29; *El Congreso de La Sarraz. El film independiente y el Cineclub Español*, n.º 67, 1-X-29; *Cineclub en la Universidad*, n.º 82, 15-V-30; *El escándalo de «L'Age d'or» en París. Palabras con Salvador Dalí*, n.º 96, 15-XII-30; *Más orígenes literarios de los sucesos actuales y subversivos de España, relatados sin añadir un solo punto a la cosa, y dando relativa importancia a la mujer visible de Salvador Dalí, y dedicando estas líneas a Don Dámaso Alonso* [sobre Buñuel y Dalí], n.º 106, 15-V-31; *Noticiemos sobre cinema. París, 3 momentos, tres films* [sobre cine yddish, *Las calles de la ciudad* y *L'Age d'or*], n.º 112, 15-VIII-31; *Nuestros cinempresarios. Ricardo Urgoiti*, n.º 112, 15-VIII-31; *Robinsón y el cinema. ¿Qué es cinema educativo?*, n.º 115, 1-X-31; *Servicios de estafeta. Al amigo Piqueras, en París*, n.º 115, 1-X-31; *El Robinsón y el cinema. El Congreso Hispanoamericano de Cinematografía*, n.º 117, 1-XI-31; *Las tripas del silencio español* [sobre *L'Age d'or*], n.º 119, 1-XII-31; *Servicios de estafeta. A don Fernando Bárcena, sobre un cine móvil*, n.º 119,

1-XII-31; *Muerte y resurrección del Cineclub*, n.º 121, 15-I-32; *Culto a la vaca* [la vaca de Buster Keaton, de *L'Age d'or*, etc.], n.º 122, 15-II-32; *Servicios de estafeta. A Germaine Dulac (París)* [sobre su proyecto *El picador*], n.º 122, 15-II-32; *Un nuevo libro de Arconada* [sobre *Tres cómicos del cine*], n.º 123, 1-V-32.

Ginestal, Francisco: *Encuesta a los cineastas. ¿Desde su punto de vista cinematográfico, qué opinión tiene usted de la literatura?*, n.º 43, 1-X-28.

Gómez de la Serna, Ramón: *La nueva épica*, n.º 44, 15-X-28; *Jazzbandismo (I)* [presentación de *El cantor de jazz*], n.º 51, 1-II-29; *Jazzbandismo (II)*, n.º 52, 15-II-29; *Negras confesiones de Ramón* [sobre su presentación jazzística en el Cineclub], n.º 52, 15-II-29; *La película de Pombo*, n.º 61, 1-VII-29; *Resumen de mi intervención* [comentando *Esencia de verbena*], n.º 96, 15-XII-30.

Gómez Mesa, Luis: *Una encuesta sobre el cine sonoro*, n.º 69, 1-XI-29; *Boletín del Cineclub. Decimotercera sesión. Biología y vanguardia*, n.º 83, 1-VI-30; *Boletín del Cineclub. Decimocuarta sesión. Rusia y Alemania: films*, n.º 84, 15-VI-30; *El marqués de Guad-el-Jelú ante las necesidades del cinema*, n.º 86, 15-VII-30; *Bragaglia, Cauda y Charensol* [comentario a tres libros sobre cine], n.º 88, 15-VIII-30; *Vuelta a la vida de Barbara La Marr*, n.º 92, 15-X-30; *Cuatro que hacen el número mil* [sobre *Cuatro de infantería*], n.º 93, 1-XI-30; *Subrayaciones a la actualidad* [sobre Francesca Bertini y Buster Keaton], n.º 94, 15-XI-30; *Boletín del Cineclub. 15ª sesión. Exaltación de lo documental*, n.º 96, 15-XII-30; *Otro año sin cinema español*, n.º 97, 1-I-31; *Boletín del Cineclub. 16ª sesión: Eisenstein y su acompañamiento*, n.º 98, 15-I-31; *Galdós y los enemigos de siempre*, n.º 99, 15-II-31; *Ecos de altavoces* [comentario a la 16ª sesión del Cineclub], n.º 100, 1-III-31; *Germaine Dulac del brazo de René Clair*, n.º 101-102, 15-III-31; *Oportunidad y trascendencia de un Congreso* [sobre el Congreso Hispanoamericano de Cinematografía], n.º 103, 1-IV-31; *Verdades de Charlie Chaplin en «Las luces de la ciudad»*, n.º 104, 15-IV-31; *Ecos de altavoces* [sobre operetas, Lupu Pick y Murnau], n.º 105, 1-V-31; *«El acorazado Potemkin» en la sesión 21 del Cineclub*, n.º 106, 15-V-31; *Sobre la pantalla cómica*, n.º 108, 15-VI-31.

Huidobro, Vicente: *Harry Langdon*, n.º 43, 1-X-28.

Jarnés, Benjamín: *De Homero a Charlot*, n.º 22, 15-XI-27; *Encuesta a los escritores. ¿Desde su punto de vista literario, qué opinión tiene usted del cinema?*, n.º 43, 1-X-28; *Vidas paralelas de Matías Pascal* [sobre *El difunto Matías Pascal*], n.º 56, 15-IV-29.

Lafuente, Enrique: *Teatro y cinema*, n.º 43, 1-X-28.

Laffón, Rafael: *Programa mínimo* [poema] y *Mecánica celeste* [poema], n.º 41, 1-IX-28.

Ledesma Ramos, Ramiro: *Encuesta a los escritores. ¿Desde su punto de vista literario, qué opinión tiene usted del cinema?*, n.º 43, 1-X-28; *Cinema y arte nuevo*, n.º 43, 1-X-28.

L'Herbier, Marcel: *Arte vivo*, n.º 27, 1-II-28.

Mac Orlan, Pierre: *Creación de un romanticismo de postguerra*, n.º 27, 1-II-28, y n.º 43, 1-X-28.

Marañón, Gregorio: *Palabras del doctor Marañón en el Cineclub acerca de la vanguardia y el cinematógrafo*, n.º 83, 1-VI-30.

Marinetti, Filippo Tommaso: *El futurismo y el cinema*, n.º 44, 15-X-28.

Martínez de la Riva, Ramón: *Encuesta a los cineastas. ¿Desde su punto de vista cinematográfico, qué opinión tiene usted de la literatura?*, n.º 43, 1-X-28.

Martínez Ferry, L.: *Una interviu* [con Robert Wiene], n.º 50, 15-I-29.

Méndez, Concha: *Encuesta a los escritores. ¿Desde su punto de vista literario, qué opinión tiene usted del cinema?*, n.º 43, 1-X-28; *El cinema en España*, n.º 43, 1-X-28; *Piccadilly*, n.º 56, 15-IV-29.

Micón, Sabino A.: *Una encuesta sobre el cine sonoro*, n.º 69, 1-XI-29.

Miravitlles, Jaime: *El acorazado Potemkin*, n.º 43, 1-X-28.

Montes, Eugenio: *Un Chien andalou*, n.º 60, 15-VI-29; *Palabras de Eugenio Montes presentando la «Tempestad sobre Asia» en la 11ª sesión del Cineclub*, n.º 81, 1-V-30.

Moussinac, Léon: *Las teorías, las ideas, las obras en el cinema soviético*, n.º 42, 15-IX-28.

Muñoz Arconada, César: *Carmen: Raquel Meller*, n.º 3, 1-II-27; *Posesión lírica de Greta Garbo* [sobre *El demonio y la carne*], n.º 37, 1-VII-28; *Música y cine*, n.º 43, 1-X-28; *Boletín del Cineclub. Sesión inaugural*, n.º 49, 1-I-29; *El Cineclub en Madrid. Tercera sesión*, n.º 53, 1-III-29.

Obregón, Antonio de: *Una encuesta sobre el cine sonoro*, n.º 69, 1-XI-29; *Vida de Greta Garbo* [sobre el libro *Vida de Greta Garbo*], n.º 77, 1-III-30.

Palacio Valdés, Armando: *Nuestros novelistas y el cinema*, n.º 27, 1-II-28.

Paladini, Vinicio: *Una estética*, n.º 30, 15-III-28.

Palau, José: *La visión cinematográfica*, n.º 90, 15-IX-30; *Historia del cinema. De la música al silencio*, n.º 101-102, 15-III-31.

Perales, Juan Ángel: *Cine sonoro y teatro*, n.º 103, 1-IV-31; *Instrucción, cine*, n.º 109, 1-VII-31; *Instrucción, cine*, n.º 113, 1-IX-31.

Pérez Ferrero, Miguel: *Estrellas y satélites* [sobre Mack Sennett, Rex Ingram, las estrellas, la vampiresa, el gagman y el cameraman], n.º 4, 15-II-27; *Buster Keaton*, n.º 9, 1-V-27; *Films de vanguardia*, n.º 11, 1-VI-27; *El Charlot de Poulaille*, n.º 24, 15-XII-27; *Las ciudades y las almas* [sobre *Metrópolis* y *Amanecer*], n.º 27, 1-II-28; *Sesión para minorías* [sesión cinematográfica en la Residencia de Estudiantes], n.º 30, 15-III-28; *Encuesta a los escritores. ¿Desde su punto de vista literario, qué opinión tiene usted del cinema?*, n.º 43, 1-X-28; *Fono contra silencio*, n.º 43, 1-X-28; *Una encuesta sobre el cine sonoro*, n.º 69, 1-XI-29; *Gómez Mesa por y para el cinema*, n.º 95, 1-XII-30; *Situación en el mundo del cinema de El gabinete del doctor Caligari*, n.º 100, 1-III-31; *20ª sesión del Cineclub Español. Yo, espectador al margen*, n.º 105, 1-V-31.

Piqueras, Juan: *Boletín del Cineclub. Cuarta sesión*, n.º 55, 1-IV-29; *Visitas de cinema* [a José Sobrado de Onega], n.º 55, 1-IV-29; *Visitas de cinema* [a Antonio Barbero], n.º 56, 15-IV-29; *Boletín del Cineclub. La sexta sesión*, n.º 58, 15-V-29; *Visitas de cinema* [al empresario Enrique Orbe], n.º 58, 15-V-29; *Visitas de cinema* [a Ricardo Urgoiti], n.º 59, 1-VI-29; *Influencias del Cineclub en los programas del cinema público*, n.º 63, 1-VIII-1929; *Primer programa de cine parlante y sonoro* [sobre *Barcelona Trailer*], n.º 64, 15-VIII-29; *Visitas* [a Luis Gómez Mesa], n.º 65, 1-IX-29; *Veinte películas soviéticas en Sudamérica*, n.º 66, 15-IX-29; *Paul Leni ha muerto*, n.º 67, 1-X-29; *Cómo se hacen las películas* [crítica a un libro de Sabino A. Micón], n.º 67, 1-X-29; *Nuevo film* [sobre el proyecto de *Sin novedad en el frente*], n.º 67, 1-X-29; *Madame Germaine Dulac, caballero de la Legión de Honor*, n.º 67, 1-X-29; *La canción de París*, n.º 68, 15-X-29; *Derechos intelectuales del cinema*, n.º 69, 1-XI-29; *Boletín del Cineclub. Octava sesión*, n.º 72, 15-XII-29; *Un Buster Keaton*, n.º 74, 15-I-30; *Boletín del Cineclub. Novena sesión*, n.º 75, 1-II-30; *Visitas de cinema. Los escritores: Edgar Neville*, n.º 76, 15-II-30; *Boletín del Cineclub. Undécima sesión*, n.º 79, 1-IV-30; *Boletín del Cineclub. Doceava sesión*, n.º 81, 1-V-30; *Gaceta del cinema de París* [sobre Jean Cocteau, Maurice Tourneur, Henri Chomette, René Clair y Buñuel], n.º 85, 1-VII-30; *Gaceta internacional del cinema* [sobre cine documental, Jean Epstein y el cine soviético], n.º 87, 1-VIII-30;

Gaceta de París. Sentido social de «La aldea maldita», n.º 89, 1-IX-30; *Gaceta del cinema en París* [sobre Abel Gance, el cine sonoro y noticiario del cine soviético], n.º 90, 15-IX-30; *Gaceta de París* [sobre el cine soviético, el italiano y *La aldea maldita* en París], n.º 94, 15-XI-30; *La «Gaceta» en París* [sobre *Esencia de verbena* y el cine soviético], n.º 95, 1-XII-30; *Cinema independiente en 1930* [sobre el Congreso Internacional de Cine Independiente de Bruselas], n.º 97, 1-I-31; *«La Gaceta Literaria» en París. Postales cinegráficas de los quince días* [una nueva sala, *Los peligros de Paulina*, Mack Sennett], n.º 98, 15-I-31; *Visitas de cinema. Alberto Cavalcanti nos concreta*, n.º 99, 15-II-31; *Historiografía del cinema*, n.º 103, 1-IV-31; *Tres evoluciones ideológicas en el cine soviético (1)*, n.º 105, 1-V-31; *Gaceta del cinema en París. «L'opèra de quat'sous», nuevo film de G.W. Pabst*, n.º 109, 1-VII-31.

Plath, Oreste: *Charlot y Ramón*, n.º 113, 1-IX-31.

Pudovkin, V. I.: *Rusia y el film hablado*, n.º 43, 1-X-28.

Rivas, Humberto: *Cine y Vitáfono*, n.º 80, 15-IV-30.

Rivas Panedas, José: *Poema cinemático. Un ladrón*, n.º 27, 1-II-28.

Ruizfunes Amorós, Carlos: *Un film para ejemplo*, n.º 43, 1-X-28.

Salaverría, José María: *Encuesta a los escritores. ¿Desde su punto de vista literario, qué opinión tiene usted del cinema?*, n.º 43, 1-X-28; *Una encuesta sobre el cine sonoro*, n.º 69, 1-XI-29.

Salazar y Chapela, Esteban: *Encuesta a los escritores. ¿Desde su punto de vista literario, qué opinión tiene usted del cinema?*, n.º 43, 1-X-28; *Una encuesta sobre el cine sonoro*, n.º 69, 1-XI-29.

Sangro y Ros de Olano, Pedro: *Discurso pronunciado ante el micrófono de Unión Radio, el 12 de junio de 1930, por el Excmo. Sr. Ministro de Trabajo y Previsión* [apoyo al Congreso Hispanoamericano de Cinematografía], n.º 86, 15-VII-30.

Santa Cruz, Francisco: *Encuesta a los cineastas. ¿Desde su punto de vista cinematográfico, qué opinión tiene usted de la literatura?*, n.º 43, 1-X-28.

Solalinde, Antonio G.: *Lope de Vega y el cinematógrafo*, n.º 8, 15-IV-27.

Soldevila, Ramón: *La mujer marcada*, n.º 31, 1-IV-28.

Steinitz, Kate: *La pobre literatura*, n.º 43, 1-X-28.

Torre, Claudio de la: *El tranvía al ralenti (Camino para Luis Buñuel)*, n.º 34, 15-V-28.

Torre, Guillermo de: *Cinema y novísima literatura*, n.º 43, 1-X-28; *El Cineclub de Buenos Aires*, n.º 79, 1-IV-30; *Un arte que tiene nuestra edad*, n.º 81, 1-V-30; *Obertura a la «Sinfonía metropolitana» de Walter Ruttmann*, n.º 85, 1-VII-30.

Verardini, Amparo: *Una encuesta sobre el cine sonoro*, n.º 69, 1-XI-29.

Wilson, C. M.: *La niñez y los films de guerra*, n.º 72, 15-XII-29.

Ximénez de Sandoval, Felipe: *Encuesta a los escritores. ¿Desde su punto de vista literario, qué opinión tiene usted del cinema?*, n.º 43, 1-X-28.

Yanguas, Eloy: *Enfoque general del cinema*, n.º 85, 1-VII-30.

RELACIÓN DE PELÍCULAS CITADAS EN «LA GACETA LITERARIA»

A la caza de cuarenta y cinco millones (1915), de Domènec Ceret y Juan Solá Mestres, en *«El acorazado Potemkin» en la sesión 21 del Cineclub*, de Luis Gómez Mesa, n.º 106, 15-V-31.

A propos de Nice (1929), de Jean Vigo, en *Cinema independiente en 1930*, de Juan Piqueras, n.º 97, 1-I-31.

El abanico de Lady Windermere (Lady Windermere's Fan, 1925), de Ernst Lubitsch, en *Del plano fotogénico*, de Luis Buñuel, n.º 7, 1-IV-27; en *La dama de las camelias*, de Luis Buñuel, n.º 24, 15-XII-27; en *Influencias del Cineclub en los programas del cinema público*, de Juan Piqueras, n.º 63, 1-VIII-29.

El abuelo (1925), de José Buchs, en *Galdós y los enemigos de siempre*, de Luis Gómez Mesa, n.º 99, 15-II-31.

El acorazado Potemkin (Bronenosets Potiomkin, 1925), de S. M. Eisenstein, en *Metrópolis*, de Luis Buñuel, n.º 9, 1-V-27; en *Etapas*, de Sebastià Gasch, n.º 29, 1-III-28; en *Las teorías, las ideas, las obras en el cinema soviético*, de Léon Moussinac, n.º 42, 15-IX-28; en *El acorazado Potemkin*, de Jaime Miravitlles, n.º 43, 1-X-28; en *Panorámica*, de Alberto Corrochano, n.º 43, 1-X-28; en *Visitas de cinema*, de Juan Piqueras, n.º 55, 1-IV-29; en *La próxima sesión: lo cómico en el cinema*, de Luis Buñuel, n.º 56, 15-IV-29; en *Visitas de cinema*, de Juan Piqueras, n.º 58, 15-V-29; en *Veinte películas soviéticas en Sudamérica*, de Juan Piqueras, n.º 66, 15-IX-29; en *Diez minutos de cine ruso*, de Julio Álvarez del Vayo, n.º 75, 1-II-30; en *Boletín del Cineclub. Undécima sesión*, de Juan Piqueras, n.º 79, 1-IV-30; en *El Cineclub de Buenos Aires*, de Guillermo de Torre, n.º 79, 1-IV-30; en *Boletín del Cineclub. 16ª sesión: Eisenstein y su acompañamiento*, de Luis Gómez Mesa, n.º 98, 15-I-31; en *Eisenstein en México*, de

Agustín Aragón Leyva, n.º 101-102, 15-IV-31; en *Tres evoluciones ideológicas en el cine soviético (1)*, de Juan Piqueras, n.º 105, 1-V-31; en *«El acorazado Potemkin» en la sesión 21ª del Cineclub*, de Luis Gómez Mesa, 15-V-31.

L'Affiche (1925), de Jean Epstein, en *El tranvía al ralenti (Camino para Luis Buñuel)*, de Claudio de la Torre, n.º 34, 15-V-28.

L'Age d'or (1930), de Luis Buñuel, en *Gaceta del cinema de París*, de Juan Piqueras, n.º 85, 1-VII-30; en *El escándalo de «L'Age d'or» en París. Palabras con Salvador Dalí*, de Ernesto Giménez Caballero, n.º 96, 15-XII-30; en *Cinema independiente en 1930*, de Juan Piqueras, n.º 97, 1-I-31; en *Historia del Cineclub Español*, n.º 105, 1-V-31; en *Noticiemos sobre cinema. París, 3 momentos, tres films*, de Ernesto Giménez Caballero, n.º 112, 15-VIII-31; en *Las tripas del silencio español*, de Ernesto Giménez Caballero, n.º 119, 1-XII-31; en *Culto a la vaca*, de Ernesto Giménez Caballero, n.º 122, 15-II-32.

El águila blanca (Biely oriol, 1928), de Iákov Protozanov, en *Veinte películas soviéticas en Sudamérica*, de Juan Piqueras, n.º 66, 15-IX-29.

Alas (Wings, 1929), de William Wellman, en *Cuatro que hacen el número mil*, de Luis Gómez Mesa, n.º 93, 1-XI-30.

La aldea del pecado: véase *El pueblo del pecado.*

La aldea maldita (1930), de Florián Rey, en *Gaceta de París. Sentido social de «La aldea maldita»*, de Juan Piqueras, n.º 89, 1-IX-30; en *Gaceta de París*, de Juan Piqueras, n.º 94, 15-XI-30.

Aleluya (Hallelujah, 1929), de King Vidor, en *Una cultura del cinema*, de Guillermo Díaz-Plaja, n.º 79, 1-IV-30; en *Cinema independiente en 1930*, de Juan Piqueras, n.º 97, 1-I-31; en *«La Gaceta Literaria» en París. Postales cinegráficas de los quince días*, n.º 98, 15-I-31.

Almas de locos (Ames de fous, 1917), de Germaine Dulac, en *Germaine Dulac del brazo de René Clair*, de Luis Gómez Mesa, n.º 101-102, 15-III-31.

Aloma, la de los mares del sur (Aloma of the South Seas, 1926), de Maurice Tourneur, en *Naturaleza real y naturaleza falsa*, de Carlos Fernández Cuenca, n.º 43, 1-X-28.

Amanecer (Sunrise, 1927), de F. W. Murnau, en *Las ciudades y las almas*, de Miguel Pérez Ferrero, n.º 27, 1-II-28; en *Una estética*, de Vinicio Paladini, n.º 30, 15-III-28; en *Perfil de Janet Gaynor*, de Francisco Ayala, n.º 36, 15-VI-28; en *Naturaleza real y naturaleza falsa*, de Carlos Fernández Cuenca, n.º 43, 1-X-28; en *Encuesta a los cineastas. ¿Desde su punto de vista cinematográfico, qué opinión tiene usted de la literatura?*, de Carlos Fernández Cuenca, n.º 43, 1-X-28;

en *Encuesta a los escritores. ¿Desde su punto de vista literario, qué opinión tiene usted del cinema?*, de Benjamín Jarnés, n.º 43, 1-X-28; en *Vivisección de un ángel*, de Rosa Chacel, n.º 44, 15-X-28; en *Ecos de altavoces*, de Luis Gómez Mesa, n.º 105, 1-V-31.

Amante contra madre, en *La última sesión del Cineclub*, n.º 59, 1-VI-29; en *Historia del Cineclub Español*, n.º 105, 1-V-31.

Âme d'artiste (1925) de Germaine Dulac, en *Madame Germaine Dulac, caballero de la Legión de Honor*, de Juan Piqueras, n.º 67, 1-X-29.

América (America, 1924), de D. W. Griffith, en *Títulos sintéticos*, n.º 30, 15-III-28.

Amor (Liebe, 1926), de Paul Czinner, en *Elisabeth Bergner en España*, de Julio Álvarez del Vayo, n.º 15, 1-VIII-27.

Amputación de una pierna, en *Ecos de altavoces*, de Luis Gómez Mesa, n.º 100, 1-III-31.

Ana Karénina (Love, 1927), de Edmund Goulding, en *Veinte películas soviéticas en Sudamérica*, de Juan Piqueras, n.º 66, 15-IX-29.

El ángel de la calle (Street Angel, 1928), de Frank Borzage, en *Vivisección de un ángel*, de Rosa Chacel, n.º 44, 15-X-28.

Arabesques (Étude cinégraphique sur une arabesque, 1929), de Germaine Dulac, en *Gaceta del cinema de París*, de Juan Piqueras, n.º 85, 1-VII-30; en *Germaine Dulac del brazo de René Clair*, de Luis Gómez Mesa, n.º 101-102, 15-III-31; en *Historia del Cineclub Español*, n.º 105, 1-V-31.

El arca de Noé (Noah's Ark, 1928), de Michael Curtiz, en *Visitas de cinema*, de Juan Piqueras, n.º 56, 15-IV-29.

Architecture, en *Historia del Cineclub Español*, n.º 105, 1-V-31.

Armas al hombro (Shoulder Arms, 1918), de Charles Chaplin, en *Films cómicos*, de Sebastià Gasch, n.º 39, 1-VIII-28; en *Cuatro que hacen el número mil*, de Luis Gómez Mesa, n.º 93, 1-XI-30.

Arsenal (Arsenal, 1928), de Alexandr Dovzhenko, en *Gaceta de París*, de Juan Piqueras, n.º 94, 15-XI-30; en *La «Gaceta» en París*, de Juan Piqueras, n.º 95, 1-XII-30.

Asalto y robo de un tren (The Great Train Robbery, 1903), de Edwin S. Porter, en *Del plano fotogénico*, de Luis Buñuel, n.º 7, 1-IV-27.

L'Auberge rouge (1923), de Jean Epstein, en *El tranvía al ralenti (Camino para Luis Buñuel)*, de Claudio de la Torre, n.º 34, 15-V-28.

Avaricia (Greed, 1923), de Erich von Stroheim, en *Una noche en el Studio des Ursulines*, de Luis Buñuel, n.º 2, 15-I-27; en *Visitas de cinema*, de Juan Piqueras, n.º 59, 1-VI-29; en *La última sesión del Cineclub*, n.º 59, 1-VI-29; en *Influencias del Cineclub en los programas del cinema público*, n.º 63, 1-VIII-29; en *Boletín del Cineclub. Octava sesión*, de Juan Piqueras, n.º 72, 15-XII-29; en *Historia del Cineclub Español*, n.º 105, 1-V-31.

Una aventura en el metro (Wolf's Clothing, 1927), de Roy del Ruth, en *Influencias del Cineclub en los programas del cinema público*, de Juan Piqueras, n.º 63, 1-VIII-29; en *Situación en el mundo del cinema de El gabinete del doctor Caligari*, de Miguel Pérez Ferrero, n.º 100, 1-III-31.

Una bailarina de Montmartre (The Girl from Montmartre, 1926), de Alfred E. Green, en *Vuelta a la vida de Barbara La Marr*, de Luis Gómez Mesa, n.º 92, 15-X-30.

Bajo la máscara del placer: véase *La calle sin alegría*.

Bajo los techos de París (Sous les toits de Paris, 1930), de René Clair, en *Gaceta del cinema de París*, de Juan Piqueras, n.º 85, 1-VII-30; en *Germaine Dulac del brazo de René Clair*, de Luis Gómez Mesa, n.º 101-102, 15-III-31; en *Historia del Cineclub Español*, n.º 105, 1-V-31; en *Gaceta del cinema en París. «L'opéra de quat'sous», nuevo film de G. W. Pabst*, de Juan Piqueras, n.º 109, 1-VII-31.

Le ballet mécanique (1924), de Fernand Léger y Dudley Murphy, en *Etapas*, de Sebastià Gasch, n.º 29, 1-III-28; en *Una cultura del cinema*, de Guillermo Díaz-Plaja, n.º 79, 1-IV-30; en *Gaceta del cinema de París*, de Juan Piqueras, n.º 81, 1-VII-30; en *Otro año sin cinema español*, de Luis Gómez Mesa, n.º 97, 1-I-31; en *Cinema independiente en 1930*, de Juan Piqueras, n.º 97, 1-I-31; en *Boletín del Cineclub. 16ª sesión: Eisenstein y su acompañamiento*, de Luis Gómez Mesa, n.º 98, 15-I-31: en *Historia del Cineclub Español*, n.º 105, 1-V-31.

Ballet ruso (You Never Know Women, 1926), de William Wellman, en *Veinte películas soviéticas en Sudamérica*, de Juan Piqueras, n.º 66, 15-IX-29.

Barbarroja (Barberousse, 1916), de Abel Gance, en *Germaine Dulac del brazo de René Clair*, de Luis Gómez Mesa, n.º 101-102, 15-III-31.

Barcelona Trailer (1929), de Marcelo Ventura, en *Primer programa de cine parlante y sonoro*, de Juan Piqueras, n.º 64, 15-VIII-29.

Beau Geste (Beau Geste, 1926), de Herbert Brenon, en *Visitas de cinema*, de Juan Piqueras, n.º 56, 15-IV-1929.

La bella durmiente (Spiáshaia krasávitsa, 1930), de Gueorgui y

Serguéi Vassiliev, en *La Gaceta del cinema en París*, de Juan Piqueras, n.º 90, 15-IX-30.

La belle Nivernaise (1924), de Jean Epstein, en *El tranvía al ralenti (Camino para Luis Buñuel)*, de Claudio de la Torre, n.º 34, 15-V-28.

Ben Hur (Ben Hur, 1925), de Fred Niblo, en *La dama de las camelias*, de Luis Buñuel, n.º 24, 15-XII-27; en *Naturaleza real y naturaleza falsa*, de Carlos Fernández Cuenca, n.º 43, 1-X-28.

Berlín, sinfonía de una gran ciudad (Berlin, die Symphonie einer Grosstadt, 1927), de Walter Ruttmann, en *El Cineclub de Buenos Aires*, de Guillermo de Torre, n.º 79, 1-IV-30; en *Obertura a la «Sinfonía metropolitana» de Walter Ruttmann*, de Guillermo de Torre, n.º 85, 1-VII-30.

Le Bernard-L'Ermite (1930), de Jean Painlevé, en *Boletín del Cineclub. Decimotercera sesión. Biología y vanguardia*, de Luis Gómez Mesa, n.º 83, 1-VI-30; en *Otro año sin cinema español*, de Luis Gómez Mesa, n.º 97, 1-I-31; en *Historia del Cineclub Español*, n.º 105, 1-V-31.

La bestia andaluza: véase *L'Age d'or*.

Bluff (1929), de Georges Lacombe, en *Boletín del Cineclub. 16ª sesión: Eisenstein y su acompañamiento*, de Luis Gómez Mesa, n.º 98, 15-I-31.

La bodega (1929), de Benito Perojo, en *Gaceta del cinema de París*, de Juan Piqueras, n.º 85, 1-VII-30.

Borderline (1930), de Kenneth Macpherson, en *Cinema independiente en 1930*, de Juan Piqueras, n.º 97, 1-I-31.

El boxeador (Battling Butler, 1926), de Buster Keaton, en *Buster Keaton*, de Miguel Pérez Ferrero, n.º 9, 1-V-27; en *El colegial*, de Francisco Ayala, n.º 27, 1-II-28; en *Buster Keaton*, de Juan Piqueras, n.º 74, 15-I-30.

Broadway Melody (The Broadway Melody, 1929), de Harry Beaumont, en *Gaceta del cinema en París*, n.º 90, 15-IX-30.

Bulat-Batyr (1928), de Yuri Tarich, en *Veinte películas soviéticas en Sudamérica*, de Juan Piqueras, n.º 66, 15-IX-29.

La cabeza de Jano (Der Januskopf, 1920), de F. W. Murnau, en *Ecos de altavoces*, de Luis Gómez Mesa, n.º 105, 1-V-31.

Cain (1929), de Léon Poirier, en *Germaine Dulac del brazo de René Clair*, de Luis Gómez Mesa, n.º 101-102, 15-III-31.

La calle sin alegría/Bajo la máscara del placer (Die freudlose Gasse, 1925), de G. W. Pabst, en *Gaceta del cinema en París. «L'opéra de quat'sous», nuevo film de G. W. Pabst*, de Juan Piqueras, n.º 109, 1-VII-31.

Las calles de la ciudad (City Streets, 1930), de Rouben Mamoulian, en *Noticiemos sobre cinema. París, 3 momentos, tres films*, de Ernesto Giménez Caballero, n.º 112, 15-VIII-31.

Cama y sofá (Tretia meshánskaia, 1926), de Abram Room, en *Visitas de cinema*, de Juan Piqueras, n.º 58, 15-V-29.

El cameraman (The Cameraman, 1928), de Edward Sedgwick, en *Un Buster Keaton*, de Juan Piqueras, n.º 74, 15-I-30.

El camino de la fuerza y la belleza (Wege zu Kraft und Schonheit, 1925), de Nicolas Kaufmann, en *Boletín del Cineclub. Decimocuarta sesión. Rusia y Alemania: films*, de Luis Gómez Mesa, n.º 84, 15-VI-30; en *Otro año sin cinema español*, de Luis Gómez Mesa, n.º 97, 1-I-31; en *Historia del Cineclub Español*, n.º 105, 1-V-31.

El camino de la vida (Putiovka v zhizn, 1931), de Nikolái Ekk, en *La «Gaceta» en París*, de Juan Piqueras, n.º 95, 1-XII-30.

La canción de la estepa (The Rogue Song, 1920), de Lionel Barrymore, en *Ecos de altavoces*, de Luis Gómez Mesa, n.º 105, 1-V-31.

La canción del día (1930), de G. B. Samuelson, en *Lo peor en el nuevo cine*, n.º 81, 1-V-30.

La canción de París (Innocents in Paris, 1928), de Richard Wallace, en *La canción de París*, de Juan Piqueras, n.º 68, 15-X-29.

El cantor de jazz (The Jazz Singer, 1927), de Alan Crosland, en *El Cineclub, la vanguardia y los tacones*, n.º 51, 1-II-29; en *Boletín del Cineclub. La segunda sesión*, n.º 51, 1-II-29; en *Historia del Cineclub Español*, n.º 105, 1-V-31.

La canzone dell'amore (1930), de Genaro Righelli, en *Gaceta de París*, de Juan Piqueras, n.º 94, 15-XI-30.

Le Capitaine Fracasse (1928), de Alberto Cavalcanti, en *Visitas de cinema. Alberto Cavalcanti nos concreta*, de Juan Piqueras, n.º 99, 15-II-31.

El capitán borrachón (dibujo animado), en *20ª sesión del Cineclub Español. Yo, espectador al margen*, de Miguel Pérez Ferrero, n.º 105, 1-V-31.

El capitán Sorrell (Sorrell and Son, 1927), de Herbert Brenon, en *Visitas de cinema*, de Juan Piqueras, n.º 56, 15-IV-29.

Capítulos de la pampa: véase *Escenas de la pampa.*

Caprelles et pantopodes (1930), de Jean Painlevé, en *«La Gaceta Literaria» en París. Postales cinegráficas de los quince días*, de Juan Piqueras, n.º 98, 15-I-31.

La caravana de Oregón (The Covered Wagon, 1923), de James Cruze, en *Naturaleza real y naturaleza falsa*, de Carlos Fernández Cuenca, n.º 43, 1-X-28.

Carmen (1926), de Jacques Feyder, en *Carmen: Raquel Meller*, de César M. Arconada, n.º 3, 1-II-27.

Carmen hacia el norte (Za poliarnym krúgom, 1931), en *Gaceta del cinema en París*, de Juan Piqueras, n.º 90, 15-IX-30.

La casa de la danza (Maison de danses, 1931), de Maurice Tourneur, en *Gaceta del cinema de París*, de Juan Piqueras, n.º 85, 1-VII-30.

Celos (Fifersuscht, 1925), de Karl Grüne, en *Influencias del Cineclub en los programas del cinema público*, de Juan Piqueras, n.º 63, 1-VIII-29.

C'est dangereux de se pencher au dedans: véase *Un Chien andalou.*

Champs Elysées (1929), de Jean Lods y Boris Kauffman, en *Cinema independiente en 1930*, de Juan Piqueras, n.º 97, 1-I-31.

Chang (Chang, 1927), de Merian C. Cooper y Ernest B. Schoedsack, en *Naturaleza real y naturaleza falsa*, de Carlos Fernández Cuenca, n.º 43, 1-X-28; en *Otro año sin cinema español*, de Luis Gómez Mesa, n.º 97, 1-I-31.

Charlot bombero (The Fireman, 1916), de Charles Chaplin, en *Films cómicos*, de Sebastià Gasch, n.º 39, 1-VIII-28; en *Charlot y Ramón*, de Oreste Plath, n.º 113, 1-IX-31.

Charlot emigrante (The Immigrant, 1917), de Charles Chaplin, en *Films cómicos*, de Sebastià Gasch, n.º 39, 1-VIII-28; en *Boletín del Cineclub. La sexta sesión*, de Juan Piqueras, n.º 58, 15-V-29.

Charlot en la Calle de la Paz (Easy Street, 1917), de Charles Chaplin, en *Sobre la pantalla cómica*, de Luis Gómez Mesa, n.º 108, 15-VI-31; en *Charlot y Ramón*, de Oreste Plath, n.º 113, 1-IX-31.

Charlot en la granja/Idilio campestre (Sunnyside, 1919), de Charles Chaplin, en *Films cómicos*, de Sebastià Gasch, n.º 39, 1-VIII-28; en *Sexta sesión del Cineclub*, n.º 57, 1-V-29.

Charlot maquinista (Behind the Screen, 1916), de Charles Chaplin, en *Charlot y Ramón*, de Oreste Plath, n.º 113, 1-IX-31.

Charlot músico (The Vagabond, 1916), de Charles Chaplin, en *Films cómicos*, de Sebastià Gasch, n.º 39, 1-VIII-28.

Charlot patinador (The Rink, 1916), de Charles Chaplin, en *Films cómicos*, de Sebastià Gasch, n.º 39, 1-VIII-28; en *Charlot y Ramón*, de Oreste Plath, n.º 113, 1-IX-31.

La cigarrette (1919), de Germaine Dulac, en *Madame Germaine Dulac, caballero de la Legión de Honor*, de Juan Piqueras, n.º 67, 1-X-29.

Cinq minutes de cinéma pur (1925), de Henri Chomette, en *Gaceta del cinema de París*, de Juan Piqueras, n.º 85, 1-VII-30.

El circo (The Circus, 1928), de Charles Chaplin, en *Circo y Charlot*, de Ernesto Giménez Caballero, n.º 30, 15-III-28; en *Films cómicos*, de Sebastià Gasch, n.º 39, 1-VIII-28; en *Influencias del Cineclub en los programas del cinema público*, de Juan Piqueras, n.º 63, 1-VIII-29; en *Diez minutos de cine ruso*, de Julio Álvarez del Vayo, n.º 75, 1-II-30; en *Enfoque general del cinema*, de Eloy Yanguas, n.º 85, 1-VII-30; en *Charlot y Ramón*, de Oreste Plath, n.º 113, 1-IX-31.

La ciudad eterna (The Eternal City, 1923), de George Fitzmaurice, en *Vuelta a la vida de Barbara La Marr*, de Luis Gómez Mesa, n.º 92, 15-X-30.

Coeur fidèle (1923), de Jean Epstein, en *El tranvía al ralenti (Camino para Luis Buñuel)*, de Claudio de la Torre, n.º 34, 15-V-28.

El colegial (College, 1927), de James W. Horne y Harry Brand, en *El colegial*, de Francisco Ayala, n.º 27, 1-II-28; en *Films cómicos*, de Sebastià Gasch, n.º 39, 1-VIII-28.

La comedia de la vida/La ópera de cuatro cuartos (Die Dreigroschenoper/L'opéra de quat'sous, 1931), de G. W. Pabst, en *Gaceta del cinema en París. «L'opera de quat'sous», nuevo film de G. W. Pabst*, de Juan Piqueras, n.º 109, 1-VII-31.

El comparsa (Spite Marriage, 1928), de Edward Sedgwick, en *Enfoque general del cinema*, de Eloy Yanguas, n.º 85, 1-VII-30.

La conjuración de los muertos (Zogovor miórtvyj, 1930), de Semión Timoshenko, en *La gaceta del cinema en París*, de Juan Piqueras, n.º 90, 15-IX-30.

Contrasts (1930), de René Grey, en *Cinema independiente en 1930*, de Juan Piqueras, n.º 97, 1-I-31.

La coquille et le clergyman (1927), de Germaine Dulac, en *Sesión para minorías*, de Miguel Pérez Ferrero, n.º 30, 15-III-28; en *Madame Germaine Dulac, caballero de la Legión de Honor*, de Juan Piqueras, n.º 67, 1-X-29; en *Germaine Dulac del brazo de René Clair*, de Luis Gómez Mesa, n.º 101-102, 15-III-31; en *Historia del Cineclub Español*, n.º 105, 1-V-31.

Corazones del mundo (Hearts of the World, 1918), de D. W. Griffith, en *Cuatro que hacen el número mil*, de Luis Gómez Mesa, n.º 93, 1-XI-30.

Los cosacos (The Cossacks, 1928), de George W. Hill, en *Veinte películas soviéticas en Sudamérica*, de Juan Piqueras, n.º 66, 15-IX-29.

Cristalisations (Microscopische Kristallisaties, 1928), de Jan C. Mol, en *El Cineclub*, n.º 56, 15-IV-29; en *Historia del Cineclub Español*, n.º 105, 1-V-31.

Cuatro de infantería (Westfront 1918, 1930), de G. W. Pabst, en *Cuatro que hacen el número mil*, de Luis Gómez Mesa, n.º 93, 1-XI-30; en *Gaceta del cinema en París. «L'opéra de quat'sous», nuevo film de G. W. Pabst*, de Juan Piqueras, n.º 109, 1-VII-31.

Los cuatro diablos (Four Devils, 1928), de F. W. Murnau, en *Ecos de altavoces*, de Luis Gómez Mesa, n.º 105, 1-V-31.

Los cuatro jinetes del Apocalipsis (The Four Horsemen of the Apocalypse, 1921), de Rex Ingram, en *Cuatro que hacen el número mil*, de Luis Gómez Mesa, n.º 93, 1-XI-30; en *Galdós y los enemigos de siempre*, de Luis Gómez Mesa, n.º 99, 15-II-31.

Un cuento de Poe (The Fall of the House of Usher, 1928), de James Sibley Watson y Melville Folsom Webber, en *Boletín del Cineclub. Undécima sesión*, de Juan Piqueras, n.º 79, 1-IV-30; en *Otro año sin cinema español*, de Luis Gómez Mesa, n.º 97, 1-I-31; *Historia del Cineclub Español*, n.º 105, 1-V-31.

El cuerpo del delito (1930), de Cyril Gardner y A. Washington Pezet, en *Oportunidad y trascendencia de un Congreso*, de Luis Gómez Mesa, n.º 103, 1-IV-31.

La culpa ajena (Broken Blossoms, 1919), de D. W. Griffith, en *Del plano fotogénico*, de Luis Buñuel, n.º 7, 1-IV-27; en *Boletín del Cineclub. Sesión inaugural*, de César M. Arconada, n.º 49, 1-I-29.

La dama de las camelias (La signora dalle camelie, 1909), de Ugo Falena, en *Boletín del Cineclub. Doceava sesión*, de Juan Piqueras, n.º 81, 1-V-30; en *Otro año sin cinema español*, de Luis Gómez Mesa, n.º 97, 1-I-31; en *Historia del Cineclub Español*, n.º 105, 1-V-31.

La dama de las camelias (Camille, 1927), de Fred Niblo, en *La dama de las camelias*, de Luis Buñuel, n.º 24, 15-XII-27.

La dama de los sombreros (Vormittagspuk, 1928), de Hans Richter, en *Cinema independiente en 1930*, de Juan Piqueras, n.º 97, 1-I- 31.

Dans une île perdue (1931), de Alberto Cavalcanti, en *Visitas de cinema. Alberto Cavalcanti nos concreta*, de Juan Piqueras, n.º 99, 15-II-31.

De frente ¡marchen! (1930), de Edward Sedgwick, en *Sobre la pantalla cómica*, de Luis Gómez Mesa, n.º 108, 15-VI-31.

Decembristas (Dekabristy, 1927), de Alexandr Ivanovski, en *Las teorías, las ideas y las obras en el cinema soviético*, de Léon Moussinac, n.º 42, 15-IX-28.

La décima sinfonía (La dixième symphonie, 1918), de Abel Gance, en *Germaine Dulac del brazo de René Clair*, de Luis Gómez Mesa, n.º 101-102, 15-III-31.

Del mismo barro (1930), de David Howard, en *Oportunidad y trascendencia de un Congreso*, de Luis Gómez Mesa, n.º 103, 1-IV-31.

El demonio de las estepas (Stepnyie ogni, 1927), de Leo Scheffer, en *Las teorías, las ideas y las obras en el cinema soviético*, de Léon Moussinac, n.º 42, 15-IX-28.

El demonio y la carne (Flesh and the Devil, 1927), de Clarence Brown, en *Posesión lírica de Greta Garbo*, de César M. Arconada, n.º 37, 1-VII-28.

El descendiente de Genghis Khan: véase *Tempestad sobre Asia.*

El desfile del amor (The Love Parade, 1929), de Ernst Lubitsch, en *Ecos de altavoces*, de Luis Gómez Mesa, n.º 105, 1-V-31.

Un día de placer (A Day's Pleasure, 1919), de Charles Chaplin, en *Films cómicos*, de Sebastià Gasch, n.º 39, 1-VIII-28.

Le diable dans la ville (1924), de Germaine Dulac, en *Madame Germaine Dulac, caballero de la Legión de Honor*, de Juan Piqueras, n.º 67, 1-X-29.

Los días de explosión (Vzórvannie dni, 1930), de A. Shólojov, en *Gaceta de París*, de Juan Piqueras, n.º 94, 15-XI-30.

El difunto Matías Pascal (Feu Mathias Pascal, 1925), de Marcel L'Herbier, en *Una noche en el Studio des Ursulines*, de Luis Buñuel, n.º 2, 15-I-27; en *Encuesta a los cineastas. ¿Desde su punto de vista cinematográfico, qué opinión tiene usted de la literatura?*, de Carlos Fernández Cuenca, n.º 43, 1-X-28; en *Cuarta sesión del Cineclub*, n.º 54, 15-III-29; en *Boletín del Cineclub. Cuarta sesión*, de Juan Piqueras, n.º 55, 1-IV-27; en *Vidas paralelas de Matías Pascal*, de Benjamín Jarnés, n.º 56, 15-IV-29; en *Boletín del Cineclub. Octava sesión*, de Juan Piqueras, n.º 72, 15-XII-29; en *Visitas de cinema. Alberto Cavalcanti nos concreta*, de Juan Piqueras, n.º 99, 15-II-31; en *Germaine Dulac del brazo de René Clair*, de Luis Gómez Mesa, n.º 101-102, 15-III-31; en *Historia del Cineclub Español*, n.º 105, 1-V-31.

El diluvio (Potop, 1915), de Piotr Cardynin, en *Gaceta de París*, de Juan Piqueras, n.º 94, 15-XI-30.

Disque 927 (1928), de Germaine Dulac, en *«La Gaceta Literaria» en París. Postales cinegráficas de los quince días*, de Juan Piqueras, n.º 98, 15-I-31.

Documentos de la gran guerra, en *Boletín del Cineclub. 16ª sesión: Eisenstein y su acompañamiento*, de Luis Gómez Mesa, n.º 98, 15-I-31; *Historia del Cineclub Español*, n.º 105, 1-V-31.

El domingo sangriento (Deviátoie ianvariá, 1925), de Viacheslav Viskovski, en *Veinte películas soviéticas en Sudamérica,* de Juan Piqueras, n.º 66, 15-IX-29; en *Tres evoluciones ideológicas en el cine soviético (1),* de Juan Piqueras, n.º 105, 1-V-31.

El Don apacible (Tijí Don, 1930), de Olga Preobrazhénskaia, en *Gaceta del cinema en París,* de Juan Piqueras, n.º 90, 15-IX-30.

Don Juan y Fausto (Don Juan et Faust, 1923), de Marcel L'Herbier, en *Germaine Dulac del brazo de René Clair,* de Luis Gómez Mesa, n.º 101-102, 15-III-31.

Doña mentiras (1930), de Adelqui Millar, en *Oportunidad y trascendencia de un Congreso,* de Luis Gómez Mesa, n.º 103, 1-IV-31.

El Dorado (1921), de Marcel L'Herbier, en *Germaine Dulac del brazo de René Clair,* de Luis Gómez Mesa, n.º 101-102, 156-III-31.

Dos días (Dva dnia, 1926), de Gueorgui Stabovói, en *Veinte películas soviéticas en Sudamérica,* n.º 66, 15-IX-29; en *Gaceta de París,* de Juan Piqueras, n.º 94, 15-XI-30.

Los dos tímidos (Les deux timides, 1928), de René Clair, en *Germaine Dulac del brazo de René Clair,* de Luis Gómez Mesa, n.º 101-102, 15-III-31.

Ello interesa en las montañas (V goraj govoriat, 1930), de M. Chucunashvili, en *Gaceta del cine en París,* de Juan Piqueras, n.º 90, 15-IX-30.

Los enemigos de la mujer (The Enemies of Women, 1923), de Alan Crosland, en *Un film para ejemplo,* de Carlos Ruizfunes Amorós, n.º 43, 1-X-28.

En las nieves de Alaska (The Valley of Silent Men, 1922), de Frank Borzage, en *Vuelta a la vida de Barbara La Marr,* de Luis Gómez Mesa, n.º 92, 15-X-30.

En rade (1927), de Alberto Cavalcanti, en *Visitas de cinema. Alberto Cavalcanti nos concreta,* de Juan Piqueras, n.º 99, 15-II-31.

Entr'acte (1924), de René Clair, en *Noticias* n.º 10, 15-V-27; en *Films de vanguardia,* de Miguel Pérez Ferrero, n.º 11, 1-VI-27; en *Etapas,* de Sebastià Gasch, n.º 29, 1-III-28; en *El Cineclub en Madrid. Tercera sesión,* de César M. Arconada, n.º 53, 1-III-29; en *Un arte que tiene nuestra edad,* de Guillermo de Torre, n.º 81, 1-V-30; en *Germaine Dulac del brazo de René Clair,* de Luis Gómez Mesa, n.º 101-102, 15-III-31; en *Historia del Cineclub Español,* n.º 105, 1-V-31.

Entre naranjos (The Torrent, 1926), de Monta Bell, en *Galdós y los enemigos de siempre,* de Luis Gómez Mesa, n.º 99, 15-II-31.

Escalera de servicio (Hintertreppe, 1921), de Paul Leni, en *Paul Leni ha muerto*, de Juan Piqueras, n.º 67, 1-X-29.

Escenas de la pampa, de Enrique Larreta, en *La última sesión del Cineclub*, n.º 59, 1-VI-29; en *Historia del Cineclub Español*, n.º 105, 1-V-31.

Los esclavos de la tierra (Zemliá v plenú, 1928), de Fiódor Ozep, en *Veinte películas soviéticas en Sudamérica*, de Juan Piqueras, n.º 66, 15-IX-29.

La Escuela de Trabajo en Barcelona (1930), de Ernesto Giménez Caballero, en *Historia del Cineclub Español*, n.º 105, 1-V-31.

Esencia de verbena (1930), de Ernesto Giménez Caballero, en *La «Gaceta» en París*, de Juan Piqueras, n.º 95, 1-XII-30; en *Boletín del Cineclub. 15ª sesión. Exaltación de lo documental*, de Luis Gómez Mesa, n.º 96, 15-XII-30; *Resumen de mi intervención*, de Ramón Gómez de la Serna, n.º 96, 15-XII-30; en *Cinema independiente en 1930*, de Juan Piqueras, n.º 97, 1-I-31; en *Otro año sin cinema español*, de Luis Gómez Mesa, n.º 97, 1-I-31; en *Historia del Cineclub Español*, n.º 105, 1-V-31.

El espejo de tres caras (La Glace à trois faces, 1927), de Jean Epstein, en *Noticiario*, n.º 24, 15-XII-27; en *Sesión para minorías*, de Miguel Pérez Ferrero, n.º 30, 15-III-28; en *El tranvía al ralenti (Caminos para Luis Buñuel)*, de Claudio de la Torre, n.º 34, 15-V-28; en *Germaine Dulac del brazo de René Clair*, de Luis Gómez Mesa, n.º 101-102, 15-III-31.

Estrellas errantes (Blushdáiushie zviozdy, 1926), de G. Gricher-Cerikover, en *Veinte películas soviéticas en Sudamérica*, de Juan Piqueras, n.º 66, 15-IX-29.

El estudiante de Praga (Der Student von Prag, 1926), de Stellan Rye, en *Un film de la Universidad*, n.º 43, 1-X-28.

L'Étoile de mer (1928), de Man Ray, en *Programa de la primera sesión del Cineclub*, n.º 48, 15-XII-28; en *Boletín del Cineclub. Sesión inaugural*, de César M. Arconada, n.º 49, 1-I-29; en *Boletín del Cineclub. Octava sesión*, de Juan Piqueras, n.º 72, 15-XII-29; en *El Cineclub de Buenos Aires*, de Guillermo de Torre, n.º 79, 1-IV-30; en *Un arte que tiene nuestra edad*, n.º 81, 1-V-30; en *Gaceta del cinema de París*, de Juan Piqueras, n.º 85, 1-VII-30; en *Cinema independiente en 1930*, de Juan Piqueras, n.º 97, 1-I-31; en *Historia del Cineclub Español*, n.º 105, 1-V-31.

El expreso azul (Golubói Express, 1929), de Ilyá Trauberg, en *Cinema independiente en 1930*, de Juan Piqueras, n.º 97, 1-I-31.

Fata Morgana (Fata Morgana, 1931), de Borís Tjango, en *Gaceta de París*, de Juan Piqueras, n.º 94, 15-XI-30.

Fausto (Faust, 1926), de F. W. Murnau, en *Visitas de cinema*, de Juan Piqueras, n.º 55, 1-IV-29; en *La próxima sesión: lo cómico en el cinema*, de Luis Buñuel, n.º 56, 15-IV-29; en *Ecos de altavoces*, de Luis Gómez Mesa, n.º 105, 1-V-31.

Fecundación del erizo de mar, en *Cineclub en la Universidad*, de Ernesto Giménez Caballero, n.º 82, 15-V-30.

Félix conservado en lata (Felix Gets the Can, 1925), dibujo animado de Pat Sullivan, en *20ª sesión del Cineclub Español. Yo, espectador al margen*, de Miguel Pérez Ferrero, n.º 105, 1-V-31.

La fiera del mar (The Sea Beast, 1926), de Millard Webb, en *Naturaleza real y naturaleza falsa*, de Carlos Fernández Cuenca, n.º 43, 1-X-28.

La fiesta de San Jorgene (Prázdnik sviatogo Iórgena, 1930), de Iákov Protozanov, en *La «Gaceta» en París*, de Juan Piqueras, n.º 95, 1-XII-30.

La fiesta española (La fête espagnole, 1919), de Germaine Dulac, en *Germaine Dulac del brazo de René Clair*, de Luis Gómez Mesa, n.º 101-102, 15-III-31.

Fièvre (1921), de Louis Delluc, en *Tiempo y personajes del drama*, de Jean Epstein, n.º 24, 15-XII-27; en *Visitas de cinema. Alberto Cavalcanti nos concreta*, de Juan Piqueras, n.º 99, 15-II-31.

La fille de l'eau (1924), de Jean Renoir, en *Films de vanguardia*, de Miguel Pérez Ferrero, n.º 11, 1-VI-27; en *Boletín del Cineclub*, n.º 71, 1-XII-29; en *Boletín del Cineclub. Octava sesión*, de Juan Piqueras, n.º 72, 15-XII-29; en *Historia del Cineclub Español*, n.º 105, 1-V-31.

El fin del mundo (La fin du monde, 1930), de Abel Gance, en *Gaceta del cinema en París*, de Juan Piqueras, n.º 90, 15-IX-30; en *Germaine Dulac del brazo de René Clair*, de Luis Gómez Mesa, n.º 101-102, 15-III-31.

El fin de San Petersburgo (Koniets Sankt-Peterburga, 1927), de V. I. Pudovkin, en *Una película rusa*, de Sebastià Gasch, n.º 43, 1-X-28; en *Diez minutos de cine ruso*, de Julio Álvarez del Vayo, n.º 75, 1-II-30; en *Boletín del Cineclub. Undécima sesión*, de Juan Piqueras, n.º 79, 1-IV-30; en *El Cineclub de Buenos Aires*, de Guillermo de Torre, n.º 79, 1-IV-30; en *Tres evoluciones ideológicas en el cine soviético (1)*, de Juan Piqueras, n.º 105, 1-V-31; en *«El acorazado Potemkin» en la sesión 21 del Cineclub*, de Luis Gómez Mesa, n.º 106, 15-V-31.

Las finanzas del gran duque (Die Finanzen des Grossherzogs, 1924), de F. W. Murnau, en *Ecos de altavoces,* de Luis Gómez Mesa, n.º 105, 1-V-31.

Finis Terrae (1929), de Jean Epstein, en *Gaceta internacional del cinema,* de Juan Piqueras, n.º 87, 1-VIII-30.

Flip detective (*Cuckoo Murder Case,* 1930), dibujo animado de Ub Iwerks, en *«La Gaceta Literaria» en París. Postales cinegráficas de los quince días,* de Juan Piqueras, n.º 98, 15-I-31.

La folie des vaillants (1925), de Germaine Dulac, en *Madame Germaine Dulac, caballero de la Legión de Honor,* de Juan Piqueras, n.º 67, 1-X-29.

Funcionarios del Estado (Gosudárstveni cinovik, 1930), de Iván Pyriov, en *Gaceta del cinema en París,* de Juan Piqueras, n.º 90, 15-IX-30.

El gabinete del doctor Caligari (Das Kabinett des Dr. Caligari, 1919), de Robert Wiene, en *Carmen: Raquel Meller,* de César M. Arconada, n.º 3, 1-II-27; en *Etapas,* de Sebastià Gasch, n.º 29, 1-III-28; en *Naturaleza real y naturaleza falsa,* de Carlos Fernández Cuenca, n.º 43, 1-X-28; en *Pintura y cinema,* de Sebastià Gasch, n.º 43, 1-X-28; en *Una interviu,* de L. Martínez Ferry, n.º 50, 15-I-29; en *Visitas de cinema,* de Juan Piqueras, n.º 55, 1-IV-29; en *El Cineclub de Buenos Aires,* de Guillermo de Torre, n.º 79, 1-IV-30; en *Francia. Panorama del cine,* de Adolphe de Falgairolle, n.º 83, 1-VI-30; en *Situación en el mundo del cinema de El gabinete del doctor Caligari,* de Miguel Pérez Ferrero, n.º 100, 1-III-31; en *Ecos de altavoces,* de Luis Gómez Mesa, n.º 100, 1-III-31; en *Historia del Cineclub Español,* n.º 105, 1-V-31.

Un gallina valeroso (The Mollycoddle, 1920), de Victor Fleming, en *Boletín del Cineclub. Doceava sesión,* de Juan Piqueras, n.º 81, 1-V-30.

El general (The General, 1926), de Buster Keaton, en *Buster Keaton,* de Miguel Pérez Ferrero, n.º 9, 1-V-27; en *El colegial,* de Francisco Ayala, n.º 27, 1-II-28; en *Un Buster Keaton,* de Juan Piqueras, n.º 74, 15-I-30.

La Glace à trois faces: véase *El espejo de tres caras.*

Gossette (1923), de Germaine Dulac, en *Madame Germaine Dulac, caballero de la Legión de Honor,* de Juan Piqueras, n.º 67, 1-X-29.

El gran amor (The Great Love, 1918), de D.W. Griffith, en *Cuatro que hacen el número mil,* de Luis Gómez Mesa, n.º 93, 1-XI-30.

El gran desfile (The Big Parade, 1925), de King Vidor, en *Hotel Imperial,* de Francisco Ayala, n.º 22, 15-XI-27; en *Una interviu,* de

L. Martínez Ferry, n.º 50, 15-I-29; en *La niñez y los films de guerra*, de C. M. Wilson, n.º 72, 15-XII-29; en *Cuatro que hacen el número mil*, de Luis Gómez Mesa, n.º 93, 1-XI-30.

La gran duquesa y el camarero (The Grand Duchess and the Waiter, 1926), de Malcom St. Clair, en *Films antiartísticos*, de Salvador Dalí, n.º 29, 1-III-28.

Hacia el puerto dichoso (K shastlivói gavani, 1930), de V. Eroféiev, en *Gaceta internacional del cinema*, de Juan Piqueras, n.º 87, 1-VIII-30.

Harold policía (Chop Suey and Co., 1919), de Hal Roach, en *Sexta sesión del Cineclub*, n.º 57, 1-V-29; en *Boletín del Cineclub. La sexta sesión*, de Juan Piqueras, n.º 58, 15-V-29; en *Sobre la pantalla cómica*, de Luis Gómez Mesa, n.º 108, 15-VI-31.

Hemorragie d'un chien (1930), de Jean Painlevé, en *Boletín del Cineclub. 13ª sesión*, de Luis Gómez Mesa, n.º 83, 1-VI-30; en *Historia del Cineclub Español*, n.º 105, 1-V-31.

El héroe del río (Steamboat Bill jr., 1928), de Charles F. Reisner, en *Sobre la pantalla cómica*, de Luis Gómez Mesa, n.º 108, 15-VI-31.

La higiene de la mujer (Guiguiena zhénskiny, 1930), de Iákov Posselski, en *Gaceta del cinema en París*, de Juan Piqueras, n.º 90, 15-IX-30.

El hijo adoptivo (Prijmak, 1930), de Alexandr Strizak, en *Gaceta de París*, de Juan Piqueras, n.º 94, 15-XI-30.

El hijo del otro (Moi syn, 1928), de Evgueni Cherviakov, en *Veinte películas soviéticas en Sudamérica*, de Juan Piqueras, n.º 66, 15-IX-29.

El hijo pródigo (The Wanderer, 1926), de Raoul Walsh, en *Un film para ejemplo*, de Carlos Ruizfunes Amorós, n.º 43, 1-X-28.

Historia de la brujería (Häxan, 1921), de Benjamin Christensen, en *Boletín del Cineclub. Doceava sesión*, de Juan Piqueras, n.º 81, 1-V-30; en *Otro año sin cinema español*, de Luis Gómez Mesa, n.º 97, 1-I-31; en *Historia del Cineclub Español*, n.º 105, 1-V-31.

Historia del cinematógrafo (1920), en *Boletín del Cineclub. Doceava sesión*, de Juan Piqueras, n.º 81, 1-V-30; en *Historia del Cineclub Español*, n.º 105, 1-V-31.

La historia de un duro (1928), de Sabino A. Micón, en *Cinema independiente en 1930*, de Juan Piqueras, n.º 97, 1-I-31; en *Historia del Cineclub Español*, n.º 105, 1-V-31.

Hollywood Revue (Hollywood Revue of 1929), de Charles F. Reisner, en *Lo peor en el nuevo cine*, n.º 81, 1-V-30.

El hombre (Der Mensch), en *Boletín del Cineclub. Decimotercera sesión. Biología y vanguardia*, de Luis Gómez Mesa, n.º 83, 1-6-30; en

Otro año sin cinema español, de Luis Gómez Mesa, n.º 97, 1-I-31; en *Historia del Cineclub Español*, n.º 105, 1-V-31.

El hombre cañón (The Strong Man, 1926), de Frank Capra, en *Un Buster Keaton*, de Juan Piqueras, n.º 74, 15-I-30; en *Sobre la pantalla cómica*, de Luis Gómez Mesa, n.º 108, 15-VI-31.

El hombre de las figuras de cera (Das Wachsfigurenkabinett, 1924), de Paul Leni, en *Noticias del Cineclub*, n.º 52, 15-II-29; en *El Cineclub en Madrid. Tercera sesión*, de César M. Arconada, n.º 53, 1-III-29; en *Influencias del Cineclub en los programas del cinema público*, de Juan Piqueras, n.º 63, 1-VIII-28; en *Paul Leni ha muerto*, de Juan Piqueras, n.º 67, 1-X-29; en *Boletín del Cineclub. Octava sesión*, de Juan Piqueras, n.º 72, 15-XII-29; en *Historia del Cineclub Español*, n.º 105, 1-V-31.

Un hombre de suerte (1930), de Benito Perojo, en *Oportunidad y trascendencia de un Congreso*, de Luis Gómez Mesa, n.º 103, 1-IV-31.

El hombre que ríe (The Man Who Laughs, 1928), de Paul Leni, en *Un film de la Universidad*, n.º 43, 1-X-28; en *Paul Leni ha muerto*, de Juan Piqueras, n.º 67, 1-X-29.

El hombre y el mono (Obeziana i cheloviek, 1930), de I. Vinnitski, en *La Gaceta en París*, de Juan Piqueras, n.º 95, 1-XII-30.

Hostilidades inútiles (Nenúzhnaia vrazhdá, 1930), de Dmitri Poznanski, en *Gaceta del cinema en París* de Juan Piqueras, n.º 90, 15-IX-30.

Hotel Imperial (Hotel Imperial, 1927), de Mauritz Stiller, en *Hotel Imperial*, de Francisco Ayala, n.º 22, 15-XI-27.

Hoy (Segodnia, 1930), de Esfir Chub, en *Gaceta del cinema en París*, n.º 90, 15-IX-30.

La huelga (Stachka, 1924), de S. M. Eisenstein, en *Diez minutos de cine ruso*, de Julio Álvarez del Vayo, n.º 75, 1-II-30; en *Tres evoluciones ideológicas en el cine soviético (1)*, de Juan Piqueras, n.º 105, 1-V-31; en *«El acorazado Potemkin» en la sesión 21 del Cineclub*, de Luis Gómez Mesa, n.º 106, 15-V-31.

El hundimiento de la casa Usher (La Chute de la maison Usher, 1928), de Jean Epstein, en *El tranvía al ralenti (Caminos para Luis Buñuel)*, de Claudio de la Torre, n.º 34, 15-V-28; *Encuesta a los cineastas. ¿Desde su punto de vista cinematográfico, qué opinión tiene usted de la literatura?*, n.º 43, 1-X-28; en *Boletín del Cineclub*, n.º 71, 1-XII-29; en *Boletín del Cineclub. Octava sesión*, de Juan Piqueras, n.º 72, 15-XII-29; en *Boletín del Cineclub. Undécima sesión*, de Juan Piqueras, n.º 79, 1-IV-30; en *Cineclub en Sevilla (Autocrítica)*, n.º 88,

15-VIII-30; en *Germaine Dulac del brazo de René Clair*, de Luis Gómez Mesa, n.º 101-102, 15-III-31; en *Historia del Cineclub Español*, n.º 105, 1-V-31.

Le Hyas (1929), de Jean Painlevé, en *Boletín del Cineclub. Decimotercera sesión. Biología y vanguardia*, de Luis Gómez Mesa, n.º 83, 1-VI-30; en *Cinema independiente en 1930*, de Juan Piqueras, n.º 97, 1-I-31; en *Otro año sin cinema español*, de Luis Gómez Mesa, n.º 97, 1-I-31; en *Historia del Cineclub Español*, n.º 105, 1-V-31.

Idilio campestre: véase *Charlot en la granja.*

La incorregible (1931), de Leo Mittler, en *Oportunidad y trascendencia de un Congreso*, de Luis Gómez Mesa, n.º 103, 1-IV-31.

Infierno de amor (Liebeshölle, 1928), de Carmine Gallone, en *Germaine Dulac del brazo de René Clair*, de Luis Gómez Mesa, n.º 101-102, 15-III-31.

La inhumana (L'inhumaine, 1924), de Marcel L'Herbier, en *Creación de un romanticismo de postguerra*, de Pierre Mac Orlan, n.º 27, 1-II-28 y n.º 43, 1-X-28; en *Etapas*, de Sebastià Gasch, n.º 29, 1-III-28; en *Obertura a la «Sinfonía metropolitana» de Walter Ruttmann*, de Guillermo de Torre, n.º 85, 1-VII-30; en *Boletín del Cineclub. 16ª sesión: Eisenstein y su acompañamiento*, de Luis Gómez Mesa, n.º 98, 15-I-31; en *Visitas de cinema. Alberto Cavalcanti nos concreta*, de Juan Piqueras, n.º 99, 15-II-31; en *Germaine Dulac del brazo de René Clair*, de Luis Gómez Mesa, n.º 101-102, 15-III-31.

Intolerancia (Intolerance, 1916), de D. W. Griffith, en *Boletín del Cineclub. Sesión inaugural*, de César M. Arconada, n.º 49, 1-I-29.

Isn't Life Wonderful (1924), de D. W. Griffith, en *Títulos sintéticos*, n.º 30, 15-III-28.

Iván el Terrible/Las alas del siervo (Krylia jolopa, 1926), de Yuri Tarich, en *Las teorías, las ideas y las obras en el cinema soviético*, de Léon Moussinac, n.º 42, 15-IX-28; en *Visitas de cinema*, de Juan Piqueras, n.º 58, 15-V-29; en *Veinte películas soviéticas en Sudamérica*, de Juan Piqueras, n.º 66, 15-IX-29; en *Boletín del Cineclub. Novena sesión*, de Juan Piqueras, n.º 75, 1-II-30; en *Diez minutos de cine ruso*, de Julio Álvarez del Vayo, n.º 75, 1-II-30; en *Otro año sin cinema español*, de Luis Gómez Mesa, n.º 97, 1-I-31; en *Historia del Cineclub Español*, n.º 105, 1-V-31; en *Tres evoluciones ideológicas en el cine soviético (1)*, de Juan Piqueras, n.º 105, 1-V-31.

La jalousie du barbouillé (1927), de Alberto Cavalcanti, en *Visitas de cinema. Alberto Cavalcanti nos concreta*, de Juan Piqueras, n.º 99, 15-II-31.

Jazz (Beggar on Horseback, 1925), de James Cruze, en *Boletín del Cineclub. La segunda sesión,* n.º 51, 1-II-29.

Jeux des reflets et de la vitesse (1923), de Henri Chomette, en *Gaceta del cinema en París,* de Juan Piqueras, n.º 85, 1-VII-30; en *Boletín del Cineclub. 16ª sesión: Eisenstein y su acompañamiento,* de Luis Gómez Mesa, n.º 98, 15-I-31.

Jocelyn (1922), de Léon Poirier, en *Germaine Dulac del brazo de René Clair,* de Luis Gómez Mesa, n.º 101-102, 15-III-31.

El jorobado de Nuestra Señora de París (The Hunchback of Notre Dame, 1923), de Wallace Worsley, en *Un film de la Universidad,* n.º 43, 1-X-28; en *Un film para ejemplo,* de Carlos Ruizfunes Amorós, n.º 43, 1-X-28.

Judit y Holofernes, en *Sesión para minorías,* de Miguel Pérez Ferrero, n.º 30, 15-III-28.

Jujiro (1928), de Teinosuke Kinugasa, en *El Congreso de La Sarraz. El film independiente y el Cineclub Español,* de Ernesto Giménez Caballero, n.º 67, 1-X-29.

Káshtanka (1926), de Olga Preobrazhénskaia, en *Veinte películas soviéticas en Sudamérica,* de Juan Piqueras, n.º 66, 15-IX-29.

Koko campeón, de Max Fleischer, en *20ª sesión del Cineclub Español. Yo, espectador al margen,* de Miguel Pérez Ferrero, n.º 105, 1-V-31.

Krassin (1928), de Serguéi y Gueorgui Vassiliev, en *Veinte películas soviéticas en Sudamérica,* de Juan Piqueras, n.º 66, 15-IX-29.

Ladrones (Night Owls, 1930), de Leo McCarey, en *Historia del cinema. De la música al silencio,* de José Palau, n.º 101-102, 15-III-31.

El legado tenebroso (The Cat and the Canary, 1927), de Paul Leni, en *Paul Leni ha muerto,* de Juan Piqueras, n.º 67, 1-X-29.

La ley del hampa (Underworld, 1927), de Josef von Sternberg, en *«La Gaceta Literaria» en París. Postales cinegráficas de los quince días,* de Juan Piqueras, n.º 98, 15-I-31.

La leyenda de Gösta Berling (Gösta Berling Saga, 1924), de Mauritz Stiller, en *El Cineclub de Buenos Aires,* de Guillermo de Torre, n.º 79, 1-IV-30.

La línea general (Generálnaia Linia, 1929), de S. M. Eisenstein, en *Diez minutos de cine ruso,* de Julio Álvarez del Vayo, n.º 75, 1-II-30; *Boletín del Cineclub. Undécima sesión,* de Juan Piqueras, n.º 79, 1-IV-30; en *Gaceta internacional del cinema,* de Juan Piqueras, n.º 87, 1-VIII-30; en *Boletín del Cineclub. 16ª sesión: Eisenstein y su acompañamiento,* de Luis Gómez Mesa, n.º 98, 15-I-31; en *Situación en el mun-*

do del cinema de El gabinete del doctor Caligari, de Miguel Pérez Ferrero, n.º 100-101, 1-III-31; en *Historia del Cineclub Español*, n.º 105, 1-V-31; en *20ª sesión del Cineclub Español. Yo, espectador al margen*, de Miguel Pérez Ferrero, n.º 105, 1-V-31; en *Tres evoluciones ideológicas en el cine soviético (1)*, de Juan Piqueras, n.º 105, 1-V-31.

The Little People (1925), de George Pearson, en *Visitas de cinema. Alberto Cavalcanti nos concreta*, de Juan Piqueras, n.º 99, 15-II-31.

La llama blanca (La flamme blanche, 1928), de Charles Dekeukeleire, en *Cinema independiente en 1930*, de Juan Piqueras, n.º 97, 1-I-31.

Lluvia (Regen, 1929), de Joris Ivens, en *El Congreso de La Sarraz. El film independiente y el Cineclub Español*, de Ernesto Giménez Caballero, n.º 67, 1-X-29.

Lo más español (1927), de Nemesio M. Sobrevila, en *Cinema independiente en 1930*, de Juan Piqueras, n.º 97, 1-I-31.

Lo más grande en la vida (The Greatest Thing in Life, 1918), de D. W. Griffith, en *Cuatro que hacen el número mil*, de Luis Gómez Mesa, n.º 93, 1-XI-30.

La loca de la casa (1926), de Luis R. Alonso, en *Galdós y los enemigos de siempre*, de Luis Gómez Mesa, n.º 99, 15-II-31.

La locura del charlestón (So This Is Paris?, 1926), de Ernst Lubitsch, en *Influencias del Cineclub en los programas del cinema público*, n.º 63, 1-VIII-29; en *Situación en el mundo del cinema de El gabinete del doctor Caligari*, de Miguel Pérez Ferrero, n.º 100, 1-III-31.

El loro chino (The Chinese Parrot, 1927), de Paul Leni, en *Paul Leni ha muerto*, de Juan Piqueras, n.º 67, 1-X-29.

Luces de la ciudad (City Lights, 1930), de Charles Chaplin, en *Verdades de Charlie Chaplin en «Las luces de la ciudad»*, de Luis Gómez Mesa, n.º 104, 15-IV-31; en *Charlot y Ramón*, de Oreste Plath, n.º 113, 1-IX-31.

Luces y sombras (Lumière et ombre), de Alfred Sandy, en *Cuarta sesión del Cineclub*, n.º 54, 15-III-29; en *Boletín del Cineclub. Cuarta sesión*, de Juan Piqueras, n.º 55, 1-III-29; en *Historia del Cineclub Español*, n.º 105, 1-V-31.

La lucha por la vida (Bitvy zhizni, 1930), de V. Korolevich, en *Gaceta del cinema en París*, de Juan Piqueras, n.º 90, 15-IX-30.

La madre (Mat, 1926), de V. I. Pudovkin, en *Etapas*, de Sebastià Gasch, n.º 29, 1-III-28; en *Una estética*, de Vinicio Paladini, n.º 30, 15-III-28; en *Las teorías, las ideas, las obras en el cinema soviético*, de León Moussinac, n.º 42, 15-IX-28; en *Veinte películas soviéticas en*

Sudamérica, de Juan Piqueras, n.º 66, 15-IX-29; en *Boletín del Cineclub. Undécima sesión*, de Juan Piqueras, n.º 79, 1-IV-30; en *Historia del Cineclub Español*, n.º 105, 1-V-31; en *Tres evoluciones ideológicas en el cine soviético (1)*, de Juan Piqueras, n.º 105, 1-V-31; en *«El acorazado Potemkin» en la sesión 21.ª del Cineclub*, de Luis Gómez Mesa, n.º 106, 15-V-31.

El maestro de la posta (Kolezhski reguistrator, 1925), de Juri Zeljabuzskij y Iván Moskvin, en *Las teorías, las ideas y las obras en el cinema soviético*, de Léon Moussinac, n.º 42, 15-IX-28.

La mano, en *Boletín del Cineclub. Doceava sesión*, de Juan Piqueras, n.º 81, 1-V-30; en *Cineclub en la Universidad*, de Ernesto Giménez Caballero, n.º 82, 15-V-30; en *Otro año sin cinema español*, de Luis Gómez Mesa, n.º 97, 1-I-31; en *Historia del Cineclub Español*, n.º 105, 1-V-31.

La mano que aprieta (The Clutching Hand, 1914), de Donald Mackenzie y George B. Seitz, en *«La Gaceta Literaria» en París. Postales cinegráficas de los quince días*, de Juan Piqueras, n.º 98, 15-I-31.

Manon Lescaut (1923), de Arthur Robison, en *Boletín del Cineclub. Decimocuarta sesión. Rusia y Alemania: films*, de Luis Gómez Mesa, n.º 84, 15-VI-30.

Las manos de Orlac (Orlacs Hände, 1925), de Robert Wiene, en *Un film de la Universidad*, n.º 43, 1-X-28.

El maquinista de la General: véase *El general.*

La marca de fuego (The Cheat, 1915), de Cecil B. DeMille, en *Etapas*, de Sebastià Gasch, n.º 29, 1-III-28.

La marcha de las máquinas (La marche des machines, 1929), de Eugène Deslaw, en *Después de mis primeros films*, de E. Deslaw, n.º 55, 1-IV-29; en *El Cineclub*, n.º 56, 15-IV-29; en *Historia del Cineclub Español*, n.º 105, 1-V-31.

La marcha nupcial/La sinfonía nupcial (The Wedding March, 1927), de Erich von Stroheim, en *«La Gaceta Literaria» en París. Postales cinegráficas de los quince días*, de Juan Piqueras, n.º 98, 15-I-31.

Mare Nostrum (Mare Nostrum, 1925), de Rex Ingram, en *Cuatro que hacen el número mil*, de Luis Gómez Mesa, n.º 93, 1-XI-30; en *Galdós y los enemigos de siempre*, de Luis Gómez Mesa, n.º 99, 15-II-31.

María, la hija de la granja, en *Programa de la primera sesión del Cineclub*, n.º 48, 15-XII-28; en *Boletín del Cineclub. Sesión inaugural*, de César M. Arconada, n.º 49, 1-I-29; en *La última sesión del Cineclub*, n.º 59, 1-VI-29; en *Historia del Cineclub Español*, n.º 105, 1-V-31.

La Marsellesa (The Captain of the Guard, 1929), de Dimitri Buchowetzky, en *Ecos de altavoces,* de Luis Gómez Mesa, n.º 105, 1-V-31.

La máscara viviente (Die Lebende Mask, 1926), de Amleto Palermi, en *Un film de la Universidad,* n.º 43, 1-X-28.

Mater Dolorosa (1917), de Abel Gance, en *Germaine Dulac del brazo de René Clair,* de Luis Gómez Mesa, n.º 101-102, 15-III-31.

La melodía del amor (Lady of the Pavements, 1931), de D. W. Griffith, en *Derechos intelectuales del cinema,* de Juan Piqueras, n.º 69, 1-XI-29.

La melodía del mundo (Melodie der Welt, 1929), de Walter Ruttmann, en *Gaceta del cinema en París,* de Juan Piqueras, n.º 90, 15-IX-30; en *Cinema independiente en 1930,* de Juan Piqueras, n.º 97, 1-I-31.

Metrópolis (Metropolis, 1926), de Fritz Lang, en *Metrópolis,* de Luis Buñuel, n.º 9, 1-V-27; en *Las ciudades y las almas,* de Miguel Pérez Ferrero, n.º 27, 1-II-28; en *Etapas,* de Sebastià Gasch, n.º 29, 1-III-28; en *Una estética,* de Vinicio Paladini, n.º 30, 15-III-28; en *Naturaleza real y naturaleza falsa,* de Carlos Fernández Cuenca, n.º 43, 1-X-28; en *Encuesta a los escritores. ¿Desde su punto de vista literario, qué opinión tiene usted del cinema?,* n.º 43, 1-X-28; en *La nueva épica,* de Ramón Gómez de la Serna, n.º 44, 15-X-28; en *Influencias del Cineclub en los programas del cinema público,* de Juan Piqueras, n.º 63, 1-VIII-29; en *Una cultura del cinema,* de Guillermo Díaz-Plaja, n.º 79, 1-IV-30; en *Obertura a la «Sinfonía metropolitana» de Walter Ruttmann,* de Guillermo de Torre, n.º 85, 1-VII-30.

Mi vaca y yo: véase *El rey de los cowboys.*

El millón (Le million, 1931), de René Clair, en *Gaceta del cinema en París. «L'opera des quat'sous», nuevo film de G.W. Pabst,* de Juan Piqueras, n.º 109, 1-VII-31.

Los miserables (Les Miserables, 1918), de Frank Lloyd, en *Un film en la Universidad,* n.º 43, 1-X-28.

Los misterios de Nueva York (The Exploits of Elaine, 1915), de Louis Gasnier y George B. Seitz, en *«La Gaceta Literaria» en París. Postales cinegráficas de los quince días,* de Juan Piqueras, n.º 98, 15-I-31; en *Situación en el mundo del cinema de El gabinete del doctor Caligari,* de Miguel Pérez Ferrero, n.º 100, 1-III-31.

Moana (Moana, 1923-26), de Robert J. Flaherty, en *Naturaleza real y naturaleza falsa,* de Carlos Fernández Cuenca, n.º 43, 1-X-28; en *Noticias del Cineclub,* n.º 52, 15-II-29; en *Cuarta sesión del Cine-*

club, n.º 54, 15-III-29; en *Boletín del Cineclub. Cuarta sesión*, de Juan Piqueras, n.º 55, 1-IV-29; en *Boletín del Cineclub. Octava sesión*, de Juan Piqueras, n.º 72, 15-XII-29; en *Otro año sin cinema español*, de Luis Gómez Mesa, n.º 97, 1-I-31; en *Historia del Cineclub Español*, n.º 105, 1-V-31.

La moneda rota (The Broken Coin, 1915), de Frances Ford, en *Nuestros poetas y el cine*, de Luis Buñuel, n.º 43, 1-X-28.

La montaña sagrada (Der heilige Berg, 1926), de Arnold Fanck, en *Naturaleza real y naturaleza falsa*, de Carlos Fernández Cuenca, n.º 43, 1-X-28.

Mor-Vran (1930), de Jean Epstein, en *La Gaceta internacional de cinema*, de Juan Piqueras, n.º 87, 1-VIII-30.

Moulin Rouge (1928), de E. A. Dupont, en *Visitas de cinema*, de Juan Piqueras, n.º 56, 15-IV-29; en *Enfoque general del cinema*, de Eloy Yanguas, n.º 85, 1-VII-30; en *Germaine Dulac del brazo de René Clair*, de Luis Gómez Mesa, n.º 101-102, 15-III-31.

El mozo del restaurante (Cheloviek iz restorana, 1927), de Iákov Protozanov, en *Veinte películas soviéticas en Sudamérica*, de Juan Piqueras, n.º 66, 15-IX-27.

Los muelles de Nueva York (The Docks of New York, 1928), de Josef von Sternberg, en *«La Gaceta Literaria» en París. Postales cinegráficas de los quince días*, de Juan Piqueras, n.º 98, 15-I-31.

Una mujer de París (A Woman of Paris, 1923), de Charles Chaplin, en *Noticias del Cineclub*, n.º 51, 1-II-29.

La mujer marcada (The Scarlet Letter, 1926), de Victor Sjöström, en *La mujer marcada*, de Ramón Soldevila, n.º 32, 1-IV-28.

Mujeres frívolas (Trifling Women, 1922), de Rex Ingram, en *Vuelta a la vida de Barbara La Marr*, de Luis Gómez Mesa, n.º 92, 15-X-30.

El nacimiento de una nación (The Birth of a Nation, 1915), de D. W. Griffith, en *Títulos sintéticos*, n.º 30, 15-III-28.

Nanook, el esquimal (Nanook of the North, 1921), de Robert J. Flaherty, en *Naturaleza real y naturaleza falsa*, de Carlos Fernández Cuenca, n.º 43, 1-X-28.

Napoleón (Napoléon vu par Abel Gance, 1927), de Abel Gance, en *Metrópolis*, de Luis Buñuel, n.º 9, 1-V-27; en *Napoléon vu par Abel Gance*, n.º 27, 1-II-28; en *Una cultura del cinema*, de Guillermo Díaz-Plaja, n.º 79, 1-IV-30; en *Germaine Dulac del brazo de René Clair*, de Luis Gómez Mesa, n.º 101-102, 15-III-31.

Napoleón en Santa Elena (Napoleon auf St. Helena, 1929), de

Lupu Pick, en *Ecos de altavoces*, de Luis Gómez Mesa, n.º 105, 1-V-31.

Nápoles que canta (Addio mia bella Napoli, 1928-30), de Mario Almirante, en *Gaceta de París*, n.º 94, 15-XI-30.

Naturaleza y amor (Natur und Liebe), en *Noticias del Cineclub*, n.º 51, 1-II-29.

El navegante (The Navigator, 1925), de Buster Keaton, en *Sexta sesión del Cineclub*, n.º 57, 1-V-29; en *Boletín del Cineclub. La sexta sesión*, de Juan Piqueras, n.º 58, 15-V-29; en *Un Buster Keaton*, de Juan Piqueras, n.º 74, 15-I-30; en *Sobre la pantalla cómica*, de Luis Gómez Mesa, n.º 108, 15-VI-31.

Los Nibelungos (Die Nibelungen, 1924), de Fritz Lang, en *Naturaleza real y naturaleza falsa*, de Carlos Fernández Cuenca, n.º 43, 1-X-28; en *Encuesta a los cineastas. ¿Desde su punto de vista cinematográfico, qué opinión tiene usted de la literatura?*, de Carlos Fernández Cuenca, n.º 43, 1-X-28; en *Gaceta del cinema de París*, de Juan Piqueras, n.º 85, 1-VII-30.

Nju (1924), de Paul Czinner, en *Elisabeth Bergner en España*, de Julio Álvarez del Vayo, n.º 15, 1-VIII-27.

La noche de San Silvestre (Sylvester, 1923), de Lupu Pick, en *Creación de un romanticismo de postguerra*, de Pierre Mac Orlan, n.º 27, 1-II-28 y n.º 43, 1-X-28; en *El Cineclub de Buenos Aires*, de Guillermo de Torre, n.º 79, 1-IV-30; en *Ecos de altavoces*, de Luis Gómez Mesa, n.º 105, 1-V-31.

Nosferatu, el vampiro (Nosferatu, eine Symphonie des Grauens, 1922), de F. W. Murnau, en *Ecos de altavoces*, de Luis Gómez Mesa, n.º 105, 1-V-31.

Noticiario del Cineclub (1930), de Ernesto Giménez Caballero, en *Boletín del Cineclub. Doceava sesión*, n.º 81, 1-V-30; en *Otro año sin cinema español*, de Luis Gómez Mesa, n.º 97, 1-I-31; en *Historia del Cineclub Español*, n.º 105, 1-V-31.

Una novia en cada puerto (A Girl in Every Port, 1928), de Howard Hawks, en *Influencias del Cineclub en los programas de cinema público*, de Juan Piqueras, n.º 63, 1-VIII-29.

Las novias de Ben Turpin (The Prodigal Bridegroom, 1926), de Eddie Cline, en *Sexta sesión del Cineclub*, n.º 57, 1-V-29; en *Boletín del Cineclub. La sexta sesión*, de Juan Piqueras, n.º 58, 15-V-29.

Nuestro viejo enemigo (Vrag na putí, 1930), de A. Siniavski, en *Gaceta del cinema en París*, de Juan Piqueras, n.º 90, 15-IX-30.

Les nuits électriques (1928), de Eugène Deslaw, en *El Cineclub, la vanguardia y los tacones*, n.º 51, 1-II-29; en *Boletín del Cineclub. La segunda sesión*, n.º 51, 1-II-29; en *Después de mis primeros films*, de Eugène Deslaw, n.º 55, 1-IV-29; en *Historia del Cineclub Español*, n.º 105, 1-V-31.

Octubre (Oktiabr, 1927), de S. M. Eisenstein, en *El Cineclub en Buenos Aires*, n.º 79, 1-IV-30; en *Boletín del Cineclub. 16ª sesión: Eisenstein y su acompañamiento*, de Luis Gómez Mesa, n.º 98, 15-I-31; en *«El acorazado Potemkin» en la sesión 21 del Cineclub*, de Luis Gómez Mesa, n.º 106, 15-V-31.

Olimpia (1930), de Chester M. Franklin, en *Oportunidad y trascendencia de un Congreso*, de Luis Gómez Mesa, n.º 103, 1-IV-31.

Operación cesárea, en *Ecos de altavoces*, de Luis Gómez Mesa, n.º 100, 1-III-31.

El orador/El orador bluff (1928), en *Boletín del Cineclub. 15ª sesión. Exaltación de lo documental*, de Luis Gómez Mesa, n.º 96, 15-XII-30; en *Resumen de mi intervención*, de Ramón Gómez de la Serna, n.º 96, 15-XII-30; en *Historia del Cineclub Español*, n.º 105, 1-V-31.

El pan nuestro de cada día (City Girl, 1930), de F. W. Murnau, en *Ecos de altavoces*, de Luis Gómez Mesa, n.º 105, 1-V-31.

París dormido (Paris qui dort, 1923), de René Clair, en *Germaine Dulac del brazo de René Clair*, de Luis Gómez Mesa, n.º 101-102, 15-III-31.

La pasión de Juana de Arco (La Passion de Jeanne d'Arc, 1927), de Carl Th. Dreyer, en *Noticiario*, n.º 24, 15-XII-27; en *«Juana de Arco» de Carl Dreyer*, de Luis Buñuel, n.º 43, 1-X-28; en *El Cineclub de Buenos Aires*, de Guillermo de Torre, n.º 79, 1-IV-30.

Pasteur (1922), de Jean Epstein, en *El tranvía al ralenti (Camino para Luis Buñuel)*, de Claudio de la Torre, n.º 34, 15-V-28.

Los peligros de Paulina/Las peripecias de Paulina (The Perils of Pauline, 1914), de Louis Gasnier y Donald Mackenzie, en *«La Gaceta Literaria» en París. Postales cinegráficas de los quince días*, de Juan Piqueras, n.º 98, 15-I-31.

El pensador (Le Penseur, 1920), de Léon Poirier, en *Germaine Dulac del brazo de René Clair*, de Luis Gómez Mesa, n.º 101-102, 15-III-31.

Perekop (1930), de Iván Kavaleridze, en *Gaceta de París*, de Juan Piqueras, n.º 94, 15-XI-30; en *La «Gaceta» en París*, de Juan Piqueras, n.º 95, 1-XII-30.

La Perle (1929), de Georges Hugnet y Henri d'Ursel, en *Boletín del Cineclub. Decimotercera sesión. Biología y vanguardia*, de Luis Gómez Mesa, n.º 83, 1-VI-30; en *Otro año sin cinema español*, de Luis Gómez Mesa, n.º 97, 1-I-31; en *Historia del Cineclub Español*, n.º 105, 1-V-31.

Un perro andaluz (Un Chien andalou, 1929), de Luis Buñuel, en *Buñuel y Dalí en el Cineclub*, n.º 51, 1-II-29; en *Un Chien andalou*, de Eugenio Montes, n.º 60, 15-VI-29; en *El Congreso de La Sarraz. El film independiente y el Cineclub Español*, de Ernesto Giménez Caballero, n.º 67, 1-X-29; en *El perro andaluz*, n.º 69, 1-XI-29; en *Boletín del Cineclub*, n.º 71, 1-XII-29; en *Boletín del Cineclub. Octava sesión*, de Juan Piqueras, n.º 72, 15-XII-29; en *El Cineclub de Buenos Aires*, de Guillermo de Torre, n.º 79, 1-IV-30; en *Un arte que tiene nuestra edad*, de Guillermo de Torre, n.º 81, 1-V-30; en *Cineclub de la Universidad*, de Ernesto Giménez Caballero, n.º 82, 15-V-30; en *Boletín del Cineclub. Decimocuarta sesión. Rusia y Alemania: films*, n.º 84, 15-VI-30; en *Gaceta del cinema de París*, de Juan Piqueras, n.º 85, 1-VII-30; en *Enfoque general del cinema*, de Eloy Yanguas, n.º 85, 1-VII-30; en *Cineclub en Sevilla (Autocrítica)*, n.º 88, 15-VIII-30; en *El escándalo de «L'Age d'or» en París. Palabras con Salvador Dalí*, de Ernesto Giménez Caballero, n.º 96, 15-XII-30; en *Cinema independiente en 1930*, de Juan Piqueras, n.º 97, 1-I-31; en *Otro año sin cinema español*, de Luis Gómez Mesa, n.º 97, 1-I-31; en *Germaine Dulac del brazo de René Clair*, de Luis Gómez Mesa, n.º 101-102, 15-III-31; en *Historia del Cineclub Español*, n.º 105, 1-V-31; en *Más orígenes literarios de los sucesos actuales y subversivos en España, relatados sin añadir un sólo punto a la cosa, y dando relativa importancia a la mujer visible de Salvador Dalí, y dedicando estas líneas a don Dámaso Alonso*, de Ernesto Giménez Caballero, n.º 106, 15-V-31.

Le Petit Chaperon Rouge (1929), de Alberto Cavalcanti, en *El Congreso de La Sarraz. El film independiente y el Cineclub Español*, de Ernesto Giménez Caballero, n.º 67, 1-X-29; en *Visitas de cinema. Alberto Cavalcanti nos concreta*, de Juan Piqueras, n.º 99, 15-II-31.

El picador (1932), de Germaine Dulac (supervisora), en *A Germaine Dulac (París)*, de Ernesto Giménez Caballero, n.º 122, 15-II-32.

Piccadilly (1929), de E. A. Dupont, en *Piccadilly*, de Concha Méndez, n.º 56, 15-IV-29.

La pieuvre (1928), de Jean Painlevé, en *Otro año sin cinema español*, de Luis Gómez Mesa, n.º 97, 1-I-31; en *Historia del Cineclub Español*, n.º 105, 1-V-31.

El plan de los grandes trabajos (Plan velikij rabot, 1930), de Abram Room, en *Tres evoluciones ideológicas en el cine soviético (1),* de Juan Piqueras, n.º 105, 1-V-31.

El poema de la Torre Eiffel: véase *La Torre Eiffel.*

El precio de un beso (1930), de James Tinling y Marcel Silver, en *Oportunidad y trascendencia de un Congreso,* de Luis Gómez Mesa, n.º 103, 1-IV-31.

El precio de la gloria (What Prize Glory?, 1926), de Raoul Walsh, en *Naturaleza real y naturaleza falsa,* de Carlos Fernández Cuenca, n.º 43, 1-X-28; en *La niñez y los films de guerra,* de C. M. Wilson, n.º 72, 15-XII-29; en *Cuatro que hacen el número mil,* de Luis Gómez Mesa, n.º 93, 1-XI-30.

El presidio (The Big House, 1930), de George W. Hill, en *«La Gaceta Literaria» en París. Postales cinegraficas de la quincena,* de Juan Piqueras, n.º 98, 15-I-31.

El prestamista (The Pawnshop, 1916), de Charles Chaplin, en *Films cómicos,* de Sebastià Gasch, n.º 39, 1-VIII-28; en *Boletín del Cineclub. La sexta sesión,* de Juan Piqueras, n.º 58, 15-V-29.

Primavera (Vesnói, 1929), de Mijaíl Kaufman, en *Gaceta del cinema en París,* de Juan Piqueras, n.º 90, 15-IX-30.

La primera muchacha (Pesn o pervói dévushke, 1930), de L. Golub y Nikolái Sadkovich, en *Gaceta del cinema en París,* de Juan Piqueras, n.º 90, 15-IX-30.

El prisionero de Zenda (The Prisoner of Zenda, 1921), de Rex Ingram, en *Vuelta a la vida de Barbara La Marr,* de Luis Gómez Mesa, n.º 92, 15-X-30.

Los prisioneros del mar (Plénniki moria, 1928), de Mijaíl Verner, en *Veinte películas soviéticas en Sudamérica,* de Juan Piqueras, n.º 66, 15-IX-29.

El profesor de mi mujer (1930), de Robert Florey, en *Ecos de altavoces,* de Luis Gómez Mesa, n.º 100, 1-III-31.

La p'tite Lili (1927), de Alberto Cavalcanti, en *Boletín del Cineclub. Decimoterecera sesión. Biología y vanguardia,* de Luis Gómez Mesa, n.º 83, 1-VI-30; en *Cineclub en Sevilla (Autocrítica),* n.º 88, 15-VIII-30; en *Otro año sin cinema español,* n.º 97, 1-I-31; en *Visitas de cinema. Alberto Cavalcanti nos concreta,* de Juan Piqueras, n.º 99, 15-II-31; en *Historia del Cineclub Español,* n.º 105, 1-V-31.

El pueblo del pecado (Baby riazánskie, 1927), de Olga Preobrazhénskaia, en *Diez minutos de cine ruso,* de Julio Álvarez del Vayo, n.º 75, 1-II-30; en *Boletín del Cineclub. Novena sesión,* de Juan Piqueras, n.º 75, 1-II-30; en *El Cineclub de Buenos Aires*, de Guillermo de Torre, n.º 79, 1-IV-30; en *Otro año sin cinema español*, de Luis Gómez Mesa, n.º 97, 1-I-31; en *Historia del Cineclub Español*, n.º 105, 1-V-31.

Las puertas del Cáucaso (Vorota kavkaza, 1929), de Nikolái Lébedev, en *Retorno parcial*, de Alberto Corrochano, n.º 98, 15-I-31.

La quimera del oro (The Gold Rush, 1925), de Charles Chaplin, en *La dama de las camelias*, de Luis Buñuel, n.º 24, 15-XII-27; en *Films cómicos*, de Sebastià Gasch, n.º 39, 1-VIII-28; en *Naturaleza real y naturaleza falsa*, de Carlos Fernández Cuenca, n.º 43, 1-X-28; en *Encuesta a los cineastas. ¿Desde su punto de vista cinematográfico, qué opinión tiene usted de la literatura?*, de Carlos Fernández Cuenca, n.º 43, 1-X-28; en *Influencias del Cineclub en los programas del cinema público*, de Juan Piqueras, n.º 63, 1-VIII-29; en *Enfoque general del cinema*, de Eloy Yanguas, n.º 85, 1-VII-30; en *Charlot y Ramón*, de Oreste Plath, n.º 113, 1-IX-31.

El raíl (Scherben, 1921), de Lupu Pick, en *Ecos de altavoces*, de Luis Gómez Mesa, n.º 105, 1-V-31.

Ramona (Ramona, 1928), de Edwin Carewee, en *Visitas de cinema*, de Juan Piqueras, n.º 56, 15-IV-29.

Reclutas sobre las olas, en *Hotel Imperial*, de Francisco Ayala, n.º 22, 15-XI-27.

Resurrectio (1931), de Alessandro Blasetti, en *Gaceta de París*, de Juan Piqueras, n.º 94, 15-XI-30.

Retorno al hogar (Heimkehr, 1928), de Joe May, en *Enfoque general del cinema*, de Eloy Yanguas, n.º 85, 1-VII-30.

La revolución rusa, en *Boletín del Cineclub. Decimocuarta sesión. Rusia y Alemania: films*, de Luis Gómez Mesa, n.º 84, 15-VI-30; en *Otro año sin cinema español*, de Luis Gómez Mesa, n.º 97, 1-I-31; en *Historia del Cineclub Español*, n.º 105, 1-V-31.

El rey de los cowboys/Mi vaca y yo (Go West, 1925), de Buster Keaton, en *Buster Keaton*, de Miguel Pérez Ferrero, n.º 9, 1-V-27; en *Vivisección de un ángel*, de Rosa Chacel, n.º 44, 15-X-28; en *Influencias del Cineclub en los programas del cinema público*, de Juan Piqueras, n.º 63, 1-VIII-29; en *Un Buster Keaton*, de Juan Piqueras, n.º 74, 15-I-30.

El rey vagabundo (The vagabond King, 1930), de Ludwig Berger, en *Ecos de altavoces*, de Luis Gómez Mesa, n.º 105, 1-V-31.

Rien que les heures (1926), de Alberto Cavalcanti, en *Una noche en el Studio des Ursulines*, de Luis Buñuel, n.º 2, 15-I-27; en *Metrópo-*

lis, de Luis Buñuel, n.º 9, 1-V-27; en *Noticias*, n.º 10, 15-V-27; en *Films de vanguardia*, de Miguel Pérez Ferrero, n.º 11, 1-VI-27; en *Obertura a la «Sinfonía metropolitana» de Walter Ruttmann*, de Guillermo de Torre, n.º 85, 1-VII-30; en *Visitas de cinema. Alberto Cavalcanti nos concreta*, de Juan Piqueras, n.º 99, 15-II-31.

Robinet, nihilista, en *Sexta sesión del Cineclub*, n.º 57, 1-V-29; en *Boletín del Cineclub. La sexta sesión*, de Juan Piqueras, n.º 58, 15-V-29.

Robots (Vers les robots, 1931), de Eugène Deslaw, en *Cine independiente en 1930*, de Juan Piqueras, n.º 97, 1-I-31.

Romanza sentimental (Romance sentimentale, 1930), de S. M. Eisenstein y Grigori Alexándrov, en *Otro año sin cinema español*, de Luis Gómez Mesa, n.º 97, 1-I-31; en *Boletín del Cineclub. 16ª sesión: Eisenstein y su acompañamiento*, de Luis Gómez Mesa, n.º 98, 15-I-31; en *Situación en el mundo de cinema de El gabinete del doctor Caligari*, de Miguel Pérez Ferrero, n.º 100, 1-III-31.

Rosa de Madrid (1927), de Eusebio Fernández Ardavín, en *«Rosa de Madrid» en Madrid*, n.º 27, 1-II-28.

La rosa de Pu-Chui (Xixiangji, 1927), de Hou Yao, en *El Cineclub*, n.º 56, 15-IV-29; en *Influencia del Cineclub en los programas del cinema público*, de Juan Piqueras, n.º 63, 1-VIII-29; en *Gaceta del cinema de París*, de Juan Piqueras, n.º 85, 1-VII-30; en *Historia del Cineclub Español*, n.º 105, 1-V-31.

La rosa que muere (Fuhuo de meigui, 1927), de Hou Yao, en *El Cineclub*, n.º 56, 15-IV-29; en *Influencias del Cineclub en los programas del cinema público*, de Juan Piqueras, n.º 63, 1-VIII-29; en *Gaceta del cinema de París*, de Juan Piqueras, n.º 85, 1-VII-30; en *Historia del Cineclub Español*, n.º 105, 1-V-31.

La rueda (La roue, 1922), de Abel Gance, en *Noticiario*, n.º 24, 15-XII-27; en *Tiempo y personajes del drama*, de Jean Epstein, n.º 24, 15-XII-27; en *Creación de un romanticismo de postguerra*, de Pierre Mac Orlan, n.º 27, 1-II-28 y n.º 43, 1-X-28; en *Etapas*, de Sebastià Gasch, n.º 29, 1-III-28; en *Obertura a la «Sinfonía metropolitana» de Walter Ruttmann*, de Guillermo de Torre, n.º 85, 1-VII-30; en *Germaine Dulac del brazo de René Clair*, de Luis Gómez Mesa, n.º 101-102, 15-III-31.

The Salvation Hunters (1925), de Josef von Sternberg, en *El Cineclub de Buenos Aires*, de Guillermo de Torre, n.º 79, 1-IV-30.

Satanas (1920), de F. W. Murnau, en *Ecos de altavoces*, de Luis Gómez Mesa, n.º 105, 1-V-31.

Se vive muy bien/La vida es bella (Prostoi slutchai, 1932), de V. I. Pudovkin, en *La «Gaceta» en París,* de Juan Piqueras, n.º 95, 1-XII-30; en *Tres evoluciones ideológicas en el cine soviético (1),* de Juan Piqueras, n.º 105, 1-V-31.

El secreto del doctor (1930), de Adelqui Millar, en *Oportunidad y trascendencia de un Congreso,* de Luis Gómez Mesa, n.º 103, 1-IV-31.

El séptimo cielo (Seventh Heaven, 1927), de Frank Borzage, en *Perfil de Janet Gaynor,* de Francisco Ayala, n.º 36, 15-VI-28; en *Visitas de cinema,* de Juan Piqueras, n.º 56, 15-IV-29.

La sexta parte del mundo (Shestaia chast mirva, 1926), de Dziga Vertov, en *El Cineclub de Buenos Aires,* de Guillermo de Torre, n.º 79, 1-IV-30.

El sexto sentido (1929), de Nemesio Sobrevila, en *Cinema independiente en 1930,* de Juan Piqueras, n.º 97, 1-I-31.

Siete ocasiones (Seven Chances, 1925), de Buster Keaton, en *Films cómicos,* de Sebastià Gasch, n.º 39, 1-VIII-28; en *Un Buster Keaton,* de Juan Piqueras, n.º 74, 15-I-30.

El signo del Zorro (The Mark of Zorro, 1920), de Fred Niblo, en *Etapas,* de Sebastià Gasch, n.º 29, 1-III-28; en *Un film para ejemplo,* de Carlos Ruizfunes Amorós, n.º 43, 1-X-28; en *Boletín del Cineclub. Sesión inaugural,* de César M. Arconada, n.º 49, 1-I-29.

Sin novedad en el frente (All Quiet on the Western Front, 1930), de Lewis Milestone, en *Nuevo film,* de Juan Piqueras, n.º 67, 1-X-29; en *Cuatro que hacen el número mil,* de Luis Gómez Mesa, n.º 93, 1-XI-30.

Sinfonía de los rascacielos (Skycraper Symphony, 1928), de Robert Florey, en *Cinema independiente en 1930,* de Juan Piqueras, n.º 97, 1-I-31; en *Ecos de altavoces,* de Luis Gómez Mesa, n.º 100, 1-III-31.

La sinfonía del Donbass (Entuziazm, 1930), de Dziga Vertov, en *Gaceta de París,* de Juan Piqueras, n.º 94, 15-XI-30; en *Tres evoluciones ideológicas en el cine soviético (1),* de Juan Piqueras, n.º 105, 1-V-31.

Sinfonía diagonal (Diagonal Symphony, 1921-24), de Viking Eggeling, en *Del plano fotogénico,* de Luis Buñuel, n.º 7, 1-IV-27; en *Gaceta del cinema de París,* de Juan Piqueras, n.º 85, 1-VII-30.

Sinfonía submarina (Frolicking Fish, 1929), dibujo animado de Ub Iwerks, en *20ª sesión del Cineclub Español. Yo, espectador al margen,* de Miguel Pérez Ferrero, n.º 195, 1-V-31.

El sol de medianoche (The Midnight Sun, 1926), de Dimitri Buchowetzki, en *Veinte películas soviéticas en Sudamérica,* de Juan Piqueras, n.º 66, 15-IX-29.

Sol subterráneo (Podzémnoie solntse, 1930), de Mijaíl Averbach, en *Gaceta del cinema en París,* de Juan Piqueras, n.º 90, 15-IX-30.

Soledad (Lonesome, 1928), de Paul Fejos, en *Noticias del Cineclub,* n.º 51, 1-II-29; en *Noticias del Cineclub,* n.º 52, 15-II-29; en *Influencias del Cineclub en los programas del cinema público,* de Juan Piqueras, n.º 63, 1-VIII-29; en *Enfoque general del cinema,* de Eloy Yanguas, n.º 85, 1-VII-30.

Sombras (Schatten, 1923), de Arthur Robison, en *Boletín del Cineclub. Decimocuarta sesión. Rusia y Alemania: films,* de Luis Gómez Mesa, n.º 84, 15-VI-30; en *Cineclub en Sevilla (Autocrítica),* n.º 88, 15-VIII-30; en *Otro año sin cinema español,* de Luis Gómez Mesa, n.º 97, 1-I-31; en *Historia del Cineclub Español,* n.º 105, 1-V-31.

Sombras blancas en los mares del Sur (White Shadows in the South Seas, 1928), de W. S. Van Dyke, en *Visitas de cinema,* de Juan Piqueras, n.º 58, 15-V-29.

Un sombrero de paja de Italia (Un Chapeau de paille d'Italie, 1927), de René Clair, en *Encuesta a los cineastas. ¿Desde su punto de vista cinematográfico, qué opinión tiene usted de la literatura?,* de Carlos Fernández Cuenca, n.º 43, 1-X-29; en *Germaine Dulac del brazo de René Clair,* de Luis Gómez Mesa; en *Historia del Cineclub Español,* n.º 105, 1-V-31.

La souriante Madame Beudet (1923), de Germaine Dulac, en *Germaine Dulac del brazo de René Clair,* de Luis Gómez Mesa, n.º 101-102, 15-III-31; en *Historia del Cineclub Español,* n.º 105, 1-V-31.

Spione (Spione, 1928), de Fritz Lang, en *Visitas de cinema,* de Juan Piqueras, n.º 56, 15-IV-29; en *Ecos de altavoces,* de Luis Gómez Mesa, n.º 105, 1-V-31.

S. M. el Americano (His Majesty the American, 1919), de Joseph Henabery, en *Etapas,* de Sebastià Gasch, n.º 29, 1-III-28.

Submarino (Submarine, 1928), de Frank Capra, en *Cuatro que hacen el número mil,* de Luis Gómez Mesa, n.º 93, 1-XI-30.

Sus primeros pantalones (Long Pants, 1927), de Frank Capra, en *Sexta sesión del Cineclub,* n.º 57, 1-V-29; en *Boletín del Cineclub. La sexta sesión,* de Juan Piqueras, n.º 58, 15-V-29; en *Influencias del Cineclub en los programas del cinema público,* de Juan Piqueras, n.º 63, 1-VIII-29; en *Un Buster Keaton,* de Juan Piqueras, n.º 74, 15-I-30; en *Sobre la pantalla cómica,* n.º 108, 15-VI-31.

Tabú (Tabu, 1931), de F. W. Murnau, en *Ecos de altavoces,* de Luis Gómez Mesa, n.º 105, 1-V-31.

Tancredo sherif, en *Sexta sesión del Cineclub,* n.º 57, 1-V-29; en *Boletín del Cineclub. La sexta sesión,* n.º 58, 15-V-29.

Los tártaros (Tarás Sevchenko, 1925), de Piotr Chardynin, en *Boletín del Cineclub. 15ª sesión. Exaltación de lo documental,* de Luis Gómez Mesa, n.º 96, 15-XII-30; en *Otro año sin cinema español,* de Luis Gómez Mesa, n.º 97, 1-I-31; en *Historia del Cineclub Español,* n.º 105, 1-V-31; en *Tres evoluciones ideológicas en el cine soviético (1),* de Juan Piqueras, n.º 105, 1-V-31.

Tartufo (Tartüff, 1925), de F. W. Murnau, en *Programa de la primera sesión del Cineclub,* n.º 48, 15-XII-28; en *Boletín del Cineclub. Sesión inaugural,* de César M. Arconada, n.º 49, 1-I-29; en *Influencias del Cineclub en los programas del cinema público,* de Juan Piqueras, n.º 63, 1-VIII-29; en *Ecos de altavoces,* de Luis Gómez Mesa, n.º 105, 1-V-31; en *Historia del Cineclub Español,* n.º 105, 1-V-31.

Tempestad sobre Asia (Potómok Chinguis Jana, 1928), de V. I. Pudovkin, en *Veinte películas soviéticas en Sudamérica,* de Juan Piqueras, n.º 66, 15-IX-29; en *Una cultura del cinema,* de Guillermo Díaz-Plaja, n.º 79, 1-IV-30; en *Boletín del Cineclub. Undécima sesión,* de Juan Piqueras, n.º 79, 1-IV-30; en *Palabras de Eugenio Montes presentando la «Tempestad sobre Asia» en la 11ª sesión del Cineclub,* n.º 81, 1-V-30; en *Otro año sin cinema español,* de Luis Gómez Mesa, n.º 97, 1-I-31; en *Situación en el mundo del cinema de El gabinete del doctor Caligari,* de Miguel Pérez Ferrero, n.º 100, 1-III-31; en *Historia del Cineclub Español,* n.º 105, 1-V-31; en *Tres evoluciones ideológicas en el cine soviético (1),* de Juan Piqueras, n.º 105, 1-V-31.

El tenorio tímido (Girl Shy, 1924), de Fed Newmeyer y Sam Taylor, en *Influencias del Cineclub en la programación del cinema público,* de Juan Piqueras, n.º 63, 1-VIII-29.

Thèmes et variations (1928), de Germaine Dulac, en *Germaine Dulac del brazo de René Clair,* de Luis Gómez Mesa, n.º 101-102, 15-III-31; en *Historia del Cineclub Español,* n.º 105, 1-V-31.

La tierra (Zemliá, 1930), de Alexandr Dovzhenko, en *Gaceta de París,* de Juan Piqueras, n.º 94, 15-XI-30; en *La «Gaceta» en París,* de Juan Piqueras, n.º 95, 1-XII-30; en *Cinema independiente en 1930,* de Juan Piqueras, n.º 97, 1-I-31; en *Tres evoluciones ideológicas en el cine soviético (1),* de Juan Piqueras, n.º 105, 1-V-31.

La tierra de todos (The Temptress, 1926), de Fred Niblo, en *Galdós y los enemigos de siempre,* de Luis Gómez Mesa, n.º 99, 15-II-31.

El tintero mágico (Out of the Inkwell, 1916), de Dave Fleischer, en *20ª sesión del Cineclub Español. Yo, espectador al margen,* de Miguel Pérez Ferrero, n.º 105, 1-V-31.

Toda una vida (1930), de Adelqui Millar, en *Oportunidad y trascendencia de un Congreso*, de Luis Gómez Mesa, n.º 103, 1-IV-31.

Tonnerre/Hombres de hierro (Thunder, 1929), de William Nigh, en *Cinema independiente en 1930*, de Juan Piqueras, n.º 97, 1-I-31.

El torero (The Toreador, 1920), de Jack Blystone, en *Sexta sesión del Cineclub*, n.º 57, 1-V-29; en *Boletín del Cineclub. La sexta sesión*, n.º 58, 15-V-29.

La Torre Eiffel (La Tour, 1928), de René Clair, en *El Cineclub en Madrid. Tercera sesión*, de César M. Arconada, n.º 53, 1-III-29; en *Germaine Dulac del brazo de René Clair*, de Luis Gómez Mesa, n.º 101-102, 15-III-31; en *Historia del Cineclub Español*, n.º 105, 1-V-31.

Un tour au large (1926), de Jean Grémillon, en *Gaceta del cinema de París*, de Juan Piqueras, n.º 85, 1-VII-30.

Toute sa vie (1930), de Alberto Cavalcanti, en *Visitas de cinema. Alberto Cavalcanti nos concreta*, de Juan Piqueras, n.º 99, 15-II-31.

Le Train sans yeux (1926), de Alberto Cavalcanti, en *Una noche en el Studio des Ursulines*, de Luis Buñuel, n.º 2, 15-I-27; en *Visitas de cinema. Alberto Cavalcanti nos concreta*, de Juan Piqueras, n.º 99, 15-II-31.

El traje de etiqueta (Evening Clothes, 1927), de Luther Reed, en *Films antiartísticos*, de Salvador Dalí, n.º 29, 1-III-28.

La travesía negra (La croisière noire, 1926), de Léon Poirier, en *Germaine Dulac del brazo de René Clair*, de Luis Gómez Mesa, n.º 101-102, 15-III-31.

Tres edades (The Three Ages, 1923), de Buster Keaton, en *Films cómicos*, de Sebastià Gasch, n.º 39, 1-VIII-28.

Los tres ladrones (Protés o trioj miliónaj, 1926), de Iákov Protozanov, en *Veinte películas soviéticas en Sudamérica*, de Juan Piqueras, n.º 66, 15-IX-29.

Las tres luces (Der müde Tod, 1921), de Fritz Lang, en *Metrópolis*, de Luis Buñuel, n.º 9, 1-V-27; en *Creación de un romanticismo de postguerra*, de Pierre Mac Orlan, n.º 27, 1-II-28 y n.º 43, 1-X-28.

Los tres mosqueteros (The Three Musketeers, 1921), de Fred Niblo, en *Vuelta a la vida de Barbara La Marr*, de Luis Gómez Mesa, n.º 92, 15-X-30.

Tres páginas de un diario (Tagebuch einer Verlorenen, 1929), de G. W. Pabst, en *Gaceta del cinema en París. «L'opera de quat'sous», nuevo film de G. W. Pabst*, de Juan Piqueras, n.º 109, 1-VII-31.

Tres reportajes (Trois reportages), de Charles Dekeukeleire, en *Cinema independiente en 1930*, de Juan Piqueras, n.º 97, 1-I-31.

Troika (1929), de Vladímir Strievski, en *Germaine Dulac del brazo de René Clair*, de Luis Gómez Mesa, n.º 101-102, 15-III-31.

T. S. F. (Deutsche Rundfunk, 1928), de Walter Ruttmann, en *Boletín del Cineclub. 15ª sesión. Exaltación de lo documental*, de Luis Gómez Mesa, n.º 96, 15-XII-30; en *Otro año sin cinema español*, de Luis Gómez Mesa, n.º 97, 1-I-31; en *Historia del Cineclub Español*, n.º 105, 1-V-31.

Turksib (1929), de Victor Turin, en *Diez minutos de cine ruso*, de Julio Álvarez del Vayo, n.º 75, 1-II-30; en *Tres evoluciones ideológicas en el cine soviético (1)*, de Juan Piqueras, n.º 105, 1-V-31.

El último (Der letzte Mann, 1924), de F. W. Murnau, en *Creación de un romanticismo de postguerra*, de Pierre Mac Orlan, n.º 27, 1-II-28 y n.º 43, 1-X-28; en *Ecos de altavoces*, de Luis Gómez Mesa, n.º 105, 1-V-31.

El último coche de Berlín (Die letzte Droschke von Berlin, 1926), de Lupu Pick, en *Ecos de altavoces*, de Luis Gómez Mesa, n.º 105, 1-V-31.

El último de los Vargas (1930), de David Howard, en *Oportunidad y trascendencia de un Congreso*, de Luis Gómez Mesa, n.º 103, 1-IV-31.

El usurero: véase *El prestamista.*

El vagabundo (The Tramp, 1915), de Charles Chaplin, en *Boletín del Cineclub. La sexta sesión*, de Juan Piqueras, n.º 58, 15-V-29.

El valiente (1930), de Richard Harlan, en *Oportunidad y trascendencia de un Congreso*, de Luis Gómez Mesa, n.º 103, 1-IV-31.

Varieté (1925), de E. A. Dupont, en *Carmen: Raquel Meller*, de César M. Arconada, n.º 3, 1-II-27; en *Films antiartísticos*, de Salvador Dalí, n.º 29, 1-III-28; en *Etapas*, de Sebastià Gasch, n.º 29, 1-III-28; en *Visitas de cinema*, de Juan Piqueras, n.º 55, 1-IV-29; en *Influencias del Cineclub en los programas del cinema público*, de Juan Piqueras, n.º 63, 1-VIII-29; en *Una cultura del cinema*, de Guillermo Díaz-Plaja, n.º 79, 1-IV-30; en *Un arte que tiene nuestra edad*, de Guillermo de Torre, n.º 81, 1-V-30; en *Enfoque general del cinema*, de Eloy Yanguas, n.º 85, 1-VII-30.

Verdún, visiones de historia (Verdun, visions d'histoire, 1928), de Léon Poirier, en *Germaine Dulac del brazo de René Clair*, de Luis Gómez Mesa, n.º 101-102, 15-III-31.

Un viaje imaginario (Le voyage imaginaire, 1925), de René Clair, en *Germaine Dulac del brazo de René Clair*, de Luis Gómez Mesa, n.º 101-102, 15-III-31.

Una vida de perro (A Dog's Life, 1918), de Charles Chaplin, en *Films cómicos*, de Sebastià Gasch, n.º 39, 1-VIII-28.

La vida es bella: véase *Se vive muy bien.*

La vida privada de Helena de Troya (The Private Life of Helen of Troy, 1927), de Alexander Korda, en *Visitas de cinema,* de Juan Piqueras, n.º 55, 1-IV-29.

El viento en plena cara (Veter v litse, 1930), de Alexandr Zarjí e I. Cheifits, en *Gaceta del cine en París,* de Juan Piqueras, n.º 90, 15-IX-30.

El violinista de Florencia (Der Geiger von Florenz, 1926), de Paul Czinner, en *Elisabeth Bergner en España,* de Julio Álvarez del Vayo, n.º 15, 1-VIII-27.

La viuda alegre (The Merry Widow, 1925), de Erich von Stroheim, en *Del plano fotogénico,* de Luis Buñuel, n.º 7, 1-IV-27; en *La dama de las camelias,* de Luis Buñuel, n.º 24, 15-XII-27.

¡Volga! ¡Volga! (Volga, Volga, 1928), de Víctor Turzhanski, en *Visitas de cinema,* de Juan Piqueras, n.º 56, 15-IV-29; en *Veinte películas soviéticas en Sudamérica,* de Juan Piqueras, n.º 66, 11-IX-29.

La voluntad del muerto (1930), de George Melford, en *Oportunidad y trascendencia de un Congreso,* de Luis Gómez Mesa, n.º 103, 1-IV-31.

Wasser (1928), de Victor Albrecht Blum, en *Gaceta del cinema de París,* de Juan Piqueras, n.º 85, 1-VII-30.

Y el mundo marcha (The Crowd, 1928), de King Vidor, en *Una interviu,* de L. Martínez Ferry, n.º 50, 15-I-29; en *Influencias del Cineclub en los programas del cinema público,* de Juan Piqueras, n.º 63, 1-VIII-29.

¡Yo acuso! (J'accuse, 1918), de Abel Gance, en *Cuatro que hacen el número mil,* de Luis Gómez Mesa, n.º 93, 1-XI-30; en *Germaine Dulac del brazo de René Clair,* de Luis Gómez Mesa, n.º 101-102, 15-III-31.

Yvette (1927), de Alberto Cavalcanti, en *Visitas de cinema. Alberto Cavalcanti nos concreta,* de Juan Piqueras, n.º 99, 15-II-31.

Zalacaín, el aventurero (1928), de Francisco Camacho, en *Noticias del Cineclub,* n.º 51, 1-II-29; en *Noticias del Cineclub,* n.º 52, 15-II-29; en *El Cineclub en Madrid. Tercera sesión,* de César M. Arconada, n.º 53, 1-III-29; en *En torno a «Zalacaín, el aventurero». Palabras de Pío Baroja,* n.º 53, 1-III-29; en *El Cineclub en Vitoria,* n.º 55, 1-IV-29; en *Historia del Cineclub Español,* n.º 105, 1-V-31.

Zar y poeta (Poet i tsar, 1927), de Vladímir Gardin, en *Veinte películas soviéticas en Sudamérica,* de Juan Piqueras, n.º 66, 15-IX-29; en *Tres evoluciones ideológicas en el cine soviético (1),* de Juan Piqueras, n.º 105, 1-V-31.

La zona de la muerte (La zone de la mort, 1917), de Abel Gance, en *Germaine Dulac del brazo de René Clair,* de Luis Gómez Mesa, n.º 101-102, 15-III-31.

La Zone (1928), de Georges Lacombe, en *El Cineclub, la vanguardia y los tacones,* n.º 51, 1-II-29; en *Boletín del Cineclub. La segunda sesión,* n.º 51, 1-II-29; en *Gaceta del cinema de París,* de Juan Piqueras, n.º 85, 1-VII-30; en *Boletín del Cineclub. 16ª sesión: Eisenstein y su acompañamiento,* de Luis Gómez Mesa, n.º 98, 15-I-31; en *Historia del Cineclub Español,* n.º 105, 1-V-31.

Zvenigora (1927), de Alexandr Dovzhenko, en *Veinte películas soviéticas en Sudamérica,* de Juan Piqueras, n.º 66, 15-IX-29; en *Gaceta de París,* de Juan Piqueras, n.º 94, 15-XI-30; en *Tres evoluciones ideológicas en el cine soviético (1),* n.º 105, 1-V-31.

LA RUPTURA IDEOLÓGICA

El 15 de noviembre de 1927 *La Gaceta Literaria* inició «Una encuesta a la juventud española», que se prolongó hasta el 15 de marzo siguiente, para indagar lo que pensaban los escritores españoles en relación con la política y si la política debía intervenir en la literatura. Contestaron a la encuesta Gómez de la Serna, Antonio Espina, Benjamín Jarnés, Joaquín Garrigues, Ferran Valls i Taberner, Juan Estelrich, Josep Carbonell, Carles Riba, Andrés Bausili, Agustí Esclasans, Rafael Benet, Millàs-Raurell, Josep Maria López Picó, Melchor Fernández Almagro, Ángel Sánchez Rivero, Gerardo Diego, Juan Chabás, Felipe Ximénez de Sandoval, César M. Arconada, Francisco Ayala, Esteban Salazar y Chapela, José L. Benito, Román Riaza, Manuel Ossorio, Eugenio Montes, Miguel Pérez Ferrero, José Díaz Fernández, César A. Comet, Luis F. de Valdeavellano, Manuel Chaves Nogales y Mariano Quintanilla. A través de las respuestas, y con muy pocas excepciones (sobre todo catalanas), quedó sancionada la separación de la literatura de la política. Muchos años después, Giménez Caballero evocaba esta etapa intelectual con el siguiente juicio:[26] «En el año 27, cuando se fundó *La Gaceta,* nos ocupábamos poco de política. Estábamos bajo la dictadura de Primo de Rivera. Las dictaduras son felicísimas para el arte y para la literatura, porque al evitar que los escritores y artistas se metan en política les obliga a trabajar y a crear. La prueba es que cuando en el 29 empezó el jaleo político dejaron de producir y hacer cosas toda la generación del 27.»

Es obvio que la visión que ofreció Giménez Caballero en esta entrevista requeriría drásticas matizaciones y el destierro de Unamuno en 1924 o los conflictos universitarios de 1928 bastarían para rebajar su optimismo. Luis Buñuel, por ejemplo, recordó que la «politización» de los intelectuales españoles empezó en 1927-28.[27] Giménez Caballero –como los vanguardistas T. S. Eliot y Ezra Pound en Inglaterra– se deslizó entonces hacia la extrema derecha. Ya en agosto de 1928 había declarado paladinamente en su revista:[28] «Los únicos auténticos *vanguardistas* de hoy son esos niños de la milicia fascista, que no tienen para nada que ver con la literatura.» Giménez Caballero no era, desde luego, un caso aislado en su revista. Dos años más tarde, Ramiro Ledesma Ramos condenaba a los artistas vanguardistas por su apoliticismo, «conformándose para su revolución de las costumbres con hablar de los deportes y aceptar en el traje las preferencias yanquis».[29]

El deslizamiento político tuvo un escenario cinematográfico crucial en el I Congreso Internacional de Cine Independiente, que se celebró del 3 al 7 de septiembre de 1929 en el castillo de Mme. Hélène de Mandrot en La Sarraz (Vaud, Suiza), con la participación de la flor y nata de la crítica y del cine de vanguardia internacional: S. M. Eisenstein, Grigori Alexándrov, Eduard Tissé, Jean G. Auriol, Hans Richter, Ivor Montagu, Léon Moussinac, Béla Balázs, Fritz Rosenfeld, Alberto Sartoris, Enrico Prampolini, Walter Ruttmann, Jack Isaacs, Robert Aron, Alberto Cavalcanti, Montgomery Evans, Janine Buissounouse, Hishori Hijo, H. K. Franken, Arnold Kohler, Georg Schmidt, Alfred Masset, Jean Lenauer y Robert Guye. Giménez Caballero fue el único cineasta español presente en el ilustre cónclave. Llegó a La Sarraz el 5 de septiembre, cuando el Congreso llevaba ya dos días y medio de trabajo, pero se llevaría como recuerdo artístico de la reunión un retrato que le hizo allí Gea Ausbourg. En el curso del Congreso se acordó establecer una liga internacional de cineclubs para promocionar el cine independiente y una cooperativa internacional en París, que incentivara la producción de films sin concesiones comerciales, «creaciones que estén resueltamente dedicadas a los valores humanos y a la poesía del cine». El episodio más recordado de aquel encuentro es el breve film rodado por Eisenstein –y luego extraviado–, escenificando el combate entre el cine independiente y el cine comercial. Giménez Caballero dejó puntual reflejo de aquel evento en dos artículos.[30]

Lo que menos se ha recordado del encuentro de La Sarraz son sus discusiones políticas, a pesar de que fueron documentadas por la prensa de la época. Entre las delegaciones participantes en el Congreso figuraba una de Italia, representada por el arquitecto Alberto Sartoris (promotor del manifiesto sobre arquitectura de La Sarraz el año anterior) y el escenógrafo futurista Enrico Prampolini, responsable de los espectaculares decorados de *Perfido incanto* (1916) y *Thaïs* (1916). En efecto, durante algunos años, el apoyo del Estado mussoliniano al futurismo de Marinetti permitió en Italia la colusión del cine de vanguardia y el régimen político. Pero en La Sarraz comenzaron a caer algunos telones.

En los debates teóricos de La Sarraz se enfrentaron las propuestas del marxista Béla Balázs, opuesto al cine elitista, y de Hans Richter, defensor de la experimentación abstracta. En su crónica del Congreso, Jean-Marie Pilet escribe que Eisenstein, «con oportunismo, da la razón a los dos».[31] Pero en aquel clima polémico se alzaron también voces contra el fascismo y los representantes de los catorce países presentes –excepto Italia y España– manifestaron su intención de usar el cine como un arma en la lucha contra el fascismo. Es decir, Giménez Caballero se alineó junto a los delegados italianos y en contra de la resolución final del Congreso que condenó el fascismo. No fue una reacción sorprendente, aunque se abstuviera de publicitarla en los papeles. Fue en su viaje de novios a Roma en 1925 cuando Giménez Caballero había descubierto el fascismo. En 1928 volvió a visitar Roma, guiado por Curzio Malaparte, en un periplo que se convertiría para él en iniciático. El título «Circuito imperial», que dio a su gira de conferencias por catorce países en 1929, fue ya harto significativo. Y el 22 de octubre de 1930 sería recibido en audiencia por Mussolini, de quien conservaría toda su vida el retrato que le dedicó.

En el nuevo contexto ideológico, el film *L'Age d'or*, de Buñuel, se convirtió en 1930 en un test preciso acerca de los nuevos vientos. Giménez Caballero, irritado, escribió en *La Gaceta Literaria*:[32] «Creo que es el film más profundamente burgués que se ha hecho hasta la fecha nunca. (...) Tienen razón los *camelots* del rey en denunciaros violentamente. Me gustaría que la censura permitiera vuestro film en España y que no me pidierais 50.000 francos por una copia, para demostraros la cosa.» Y un año más tarde remataría su airada opinión afirmando que *L'Age d'or* «es el film más religioso que se ha hecho hasta ahora en el cine».[33] El augurio de Giménez Caballero no se cumplió, pues después de la prohibición policial parisina y la presentación privada madrileña de *L'Age d'or*, su exhibición en la Exposición Surrealista de Tenerife fue prohibida el 15 de junio de 1935.

Estas últimas declaraciones de Giménez Caballero, ya de carácter delirante, se inscribieron en la etapa agónica y robinsónica de su revista, tras la instauración de la Segunda República. En efecto, la inflexión ideológica fascistizante de *La Gaceta Literaria* hizo que sus colaboradores la abandonaran, de modo que, a partir del número 112 (del 15 de agosto de 1931), las once últimas entregas de la revista fueron redactadas e ilustradas casi íntegramente por Giménez Caballero y el monárquico Pedro Sáinz Rodríguez con el apropiado título *El Robinsón literario de España*. Su último número apareció el primero de mayo de 1932.

El deslizamiento de Giménez Caballero hacia el ideario fascista supuso el episodio más estridente de la bipolarización política que se produciría en el campo intelectual a lo largo de los años republicanos. Pero una parte nada irrelevante de la *intelligentzia* provanguardista se alineó con las posturas conservadoras, y el estallido de la guerra civil remató su radicalización política. Tal fue el caso de Eugenio Montes, antaño panegirista del cine soviético y de *Un Chien andalou*, nombrado académico en 1940 y que gozó de cargos oficiales durante el franquismo, entre ellos el de director del Instituto Español de Cultura en Lisboa y Roma, si bien hay que recordar en su haber la labor de argumentista del conflictivo film *Surcos* (1951), un manifiesto social falangista-hedillista de José Antonio Nieves Conde que padeció serios contratiempos con la censura. En el mismo bando se alinearon el militante falangista Samuel Ros y Ramiro Ledesma Ramos, fundador de las Juntas de Ofensiva Nacional-Sindicalista (JONS), que acabarían fundiéndose con Falange Española. Y habría que añadir a José Caballero, cuyos pinceles sirvieron a los ideales falangistas; al versátil y escandaloso Salvador Dalí, tras un periodo de refugio en Estados Unidos, quien no desdeñaría retratar a la nieta de Franco; al pintor falangista Alfonso Ponce de León, autor del emblema del Sindicato Español Universitario; y al exquisito poeta y pastelero catalán J. V. Foix. José María Hinojosa pagó con su vida su opción política el 22 de agosto de 1936.

Esta reestructuración ideológica del sector intelectual afectó también, lógicamente, a quienes pululaban en el mundillo cinematográfico. Falange Española –cuyo fundador, José Antonio Primo de Rivera, sentía debilidad por la épica colonialista de *Tres lanceros bengalíes (The Lives of a Bengal Lancer*, 1935), de Henry Hathaway– inició en febrero de 1935 sus actividades cineclubistas en el Cine Bilbao, de Madrid, con la proyección del film italiano de propaganda fascista *Camicia nera*, de Giovacchino Forzano, que había sido calificado como «el Potemkin del Fascio». Y en noviembre de aquel año Falange Española rodó su primer noticiario, film matricial que gravitaría durante años como hito fundacional de un posible nuevo cine revolucionario. Todavía en 1951, José Luis Gómez Tello, redactor jefe de la revista *Primer Plano* –de la cadena Prensa del Movimiento–, pidió en una conferencia en el Aula Mayor del Colegio Universitario Santa María un cine falangista «como fue la única y desaparecida película realizada por la Falange, bajo los auspicios de José Antonio».[34]

Los itinerarios en este sector fueron en algunos casos francamente zigzagueantes. Tal fue el caso de Arturo Ruiz Castillo, hijo del fundador de Biblioteca Nueva, que participó como actor en la experiencia de La Barraca de García Lorca y en las actividades cinematográficas de las Misiones Pedagógicas. Rodó muchos documentales y cortos, como el pacifista *Gas* (1935), y durante la guerra puso al servicio de la causa republicana su cámara Eyemo, con un chasis de 30 metros y un objetivo de 50 mm. Colaboró asiduamente con la Alianza de Intelectuales Antifascistas para la Defensa de la Cultura y rodó, entre otros títulos, *Cirugía y recuperación* (1937), *Prisioneros en Valencia* (1937) y *Guerra en la nieve* (1938). Pero desde 1941 sirvió como documentalista al cine de los vencedores y desde 1946 se incorporó, con el film barojiano *Las inquietudes de Shanti Andia*, al largometraje de ficción. A esta nueva etapa perteneció *El santuario no se rinde* (1949), una exaltación de la defensa de los franquistas sitiados en el santuario de Nuestra Señora de la Cabeza durante la guerra, que fue a la vez una alegoría acerca del Estado franquista que había sobrevivido al cerco diplomático de la posguerra y una inflexión en el discurso de la propaganda bélica oficial, postulando la integración sumisa y dócil en la sociedad española de los derrotados en la guerra civil. Tres años más joven que él, el realizador Rafael Gil siguió un itinerario parecido.

Edgar Neville había iniciado una prometedora carrera en el cine republicano, con títulos como *El malvado Carabel* (1935) y *La señorita de Trévelez* (1936), basados respectivamente en obras de Wenceslao Fernández Flórez y Carlos Arniches. Durante la guerra sirvió en la embajada española en Londres, pero desertó y se pasó, con las claves y documentos de la legación diplomática, al bando franquista. Buñuel recordaría su encuentro en París, sirviendo ambos en misiones oficiales de los dos bandos enemigos.[35] Durante la contienda Neville filmó documentales para el Departamento Nacional de Cinematografía, creado en abril de 1938. Debutó realizando *La Ciudad Universitaria* (1938), en donde mostró la actividad de las tropas franquistas en este frente largamente inmovilizado, aunque a veces la inflamada retórica verbal del comentario de Manuel Augusto García Viñolas contrastó con las tareas idílicas de los soldados pelando patatas, lavando ropa o jugando a las cartas. Luego rodó en Sevilla la celebración falangista de *Juventudes de España* (1938) y entró en Barcelona con las tropas de ocupación. Allí realizó *¡Vivan los hombres libres!* (1939), sobre las *chekas* y con imágenes dramatizadas con actores, tema que abordó al mismo tiempo en un artículo en la revista *Vértice*, de marzo de 1939. Al estar los estudios cinematográficos españoles todavía inutilizables, realizó en Roma sus primeros largometrajes para el cine franquista. Pero el segundo de ellos, *Frente de Madrid/Carmen fra i rossi* (1939), inspirado en su libro homónimo, tuvo graves tropiezos con la censura, que juzgó intolerable el encuentro final en el hoyo de un obús de dos combatientes enemigos heridos, que intentaban ayudarse mutuamente.

El madrileño Tomás Borrás, que había sido «explicador» de películas mudas y partícipe en las tertulias ramonianas del Café Pombo, ingresó en Falange Española. En 1940 se le premió con la dirección del Teatro Español, de Madrid, cargo en el que estuvo poco tiempo, pues fue nombrado jefe del Sindicato Nacional del Espectáculo, desde donde impulsó en 1941 el doblaje obligatorio al español de todas las películas importadas, copiando una ley mussoliniana del 22 de octubre de 1930.

Carlos Fernández Cuenca, que había estudiado piano y militado en el ultraísmo, se orientó tempranamente hacia el cine y llegó a dirigir una sencilla pero competente versión de *Es mi hombre* de Arniches, en 1927, con el guión adaptado por Enrique Jardiel Poncela. Durante la guerra civil, que pasó en zona republicana, fue nombrado jefe de prensa y propaganda y fundador del Sindicato del Espectáculo en la clandestinidad.[36] Al acabar la guerra, dirigió el primer largometraje rodado por el cine franquista en territorio nacional, *Leyenda rota*, iniciado en septiembre de 1939, que era una sátira de los tópicos de la «españolada». En marzo de 1941 fue nombrado jefe del Departamento de Cinematografía y al mes siguiente director de la revista *Primer Plano*, portavoz de la política cinematográfica del Estado. Acumuló numerosos cargos institucionales, como el de director de la

Filmoteca Nacional desde su fundación en febrero de 1953, de la Escuela Oficial de Cinematografía y del Festival de Cine de San Sebastián. Entre sus piezas de propaganda política más significativas figuró el largometraje documental *Otros tiempos* (1958), que relataba la historia de España desde 1908 hasta 1958, con la intención de justificar el alzamiento militar de 1936 y el establecimiento de la dictadura franquista.

Al frente de *Primer Plano* le sucedió desde diciembre de 1942 el poeta sevillano Adriano del Valle, colaborador también de *La Gaceta Literaria*. En las páginas de aquella revista falangista un Gerardo Diego permeable a los ideales franquistas publicó, tras la derrota de la Alemania nazi y mirando a las glorias del pasado, la poesía «Travelling de las carabelas (Fragmento de un cinepoema)», dedicado a la gesta colombina.[37] Luis Gómez Mesa, titular de la sección de cine de *La Gaceta Literaria*, pasaría a ser el crítico titular del diario falangista *Arriba* y vocal de la Junta de Censura franquista, mientras su colega Miguel Pérez Ferrero, con el seudónimo [Donald], lo fue del diario monárquico *ABC*. Y Antonio de Obregón, que en su libro de poemas *El campo, la ciudad, el cielo* (1929) incluyó una composición titulada «Cinegrama», fue en 1938 secretario general del Departamento Nacional de Cinematografía, antes de iniciar su carrera de realizador en 1943.

Pero, al igual que había ocurrido en Francia, un numeroso grupo de escritores y artistas pasaron a militar también en la extrema izquierda. Allí, desde 1927, André Breton, Paul Eluard, Louis Aragon, Pierre Unik, Benjamin Péret, Georges Sadoul, Maxime Alexandre, André Thirion y Tristan Tzara ingresaron en el Partido Comunista. Pero la posterior retirada de Breton y la ruptura definitiva con el estalinismo en 1935 abrió un grave cisma en el movimiento. Entre los miembros de la generación del 27 no se produjo un debate ni una crisis sectaria similar a la padecida por los surrealistas franceses en torno a la militancia comunista. Pero un número significativo de sus miembros pasó a encuadrarse en sus filas. Juan Piqueras fundó en junio de 1932 la revista *Nuestro Cinema* (que duró hasta agosto de 1935) y atrajo hacia sus páginas a los sectores intelectuales más izquierdistas, alentando un proyecto radical de «cine proletario». Entre sus colaboradores figuraron Luis Gómez Mesa, Rafael Gil, Manuel Villegas López, Samuel Ros, Fernando G. Mantilla, Arconada, Josep Renau, Ramón J. Sender, Antonio del Amo y Carlos Serrano de Osma. En su último número *Nuestro Cinema* abrió una encuesta acerca de la represión censora contra el cine soviético, a la que contestaron Benjamín Jarnés, Francisco Ayala, Antonio Espina, Federico García Lorca y Ramón J. Sender. Piqueras fue fusilado el 28 de julio de 1936 por las tropas franquistas.[38]

Nuestro Cinema no fue la única publicación izquierdista radical en aquellos años. Desde el verano de 1933 pasaron a colaborar en las páginas de la revista militante *Octubre* Rafael Alberti, Arconada, Luis Cernuda, Pedro Garfias, María Teresa León, Antonio Machado, Juan Piqueras, Emilio Prados y Ramón J. Sender. En efecto, Juan José Domenchina y Emilio Prados habían ingresado en el Partido Comunista en 1930; Alberti, María Teresa León, Arconada y Josep Renau –gran cartelista cinematográfico– lo hicieron en 1931; Cernuda en 1934 (aunque lo abandonó durante la guerra), y a ellos habría que sumar al escultor y pintor Alberto Sánchez y al escritor y cineasta Ángel Villatoro. Todos ellos –junto a muchos otros, como Villegas López y Nemesio Sobrevila– fueron empujados al exilio por la derrota republicana. El cineasta comunista Antonio del Amo, que no emigró, fue encarcelado y represaliado profesionalmente al acabar la guerra.

En resumidas cuentas, la dulce confraternización que había existido en la primera etapa de *La Gaceta Literaria* se quebró definitivamente y la fosa se ahondó aún más con la guerra civil y sus secuelas. Y este descalabro afectó, naturalmente, al idilio que los intelectuales habían mantenido con el arte cinematográfico. Cuando se repasa la emblemática revista frentepopulista *Hora de España*, que publicó veintitrés números entre enero de 1937 y noviembre de 1938, se hallan muchas firmas que aparecieron en las páginas de *La Gaceta Literaria*. Pero en contraste con la frondosidad de sus contribuciones cinematográficas, en *Hora de España* sólo se encuentran tres artículos dedicados al cine: dos consagrados a la admirada glosa del cine soviético (uno de ellos firmado por Juan Gil Albert) y otro de Javier Farias titulado elocuentemente «El cine que nosotros debemos hacer».[39] El cine se había transformado en un arma al servicio de las urgencias del combate político.

Antes dijimos que la controvertida obra de Buñuel, por su estridente anticonvencionalismo, se convirtió en un test para diferentes encuadramientos ideológicos. Ya dimos cuenta en el capítulo anterior de las reservas que Eisenstein y el crítico comunista francés Léon Moussinac manifestaron ante *Un Chien andalou.* No fueron los únicos. El prestigioso crítico marxista norteamericano Harry Alan Potamkin, por ejemplo, escribió tras ver esta película: «Uno desearía que el señor Buñuel pudiera aplicar su talento a empresas más ambiciosas, menos alevosas e introvertidas, en su propio país. Permanece en París para realizar un segundo film de tendencia tan similar como reprensible –de crueldad super-refinada– titulado *L'Age d'or.*»[40] Este film actuó, mucho más que el anterior, como catalizador de radicalizaciones ideológicas. Buñuel ha recordado que el día que se presentó *L'Age d'or* en Madrid estaba con Agustín de Foxá y se separaron, el primero para asistir a su proyección y el segundo para acudir al mitin fundacional de Falange Española, lo que determinó su futuro político,[41] plasmando ambas decisiones muy gráficamente la bifurcación de los intelectuales republicanos. *L'Age d'or* tuvo efectos devastadores, pues fue prohibido por el prefecto de policía de París en diciembre de 1930 y motivó una protesta de la embajada italiana, que vio en los bigotes de Llorens Artigas una alusión descortés al rey Víctor Manuel III de Italia. La transgresión de *L'Age d'or* fue, sobre todo, de tipo religioso, con su Jesucristo sadiano en la última escena. Pero, sorprendentemente, Peter W. Jansen escribiría que las iglesias protestantes festejaron los films de Buñuel «como protesta contra el catolicismo».[42] En cualquier caso, no es ocioso recordar que Henri Langlois solía programar sarcásticamente *L'Age d'or* en su Cinémathèque Française los días de Viernes Santo. Pero las perplejidades ante los films de Buñuel no acabarían en 1930. Veinte años más tarde, el Partido Comunista francés ordenó al crítico Georges Sadoul no escribir sobre su film *Los olvidados*, aclamado en el Festival de Cannes, considerándolo un «film burgués». Hubo que esperar a que Pudovkin defendiese con entusiasmo *Los olvidados* en las páginas de *Pravda* para que los comunistas franceses lo aceptasen y Sadoul fuese autorizado a elogiarlo.[43]

NOTAS

1. *Historia de las literaturas de vanguardia*, de Guillermo de Torre, Guadarrama, Madrid, 1965, p. 21.

2. *Memorias de un dictador*, de Ernesto Giménez Caballero, Planeta, Barcelona, 1979, p. 58. La misma idea política había sido expuesta por Giménez Caballero en *Genio de España*, Jerarquía, Madrid, 1939, p. 7.

3. *Tertulias y grupos literarios*, de Miguel Pérez Ferrero, Ediciones Cultura Hispánica, Madrid, 1974, p. 48.

4. *Conversaciones con Buñuel*, de Max Aub, Aguilar, Madrid, 1985, p. 62.

5. *L'Age d'or*, de Paul Hammond, British Film Institute, Londres, 1997, p. 16.

6. *Travelling*, n.º 56-57, primavera de 1980, p. 108.

7. *Jean Epstein*, de Pierre Leprohon, Seghers, París, 1964, pp. 20-23.

8. «La imagen y la metáfora en la novísima lírica», en *Alfar*, n.º 45, diciembre de 1924, p. 21.

9. «La imagen poética de don Luis de Góngora» (13 de febrero de 1926), en *Obras completas*, de Federico García Lorca, de Miguel García-Posada, ed., tomo III, Círculo de Lectores, Barcelona, 1996, p. 60.

10. *Mon dernier soupir*, de Luis Buñuel, Robert Laffont, París, 1982, p. 106.

11. *Luis Buñuel de la literatura al cine. Una poética del objeto*, de Antonio Monegal, Barcelona, 1993, pp. 77-99.

12. *El mundo de Buñuel*, de Agustín Sánchez Vidal, Caja de Ahorros de la Inmaculada, Zaragoza, 1993, pp. 39-42.

13. *La Gaceta Literaria*, n.º 7, 1 de abril de 1927, p. 6.

14. Éditions Jacques Melot, París, 1946. La figura de Jean Epstein sigue suscitando gran interés, como revela el reciente libro colectivo *Jean Epstein. Cinéaste, poète, philosophe*, de Jacques Aumont ed., Cinémathèque Française, París, 1998.

15. *La Gaceta Literaria*, n.º 24, 15 de diciembre de 1927, p. 4.

16. *La Gaceta Literaria*, n.º 29, 1 de marzo de 1928, p. 6.

17. *La Gaceta Literaria*, n.º 43, 1 de octubre de 1928, p. 2.

18. Les Écrivais Réunis, París, 1926.

19. *Juan Piqueras: el «Delluc español»*, de Juan Manuel Llopis, ed., tomo I, Filmoteca de la Generalitat Valenciana, 1988, p. 144.

20. «Autobiografía intelectual», de Luis Gómez Mesa, en *Anthropos*, n.º 58, 1986, p. 8.

21. «Juan Piqueras a París», en *La Gaceta Literaria*, n.º 83, 1 de junio de 1930, p. 3.

22. *Juan Piqueras: el «Delluc español»*, tomo I, pp. 87-93.

23. «Posición actual del cinema francés», en *Nuestro Cinema*, n.º 8-9, enero de 1933.

24. «En torno a René Clair y a su último film *The Ghost Goes West*», en *Cinegramas*, n.º 78, 8 de marzo de 1936.

25. «Un film commercial», en *Le Surréalisme au service de la Révolution*, n.º 4, diciembre de 1931, p. 29.

26. Entrevista de Ernesto Giménez Caballero con Manuel Palacio, en *Contracampo*, n.º 31, noviembre-diciembre de 1982, p. 32.

27. *Mon dernier soupir,* p. 66.

28. «Alarma: ¡La retaguardia quiere ya ser vanguardista!», en *La Gaceta Literaria,* n.º 39, 1 de agosto de 1928, p. 1.

29. *La Gaceta Literaria,* n.º 85, 1 de julio de 1930.

30. «El Congreso de La Sarraz. El Film Independiente y el Cineclub Español», en *La Gaceta Literaria,* n.º 67, 1 de octubre de 1929, p. 1; «Del Congreso de La Sarraz. Eisenstein gira un film y cuenta su vida», en *El Sol,* 6 de octubre de 1929.

31. «Précisions au sujet du Congrès International du Cinéma Independant de La Sarraz en 1929», de Jean-Marie Pilet, en *Travelling,* n.º 56-57, primavera de 1980, p. 9.

32. «El escándalo de *L'Age d'or* en París. Palabras con Salvador Dalí», en *La Gaceta Literaria,* n.º 96, 15 de diciembre de 1930, p. 3.

33. «Las tripas del silencio español», en *La Gaceta Literaria,* n.º 119, 1 de diciembre de 1931, p. 9.

34. «Hacia un cine falangista», en *Primer Plano,* n.º 580, 25 de noviembre de 1951.

35. *Conversaciones con Buñuel,* pp. 85-86.

36. *Primer Plano,* n.º 73, 8 de marzo de 1942.

37. *Primer Plano,* n.º 241, 27 de mayo de 1945.

38. Sobre *Nuestro Cinema* véase: *Del cinema como arma de clase. Antología de Nuestro Cinema 1932-1935,* de Carlos y David Pérez Merinero, Fernando Torres Editor, Valencia, 1975.

39. Los artículos cinematográficos de *Hora de España* son: «Cine ruso», n.º 2, febrero de 1937, p. 61; «Espectáculos», de Juan Gil Albert, n.º 4, abril de 1937, p. 55; «El cinema que nosotros debemos hacer», de Javier Farias, n.º 17, mayo de 1938, p. 97.

40. «Cinema Iberia», en *Cinema,* diciembre de 1930. Compilado por Lewis Jacobs en *The Compound Cinema,* Teachers College Press, Columbia University, Nueva York, 1977, p. 353.

41. *Conversaciones con Buñuel,* p. 68.

42. «El anarquista organizado», en *Buñuel,* Kyrios, Buenos Aires, 1978, p. 12.

43. *Mon dernier soupir,* p. 248; *Conversaciones con Buñuel,* p. 128.

9. EL CINECLUB ESPAÑOL Y SUS ANTECEDENTES

LAS SESIONES DE LA RESIDENCIA DE ESTUDIANTES

El movimiento cineclubista nació en Francia al término de la Primera Guerra Mundial.[1] En 1920 Ricciotto Canudo, afincado en París, creó el Club des Amis du Septième Art (CASA), al tiempo que Louis Delluc efectuaba presentaciones de películas que consideraba interesantes y daba vida en enero de 1920 a la publicación *Le Journal du ciné-club*, por lo que se le considera el inventor de este neologismo cinéfilo. Léon Moussinac imprimió una politización a este movimiento cuando organizó, con Germaine Dulac, el Ciné-Club de France, para proyectar en noviembre de 1926 en el Artistic-Cinéma *El acorazado Potemkin*, en sesión memorable que galvanizó a los surrealistas. De esta actividad derivó en 1928 el cineclub expresivamente bautizado por Moussinac Les Amis de Spartacus.

Tras el despegue cineclubista, algunas salas de París decidieron adoptar en su programación un perfil cinéfilo militante, complementando aquella labor pionera de difusión cultural. Tal fue el caso del Teatro Vieux Colombier, que había dirigido Jacques Copeau, y que fue convertido en sala de cine por el crítico y escritor Jean Tedesco, quien inauguró sus sesiones el 14 de noviembre de 1924. Con el mismo espíritu, los actores Armand Tallier y Laurence Myrga inauguraron el 21 de enero de 1926 el Studio des Ursulines. Y Jean Mauclair abrió el 10 de febrero de 1928 el Studio 28.

En estas salas se formalizó un modelo de programación característico, con una película de estreno, otra de vanguardia y una revisión retrospectiva, para valorar críticamente con ella la evolución histórica y estética del cine. Este rescate del cine antiguo la inició el Studio des Ursulines en 1926, cuando añadió a la programación de *Bajo la más-*

cara del placer (Die freudlose Gasse, 1925), de G. W. Pabst, y *Entr'acte* (1924), de René Clair, la sección titulada *Cinq minutes au cinéma d'avant guerre*, que causó sensación.[2] En su artículo «Una noche en el Studio des Ursulines», en el segundo número de *La Gaceta Literaria*, ya dio puntualmente cuenta Buñuel de la estructura canónica de su programación: un noticiario de actualidades de anteguerra, un film de ficción primitivo, uno de vanguardia (*Rien que les heures*, de Cavalcanti) y el estreno de un «film de repertorio» (*Avaricia*, de Erich von Stroheim). Como veremos, esta estructura sería también la adoptada habitualmente por la programación del Cineclub Español.

El movimiento cineclubista se extendió por Europa. La Film Society de Londres se creó en 1925 y en su gestación participaron Ivor Montagu, Iris Barry, Cavalcanti, Adrian Brunel y Thorold Dickinson. Albert Valentin dio vida en Bruselas en 1925 a unas sesiones todos los viernes que cristalizaron en 1927 en el Club du Cinéma, mientras que en Lausana y Ginebra se fundó en 1926 el Ciné d'Art, patrocinado en parte por el Vieux Colombier parisino. Poco se sabe de sesiones cinéfilas en España equivalentes, anteriores a las de la Residencia de Estudiantes de Madrid. Pero en 1923 la revista barcelonesa *Arte y Ciematografía* ya informaba[3] de la creación de un Club Cinematográfico en el barrio barcelonés de Horta, con posteriores delegaciones en Badalona y Castellón de la Plana, con el objetivo de «agrupar en un solo organismo a los verdaderos amantes del cine, los que hasta el presente estaban dispersos».

Las sesiones cinéfilas que resultarían más influyentes, por su programación y por su audiencia, fueron las que Luis Buñuel organizó entre mayo de 1927 y diciembre de 1928 en la Residencia de Estudiantes de Madrid, en la sede de su anterior estancia académica y bajo los auspicios de su Sociedad de Cursos y Conferencias, creada en 1924. A mediados de mayo de 1927 *La Gaceta Literaria* anunciaba[4] la próxima proyección de «un conjunto de films escogidos, que permitan al espectador darse cuenta exacta de la evolución y transformación experimentada en pocos años por el séptimo arte». Añadía la nota que se exhibirían films retrospectivos y films de vanguardia (siguiendo el modelo parisino) y mencionaba *Entr'acte,* de René Clair, y *Rien que les heures,* de Cavalcanti, «sincopado por un jazz-band». La iniciativa resultaría muy importante de cara a la sensibilización cinéfila de la generación del 27 y Alberti recordaría que Buñuel «fue quien después de sus viajes a París, nos puso realmente en contacto con toda una cinematografía que no llegaba a España porque películas como éstas no eran aceptadas todavía públicamente ni eran comerciales».[5]

De esta primera sesión se conservan varios testimonios escritos. En primer lugar, tres cartas que los días 21, 24 y 29 de abril envió Buñuel desde Madrid al librero León Sánchez Cuesta en París,[6] encareciéndole varias gestiones para el buen fin de aquella sesión, que en principio se había previsto para el 4 de mayo. En concreto, le encarga que le envíe la partitura de Erik Satie para *Entr'acte*, pntualizando que desea «no la partitura sino la adaptación de Darius Milhaud para violín y orquesta». También le ruega que obtenga del Vieux Colombier «los estudios de ralenti "Bala de revólver", ampolla de jabón y el toro que coge al torero», que suponen unos cuarenta metros de film. Se conserva, también en la Residencia de Estudiantes, el programa impreso de esta primera sesión de la Sociedad de Cursos y Conferencias, que finalmente se celebró en la tarde del sábado 21 de mayo de 1927. Aunque el documentado jesuita Valentín Arteta, confidente de Buñuel, escribió que el cineasta calandino actuó de «explicador» durante estas sesiones,[7] el citado programa precisa que Buñuel «explicará en breves palabras las características» de cada película, lo que parece más propio de un presentador o introductor que de un «explicador» a la vieja usanza, que por entonces estaba además en franca decadencia. El acompañamiento musical de la sesión corrió a cargo de un terceto, con violín (a cargo de Rafael Martínez, hermano de Florián Rey), violoncelo y piano.

Esta sesión inaugural se abrió con dos ejemplos de «cine antiguo», titulados *Mariquita la pastora* y *La locura del juego*. Luego se presentó una sección titulada «Cinematógrafo de lo invisible», con «movimientos ultrarrápidos imperceptibles para el ojo, recogidos por M. Lucien Bull, subdirector del Instituto Marey». En 1925 el Vieux Colombier había exhibido escenas rodadas al ralenti por el profesor Bull, tales como un proyectil saliendo de un fusil y el estallido de una pompa de jabón, así como imágenes de movimiento acelerado, que fueron reseñadas con admiración por Robert Desnos.[8] Estas nuevas percepciones del movimiento, reales como fenómeno físico pero irreales como representación, fascinaron a los artistas y escritores y menudearon en el cineclubismo de los años veinte. En febrero de 1927, precediendo en pocos meses a la sesión madrileña, el Vieux Colombier exhibió de nuevo otras experiencias del profesor Bull, concretamente tres films –glosados con admiración por Moussinac en la prensa–,[9] uno sobre el vuelo de la libélula, otro sobre el estallido de una pompa de jabón y otro sobre la trayectoria de una bala de revólver, rodados con cadencias de mil a dos mil imágenes por segundo. Estos prodigios ópticos, de los que se hizo eco Buñuel en la sesión madrileña y que mostraban las discrepancias entre la realidad y sus apariencias, no podían dejar indiferentes a los surrealistas, y André Breton, después de elogiar el efecto de acelerado y de ralenti en el cine, escribió en 1924: «Pronto, la expresión *a simple vista* nos parecerá desprovista de sentido, es decir, que percibiremos sin el menor parpadeo el paso del nacimiento a la muerte, igual que tendremos conciencia de sus variaciones ínfimas».[10] En los años sesenta Philippe Soupault insistía todavía en que «algunos de estos procedimientos, el ralenti, en particular, me han parecido siempre prodigiosos».[11] Y Germaine Dulac vio en 1932 uno de los orígenes del llamado «cine puro» en estos documentales científicos realizados sin finalidad artística.[12]

Después se proyectó la escena onírica de *La fille de l'eau*, el primer film de Jean Renoir, un melodrama de amores ancilares realizado en 1924. Se trataba de una pesadilla de la joven protagonista, Virgina (Catherine Hessling), que ya había recibido un tratamiento privilegiado en los cines de ensayo de París. Las dificultades para distribuir comercialmente la modesta cinta primeriza de Renoir hicieron que el Vieux Colombier, para llamar la atención sobre ella y promocionarla, proyectara esta secuencia con el título *Extraits de la fille de l'eau.* En la pesadilla escenificada por Renoir reaparecía el movimiento al ralenti que tanto fascinaba en la época –y que vinculaba este segmento a la proyección inmediatamente anterior de la Residencia–, además de un concierto brillante de sobreimpresiones, movimientos invertidos, metamorfosis (la cuerda del tío Jef ahorcado se transforma en serpiente), imágenes monstruosas (el camaleón gigante con alas postizas) y apariciones surreales. Al final, Virginia huye a caballo entre las nubes. Esta atrevida antología de trucajes, en un clima angustioso rico en connotaciones sexuales, fue muy aplaudida en la época y el surrealista Jacques B. Brunius escribió que de todos los sueños cinematográficos producidos en Francia, sólo el de *La fille de l'eau* merecía ser recordado.[13]

Luego se proyectó *Rien que les heures* (1926), rodado en las calles de París por el trotamundos brasileño Alberto Cavalcanti y que Buñuel glosó elogiosamente en su primer artículo escrito para *La Gaceta Literaria.* Por este mosaico impresionista de París, desde el alba a la medianoche y punteado por la esfera de un reloj, Georges Sadoul consideró a Cavalcanti un precursor del realismo poético en el cine francés y valoró su cinta, anterior a *Berlín, sinfonía de una gran ciudad*, más humana e intimista que la de Ruttmann.[14] El catálogo del MOMA define *Rien que les heures* como una encrucijada entre el cine documental, el experimental y el narrativo.[15] Y Jack C. Elis lo describe como una «curiosa y fascinante mezcla de lo estético y lo social».[16] En realidad, el film era heredero de la mirada fugaz de los pintores impresionistas, pero estaba también en sintonía con los pululantes frescos urbanos modernos del *Ulysses* (1922) de Joyce y de *Manhattan Transfer* (1925), de John Dos Passos. A Buñuel la película le impresionó y la elogió cálidamente en su artículo «Una noche en el Studio des Ursulines», escribiendo:[17] «Ni amores, ni odios, ni desenlace con el punto final de un beso. El ciego girar de unas saetas, pasando veinticuatro veces sobre las horas. La ideal singladura de la ciudad hacia el porvenir. (...) Es éste uno de los films más conseguidos de los llamados sin escenario. Música visual (...). Cine subjetivo. El espectador ha de poner de su parte la sensibilidad y educación cinematográfica adquirida.» Y, con motivo de su crítica a *Metrópolis* cuatro meses después, Buñuel reiteró:[18] «Compárese *Rien que les heures*, que sólo costó 35.000 francos, y *Metrópolis*. Sensibilidad primero; inteligencia, primero, y todo lo demás, incluso el dinero, después.»

La sesión de la Sociedad de Cursos y Conferencias se cerró con la celebrada proyección de *Entr'acte* (1924), anunciada en el prospecto como «plan de Francisco Picabia. Realización de René Clair». Era una atribución correcta. En efecto, *Entr'acte* había sido realizado por el joven René Clair a partir de unas ideas suministradas por Picabia en una hoja de papel del Maxim's, para ser proyectado en noviembre de 1924, con acompañamiento musical de Erik Satie, en el intermedio del espectáculo *Relâche* (Descanso), ofrecido en el Teatro de los Campos Elíseos por la compañía de los Ballets Suecos, que dirigían el mecenas Rolf de Maré y el bailarín Jean Börlin. Entre sus intérpretes aparecían los propios Picabia y Satie, además de Marcel Duchamp, Man Ray, Georges Auric, Marcel Achard, Jean Börlin y Rolf de Maré. En catorce minutos de acciones disparatadas, *Entr'acte* fagocitaba, reutilizaba y pervertía los códigos, modelos y estructuras del cine comercial, como las escenas de persecución tradicionales del cine cómico (aquí con la persecución de un ataúd por su cortejo fúnebre) y del cine fantástico basado en trucajes técnicos. Francisco Ayala aplaudió el uso de la cámara lenta (el proyectil que sale del cañón y la marcha del cortejo fúnebre) y del movimiento acelerado. Calificó al cortejo fúnebre como «tan lleno de acritud y sarcasmo, donde el objetivo se ha apoderado del solemne movimiento traslaticio de un entierro, trocándolo en befa marcha fúnebre; lo ha analizado y lo ha devuelto –maquinaria desmontada– en feliz proyección comicogrotesca».[19] Con su furor e irreverencia dadaísta, *Entr'acte* se alzó a la vez contra la tradición académica y contra la seriedad o trascendentalismo de los proyectos vanguardistas entonces en boga. Pero Verdone haría notar que, siendo *Entr'acte* la obra cumbre del cine dadaísta, su irrupción en 1924 se produjo cuando el movimiento dadá estaba ya condenado a muerte.[20]

Entr'acte marcó un ruidoso hito en la historia del cine y su *nonsense* recibió en su día explicaciones por parte de sus autores. Francis Picabia escribió: «*Entr'acte* es un verdadero entreacto, un entreacto al aburrimiento de la vida monótona y a las convenciones llenas de respeto hipócrita y ridículo. *Entr'acte* es una llamada en favor del placer de hoy.»[21] Y René Clair añadió que en *Entr'acte* la imagen «apartada de su deber de significar, nace a una existencia concreta».[22] Pero su rupturista novedad produjo desconcierto e interpretaciones caprichosas y años más tarde Sadoul desautorizaba todavía a quienes quisieron interpretar *Entr'acte* como la pesadilla de alguien que había pasado la tarde en un parque de atracciones.[23] Resumiendo la significación del film, Jean Mitry escribiría: «En esta construcción establecida en torno al movimiento, en la que el movimiento va creciendo hasta parodiarse a sí mismo, hasta destruirse en el vértigo que provoca; en el que el movimiento ralenti y el acelerado son utilizados con fines burlescos, las conveniencias, las convenciones y la moral burguesa son abofeteadas, ridiculizadas con la insolencia amable y desenvuelta de un iconoclasta que se burla de la lógica, no se molesta en demostrar nada y se prohíbe demostrar cualquier cosa.»[24]

El éxito de esta primera sesión cinematográfica de la Sociedad de Cursos y Conferencias fue memorable y Buñuel ha recordado en varias ocasiones que Ortega y Gasset, presente en la sala, al acabar las proyecciones le dijo que, si fuera más joven, se dedicaría al cine.[25] En *La Gaceta Literaria* glosó Miguel Pérez Ferrero con calor la sesión.[26] Del fragmento de *La fille de l'eau* escribió que «pertenece al cine nuevo, al novísimo cine de vanguardia». Opinó que *Rien que les heures* «nos parece lo mejor realizado en cinematografía (...). Se trata de la vida de una ciudad. Una vida observada en aspectos parciales, con sus pequeñas tragedias, con sus pequeños placeres. Cotidiano todo: desde el anuncio de un *bal*, al crimen; desde la *fille*, que hace su conquista hasta las cestas de flores y las latas de basura. La ciudad en marcha y en reposo. Con el ley-motivo [*sic*] de una vieja borracha. Nada más que las horas. Eso, eso, las horas nada más, de un gran reloj ciudadano. Alguien ha tachado de zolesco, de naturalista, este film. No anda desencaminado quien tal hizo». Y vio por fin en *Entr'acte* «grandes y acertados elementos de superrealismo. Film de humor y, en momentos, de lirismo. De prodigiosa composición siempre. Muchas veces, el truco por el truco. (...) Posiblemente sea *Entr'acte* el ejemplo más destacado del cine subjetivo. Pero de ahí a tener una superioridad de realización respecto a *Rien que les heures...*».

Lo más característico de esta primera sesión fue su eclecticismo, dentro de lo que, de modo muy genérico, se denominaba en la época cine de vanguardia. Buñuel ensambló, en efecto, una muestra de cine científico –aunque la anomalía de su *tempo* le otorgase una intensa condición poética a los ojos de los surrealistas–, un fragmento de cine onírico, un retablo semidocumental de carácter impresionista y una tardía provocación dadaísta, dos de las cuales recurrían también al movimiento ralentizado. Sólo faltaba el cine abstracto, que nunca fue apreciado por Buñuel ni por los surrealistas, para obtener un escaparate completo de la experimentalidad cinematográfica de la época. Y la misma neutralidad ecléctica caracterizaría la estructura de la segunda sesión de la Residencia de Estudiantes.

El clamoroso éxito de la primera convocatoria animó a Buñuel y a los responsables de la Sociedad de Cursos y Conferencias, en efecto, a repetir la iniciativa al año siguiente. A principios de febrero de 1928 *La Gaceta Literaria* anunciaba que Buñuel había regresado a Madrid, procedente de París.[27] Y al mes siguiente efectuó la segunda sesión cinematográfica, con la colaboración de Armand Tallier, el regente del Studio des Ursulines. La sesión se abrió con una conferencia de Buñuel titulada «Cinematógrafo: algunos ejemplos de sus modernas tendencias». Después apareció en la pantalla *La coquille et le clergyman* (1927), de Germaine Dulac, que acababa de protagonizar una violenta controversia en su estreno parisino. Su guión había sido escrito a principios de 1927 por Antonin Artaud, quien en octubre de 1928, y tras la citada controversia, definió así el sentido de su experimento: «He pensado que se podía escribir un guión que no tendría en cuenta el conocimiento y la relación lógica de los hechos, sino que iría a buscar en el origen oculto y en los vaivenes del sentimiento y del pensamiento las razones profundas, los impulsos activos y velados de nuestros actos llamados lúcidos (...). Es decir, hasta qué punto este guión puede parecer y emparentarse a *la mecánica de un sueño* sin ser verdaderamente un sueño, por ejemplo.»[28]

Pero una serie de discrepancias y malentendidos enfrentaron a Artaud con Germaine Dulac, su realizadora. Se ha dicho que Artaud quería interpretar al protagonista –encarnado por Alexandre Allin– y que no pudo supervisar el montaje final. Pero lo cierto, a tenor de la correspondencia entre ambos conservada, es que las desavenencias tardaron en aparecer. Dulac había querido titular su film *La coquille et le clergyman, rêve d'Antonin Artaud, composition visuelle de Germaine Dulac*, pero Artaud se opuso a tal identificación onírica, de acuerdo con su percepción más propiamente surrealista que antes hemos reproducido. Dulac admitiría más tarde, por su parte, que no rodó el film en concordancia con el canon surrealista, sino con el formalista –con «ritmos estudiados y compuestos»–, que era el suyo propio.[29] Las discrepancias estallaron durante el estreno de *La coquille et le clergyman* en febrero de 1928 en el Studio des Ursulines, cuando el grupo surrealista saboteó la sesión e insultó a la realizadora.

La coquille et le clergyman podría ser descrita como un *chase film* surrealista, articulado en la persecución –de tintes oníricos– de una mujer ideal y deseada por parte de un pastor flaco, reprimido y ridiculizado, quien lucha contra un rival sucesivamente travestido en general y en cura. La acción está repleta de elementos mágicos y simbólicos, como la esfera, el sable y la llave (símbolos fálicos), la concha (símbolo sexual femenino), etc., configurando un retablo inquietante, muy propio de la paranoia onírica.

El paso del tiempo contribuiría a hacer justicia a esta película interesante y maltratada. En sus memorias Buñuel admitió que, a pesar de los ataques del grupo de Breton, ya le gustó en su estreno parisino,[30] y la prueba de ello fue su pronto rescate del film para su sesión madrileña. Y el historiador Georges Sadoul, militante surrealista por entonces y asistente al polémico estreno, reconoció en 1965 que la manifestación del Studio des Ursulines contra el film fue una «expedición punitiva» contra Germaine Dulac promovida por Artaud y, después de revisar el film en 1962, reconoció la injusticia cometida y reinvindicó su valor.[31] No sólo esto. Ya desde 1929, desde el estreno de *Un Chien andalou*, bastantes voces indicaron lo que el film de Buñuel debía al de Germaine Dulac. La persecución del sujeto deseado por el protagonista masculino estaba en ambos y algunas escenas eran casi idénticas, como aquella en que el protagonista desnuda con violencia los senos de la mujer deseada. Quien primero señaló tal parentesco fue el propio Artaud, cuya carta a Yvonne Allendy de noviembre de 1929 se refería ya a «la filiación *Coquille-Chien andalou*».[32] Y al presentarse el film de Germaine Dulac en la 18ª sesión del Cineclub Español, en marzo de 1931, Luis Gómez Mesa escribió: «Lo que nadie dejó de notar fue la semejanza de *Un perro andaluz* –de Buñuel y Dalí– con esta banda surrealista de la Dulac. Y sin viceversa, por ser *La concha y el clérigo* precedente de aquélla: en impresión y en intención.»[33] Alain y Odette Virmaux reiteraron categóricamente en 1976 tal parentesco.[34] Y habría que añadir todavía que en una escena del film de Dulac apareció un personaje en el techo, antes de que lo hiciesen Buñuel en *L'Age d'or* y Cocteau en *Le sang d'un poète*.

Después vino la sección retrospectiva, con «Actualidades de Anteguerra» y «Pequeño drama de vieja escuela», con la proyección de una de las varias versiones cinematográficas del drama bíblico de Judit y Holofernes que existían ya por entonces, como las italianas *Giuditta e Oloferne* de 1907 producida por la Cines de Roma (de 140 metros o siete minutos), la de Vera Film de 1920 dirigida por Aldo Molinari y, la más famosa, *Judith of Bethulia* (1913), realizada por D. W. Griffith bajo inspiración italiana, protagonizada por Blanche Sweet y Henry B. Walthall, de 68 minutos de duración, la película más larga producida hasta entonces en su país.

Cerró la sesión *La Glace à trois faces* (1927), de Jean Epstein, demostrando con este broche final el respeto artístico que sentía Buñuel hacia el que era entonces su maestro en París. Se trataba de una adaptación libre del relato homónimo de Paul Morand que abría su libro *L'Europe galante*, de 1925. La construcción narrativa era bastante original. Prescindiendo de tres citas galantes con tres mujeres muy distintas, un hombre se lanza por la carretera en su coche deportivo y se estrella cuando una golondrina le golpea con el pico entre los ojos. La acción se desarrollaba con evocaciones de las tres mujeres, revelando cuán distinto era para cada una de ellas la imagen del fallecido. Tal vez fue *La Glace à trois faces* la película más experimentalista de Epstein, por su construcción anticonvencional, explotando el principio del punto de vista múltiple. Henri Langlois definió a este film como «un retrato psicológico en tres caras».[35] Cada uno de los tres episodios estaba diferenciado por el estilo del decorado, el ambiente y los trajes. Y aunque el protagonista era siempre el hombre accidentado, su comportamiento y su modo de actuar eran diferentes en cada uno de ellos. La película –que anticipaba ciertos recursos explotados luego de modo más sofisticado por films tan diversos como *Ciudadano Kane (Citizen Kane,* 1941) y *El año pasado en Marienbad (L'année dernière à Marienbad,* 1961)– sorprendió a la crítica de su tiempo. Georges Hilaire, por ejemplo, escribió en *Comoedia:*[36] «De una imagen se salta bruscamente a otra, la más inesperada, y las dos son tomadas de dos momentos distintos del film. Se llega así a un desarrollo de la proyección por saltos, a un vertiginoso consumo del tiempo.»

Miguel Pérez Ferrero glosó de nuevo esta sesión en *La Gaceta Literaria,* en un artículo titulado orteguianamente «Sesión para minorías».[37] Le gustó mucho la primera película proyectada, pero le desagradó la última. De *La coquille et le clergyman* escribió, tal vez haciéndose eco del comentario introductor de Buñuel: «Un film de interpretación psicoanalítica de un sueño. Sin rótulos. (...) Madame Germaine Dulac ha logrado un film interesante, de atisbos de lo que puede llegar a ser el cine: magníficas sorpresas visuales. Finísimo sentido del ritmo –¡de todos los ritmos!–. Perfectas combinaciones de luces. Y un dramatismo que le corta a uno en la nuca y, en momentos, le hace volver la cabeza.»

Sin embargo, *La Glace à trois faces* le decepcionó y escribió: «¿el espejo para qué sirve? Para reflejar tres historias de amor o de pasatiempo de amor con un hombre mismo; eso, bueno. O un beso en tres tiempos a la misma mujer; eso, también. Y en cada tiempo, su especial huida. (...) En la pantalla las tres mujeres se nos presentan muy iguales, y el hombre, como un maniquí, un auténtico maniquí que, alguna vez, se sonríe».

En realidad, *La coquille et le clergyman* y *La Glace à trois faces* representaban los dos extremos de un arco cinematográfico experimental, de aliento surrealista el primero –por mucho que fuera impugnado por Artaud– y de ingeniería estructural y narrativa el segundo, representando los dos polos del subjetivismo espontaneísta y del artificioso constructivismo respectivamente, a pesar de que ambos realizadores hayan sido englobados luego por la historiografía francesa en una misma «escuela impresionista». La sesión organizada por Buñuel revelaba de nuevo su intención ecléctica y eminentemente informativa.

La última sesión del ciclo de la Residencia de Estudiantes tuvo lugar el 14 de diciembre de 1928 en el Teatro Princesa (convertido luego en María Guerrero), con la proyección de *La Passion de Jeanne d'Arc* (1927-28), el estilizado drama histórico rodado en Francia por el danés Carl Th. Dreyer, que Buñuel había elogiado desde las páginas de *La Gaceta Literaria* en octubre. La proyección fue precedida por una conferencia de la figurinista del film, Mme. Valentine Victor Hugo (esposa del escenógrafo de la obra, Jean Victor Hugo, nieto de Victor Hugo), sobre las últimas tendencias del cine actual.

La Passion de Jeanne d'Arc tuvo la virtud de bipolarizar a la intelectualidad francesa. Léon Moussinac la elogió sin reservas en su estreno y escribió que el tema «ha sido magnificado por el empleo de una técnica original, de la que no había ejemplo en el cine. Una nueva prueba de que la expresión es función de la técnica, que la forma –siempre al servicio del fondo– la enriquece extraordinariamente. Se sabe que Carl Dreyer ha suprimido deliberadamente el maquillaje de los actores, que se ha servido al máximo del primer plano y que ha utilizado todas las posibilidades expresivas del ángulo de cámara. La supresión del maquillaje da a los rostros una fuerza extraña, terrible, que refleja singularmente el juego interior de los sentimientos y pensamientos de los personajes. (...) Los decorados compuestos por Jean Hugo están reducidos al mínimo. Algunas superficies blancas adecuadas al juego de las luces, y que desempeñan sólo una función plástica, en contra de toda reconstrucción».[38]

Como un eco, Luis Buñuel, a pocos meses de acometer la escritura de *Un Chien andalou*, multiplicaba sus elogios:[39] «Y lo genial de Dreyer –escribió– consiste en cómo ha sabido dirigir a sus intérpretes. En este sentido nada parecido nos ha dado el cinema. La humanidad de los gestos desborda la pantalla y llena la sala. Todos sentimos aquella verdad en la garganta y en la médula de los huesos. ¡Antídoto contra la mordedura de las serpientes y contra el histrionismo! (...). Y la humanidad de la Doncella trasciende más de la obra de Dreyer que de cualquier otra de las interpretaciones que conocemos. Todos sentimos ganas de propinarle unos azotes para darle en seguida un dulce (...). Hemos guardado una de sus lagrimitas, que rodó hasta nosotros, en una cajita de celuloide. Lágrima inodora, insípida, transparente, gota del más acendrado manantial.» Tan grande era entonces la admiración de Buñuel hacia Dreyer que, tres meses después de la proyección madrileña, la prensa anunció que la firma Julio César –con la que Buñuel estaba en tratos– iba a producir un guión suyo dirigido por el realizador danés.[40]

Pero en contraste con los elogios de Buñuel, dos representantes tan conspicuos del surrealismo cinematográfico francés como Jacques B. Brunius (colaborador de Buñuel en *L'Age d'or*) y Ado Kyrou maldecirían el film de Dreyer. El primero lo consideró «uno de los films más *pestilentes* que he visto jamás»[41] y Kyrou lo calificó de «film aburrido, inútil, confuso, reaccionario, degradante, obra maestra para snobs, triunfo del anticine y negación de lo maravilloso».[42]

La sesión resultó muy exitosa, pero no incentivó a ningún distribuidor para que importase la cinta al mercado español. *La Pantalla* glosó la sesión,[43] mientras que *La Gaceta Literaria* hizo referencia a ella en su página de lanzamiento del Cineclub Español,[44] de tal modo que su aparición en la escena pública adquirió visos de continuidad con la brillante iniciativa cinéfila de Buñuel. Y, de hecho, el inicio de las sesiones del Cineclub, dirigido por la misma persona, puso fin a las de la Residencia de Estudiantes. Su continuidad estaba asegurada en otra plataforma institucional.

EL CINECLUB ESPAÑOL

Las sesiones de la Residencia de Estudiantes contribuyeron decisivamente a alimentar un caldo de cultivo cinéfilo en la capital de España, en el que se oteaba con admiración las iniciativas y actividades más madrugadoras en este campo que habían aparecido antes en otros países, especialmente en Francia. Así, en abril de 1928, y tras la segunda sesión de la Sociedad de Cursos y Conferencias, Germán Gómez de la Mata, corresponsal de *La Pantalla* en París, publicaba en la revista un informe acerca de las actividades de los cines de ensayo en la capital francesa.[45]

La primera referencia al proyecto del Cineclub Español apareció en *La Gaceta Literaria* a principios de septiembre, reiterando el orteguiano título de «Cinema para minorías».[46] La nota confesaba que el proyecto estaba inspirado en iniciativas aparecidas en Francia (se citaba el Studio des Ursulines), Alemania y Rusia, dirigidas a un «público selecto» que no puede «satisfacer sus apetencias de novedad, de modernidad, en las salas corrientes». El proyecto contaba, según la nota, con el apoyo de Luis Buñuel «desde la avanzada línea de París». Aunque el artículo citaba actividades previas en Francia, Alemania y Rusia, la epifanía del Cineclub Español iba a resultar honorablemente madrugadora, si tenemos en cuenta que el primer cineclub italiano no apareció hasta marzo de 1929.[47] Aquel mismo mes, el semanario *La Pantalla* se hacía eco de los rumores acerca de la gestación del proyecto.[48]

Por fin, dos números después y en su monográfico del mes de octubre dedicado al cine, *La Gaceta Literaria* anunció en su primera página la creación del Cineclub Español en Madrid, y probablemente en Barcelona, «para minorías, para cineastas, para todo aquel público que, no pudiendo viajar por estudios y sociedades extranjeras de cinema, desearía contemplar films superiores».[49] En el artículo se anunciaba que se efectuaría una sesión mensual, formada por un documental, un film de repertorio, un film nuevo que no encontrara distribución comercial, y una conferencia por un «técnico o escritor de vanguardia». Se estableció una cuota de ingreso de cinco pesetas y otra mensual de tres pesetas para las mujeres y cuatro para los hombres, si bien en el número siguiente se rectificó este último punto, uniformizándose ambas cuotas en tres pesetas. Pero a finales de año volvió a modificarse la contribución,[50] fijándose en ocho pesetas la primera mensualidad y en tres las restantes, salvo los meses veraniegos, en los que no se celebrarían sesiones.

Cuando en 1982 se le preguntó a Giménez Caballero quién formaba el público del cineclub, respondió: «las minorías snobs que hay en cada país. Lectores de *El Sol*, de la *Revista de Occidente.* Gente de la Residencia, universitarios, algunos aristócratas como [José Antonio de] Sangróniz, [Félix de] Lequerica, [José María de] Areilza, el marqués de Guad-El-Jelú». Y añadió que no mantuvo relación con la industria cinematográfia española, «aunque a las proyecciones asistían productores, industriales, críticos».[51] En el citado n.º 48 de *La Gaceta Literaria* se publicó la primera lista de socios, en la que figuraban, junto a nombres relevantes de la aristocracia, los de José Bergamín, Rafael Alberti, Federico García Lorca, Ramón Gómez de la Serna, Vicente Aleixandre, Rosa Chacel, Moreno Villa, Alberto Jiménez Fraud, Antonio Marichalar, Eduardo Ugarte, José López Rubio, Antonio Regoyos, los arquitectos Carlos Arniches, Luis Lacasa y Fernando García Mercadal, Rodolfo Halfter, el filólogo Tomás Navarro Tomás, Nicolás y Ricardo Urgoiti, Enrique Díez-Canedo, Maruja Mallo, Benjamín Palencia, Ricardo Baroja y José María Dorronsoro.

De manera que el público del Cineclub Español estaba formado por intelectuales y artistas en activo de tres generaciones y por aristócratas, configurando una élite orteguiana, aunque sociológicamente bicéfala. Hay que recordar que la mezcla de aristócratas y de vanguardistas también se producía por entonces en los cenáculos parisinos, en donde los vizcondes de Noailles, los condes de Beaumont y los príncipes de Polignac ejercían de mecenas, incluso de mecenas de los cineastas de vanguardia, como Buñuel, Man Ray, Chomette y Cocteau. Pero esta composición bipolar resaltó la ausencia de las clases medias propias de una sociedad urbana moderna, porque en 1928 España era todavía un país premoderno desde el punto de vista de su estructura social.

Evocando la fundación del Cineclub Español, también con la fórmula del mecenazgo, Giménez Caballero recordó: «Hubo aportaciones personales de mil pesetas, que dieron Urgoiti, Marañón, el duque de Maura, Sangróniz, Lequerica... casi todos vascos.»[52] Le faltó únicamente añadir: vascos, pero residentes en Madrid. La primera Junta Directiva del Cineclub Español[53] estuvo presidida por el diplomático José Antonio de Sangróniz y Castro –futuro conspirador en la sublevación franquista–, siendo vicepresidentes la duquesa de Dato y Francisco Ramírez de Montesinos, y secretario Giménez Caballero; los vocales fueron el pedagogo orteguiano Lorenzo Luzuriaga, el marqués del Quintanar, Ricardo Urgoiti, el marqués de Auñón, Luis Buñuel, Martín Urquijo, César Arconada, Felipe Ximénez de Sandoval y Miguel Pérez Ferrero. Buñuel ejerció como director desde París, como es sabido. Esta dependencia francesa fue tan manifiesta, que los títulos de los films exhibidos eran citados casi siempre por sus títulos franceses, o por su traducción literal del francés, aunque fueran alemanes, norteamericanos o soviéticos. Giménez Caballero declaró muchos años después que la dirección de Buñuel no fue más allá del segundo mes y que luego las riendas las llevó él mismo con la colaboración de Arconada, Piqueras, Pérez Ferrero y Gómez Mesa.[54] Pero esta información es cuestionable, pues es segura su dirección hasta la sexta sesión dedicada al cine cómico, el 4 de mayo de 1929, ya que Buñuel escribió un texto de presentación en el que se responsabilizaba implícitamente de la iniciativa. Fue este texto también, significativamente, su última colaboración en *La Gaceta Literaria.* Pero debe recordarse que en la siguiente sesión se proyectó *Avaricia (Greed,* 1923), de Erich von Stroheim, que Buñuel había intentado infructuosamente exhibir en la sesión inaugural. Y que asistió personalmente a la octava sesión, en diciembre de 1929, en que se proyectó *Un Chien andalou.*

Pero es razonable pensar que su dirección efectiva se interrumpió después de la sexta sesión, en mayo, dato que sería avalado por la nueva Junta Directiva del Cineclub que fue dada a conocer el primero de junio y en la que su nombre ya no figuraba en ella.[55] La nueva Junta siguió presidida por Sangróniz, ostentando la vicepresidencia

Francisco Ramírez de Montesinos y siendo vocales Lorenzo Luzuriaga, Arconada, el marqués de Auñón, Martín Urquijo, Piqueras, Ricardo Urgoiti, Carreras y Miguel Pérez Ferrero.

El Cineclub Español celebró veintiuna sesiones, comenzando el 23 de diciembre de 1928 y concluyendo el 9 de mayo de 1931. Las sesiones iban acompañadas de una presentación, comentario o recitado y en estas tareas intervinieron Giménez Caballero en varias ocasiones, Gómez de la Serna en dos, Pío Baroja, Benjamín Jarnés, Federico García Lorca, Rafael Alberti, Luis Buñuel, Julio Álvarez del Vayo, Eugenio Montes, el doctor Gonzalo R. Lafora, Gregorio Marañón, Ricardo Urgoiti, Conchita Power, Luis Araquistain, Fernando G. Mantilla, Miguel Pérez Ferrero, Germaine Dulac y Samuel Ros.

La organización y el sistema de abonos al Cineclub Español evolucionaron por varias razones. Una de ellas fue la suspicaz atención que la Dirección de Seguridad prestó a la institución, con motivo de algunas ruidosas protestas públicas (como las que acompañaron a la proyección de *El cantor de jazz* en la segunda sesión y a *La fille de l'eau* en la octava) y por la exhibición de films soviéticos.[56] A raíz de ello, en enero de 1930 se decidió limitar el número de socios a cuatrocientos, se suprimieron las invitaciones, se anunció que las sesiones se efectuarían en el Hotel Ritz y las cuotas fueron elevadas a 5,50 pesetas por sesión.[57] Y en noviembre de 1930 se creó el carnet de cineclubista por 37 pesetas, válido para las siete sesiones ordinarias de toda la temporada, de noviembre a mayo.[58] Todas estas iniciativas tendían a reforzar el carácter hermético, blindado, aislacionista, endógamo y autoprotector del Cineclub Español que, por otra parte, aparecía tan integrado en la estructura empresarial de Giménez Caballero, que se dispuso que los recibos del Cineclub se recogiesen en su sede de La Galería.[59]

Hemos dicho que la programación del Cineclub Español apenas influyó en la cansina andadura del cine español. A sus profesionales se dirigió despectivamente Luis Gómez Mesa en su inauguración con estas palabras: «Nuestros cineastas –sinceramente: ¿no les cae ancho este flamante nombre a los que en nuestra patria se valen del séptimo arte para cultivar y explotar los peores tópicos nacionales?– no necesitan aprender nada. ¿Para qué fundar con propósitos de enseñanza una asociación exhibidora de ejemplares películas si lo saben todo?»[60] Influyó su programación en cambio en la distribución y exhibición, como observó Piqueras: el pase de *Tartufo*, de Murnau, facilitó su estreno comercial; el anuncio de la proyección de *Soledad*, de Paul Fejos, lo precipitó al estreno en el Cine Callao e impidió con ello su programación; *Avaricia* salió de cinco años de ostracismo gracias a su exhibición en el Cineclub. Y, añadió Piqueras, la sesión dedicada a los cómicos inspiró a la «joven literatura», en alusión a Alberti.[61] Como resumen final, Giménez Caballero podría vanagloriarse de que el Cineclub Español introdujo por vez primera en España: 1) el cine ruso; 2) el cine chino; 3) el cine superrealista; 4) el cine documental; 5) la revalorización del cine mudo; 6) el cine educativo; 7) el cine sonoro de vanguardia.[62]

El Cineclub Español nació con la voluntad de ramificarse por toda España. En febrero de 1929, *La Gaceta Literaria* daba cuenta de sus extensiones hacia Oviedo, San Sebastián, Bilbao, Vitoria, Segovia, Valladolid, Burgos y Palencia, pero el cronista reprochaba a Barcelona que «teme algo así como depender de Madrid».[63] En efecto, en Barcelona empezaba a desarrollarse por entonces un movimiento cineclubista autónomo. En febrero de aquel mismo año se creó en la ciudad el Barcelona Film Club, círculo cinéfilo cuyo consejo directivo estaba presidido por Santiago Rusiñol, y que celebró algunas sesiones privadas. Pero el gran impulso al cineclubismo barcelonés provino de las Sesiones Mirador, patrocinadas por el semanario de este nombre, desde el 29 de abril de 1929. J. F. Aranda estimó que en 1932 existían en España unos cuarenta cineclubs en funcionamiento.[64]

En la etapa de declive de *La Gaceta Literaria,* y tras veintiuna sesiones del Cineclub Español, su relevo fue tomado por el distribuidor Ricardo Urgoiti el 20 de diciembre de 1931 con el Estudio Proa-Filmófono, en una sesión en el Palacio de la Prensa en que se proyectó *Carbón (Kameradschaft*, 1931), de G. W. Pabst. De manera que tanto el Cineclub Español como las Sesiones Mirador de Barcelona acabaron siendo absorbidas o sustituidas, en la fase de despegue del cine sonoro, por sesiones cineclubistas organizadas por empresas comerciales importantes del sector con fines promocionales, por Filmófono en Madrid y por Cinaes en Barcelona.

NOTAS

1. Sobre la historia temprana del cineclubismo en Francia, véase «De la Tribune Libre du Cinéma au Congrès de La Sarraz. La naissance du protocole ciné-phile», de Christophe Gautier, *1895,* n.º 23, diciembre de 1997, pp. 13-19.

2. *Cinéma d'hier, cinéma d'aujourd'hui*, de René Clair, Gallimard, París, 1970, p. 155.

3. «El "Club Cinematográfico"», en *Arte y Cinematografía,* n.º 269, agosto de 1923.

4. «Noticias», en *La Gaceta Literaria,* n.º 10, 15 de mayo de 1927, p. 6.

5. *Conversaciones con Buñuel*, de Max Aub, Aguilar, Madrid, 1985, p. 285.

6. Depositadas en el legado de León Sánchez Cuesta a la Residencia de Estudiantes de Madrid.

7. «Para una autobiografía de Luis Buñuel. 2», de Valentín Arteta, en *Cinestudio,* n.º 110, junio de 1972, p. 48.

8. En *Journal Littéraire* del 18 de abril de 1925. Incluido en *Cinéma*, de Robert Desnos, Gallimard, París, 1966, p. 137.

9. «Une poésie nouvelle», en *Panoramique du cinéma*, de Léon Moussinac, A Paris, au sans pareil, París, 1929, pp. 97-99.

10. «Les pas perdus», en *Oeuvres complètes* de André Breton, tomo I, Gallimard, París, 1988, p. 246.

11. Entrevista de Philippe Soupault con Jean-Marie Mabire, en *Études cinématographiques,* n.º 38-39, primer trimestre de 1965, p. 30.

12. «Le cinéma d'avant-garde», en *Écrits sur le cinéma (1919-1937),* de Germaine Dulac, Paris Experimental, 1994, p. 186.

13. *En marge du cinéma français*, de Jacques B. Brunius, L'Age de l'Homme, Lausana, 1987, pp. 67 y 96.

14. *Histoire générale du cinéma*, de Georges Sadoul, tomo 6, vol. 2, Denoël, Paris, 1975, pp. 360-361.

15. *Circulating Film Library Catalog*, The Museum of Modern Art, Nueva York, 1984, p. 168.

16. *The International Dictionary of Films and Filmmakers*, de Christopher Lyon, ed., Perigee Books, Nueva York, 1985, p. 392.

17. *La Gaceta Literaria,* n.º 2, 15 de enero de 1927, p. 6.

18. *La Gaceta Literaria,* n.º 9, 1 de mayo de 1927, p. 6.

19. *Indagación del cinema*, de Francisco Ayala, Mundo Latino, Madrid, 1929, pp. 62-63.

20. *Le avanguardie storiche del cinema*, de Mario Verdone, Società Editrice Internazionale, Turín, 1977, p. 92.

21. En *La Danse* de 1924 dedicado a los Ballets Suecos de Rolf de Maré. Reproducido en *Ciné-Club,* n.º 1 (2.º año), octubre de 1948, p. 5.

22. Ibídem.

23. *Histoire générale du cinéma*, tomo 6, vol. 2, p. 340.

24. *René Clair*, de Jean Mitry, Éditions Universitaires, París, 1960, p. 22.

25. *Mon dernier soupir*, de Luis Buñuel, Robert Laffont, París, 1982, p. 124; *Conversaciones con Buñuel*, de Max Aub, Aguilar, Madrid, 1985, p. 70; *Buñuel por Buñuel*, de Tomás Pérez Turrent y José de la Colina, Plot, Madrid, 1993, p. 23.

26. «Films de vanguardia», en *La Gaceta Literaria,* n.º 11, 1 de junio de 1927, p. 8.

27. «Luis Buñuel, en Madrid», en *La Gaceta Literaria,* n.º 27, 1 de febrero de 1928, p. 3.

28. *Oeuvres complètes* de Antonin Artaud, tomo III, Gallimard, París, 1970, pp. 90-91.

29. «Rythme et technique» (1928), en *Écrits sur le cinéma (1919-1937)*, p. 112.

30. *Mon dernier soupir*, p. 128.

31. «Souvenirs d'un témoin», de Georges Sadoul, en *Études cinématographiques,* n.º 38-39, 1965, pp. 17-19.

32. *Oeuvres complètes*, tomo III, pp. 188-189.

33. «Germaine Dulac del brazo de René Clair», en *La Gaceta Literaria,* n.º 101-102, 15 de marzo de 1931, p. 8.

34. *Les Surréalistes et le cinéma*, de Alain y Odette Virmaux, Seghers, París, 1976, pp. 46-49.

35. *Trois cents ans de cinéma*, de Henri Langlois, Cahiers du Cinéma-Cinémathèque Française, París, 1986, p. 250.

36. 9 de diciembre de 1927. Citado por Pierre Leprohon en *Jean Epstein*, Seghers, París, 1964, p. 162.

37. *La Gaceta Literaria,* n.º 30, 15 de marzo de 1928, p. 6.

38. *Panoramique du cinéma*, p. 80.

39. *La Gaceta Literaria,* n.º 43, 1 de octubre de 1928, p. 3.

40. *La Pantalla,* n.º 58, 10 de marzo de 1929, p. 964; «Cinema Iberia», de Harry Alan Potamkin, en *Cinema*, diciembre de 1930, compilado en *The Compound Cinema*, Teachers College Press, Columbia University, Nueva York, 1977, p. 352.

41. *En marge du cinéma français*, p. 57.

42. *Le surréalisme au cinéma*, de Ado Kyrou, Le Terrain Vague, París, 1963, p. 72.

43. «Pantalla madrileña», en *La Pantalla,* n.º 51, 23 de diciembre de 1928, p. 860.

44. *La Gaceta Literaria,* n.º 48, 15 de diciembre de 1928, p. 7.

45. «Salas de vanguardia», en *La Pantalla,* n.º 18, 29 de abril de 1928, p. 278.

46. *La Gaceta Literaria,* n.º 41, 1 de septiembre de 1928, p. 2.

47. *Cinema e letteratura del futurismo*, de Mario Verdone, Bianco e Nero, Roma, 1968, p. 152.

48. «Ecos de Madrid», en *La Pantalla,* n.º 38, 16 de septiembre de 1928, p. 594.

49. *La Gaceta Literaria,* n.º 43, 1 de octubre de 1928, p. 1.

50. *La Gaceta Literaria,* n.º 48, 15 de diciembre de 1928, p. 7.

51. Entrevista de Manuel Palacio con Ernesto Giménez Caballero, en *Contracampo,* n.º 31, noviembre-diciembre de 1982, p. 33.

52. Entrevista de Manuel Palacio con Ernesto Giménez Caballero, p. 32.

53. *La Gaceta Literaria,* n.º 46, 15 de noviembre de 1928, p. 1; n.º 48, 15 de diciembre de 1928, p. 7.

54. Entrevista de Manuel Palacio con Ernesto Giménez Caballero, p. 33.

55. *La Gaceta Literaria,* n.º 59, 1 de junio de 1929, p. 6.

56. «Historia del Cineclub Español», en *La Gaceta Literaria,* n.º 105, 1 de mayo de 1931, p. 3.

57. «Reorganización del Cineclub Español», en *La Gaceta Literaria,* n.º 73, 1 de enero de 1930, p. 6.

58. *La Gaceta Literaria,* n.º 94, 15 de noviembre de 1930, p. 6.

59. *La Gaceta Literaria,* n.º 71, 1 de diciembre de 1929, p. 1.

60. «Iniciativa feliz. El Cineclub Español», editorial de Luis Gómez Mesa, en *Popular Film,* n.º 119, 8 de noviembre de 1928.

61. «Influencia del Cineclub en los programas del cinema público», en *La Gaceta Literaria,* n.º 63, 1 de agosto de 1929, p. 5.

62. «Historia del Cineclub Español», en *La Gaceta Literaria,* n.º 105, 1 de mayo de 1931, p. 3.

63. «El Cineclub en España», en *La Gaceta Literaria,* n.º 52, 15 de febrero de 1929, p. 6.

64. *Luis Buñuel. Biografía crítica*, de J. F. Aranda, Lumen, Barcelona, 1975, p. 76.

10. LAS SESIONES DEL CINECLUB ESPAÑOL

PRIMERA SESIÓN

En el primer número de diciembre de 1928, *La Gaceta Literaria* anunció la primera sesión del Cineclub Español, que preveía celebrarse en el Hotel Ritz de Madrid, con la proyección de un documental de la UFA, *Avaricia (Greed*, 1923), de Erich von Stroheim –que Buñuel había elogiado en su artículo «Una noche en el Studio des Ursulines»–[1] y *L'Étoile de mer* (1928), de Man Ray. De esta última se afirmaba en la nota que «Man Ray la mostró personalmente al Sr. Giménez Caballero».[2] En realidad, la sesión, que se celebró el domingo 23 de diciembre, sufrió varios cambios importantes. Tuvo lugar en el Cine Callao y no en el Hotel Ritz, presentada por Giménez Caballero, pero no pudo conseguirse la copia de *Avaricia* y se sustituyó por *Tartufo (Tartüff*, 1925), de F. W. Murnau, cedida por la UFA, y se añadió a la sesión una pieza de cine retrospectivo, la cinta *María, la hija de la granja.*

Desconocemos el título original y el director de *María, la hija de la granja*, pero bien pudo tratarse de alguna película norteamericana primitiva, de corte melodramático, como *The Farmer's Daughter/ Wages of Sin*, dirigida en 1908 por Edwin S. Porter con Mary Fuller y Charles Ogle, o la producción de la Edison Co. *The Farmer Daughter*, de 1910. Pero conservamos la impresión que produjo su proyección en 1928 gracias al juicio que Giménez Caballero estampó en un texto sin firma, pero de estilo inconfundible, antes de su proyección.[3] Decía en él que la cinta «se podría comparar –en analogía a la historia de la pintura– con las tablas del cuatrocientos, llenas de anécdotas, añiles, oros y figuras sin fondo (sin paisaje). Sin lejanías: inorgánicas como muñecos». También Francisco Ayala glosó esta sesión y escribió sobre *María, la hija de la granja* que parecía «el título de una novela por entregas y lo es de una película primitiva. (...) Además de satisfacer una curiosidad, ofrecen estas cintas descoloridas de Preguerra una referencia preciosa, tanto del progreso cinematográfico tecnicomaterial como del arte de la expresión y actuación específicas del *écran*. En ella vemos a los actores debatirse, con palidez de condenados a muerte, ante el problema inicial que les plantea la necesidad de producirse igual que en el teatro, prescindiendo no obstante de la palabra. El gesto se les agudiza, queda recalcado en el amplificador que es la pantalla, y se transmuta, pasando por exceso las actitudes dramáticas a la vertiente de lo cómico. El deliciosamente inadecuado gesto con que Juan, el protagonista, da a entender la impresión amorosa que María le produce puede ilustrar el tránsito aludido. Toda la angustia de la mudez gravita sobre estas cintas».[4]

A continuación se proyectó *Tartufo*, la película de Murnau que había sido elegida para inaugurar, el 25 de enero de 1926, el Gloria Palast berlinés. El prestigioso guionista Carl Mayer había efectuado la transposición de la pieza de Molière al papel tomándose muchas libertades, pues en la comedia original Tartufo no aparece hasta el tercer acto, y añadió además un prólogo y un epílogo situados en la época contemporánea, para subrayar la perennidad del vicio de la hipocresía humana. En tal añadido se presentaba a un anciano rico atendido por una hipócrita ama de llaves que esperaba heredar su fortuna y que era desenmascarada por el nieto de aquél, al proyectar ante ellos la película en cuestión, en un brillante ejemplo de cine dentro del cine. *Tartufo* resultó un compromiso entre el clasicismo francés de la pieza y la cultura visual expresionista germana, plasmada en el gusto por las sombras y rompiendo con la estética teatral por su recurrencia a los primeros planos faciales. Si bien los personajes encarnaban arquetipos fuertemente simbólicos, en el caso de Emil Jannings, en el papel del hipócrita intrigante, el actor pulsó a fondo el registro grotesco, con su envarada figura y el devocionario pegado a la nariz, pero mirando de reojo, delatado por fin por la esposa de Orgon que simula entregarse a él para desenmascararle.

En la presentación de *Tartufo* Giménez Caballero había escrito: «El espectador debe estar alerta a la creación mímica de Jannings –cuya faz es un signario completísimo–. A la estructuración de la escena (paisaje) ambiente. Al riguroso estudio que se ha hecho del "pormenor" (arte del detallismo). A las sutiles transferencias literarias recogidas y recreadas por el objetivo. A la refundición visual de una pieza difícil, cortesana y maliciosa (peligrosa) del mejor teatro francés del siglo de oro.»

El cortometraje de quince minutos *L'Étoile de mer*, del norteamericano Man Ray, clausuró la sesión. El proyecto de este film se originó durante una cena de despedida de Robert Desnos, antes de partir a un viaje de dos meses, cuando el escritor leyó un poema que impresionó profundamente a Man Ray. Pensó inmediatamente en rodar un film basado en este texto y al día siguiente comenzó los preparativos. Completó la producción utilizando como actriz a su amante, Kiki de Montparnasse, cuyo desnudo rodó con un filtro difractante, para difuminar sus formas, y esto permitió que los censores lo autorizaran: «La aparente incoherencia de la película –escribió Man Ray en sus memorias– les molestó más que los desnudos, pero admitieron que eran tan artísticos como el cuadro de un desnudo. Me concedieron el visado, pero sugirieron la eliminación de dos trozos cortos, primero, cuando ella se quita la ropa sobre su cabeza, pues pensaban que el acto de desnudarse era ligeramente obsceno, y la eliminación del rótulo "Hay que golpear a los muertos cuando están fríos" *(Il faut battre les morts quand ils sont froids).»*[5]

Buñuel había visto *L'Étoile de mer* durante su estreno en el Studio des Ursulines, con acompañamiento musical de canciones populares. La seleccionó para el Cineclub Español aunque, en los años sesenta, descalificó ante Max Aub la producción cinematográfica de Man Ray, diciéndole que no le gustaba, porque la encontraba «demasiado artística».[6] Georges Sadoul coincidiría con este juicio al escribir que con sus cintas Man Ray «proseguía las investigaciones de sus fotografías abstractas sin aportar el ritmo y el movimiento esenciales en el cine».[7] No obstante, es menester puntualizar que *L'Étoile de mer* no es una película abstracta, pero utilizó en ella Man Ray un filtro especial difractante, que convierte a las imágenes de los objetos en borrosas, invistiéndolas de un aura de irrealidad, de un aspecto onírico. Pero alternó estos planos con otros impresionados sin filtro, produciendo violentas transgresiones de raccord, que contribuyen a distanciar al espectador.

No era exactamente *L'Étoile de mer* una adaptación del poema de Desnos sino, como precisa un rótulo del film, el *«poème de Robert Desnos tel que l'a vu Man Ray»*. Alain Virmaux precisaría que no se trató de una ilustración ni de un comentario al poema de Desnos, sino del «añadido de un universo poético a otro».[8] Su punto de partida era típico del surrealismo, pues presentaba el encuentro casual de un hombre y una mujer como matriz de una experiencia poética.

L'Étoile de mer contiene abundantes sugerencias eróticas subliminales. Por ejemplo, la escena de la mujer que se desnuda en la habitación ante el hombre comienza con el plano de un fragmento de puerta, con la juntura vertical de sus jambas en el centro de la pantalla, de modo que sugiere un órgano sexual femenino. Y, tras la frustrante retirada erótica del hombre, la abertura de la puerta se cierra. P. Adams Sitney ha hecho notar que el rótulo que dice *«Les dents des femmes sont des objets si charmants»*, seguido de un plano que muestra las piernas de la mujer, constituye una alusión a la *vagina dentata*, confirmada por la impotencia del hombre que, ante la mujer deseada que se desnuda, le dice lacónicamente adiós.[9] La curiosa morfología de la estrella de mar, con sus formas agudas, se asocia en el film, por otra parte, al concepto de *vagina dentata*. Y, al final, el rótulo que aparece tras el desnudo tumbado de Kiki advirtiendo al espectador *«Vous ne rêvez pas»*, enfatiza la distinción entre film y sueño, que ya había afirmado Artaud en su controversia con Germaine Dulac a propósito de *La coquille et le clergyman.*

En su presentación escrita, Giménez Caballero había opinado sobre *L'Étoile de mer:* «¿Asunto? Un vago hilo lógico. Una estrella de ilogismos, superpuestos, sucedáneos. *La estrella de mar* es Kiki de Montparnasse, mujer de ojos de color alga, de ademanes abisales. Todo el film está hecho con el objetivo como esmerilado, de modo que nade en una bruma de sueño, superreal. Es la historia eterna de la desesperanza del poeta. Sueña en la estrella de mar. Y al creerla apresar se evade.»[10]

La sesión resultaría controvertida debido al film de Man Ray, como veremos. La película de Murnau fue en cambio bien recibida y en la reseña de la sesión Arconada escribió: «*Tartufo* es una película de riesgo. (...) Lo primero que han hecho para dar interés a la película es un pequeño artificio y, a continuación, un pequeño desmoche. El artificio consiste en justificar la proyección de la comedia para servir de ejemplo a un caso análogo, imaginado en época actual. El desmoche consiste en despojar a la comedia de Molière de todas sus ramas y dejar un leve tronco de episodio. Lo suficiente –al fin– para que en el más breve tiempo posible, Jannings cree un carácter: el hipócrita. Y en seguida, un desenlace: la repulsión.»[11]

A juzgar por los testimonios escritos, *L'Étoile de mer* produjo algún desconcierto. Quien más crudamente lo manifestó fue el cronista de *La Pantalla*, quien se refirió así a la cinta de Man Ray: «Aunque muy interesante, este film debería haber sido precedido por otros de más primitiva y simple confección que fuesen determinando la gradación en lo sugerente.»[12] Su novedad era a todas luces excesiva para algunos espectadores, como se demostraría de nuevo cuando *L'Étoile de mer* se exhibió en Barcelona, en la segunda Sesión Mirador, el 22 de mayo de 1929. Todavía al año siguiente, cuando otra cinta de Man Ray se presentó en el barcelonés Studio Cinaes, Mateo Santos reseñó con desaprobación en su crónica: «El asunto desconcertó a una parte del público, que acusó con sus tímidas protestas su falta de sensibilidad artística.»[13] Previendo sin duda tales reacciones, en su parlamento previo a la sesión Giménez Caballero había advertido a su público que «el Cineclub no sólo habrá de ser diversión. Como todo laboratorio o ensayos repetidos, exigirá, a veces, paciencia y aburrimiento, heroísmo».[14]

Incluso una sensibilidad tan fina como la de Francisco Ayala dejó traslucir entonces sus reservas ante el film de Man Ray, escribiendo: «*L'Étoile de mer* es una preparación de laboratorio, una prueba. Un muestrario de imágenes que recuerdan en ocasiones algún determinado estilo plástico. Un libro lleno de bellísimas láminas donde los valores cinemáticos, cuando no faltan, están débilmente incorporados. La delicia visual hace que en él se produzcan sucesivos estancamientos; no siempre fluye. Con frecuencia se detiene a contemplarse.»[15]

En su reseña en *La Gaceta Literaria*, Arconada trascendió en cambio sus manifiestos interrogantes con un aplauso, al escribir que *L'Étoile de mer* «es poesía. ¿Poesía del cinema o transfilmación poética? Problema difícil. (¿Por qué los medios poéticos de un poema son, equivalentemente, aplicables a un film? ¿Poesía de poesía es igual que poesía de cinema?) Desde luego, para Man Ray, sí. Él ha trasladado a la cámara, al laboratorio, al celuloide, aquellos elementos –de sueño, de irrealidad, de vagorosidad– que constituyen la poesía. No sabemos bien si el resultado –el producto obtenido en la pantalla– es un poema cinematográfico o un poema literario. (...) Pero, indiscutiblemente, *L'Étoile de mer* es un film lleno de belleza».

SEGUNDA SESIÓN

La segunda sesión del Cineclub Español tuvo lugar el 26 de enero de 1929 en el Palacio de la Prensa y resultó accidentada. La abrió el mediometraje francés *La Zone* (1927), primer film de Georges Lacombe, quien había sido ayudante de dirección de *Entr'acte*, y que llevaba el expresivo subtítulo *Au pays des chiffonniers (Étude des coins ignorés de Paris).* Se trataba, en efecto, de una exploración de los tugurios que rodeaban el cinturón de París, en la zona de Clignancourt, mostrando el trabajo de los traperos y a los mendigos escarbando entre los escombros. Influido por el documentalismo soviético, *La Zone* constituía el reverso del París frívolo y alegre de las tarjetas postales para el turismo y su huella podría detectarse en la génesis de *Tierra sin pan* (1933), de Buñuel, sobre la población marginada de Las Hurdes.

En contraste con este vigoroso retablo de la pobreza suburbial irrumpió luego en la pantalla el vivaz documental *Les nuits électriques* (1929), del ucraniano Eugène Deslaw, afincado en París. Eugène Deslaw (Eugen Slavchenko), nacido en Kíev en 1900, había combatido en 1919 como oficial de caballería contra las tropas bolcheviques, a pesar de lo cual Dalí le calificaría de «cineasta ruso comunista».[16] Luego estudió filología y diplomacia en la Universidad de Praga y emigró a Francia. Allí trabajó en la factoría Renault y en otros oficios, como los de electricista y marinero. Por fin ingresó en la Escuela Técnica de Cinematografía de París y realizó su primer film experimental, *La marche des machines*, en 1928, al que siguió *Les nuits électriques* (1929), financiado por Jean Mauclair, el propietario del Studio 28 que en 1929 acogió *Un Chien andalou* y en 1930 *L'Age d'or.*

Les nuits électriques se inscribía en la onda de modernolatría y exaltación urbana que se expandió en los años veinte y a la que ya nos hemos referido en capítulos anteriores. Man Ray, en sus primeros films, *Le retour à la raison* (1923) y *Emak Bakia* (1927), había incluido ya escenas nocturnas con rótulos luminosos en movimiento. Y en nuestro país, el fotógrafo catalán Emili Godes (1895-1970) efectuó fotografías en el Palacio de la Luz de la Exposición Universal de 1929 en Barcelona, proponiendo imágenes de máquinas e instalaciones eléctricas como emblemas de progreso y de modernidad, en línea con los intereses de Deslaw. Su cinta tuvo el mérito de sustentarse en los rótulos callejeros como único tema. Deslaw declaró en la época que se trataba de «una protesta contra la representación literaria de las noches, esas noches en las que no había más que velas, petróleo, una vieja luna molesta y usada para todos los rimadores simbolistas».[17] En efecto, los guiños de sus anuncios luminosos sustituyeron al tradicional claro de luna romántico y se asociaron metafóricamente a la luz intermitente de la proyección cinematográfica, con una adhesión implícita a los postulados de Marinetti, en cuyo primer manifiesto cantó el «fervor nocturno» de «violentas lunas eléctricas».

Les nuits électriques impresionó a los espectadores de su época. Ángel Zúñiga, que pudo ver este film en la décima Sesión Mirador, celebrada en Barcelona el 16 de mayo de 1930, escribió que «exprimía toda una poesía inédita e inusitada: la poesía del gas neón. En la oscuridad de la noche los letreros luminosos trenzaban su impávida coreografía para que los amantes leyesen reflejados en sus ojos la misteriosa palabra Citroën; o los niños lanzasen profundas cábalas sobre mundos desconocidos que les revelaban este "sésamo ábrete" del anuncio de la luz –rojo, azul, verde– sobre el negro cielo de la ciudad».[18]

La publicidad de la segunda sesión había anunciado que se proyectaría *Jazz (Beggar on Horseback*, 1925), de James Cruze, el primer gran film de Hollywood influido por el expresionismo alemán y con inclusión de una atrevida escena onírica, basado en la pieza de George S. Kaufman y Marc Connelly y que desarrolla la historia de un compositor pobre que da clases de piano mientras intenta escribir una sinfonía. Pero no hay constancia de que *Jazz* se proyectase, aunque la última parte del programa estuvo focalizada sobre esta música afroamericana y fue presentada por Ramón Gómez de la Serna, en esmoquin y con la cara embadurnada de negro, como el protagonista de la cinta que iba a exhibirse a continuación, *El cantor de jazz (The Jazz Singer*, 1927), de Alan Crosland y protagonizada por la veterana figura del music-hall Al Jolson.

El cantor de jazz era por entonces un film mítico, pues con el éxito comercial de su sistema Vitaphone había inaugurado en Estados Unidos la era del cine sonoro. Su protagonista interpretaba al hijo de un cantor de sinagoga de estricta obediencia judía, que es repudiado por su padre a causa de su afición al jazz. Expulsado de su casa, troca su nombre Rabinowitz por el de Jack Robin y se enamora de una muchacha anglosajona. Con este planteamiento, el film desarrolla dos historias de amor que vive el protagonista: el amor hacia su madre, que representa la tradición de la ortodoxia judía, y el amor a la joven angloamericana que encarna la modernidad yanqui. Consigue reconciliarse con su padre antes de que muera, cantando en su sinagoga, y luego actúa en una revista de Broadway con la cara embadurnada de negro, adoptando una identidad afroamericana, y es bendecido finalmente por su comprensiva madre.

Producida por los judíos hermanos Warner, *El cantor de jazz* describió ejemplarmente la dinámica del *melting pot* norteamericano, mostrando la construcción de una identidad nacional a partir de otras identidades étnicas particulares y sin sentimiento de culpa por la pérdida de sus orígenes. El discurso de la película fue tan explícito, que algunos críticos se quejaron de que la historia era «demasiado judía». No obstante, no fue tanto su significación ideológica lo que llamó la atención del público como su acompañamiento sonoro con discos sincrónicos, aunque en realidad el film contenía sólo una escena dialogada –del protagonista con su madre–, pues su componente acústica estaba hecha de música y de canciones.

En realidad, el diseño de la sesión había sido, conscientemente o no, muy ramoniano, inaugurado con imágenes del Rastro parisino, siguiendo por el bullicio eléctrico de la noche urbana y desembocando en una apoteosis jazzística. Giménez Caballero no eligió a Ramón Gómez de la Serna por azar para presentar el film de Crosland. En sus memorias evocó su figura, por esta época, con el siguiente juicio: «Ramón era ya un ciclotrón, en explosión continua, alimentado por su pipa y la hélice de su corbata, patillas y bucles nucleares, voz atronadora, ciclotrónica.»[19] Del Ramón pintado y disfrazado de negro para esta sesión se conservan varias fotos que revelan el sentido autoparódico de su presencia.[20] El texto de su conferencia, titulada «Jazzbandismo», fue publicado en dos entregas en *La Gaceta Literaria.*[21] Su parlamento en el Cineclub fue mucho más breve que el texto publicado después, ya que lleva la acotación «Lo que dije y no pude decir en 15 minutos» y tal reducción fue confirmada en la reseña de la sesión.[22] En su texto, Ramón mezcló la información erudita y la exaltación entusiasta de la música afroamericana, a la que consideró una «mezcla libertaria», significada por su «rebeldía» y valorada como un «abrazo de civilizaciones».

Pero la cabina de proyección del Palacio de la Prensa no estaba por entonces equipada con el sistema acústico Vitaphone, empleado por la Warner Bros para sonorizar *El cantor de jazz*, y fue sustituido por una orquesta de quince profesores dirigida por el maestro Coronado, que añadió a su manera la música hebrea y de jazz que la acción requería. Este añadido espurio contribuyó a alimentar una ruidosa protesta del público, disconforme además con la programación de un film tan comercial, que se manifestó en forma de ruidoso taconeo. El desdichado episodio fue sólo el primer traspié de esta cinta paleosonora tan celebrada en otras latitudes. El 13 de junio de aquel año volvió a ser exhibida en el Cine Callao de Madrid, sonorizada con el chapucero sistema gramofónico Melodión, ingenio local de Antonio Graciani gestado en la distribuidora Exclusivas Diana. La iniciativa suscitó de nuevo una protesta generalizada del público, que fue puntualmente glosada –con indignada complicidad– en *La Pantalla.*[23] El resultado de tantos dislates fue que, cuando por fin pudo estrenarse en 1931 su versión sonora canónica, hubo que disfrazar la gafada película con un nuevo título, *El ídolo de Broadway.*

Giménez Caballero respondió al ruidoso pateo que recibió *El cantor de jazz* con un editorial sin firma titulado «El Cineclub, la vanguardia y los tacones», en el que se desmarcaba del dogma vanguardista y afirmaba: «Sepa, amigo, que *Cantor de jazz* fue, ante todo, el pedestal para el que el gran Gómez de la Serna pudiera apoyarse y dar un espectáculo que vale más de tres pesetas, ciertamente. Que *Cantor de jazz* era un film prohibido en España, por visos de propaganda judía. (...) Lo que ignoraban esos vanguardistas, esos normales, es que las revoluciones en arte y en política, se hacen sin tacones, con mentes educadas, con alma noble, con heroísmo, en sagrado silencio iluminados.»[24]

Tal vez la reseña de la segunda sesión cineclubista en *La Gaceta Literaria*, aparecida sin firma, fuera también de Giménez Caballero.[25] De *La Zona* escribió: «De régimen naturalista, sus visiones evocan páginas de Gorki, de novela social y proletaria. *La Zone* sería en español: *El Rastro*. El reino de los traperos, de los residuos humanos, de París. Nadie advirtió que, tanto *El Rastro* como la siguiente, *Noche eléctrica* (Puerta del Sol de noche), y el *Jazz* fue como un programa completo de homenaje a Gómez de la Serna, cantor de esos tres grandes temas nuevos. (...) La vida suburbial de París discurre por este film minuciosa y atrozmente. Muchas de sus escenas equivalen a muchos tomos de Zola.» De *Les nuits électriques* decía que «más que un film, es un poema. Un poema de la noche. De la luz en la tiniebla. De lo blanco en lo negro. Eleva el cartel luminoso como un Santo Grial, en el vacío del cosmos. El Anuncio, el Reclamo, como cosas en sí. Desfilaron escorzos luminales de la Torre Eiffel, del Jardín de Fieras –el *Am Zoo* de Berlín–, rieles, faros de autos, fuegos y cohetes, juegos geométricos de esferas y líneas.» Al comentar *El cantor de jazz* reaparecía en el cronista el rencor que destilaba el editorial «El Cineclub, la vanguardia y los tacones» y se invocaban los mismos argumentos que allí. «*El cantor de jazz* –podía leerse– no tuvo fortuna en Madrid. Sólo en el Broadway, donde le repartieron tantos puñados de dólares como aquí pisotones. La gente no supo advertir que el Cineclub aportaba este film de repertorio, ante todo, para que Gómez de la Serna pudiera hablar. Pues de no ser sobre un asunto de *jazz*, Ramón no hubiera accedido a presentarse en aquella sesión. Tampoco supo que *El cantor de jazz* estaba inédito en España, pesando sobre él la prohibición de la Censura, por tratarse, según ésta, de una propaganda judía. Y, finalmente, el espectador de la masa –el de patas– no se enteró de que un film que ha valido muchísimo dinero en Norteamérica podía entrar en los de *repertorio* de un Cineclub.»

TERCERA SESIÓN

La programación de la tercera sesión del Cineclub también sufrió variaciones en relación con sus anuncios previos, pues se preveía proyectar *Soledad (Lonesome*, 1928), de Paul Fejos, pero tal previsión aceleró su estreno comercial, demostrando por vez primera la capacidad promocional de su programación. En el número siguiente a tal publicidad de *La Gaceta Literaria* se anunció la proyección de *Zalacaín, el aventurero* y de dos films de René Clair, propuesta de la que Buñuel opinaba: «tengo la seguridad de que este programa llenará de suficiencia al más vivo exigente del Cineclub, y que todo tacón quedará beatamente suspendido».[26]

Se celebró la sesión el 24 de febrero de 1929 en el Palacio de la Prensa, con música de Rafael Martínez y precedida por unas palabras de presentación de Giménez Caballero, que dieron paso a una revisión de *Entr'acte*, de René Clair y Francis Picabia, cinta de la que ya nos hemos ocupado. Tras este celebrado manifiesto dadaísta, la pantalla fue ocupada por un film expresionista alemán, *El hombre de las figuras de cera (Das Wachsfigurenkabinett*, 1924), del pintor, escenógrafo y director Paul Leni. Constaba de tres episodios rememorados por el joven protagonista (Wilhelm Dieterle) para la promoción de un museo de figuras de cera: el primero sobre el califa Harun al Rachid, el segundo sobre Iván el Terrible y el tercero sobre Jack el Destripador. La imaginación visionaria de Leni se plasmó en unos interiores anfractuosos e inquietantes, cuyo mérito artístico le valió un contrato de la Universal para proseguir su carrera en Hollywood, mientras que Freddy Buache sostiene, de modo bastante convincente, que el episodio del cruel zar Iván –protagonizado por Conrad Veidt– inspiró a Eisenstein a la hora de rodar su *Iván el Terrible (Iván Grozni)* en 1944.[27] *El hombre de las figuras de cera* fue en su momento una película que normalizó en la industria la atrevida ruptura estética que había supuesto *El gabinete del doctor Caligari.* Cuando se exhibió en la undécima Sesión Mirador de Barcelona, el 6 de junio de 1930, Josep Palau escribió: «El decorado de este film importa tanto como las personas y su composición no es incompatible con la coherencia y unidad voluntaria de la que da prueba. Los medios de expresión están aquí subordinados exclusivamente a cuestiones de estilo» y declaraba su preferencia por el episodio de Iván el Terrible.[28]

Las dos muestras extranjeras de dadaísmo y expresionismo dieron paso a fragmentos del film español *Zalacaín, el aventurero* (1929), dirigido por Francisco Camacho a partir de la novela de Pío Baroja, quien pronunció unas palabras preliminares. La presencia de *Zalacaín, el aventurero* en la tercera sesión del Cineclub Español supuso una convergencia puntual de la generación «cinematófoba» del 98 con la «cinematófila» del 27 y este film pudo haber sido la película fundacional de un cine vasco con voluntad identitaria. La novela de don Pío, de 1909, presentaba al joven Martín Zalacaín, procedente de una aldea pobre, alistado en el ejército carlista en el confuso ambiente de la guerra civil y presentándole como un vitalista y un héroe trágico, por encima de contingencias ideológicas. Era un libro rico en acción y apto para su trasvase a la pantalla.

El director elegido para adaptar la novela al celuloide fue el extremeño Francisco Camacho, quien colaboraría en la producción de noticiarios republicanos durante la guerra civil, se exilió y se le perdió la pista cuando trabajaba como fotógrafo callejero en La Habana. Julio Caro Baroja recuerda que Camacho «poseía el físico del cineasta revolucionario».[29] El protagonista fue el actor asturiano de Avilés Pedro Larrañaga, quien, según el mismo autor, había sido un «guapo profesional». Y añade: «Para los que pensábamos que Zalacaín era un muchacho muy joven, Larrañaga resultaba un poco fondón con su cara muy perfecta, algo sosa, sin la menor expresión de malicia o de brío».[30] Un suelto periodístico de la época aseguró que cobró por su trabajo cerca de diez mil pesetas, cuando los galanes solían ganar unas tres mil en nuestro país.[31] Según recuerda Julio Caro Baroja, don Pío interpretó en el film al lugarteniente del cura Santa Cruz y Ricardo Baroja a Tellagorri,[32] mientras Andrés Carranque de los Ríos hizo de malvado.

Se rodó en el verano de 1928, con exteriores en Behovia, Irún, Vera del Bidasoa y Estella. Al finalizar su rodaje, la productora C.I.D.E. publicó un reportaje promocional de la cinta, del que vale la pena reproducir algunos fragmentos por su valor informativo: «Por primera vez –decía el artículo– se ha llevado a la pantalla una novela de Pío Baroja, autor de fama universal. (...) Se desarrolla la película en Vasconia, en medio de ese paisaje recio, como sus hombres; de montañas agrestes, sinuosos ríos, cielos cargados de nubes y nieblas que en las lejanías, en atardeceres maravillosos ocultan, como si fueran cortinas de agua, las puestas de sol. El protagonista ha sido encomendado a Pedro Larrañaga, vasco por su nacimiento y por su figura [*sic*]. (...) Puede afirmarse que por primera vez se ha impresionado una película española teniendo en cuenta las modernas exigencias de la técnica universal. El vestuario ha sido confeccionado expresamente conforme a los figurines de la época. Los actores ensayaron diversos maquillajes hasta dar con el apropiado a cada uno. En Behobia se instaló una galería, dotada de gran capacidad eléctrica, donde fueron instalados dieciséis grandes decorados según los proyectos del artista decorador José María Torres. En la mayor parte de la impresión de la película se ha utilizado película pancromática.»[33]

Zalacaín, el aventurero fue presentada, como dijimos, por el propio Pío Baroja, vestido de sargento carlista para la ocasión.[34] Ya había ofrecido por entonces Baroja algunas opiniones sobre el cine en las páginas de *La Gaceta Literaria*:[35] «El cinematógrafo –había declarado en 1927– es una cosa diferente a la literatura; algo más popular, más colectivo, más cortical, menos individualista y menos tradicional e histórico.» Y poco antes de la proyección del Cineclub había reiterado a *Popular Film*:[36] «La mayoría de las películas son novelas gráficas. Naturalmente, el cine tiene las ventajas y los inconvenientes de lo exclusivamente gráfico. La novela no podrá competir con el film en descripciones objetivas; como el film no podrá competir con la novela en lo que sea subjetivo o psicológico.» En las cuartillas que leyó antes de la proyección de *Zalacaín, el aventurero* explicitó más claramente sus sentimientos ambivalentes hacia aquel espectáculo, al afirmar que el cinematógrafo «tiene algo rápido, dinámico, de aire nuevo, sin tradición, un poco bárbaro, que me gusta, pero está casi siempre mezclado con una retórica insoportable e inspirado en una moral de adoración al dinero y el lujo para mi gusto repulsiva».[37]

Pero parece que la versión cinematográfica de su novela no desagradó al autor, pues volvió a presentarla cuatro días después en Bilbao y luego en Vitoria.[38] Y, por añadidura, espoleado sin duda por aquella experiencia gratificadora, en julio de 1929 escribió una novela-film, pensada para la pantalla, titulada *El poeta y la princesa* o *El cabaret de la Cotorra Verde*, vivaz comedia de enredo, en la que Baroja sugirió una utilización generosa del primer plano y del flashback.[39]

Lamentablemente, no existe hoy ninguna copia de *Zalacaín, el aventurero*, de la que Julio Caro Baroja recordó «algunas escenas buenas, como la de la detención de la diligencia. Cuando la película se estrenó tuvo un éxito regular para producción española; pero no el populachero de otras que recuerdo yo haber visto en algún cine de pueblo».[40] A Juan Piqueras le agradó bastante, a juzgar por su crítica en *Popular Film*:[41] «En *Zalacaín, el aventurero* –escribió–, hay sin duda, las escenas de más recia y valiente envergadura que registra nuestra cinematografía. Técnicamente es, desde luego, lo mejor que se ha hecho en nuestros estudios. (...) Y si su resultado económico no ha respondido a su esfuerzo, su acuse intelectual le compensa de todo. No queremos decir con esto que *Zalacaín, el aventurero* sea una obra completa. (...) vimos –inoportunamente puestos– un patio empavimentado con mosaicos modernos, desconocidos en la época en que se desarrolla el film, y el bigote americano de Carranque de los Ríos, detrás de una armadura medieval. Pero estos lunares últimos son perdonables, insignificantes, comparados con las otras bellezas que en el film se cobijan. (...) *Zalacaín, el aventurero*, con otro montaje –más sereno, más ordenado, poniendo en él un ritmo que se quiebre frecuentemente–, sería un buen film universal.»

El operador del film, el vienés George Ulmer, debió opinar lo mismo que Piqueras, pues al marchar a Hollywood –en donde desarrollaría una carrera interesante como director– gestionó su distribución mundial a través de la Metro-Goldwyn-Mayer, pero nunca se confirmó, a pesar de que un suelto de *Popular Film* en mayo de 1930 la daba por acordada.[42] En 1954 acometería Juan de Orduña una nueva versión de la misma novela.

Cerró la tercera sesión del Cineclub el cortometraje documental de René Clair sobre la Torre Eiffel titulado *La Tour* (1928) y subtitulado *Documento lírico*, del que Jean Mitry escribió que «se quería poema más que documento»[43] y Barthélemy Amengual añadió: «En *La Tour*, Clair juega a desmontar y remontar el hermoso Meccano del Sr. Eiffel. La poesía es activa, por una vez, más que contemplativa. Se trata de enlazar guirnaldas a ese campanario abrumador e ingenuo.»[44]

Esta vez la muy variada sesión cineclubista transcurrió sin incidentes. Arconada ofreció su recensión en *La Gaceta Literaria*,[45] recordando que «no todas las grandes ciudades de Europa y de América tienen un Cineclub». A *Entr'acte* la calificó de «película de fino humor, ya clásica en el catálogo de los films modernos». Sobre *El hombre de las figuras de cera* escribió: «Película irreprochable, dentro de la anarquía de los repertorios. (...) Decoraciones decorativas, estilizadas. Al final, unas magníficas escenas de alucinación –de superrealismo.» Le complacieron los fragmentos proyectados de *Zalacaín, el aventurero:* «la película está bellamente realizada –escribió–. Además de esto: los trozos proyectados tenían un valor anecdótico: el trabajo –en la película– de los dos hermanos Baroja, la casa –en Vera– de don Pío, paisajes vascos...». Y de *El poema de la Torre Eiffel* opinó: «Es la expresión más sólida de toda la literatura que sobre ella se ha hecho durante estos últimos años. Es un film de hierros y de mecánica. Es un poema de Cendrars realizado con la estilográfica de una cámara tomavistas. René Clair ha tomado el polvo de la tierra en todas las arterias de hierro. Como un pájaro, él la ha cercado –y acosado– en multitud de vueltas.»

Con su comparación de la cámara tomavistas y la estilográfica Arconada se adelantó en veinte años a la famosa teoría de la *caméra-stylo* de Alexandre Astruc, que constituiría uno de los fundamentos conceptuales de la *nouvelle vague* francesa.[46]

CUARTA SESIÓN

La cuarta sesión, acompañada también musicalmente por Rafael Martínez, se celebró en el Palacio de la Prensa el 19 de marzo de 1929. Se abrió con la proyección del largometraje documental *Moana (Moana. A Romance of the Golden Age*, 1923-25). Tras el éxito de su film polar *Nanuk, el esquimal (Nanook of the North*, 1920-22), Robert J. Flaherty pasó dos años en las islas Samoa, en la Polinesia central, para rodar su segundo documental, esta vez por encargo de la Paramount. Utilizando, como novedad, la película pancromática (pues descubrió Flaherty que la ortocromática convertía el suave color tostado de la piel indígena en negro sin matices), filmó la vida cotidiana de una familia polinesia, con sus danzas, la práctica de sus tatuajes o la arriesgada pesca del tiburón. El retablo resultante ofrecía resonancias de Gauguin, De Foe y Stevenson, mostrando una vida apacible y paradisíaca –en Italia fue rebautizado *L'Ultimo Eden*– que, por su contraste con la dureza de su film anterior, suscitó división de opiniones, pero su sensualismo agradó a los surrealistas. Robert Desnos escribió en *Le Soir:* «Por la llamada dirigida a las facultades imaginativas más preciosas, a los sentimientos del corazón y a la sensualidad, *Moana* es uno de los más bellos sueños que hayamos podido hacer.»[47] Francisco Ayala, tras ver el film de Flaherty, escribió: «Dado el anhelo viajero, el apetito de auroras propio de él, puede comprenderse la emoción pura e intacta con que vemos desfilar ante nosotros cintas como *Moana*, documental de la vida primitiva en Australia. *Moana:* carnes aceitunadas, tatuajes cubistas, danzas guerreras; cocoteros y, sobre todo, agua, agua, agua de mar, en que las olas, altos pañuelos, son cosidas por la proa de una falúa.»[48]

El «anhelo viajero» expuesto por Ayala era una realidad social a finales de los años veinte, empujado por las industrias del ocio y el desarrollo de las líneas comerciales de transporte. Muy poco antes, Ortega y Gasset había pedido al Cineclub films de *viajes:* «Si el cineclub trae *viajes* a sus programas –declaró–, vale la pena de hacerse asiduo socio.»[49] *Moana* supondría un hito en la historia del cine y Jean Mitry, que la calificó como «poema contemplativo», escribió sobre ella: «Idilio de paraíso terrestre, poema de la languidez tropical, *Moana* fue un himno al sol, a la naturaleza, a la vida, a la belleza encantadora de los mares del sur. Muy pocas obras cinematográficas han sabido comunicar tanta impresión de belleza pura y tranquila. A la poesía de las imágenes, hasta entonces casi fotográfica, Flaherty añadía por primera vez, de una forma manifiesta, un auténtico *poema de imágenes.*»[50]

En contraste con la limpidez documental de *Moana*, se exhibió a continuación el sofisticado film francés de Marcel L'Herbier *El difunto Matías Pascal (Feu Mathias Pascal*, 1925), basado en la novela de Luigi Pirandello (1904) y presentada al público del Cineclub por Benjamín Jarnés. En su parlamento recordó Jarnés que el film había sido ya estrenado en Madrid y acogido con protestas por el público y lo elogió, señalando: «La novela pirandelliana ha prestado su material anecdótico, su indumentaria, su topografía. Pero, felizmente, L'Herbier ha sabido eliminar de la película mucho lastre; ha rectificado escenas, ha modificado pasajes. No se trata de una reproducción, se trata de una metamorfosis. La novela ha perdido peso. El mismo protagonista nos parece más ligero al andar por el film que al andar por la novela. Se ha perdido en razones lo que se ha ganado en imágenes. Que es tanto como cambiar billetes muy usados por auténticas onzas de oro. Quizá el mayor acierto de este film es haber rectificado, reconstruido la concepción de Pirandello. El Matías Pascal de la película consigue sin palabras mucho más que el Matías Pascal de la novela, con sus largas disquisiciones (...) L'Herbier es ese hombre despierto. Es un excelente transformador. No es igual escribir una fábula en una decena de cuartillas, que escribirla en una serpentina de celuloide. Y L'Herbier, al escribir en celuloide *El difunto Matías Pascal*, ha vuelto a inventarlo. Lo que suele llamarse argumento era quizá muy semejante; el léxico era, con todo, muy diferente. Con ese léxico, con esa técnica admirable, tan hondamente se hizo dueño del tema, que se le fue modificando entre las manos.»[51]

Poeta simbolista captado por el cine, Marcel L'Herbier se convirtió con *El Dorado* (1921), rodada en parte en Granada, en una figura central de la escuela impresionista francesa de posguerra. Todavía visitaría nuestro país con motivo de *Don Juan et Faust* (1922) y *La barraca de los monstruos/La Galerie des monstres* (1924). *El difunto Matías Pascal*, que fue la primera adaptación a la pantalla de un texto de Pirandello, suele ser considerada su película muda más importante, junto con *El Dorado*, y fue elogiada por Buñuel en su carta a Pepín Bello desde París, el 8 de noviembre de 1927, como una de las muestras valiosas del cine francés, como señalamos en el tercer capítulo, por lo que no ha de extrañar su inclusión en la programación del Cineclub, ni que Buñuel publicase un artículo de L'Herbier en su sección, en febrero de 1928.

Su protagonista era un hombre arruinado que trabajaba en Miragno como bibliotecario (Iván Mosjukine), quien tras la muerte de su madre y de su hijita abandona el lugar. Su huida en tren permitía a L'Herbier sobreimpresionar durante su viaje escenas de su pasado. Descendía en Montecarlo, donde ganaba una fortuna a la ruleta. Cuando iba a regresar en tren a su casa, leía en un diario la noticia de su propia muerte, producida por una confusión. Decidía aprovechar tal error para liberarse de su pasado, cambiar su identidad y comenzar una nueva vida. Alquilaba un apartamento en Roma e iniciaba una relación amorosa con Adriana, hija del propietario de la casa, pero le robaban parte de su dinero y su situación se complicaba, por lo que regresaba a Miragno. Allí se encontraba con su ex esposa casada con un amigo suyo, por lo que, tras visitar su supuesta tumba, regresaba a Roma para casarse con Adriana.

El difunto Matías Pascal constituyó una aguda reflexión sobre la identidad, la libertad y la felicidad personal, utilizando a veces trucajes para desdoblar al protagonista, plasmando su crisis de identidad.

Supuso el film el debut del actor Michel Simon y la presencia de Pierre Batcheff, futuro protagonista de *Un Chien andalou*, en donde Buñuel le hizo también desdoblarse, como el protagonista del film de L'Herbier. Los interiores se rodaron en excelentes decorados de Alberto Cavalcanti y Lazare Meerson, pero los exteriores se filmaron en Italia, en Roma y San Geminiano, a veces con un expresivo tratamiento documental. El protagonista fue el famoso actor ruso Iván Mosjukine, quien hizo una gran creación, matizando su paso del sujeto deprimido al pícaro y al atribulado y confuso, bien servido por los primeros planos faciales. Noël Burch resumió el valor de la obra escribiendo que «el film es de un gran virtuosisimo, pasando alegremente del Kammerspiel rural a la fantasía burlesca con una incursión en la comedia de costumbres "expresionista"».[52]

La sesión se clausuró con el film experimental *Luces y sombras (Lumière et ombre*, 1928), de Alfred Sandy.

Juan Piqueras se estrenó como colaborador de *La Gaceta Literaria* con su crónica sobre la cuarta sesión del Cineclub Español. Calificó a *Moana* de «documento pedagógico admirable. La vida de los habitantes de Australia desfila por él, con la pureza y la realidad en que viven. Sus cacerías, sus pescas, sus danzas, sus actos rituales, han sido plasmados en la cámara tomavistas tan objetivamente, que su sola visión se basta para darnos la sensación más exacta y concreta de la vida primitiva y magnífica de esta raza». De *El difunto Matías Pascal* opinó que «más que un film de repertorio, es un film de avanzada, Marcel L'Herbier hizo de la novela pirandelliana un poema cinematográfico. Poema sinfónico de humorismo y dolor». Y calificó a *Luces y sombras* de «poema de luz –bañado en sombra–, inquieto, dinámico, insustituible».[53]

QUINTA SESIÓN

La quinta convocatoria del Cineclub Español, anunciada bajo el título «Oriente y Occidente» y celebrada a principios de abril, despertó gran expectación porque suponía la introducción de la desconocida cinematografía china en nuestros pagos. Aunque Oriente aparecía en 1929 como un mundo remoto y exótico, en España se había divulgado ya entre las élites la poesía de Omar Khayam, de Rabindrath Tagore (traducido del inglés por Zenobia Camprubí) y hasta algo de la poesía de Li Po, el gran poeta de la dinastía T'ang. Circulaba también una edición popular de *Las mil y una noches*, aunque vertida del francés y expurgada. A ello hay que añadir la revelación de los *haikus* japoneses a través de Enrique Gómez Carrillo y su influencia a través de las revistas ultraístas, de la mano del descubrimiento de los grabados de Utamaro y Hokusai. García Lorca llegó a ensayar en 1921 este género en sus *Hai-kais de felicitación a mamá*. Algo después, la virulenta reacción de los surrealistas franceses contra la Exposición Colonial de 1931 contribuyó a formalizar una mirada menos paternalista hacia las culturas consideradas «exóticas».

La sesión comenzó con la lectura del cuento popular chino *Nuwa* y un concierto del cuarteto de cuerda de Rafael Martínez. A continuación se proyectaron los dos films chinos programados: *La rosa que muere (Fuho de meigui*, 1927) y *La rosa de Pu-Chui (Xixiangji*, 1927), ambos dirigidos por Hou Yao. Los dos films habían sido producidos por la compañía Min Hsin, de Hong Kong, liderada por el pionero Li Ming-wei. A través de los contactos de su hermano en París, puesto que trabajaba en la concesión francesa de la colonia, exportó tres films a la capital francesa, los dos exhibidos en Madrid y un tercero que se tradujo como *Le Poème de la mer*. Para su distribución occidental se redujeron los once rollos originales de *La rosa de Pu-Chui* a cinco y el lote se presentó el 20 de abril de 1928 en el Studio 28 de París y luego circuló por Londres, Berlín, Ginebra, Madrid, etc.[54]

La prensa prestó bastante atención a este programa, lo que permite disponer de suficiente información sobre ambos films. Curiosamente, todas las reseñas califican a *La rosa que muere* de documental, pero el relato de su argumento desvela netamente que era un film de ficción. Según *Popular Film*, «su objeto es presentar, iniciar al público en las ritualidades de la verificación del matrimonio chino. (...) La boda es forzada. La novia va a la ceremonia muy triste. Tanto, que prefiere morir a entregarse a un hombre que aborrece. Y cuando, solos ya los recién casados, ve llegar la desventurada el temido momento no vacila en coger unas tijeras y clavárselas en el corazón. Y la sangre que brota del pecho abierto de la suicida, es la trágica rúbrica que pone fin a la película. El film, en general, es inocente, ingenuo. Y de una técnica –en particular en la manera de conducir el desarrollo– perteneciente al primitivismo del cine».[55]

Del lote cinematográfico chino que circuló en 1928-29 por Europa, *La rosa de Pu-Chui* fue la cinta que despertó mayor interés y suscitó más comentarios. Era una adaptación de *La habitación del oeste* –y era éste el título original del film–, una conocida pieza teatral del siglo XIV (época Yuan) en la que se inspiraron numerosas óperas y que sería adaptada de nuevo al cine en 1940. El argumento es el siguiente: un joven estudiante se retira al monasterio de Pu-Chui para preparar los exámenes imperiales que debe pasar en la capital. Se siente turbado por la presencia de una hermosa joven que mora en otra ala del edificio y que ha llegado al lugar con su madre, para cumplir con las oraciones rituales por su padre, un antiguo primer ministro fallecido. El estudiante, que es de condición modesta, se enamora de la joven. El jefe de una banda de forajidos se entera de la presencia de la hermosa joven y rodea el monasterio, exigiendo que se la entreguen. Ella está dispuesta a sacrificarse, pero el estudiante inventa una estratagema. Pide tres días de plazo para completar los ritos fúnebres, que aprovecha para hacer llegar un mensaje de socorro a un general que conoce. Éste llega a tiempo para derrotar a los bandidos y la pareja consigue reunirse.

El estreno de *La rosa de Pu-Chui* en París no había pasado desapercibido a la prensa cinematográfica española y el corresponsal de *La Pantalla* la describió como «idilio complicado, con hazañas de bandoleros, admirables desde el punto de vista cinematográfico y desde el punto de vista exótico, pues sus cuadros denotan un exacto concepto de la fotogenia en el país del sol naciente, y sus intérpretes, chinos todos, no necesitan simular la raza».[56] Al presentarse el film en Madrid, el cronista de *Popular Film* escribió: «La trama del estudiante que arriba a Pu-Chui y se enamora de una bellísima joven, y del bandido que, prendado igualmente de la muchacha, quiere secuestrarla, es en extremo romántica. Digna de los heroicos tiempos medievales. Como que el desafío entre el jefe de los bandoleros y el general de las tropas perseguidoras es un torneo... y en su aspecto puramente cinético *La rosa de Pu-Chui* es irregular. Al lado de detalles de gran técnica –verbigracia: las escenas del sueño del estudiante, cuando cabalga sobre una escoba por las nubes, similares a las del tapiz volador de Douglas Fairbanks en *El ladrón de Bagdad [The Thief of Bagdad*, 1924]– y de felices fundidos y superposiciones, se observan otros de vieja y mala escuela europea, que desmerecen del total.»[57] Y el cronista de *La Pantalla* insistió: «ofrece un grato sabor de ingenuidad y una peculiarísima belleza esta película, donde se mezcla, en feliz maridaje, lo novísimo y lo ancestral».[58]

Francisco Ayala asistió a esta memorable sesión y escribió también sus impresiones, señalando que *La rosa de Pu-Chui* «ofrece un raro paralelismo con cierto tipo de películas americanas, de las que fuera una traducción libre. Quizás ha recibido su influencia; quizás ha llegado a resultados idénticos que ellas por lo fatal que hay en el desarrollo –aún en distintos climas– de una misma especie orgánica. Esas curiosas y elementales faunas éticas de los "buenos" y los "malos" prosiguen allí su enconada, su interminable lucha. El amor de una muchacha, a la que es preciso salvar de todos los peligros, y un término nupcial y dichoso, forman el hilo argumental. Pero en su tejido se cruzan brillantes hebras, referencias ambientales, acentos remotos y un espíritu de extrema sutilidad. Junto a los ejércitos de bandidos, nota dramática un día de la actualidad del mundo, una imaginación peculiar, fina y burlona, impregna de tierno humor la cinta, cuya anécdota, por otra parte, se encuentra colocada dentro de las líneas esquemáticas del tradicional cuento de Oriente».[59]

En el intervalo que sucedió a la proyección de *La rosa de Pu-Chui*, Federico García Lorca ofreció un recital que *Popular Film* reseñó como «La rosa y la máquina»,[60] porque sirvió de puente entre las dos «rosas» de los títulos chinos proyectados y *La marche des machines* de Eugène Deslaw, que se proyectó a continuación. En realidad, este epígrafe parecía una alusión a Guillermo de Torre y a Jean Cocteau, pues el primero había escrito en 1924 «entre la máquina y la rosa, como leit-motifs sugeridores, yo prefiero la primera», mientras que Cocteau, oponiéndose al futurismo marinettiano, había proclamado «¡Abajo la máquina! ¡Viva la rosa!».[61] El recital de Lorca, que incluyó la «Oda a Salvador Dalí» (publicada en 1926 en *Revista de Occidente*, en el período de su íntima amistad) y el romance de «Thamar y Amnón», expresión orientalista que clausuró su *Romancero gitano*, se decantó por la rosa en vez de por la máquina, aunque en la «Oda a Salvador Dalí» comparecían ya en los dos primeros versos la rosa y la máquina:

> Una rosa en el alto jardín que tú deseas.
> Una rueda en la pura sintaxis del acero.

Es conocida la querencia de Lorca hacia los motivos orientalistas, que se encuentran ya en la «Canción oriental» de 1920, incluida en su *Libro de poemas;* en su suite «Jardín chino» (escrita entre 1920 y 1923); y en «Canción china en Europa» (1922), y llegan en el año de su muerte hasta *El diván de Tamarit* (1936), en donde emergen unas gacelas y unas casidas que se inspiran en la poesía árabe. C. B. Morris ha considerado anómala la ausencia de *El paseo de Buster Keaton* en este recital, explicándola porque delataría el íntimo conflicto de identidad del poeta.[62] Pero lo cierto es que los poemas elegidos resultaban más funcionales y coherentes con el diseño y espíritu de la programación elegida que la pieza sobre el cómico norteamericano. Lo que no obsta para que la «Oda a Salvador Dalí» fuese un intento de llamar la atención al hombre amado que por entonces había entrado decididamente en la órbita íntima de Luis Buñuel.

Como estridente contraste con el universo medieval del Lejano Oriente que acababa de desfilar por la pantalla, a continuación se proyectó –con acompañamiento gramofónico con música de jazz– *La marche des machines* (1928), del cineasta Eugène Deslaw, ya conocido de los cineclubistas por *La nuit électrique*. La brillante «sinfonía mecánica» de *La marche des machines* tenía algunos antecedentes cinematográficos. La ya citada *chanson du rail* de *La rueda (La roue*, 1922), de Abel Gance, causó admiración en su día y supuso una secuencia germinal de esta tendencia. Enrique Gómez Carrillo escribió en la época: «Es un torbellino ese desfile de ruedas, ese engranaje de dientes, ese ir y venir de bielas, ese parpadeo de focos...»[63] La propuesta estética de Gance tuvo un desarrollo experimental, en el marco del cine de vanguardia, en *Le Ballet mécanique* (1924), de Fernand Léger y Dudley Murphy, cuando en la Unión Soviética Dziga Vertov acababa de ensayar una «sinfonía mecánica» en el noveno noticiario *Kino-Pravda* (de 25 de agosto de 1922), con motivo de la instalación de un cine ambulante en ocho minutos,[64] y siguió cultivándola en *¡Adelante, Soviet! (Chagai, Soviet!*, 1926), para manifestar, en palabras de Abramov, «el *pathos* de la industrialización de un país atrasado y [en el que] se expresaba el orgullo por los éxitos de su economía».[65]

Eugène Deslaw aprovechó las máquinas exhibidas en la Feria de París para rodar su film de aliento futurista, con la colaboración del operador Boris Kaufman (hermano de Dziga Vertov) y de Fred Zinnemann, con un costo de 3.500 francos. Algunas proyecciones de su film fueron acompañadas en el Studio 28 por la música «ruidista» del futurista italiano Luigi Russolo, quien utilizó su Rumoharmonium (o Russophone) para emitir ruidos: sirenas, sierras, motores..., instrumento que se exhibía en el vestíbulo de aquel cine cuando tuvo lugar el controvertido estreno parisino de *L'Age d'or*, que culminó con su destrucción. A diferencia del citado *Le Ballet mécanique* y de los films de Vertov, la obra de Deslaw excluía la presencia humana. Mostraba ruedas y engranajes, estructuras de acero, muelles que se tensan y destensan, chorros de acero fundido, correas de transmisión, grúas...

creando un ritmo puramente visual por el montaje y el movimiento de las piezas. La ausencia humana motivó probablemente el matiz reticente de Jacques B. Brunius cuando escribió sobre este film que especula «únicamente con la belleza y el ritmo de las piezas de metal en movimiento, sin siquiera un contenido social».[66] David Curtis señaló que «el film de Deslaw requiere del espectador, para que pueda disfrutarlo, su empatía con las máquinas. (...) su única concesión a la continuidad es preparar el final de algunos planos para el principio del siguiente».[67] Y el catálogo del MOMA lo valoró así: «Deslaw crea una coreografía de movimiento en su gracioso montaje que extrae a las máquinas del contexto de sus funciones y las presenta como objetos delicados y potentes.»[68]

El propio Deslaw se refirió en varias ocasiones a *La marche des machines* y, en la época de su producción, explicó: «*La marcha de las máquinas* no es más que un medio de *acción directa* óptica, de acción sobre los nervios de los espectadores, sin ninguna clase de lógica literaria. (...) El ritmo de las imágenes reduce a cero su lado documental, instructivo. No hay nada para comprender, sino para sentir.»[69] Esta tendencia culminaría a comienzos del sonoro con la secuencia del trabajo en la fundición del film *Accaio* (1933), realizado en Italia por Walter Ruttmann. Deslaw, por su parte, rodó luego el documental *Montparnasse* (de 1930 y en el que aparece fugazmente Luis Buñuel), que fue exhibido en la undécima Sesión Mirador, el 6 de junio de 1930. Entre 1930 y 1932 todavía cultivó Deslaw el cine experimental con *Négatifs*, exhibido enteramente en película negativa, y el inconcluso *Vers les robots*. En su decadencia trabajó como ayudante de dirección y como técnico de doblaje para films norteamericanos.

La sesión se clausuró, decantándose por la naturaleza más que por la máquina, con la proyección del film experimental *Cristalisations (Microscopische Kristallisaties*, 1928), del holandés Jan C. Mol, que utilizaba la microfotografía y algunas de cuyas secuencias cristalográficas habían sido montadas para pantalla triple por Abel Gance y exhibidas en el Studio 28. Mol está considerado, junto con Jean Painlevé, como uno de los pocos cineastas europeos de vanguardia que celebró con su cámara las formas de la naturaleza, en lugar de los ritmos de la máquina o de la gran ciudad.

En la recensión de la quinta sesión del Cineclub Español publicada en *La Gaceta Literaria,*[70] el anónimo cronista describió así *La rosa que muere*: «A base de un tenue argumento (pasión y muerte, fiel al amante, de la desposada) desfilaron ceremonias interiores, costumbres y tipologías delicadísimas de Extremo Oriente. El público la acogió con aplausos. Sin embargo, en los pasillos se advirtieron comentarios de cierta incomprensión.» De *La rosa de Pu-Chui* escribió: «Este cinema chino tiene una perfecta técnica europea (primeros planos, superposiciones, ensayos oníricos, fotografías mágicas de luz, paisajes perfectos). Lo que es primitivo: el tema. Naturalmente. Como que *La rosa de Pu-Chui* es... un romance caballeresco.» *La marche des machines* era vista, con filtro orteguiano, como «la deshumanización del hombre. La máquina. Sus brazos, sus apetitos, sus ritmos, sus músculos, su gracia, su organicidad, casi divina». Y de *Cristalisations* elogió «el mundo mágico de lo *químico*: la gran brujería de Occidente. ¡Poemas cristalinos y geométricos! ¡Reinos unidos y siderales –inmensos– de lo microscópico!». Según el cronista, el público aplaudió «conmovido».

SEXTA SESIÓN

La sexta sesión del Cineclub Español, celebrada el 4 de mayo de 1929 en el Cine Goya, estuvo dedicada a «Lo cómico en el cinema» y para ella Buñuel, inmerso en la producción de *Un Chien andalou* en París, escribió una presentación que sería su último texto publicado en *La Gaceta Literaria.* En su entusiasta alegato decía: «A mi juicio, el mejor y más interesante programa del Cineclub es éste. Parece que se le debía haber ocurrido a mucha gente, y está, sin embargo, inédito. Ése sería el programa más representativo del cine mismo y más puro que todas las tentativas de vanguardia que se han hecho. (...) Nada de europeo: americano todo. Nada de orquesta: gramófono o pianola. Nada de films largos: una o dos partes. Creo que esa sesión va a ser algo definitivo, y cosa absurda no se ha hecho aún en ningún Cineclub ni cine ordinario del mundo. La gente es tan idiota, y tiene tantos prejuicios, que creen que *Fausto* y *Potemkine*, etc., son superiores a esas bufonerías, que no son tales, y que yo les llamaría la nueva poesía. La equivalente surrealista en cinema se encuentra *únicamente* en esos films.»[71]

Ya hemos visto, en otras páginas, el interés que despertaban los cómicos cinematográficos entre los escritores de la generación del 27. Desde que los largometrajes alcanzaron la longitud de seis rollos, hacia 1915, la estructura de las sesiones de cine se compuso de un noticiario de actualidades (como los de Pathé o de Gaumont, en Europa), uno o dos documentales y un cortometraje cómico en la primera parte, lo que estimuló su producción. Estos cortometrajes solían tener dos rollos y procedieron primero de Francia, que fue –con André Deed y Max Linder– la cuna del cine cómico, y luego de Estados Unidos, gracias sobre todo a la producción de la compañía Keystone, fundada en 1912 por el canadiense Mack Sennett, y que desarrolló pronto una frenética actividad que llegó a contagiar a sus films, que si tenían lugar en un espacio real –las calles, casas y playas de Los Ángeles–, desarrollaron en cambio una temporalidad irreal, acelerada y desbocada. En su producción algunos films eran corales y otros tenían un protagonista de fuerte personalidad individual, base de su nuevo *star-system*, pues prácticamente todos los grandes cómicos mudos –con la notable salvedad de Buster Keaton– se formaron en su estudio. En unos y en otros se prodigaban a veces unas celebradas batallas de tartas de crema, ingrediente festivo de su disparatada coreografía muda, los burgueses respetables salían malparados y los policías –los *Keystone Cops*– eran ridiculizados. Pero la llegada del cine sonoro supuso el descalabro de una escuela cómica basada en la pantomima.

Los vanguardistas franceses detectaron pronto la «nueva poesía» a la que se refirió Buñuel al escribir sobre estos films. Así, el René Clair filodadaísta escribió en 1923: «Es en el cine cómico en el que el cine ha conseguido mejor ser él mismo. (...) El lirismo rápido y fresco de Mack Sennett nos descubre un mundo ligero en el que la ley de la gravedad parece suplantada por la alegría del movimiento. Sus breves comedias nos anuncian el reino de la fantasía lírica, que constituirá sin duda el triunfo del cine.»[72] Al año siguiente Robert Desnos coincidía con René Clair y con Buñuel al referirse al «cine americano que se ha convenido en llamar "cómico", cuando el epíteto "poético" sería el más adecuado».[73] Y en España, desde los primeros números de *La Gaceta Literaria*, Miguel Pérez Ferrero prestó atención a este género, con un retrato alegre y simpático de Mack Sennett y un elogio de Buster Keaton.[74]

La querencia de los surrealistas hacia aquellos cómicos era comprensible, pues sus personajes eran sujetos asociales, solitarios, incordiantes y destrozones, enfrentados al orden burgués. Y si el surrealismo había reivindicado la función subversiva de la risa, contra el reverencialismo y la respetabilidad del poder político y social, su simpatía tenía que sintonizar forzosamente con aquellos personajes. Como ha escrito Jean-Claude Philippe sobre la adecuación de los cómicos norteamericanos al *ethos* surrealista: «el hiato entre el personaje y su entorno social (Chaplin) o cósmico (Keaton) define la comedia burlesca. (...) la familia, la amistad, el amor y el trabajo se convierten en objetos de burla entre las manos de estos cómicos. (...) El "inconformismo absoluto" del surrealismo encuentra su equivalente estricto en los cómicos. (...) Viven literalmente en el reino de lo imposible, liberados del peso, del tiempo y del espesor de las cosas».[75]

La sesión del Cineclub se dividió en dos partes, separadas por un intervalo en el que Rafael Alberti recitó tres poemas –dedicados a Charlot, Harold Lloyd y Buster Keaton–, que se convertiría en el germen de un proyecto más ambicioso, que luego comentaremos.

El primer cortometraje anunciado era *Robinet nihilista,* de sólo cien metros. Robinet era el seudónimo del notable cómico español (extremeño, según algunas fuentes) Marcelo Fernández Pérez, que adoptó el sobrenombre profesional de Marcel Fabre y trabajó con éxito en el cine italiano, francés y norteamericano. Ha sido mencionado ya en el séptimo capítulo de este libro como protagonista de *Amore pedestre.* No obstante el título del film citado por *La Gaceta Literaria,* una consulta a los catálogos filmográficos italianos revela que no existió ningún film de tal título, pero sí un *Robinette nichilista,* producido por la casa Ambrosio de Turín en 1913 y de 119 metros. El nombre femenino del título era el que recibía la actriz Nilde Baracchi, que trabajó de pareja con Fabre en numerosos films.

No existe certeza acerca de la identidad del segundo cortometraje anunciado como *Tancredo sherif,* de trescientos metros. En la copiosa filmografía de Mack Sennett aparece, no obstante, un film de dos rollos titulado *Safety First Ambrose* (1916), de Fred Fishback y protagonizado por el grueso cómico Mack Swain, que en Francia se tituló *Ambrose sheriff* y que tal vez pudiera corresponder al exhibido en Madrid, pues aunque Mack Swain era también conocido en España como Ambrosio, no eran raros los cambios y variantes de seudónimos en la época.[76]

Después se proyectó *El torero (The Toreador,* 1920), corto de dos rollos de la Fox realizado por Jack Blystone y protagonizado por Clyde Cook, actor conocido en España como Lucas. Hoy muy olvidado, el australiano Clyde Cook fue bailarín acrobático y William Fox le descubrió cuando actuaba en Broadway y le contrató en 1910. En 1915 fue fichado por Mack Sennett y se integró en su grupo de policías bufos –los famosos *Keystone Cops*–, de los que era el más diminuto. Luego pasó a las *Sunshine Comedies* de la Fox, dirigidas por Harry «Pathé» Lehrman. De *El torero* escribió Carlos Fernández

Cuenca: «Una de las comedias más divertidas del célebre mimo apodado Lucas en España y Dudule en Francia. Hay una comiquísima capea a un pseudomiura; el día de la corrida, la Guardia Civil tiene que llevar al torero a la fuerza hasta la plaza, sacándole para ello de la cárcel en la que por miedo se ha refugiado, creyéndose en ella a seguro. La corrida se hizo en una plaza mejicana, con chispeantes escenas en el callejón.»[77]

El cuarto cortometraje proyectado fue *Las novias de Ben Turpin*, probable traducción de *The Prodigal Bridegroom* (1926), de Eddie Cline y protagonizada por el bizco Ben Turpin. Este actor de Nueva Orleans, que había comenzado su carrera en el mundo de las variedades, realizó diversos menesteres auxiliares en la productora Essanay antes de ser contratado por Mack Sennett. Su estrabismo fue un elemento tan decisivo de su comicidad, que lo protegió con una póliza de seguros. Su bigote espeso prefiguró el de Groucho Marx y se le apodaba «el Romeo bizco» por las parodias en su papel de conquistador, tan exitosas, que se retiró en acaudalada posición económica en 1927. En el film que ahora comentamos interpretaba a un joven que regresaba a su pueblo enriquecido, eludía con una historia fantástica su compromiso con una joven campesina y caía en manos de una vampiresa que se aprovechaba de él y luego le abandonaba.

El quinto film proyectado, que clausuró la primera parte de la sesión, fue *Harold policía (Chop Suey and Co.*, 1919), una producción de Hal Roach con Harold Lloyd, Bebe Daniels y Bud Jamison. Conocido en España como Él (y también en Francia, como Lui) y Gafitas, Harold Lloyd fue el más productivo de los cómicos norteamericanos (184 cortos hasta 1921; 10 largometrajes mudos entre 1922 y 1928; y 6 largometrajes sonoros hasta 1947) y el que ganó más dinero. En 1917 abandonó el personaje vagabundo Lonesome Luke, de corte más o menos chaplinesco, para ir adoptando su nuevo y definitivo *look*, con sus famosas gafas de concha, sombrero de paja y corbata de pajarita, propios del voluntarioso y optimista *All-American boy.* Sus recaudaciones de taquilla evidenciaron que fue el héroe cómico nacional con el que el americano de clase media se pudo identificar, en contraste con el vagabundo Charlot o el extraño Buster Keaton, encarnando, a diferencia de ambos, el optimismo de la cultura yanqui. En 1931 Arconada le caracterizó de este modo: «Harold, como todos los demás cómicos, ha superado los primeros procedimientos infantiles, directos, y ha construido sus películas sobre un armazón más moderno. Fue uno de los primeros que, intentando esa superación, hizo películas cómicas con argumento. En cuanto a los trucos, Harold es quien los ha creado más sorprendentes, puesto que su arte no es otra cosa sino una cadena continua de trucos, como el del saltimbanqui es una cadena de volteretas.»[78]

En el film proyectado en el Cineclub, Harold, vestido de policía, intentaba cortejar con poco éxito a Bebe Daniels. Ella se iba con otro (Bud Jamison) a un restaurante del barrio chino, donde transcurría parte de la acción, y Harold les seguía, siendo constantemente humillado.

Tras la proyección de *Harold policía,* Rafael Alberti procedió a recitar sus poemas sobre los cómicos y se dio paso a la segunda parte de la sesión.

Se había anunciado la proyección de *Charlot en la granja (Sunnyside,* 1919), pero fue reemplazada por *Charlot emigrante (The Immigrant,* 1917), realizada por Chaplin para la Mutual Film Corporation. Por entonces ya se había dibujado en España la bipolarización que había conducido a Buñuel y a Dalí a menospreciar a Chaplin, en contra de la opinión intelectual mayoritaria. En marzo de 1928 Sebastià Gasch, que siempre fue chaplinófilo, escribió: «¡Naturalmente que preferimos Chaplin a Lloyd!»[79] Sin embargo Buñuel, en la presentación de la sexta sesión, había escrito: «Charlot de hace diez años podía proporcionarnos una gran alegría poética. Hoy, ya no puede competir con Harry Langdon. Los intelectuales del mundo lo han estropeado, y por eso ahora intenta hacernos llorar con los más vivos lugares comunes del sentimiento.»[80] Este juicio explica que la película elegida de Chaplin fuese de 1917, de la etapa que se consideraba superior del cómico inglés. Fue *Charlot emigrante* una obra de una rara perfección. Chaplin llegó a rodar algunas escenas hasta treinta veces y, para obtener una cinta de quinientos metros, impresionó doce mil de negativo.

Charlot emigrante comienza a bordo del barco que transporta al vagabundo hacia Nueva York, junto a otros pobres emigrantes europeos zarandeados por el oleaje, entre quienes figura Edna Purviance con su madre enferma. La llegada al puerto, frente a la prometedora estatua de la Libertad, está contrapunteada por los malos modos de los funcionarios de aduanas, que aprisionan a los emigrantes con una gruesa cadena. Luego Charlot va a comer a un restaurante, en el que invita a Edna a pesar de que no tiene dinero, y observa con inquietud cómo el corpulento encargado del local apaliza a los clientes sin recursos. Gracias a un pintor que está interesado en contratar a Edna como modelo puede sortear el problema y salen juntos a la calle, bajo la lluvia. *Charlot emigrante* constituye una estampa social cruda y vigorosa en dos escenarios característicos: en el barco que transporta a los pobres emigrantes y en el restaurante del nuevo mundo, meta de tantas esperanzas colectivas, pero en el que priva brutalmente la ley del dinero. La situación sentimental se teje en sordina en este marco social, salpicado de gags extraordinarios.

A continuación se proyectó la segunda parte de *El navegante (The Navigator*, 1924), de Buster Keaton y Donald Crisp, el largometraje preferido de Keaton y el que obtuvo mayores recaudaciones en su estreno. En 1929, cuando se programó este film en Madrid, Buster Keaton se hallaba en el apogeo de su madurez, habiendo alcanzado una gran perfección mediante unas características muy acusadas, como su impasibilidad facial, que contrastaba con la cálida expresividad de sus grandes ojos; con su mesurada economía de gestos; su testarudez y la imprevisibilidad de sus reacciones. Sus gags eran de una elaborada y calculada perfección y le habían convertido en un aristócrata de la estilización expresiva, a tono con los conceptos estéticos de la contemporánea Bauhaus. Refiriéndose a esta característica, Francisco Ayala escribió en la época que «sus obras están concebidas como perfectos mecanismos, donde todas las piezas ajustan a modo, sin que falle un resorte».[81] Y Rosa Chacel apostilló: «Buster Keaton filma para decir solamente "soy tímido". (...) Su psique, facetada de timidez, se demuestra ante el espectador como un cuerpo. La timidez aletea en sus párpados, y sus ojos aparecen tan sensibles, que tememos verles retraerse, como los del caracol, si les toca otra mirada.»[82]

Antes nos hemos referido a la jerarquización valorativa de los cómicos americanos que operaron algunos escritores de la época. Piqueras, por ejemplo, con motivo del estreno de *El cameraman (The Cameraman*, 1928), de Keaton, en Madrid, estableció su escala de preferencias, encabezada por él y seguido por Harry Langdon, que en su opinión había desbancado a Harold Lloyd. Apenas citaba a Chaplin, si bien opinaba que «Buster Keaton es más hombre que Charlot, menos payaso».[83] El primer número de *La Révolution Surréaliste*, aparecido en diciembre de 1924, había honrado al cómico con una foto a media página.[84] Y, para Buñuel, no había dudas. Después de designarle como «gran especialista contra toda infección sentimental», calificó su film *El colegial (College*, 1927) como «bello como un cuarto de baño: de una vitalidad de automóvil Hispano».[85] Era un juicio que delataba resabios lecorbusianos, con su fascinación bauhausiana por los objetos estilizados y utilitarios de la modernidad.

En agosto de 1930 y procedentes de la frontera francesa, Buster Keaton, su esposa Natalia Talmadge y su cuñada Norma Talmadge llegaron a San Sebastián para efectuar un viaje turístico por España, que les llevaría hasta Madrid, Sevilla y Málaga. El periplo fue cubierto profusamente por la prensa cinematográfica de la época.[86] J. F. Aranda –que atribuye erróneamente tal viaje al verano de 1928– ha relatado el encuentro del actor con el grupo surrealista español, por azar, en una playa desierta de Torremolinos, encuentro del que se derivaron, según Aranda, algunas tertulias y la amistad del cómico con José María Hinojosa y el pintor Jean Lirsac.[87]

En *El navegante* Buster Keaton interpretaba a un rico soltero que, por accidente, se veía a bordo de un gran transatlántico en compañía de la hija de su armador, como únicos tripulantes de la nave. Con gran torpeza intentaban organizar su vida a bordo e iban a parar a una isla poblada por caníbales, quienes raptaban a la chica, a la que al final Keaton conseguía liberar. El actor se convirtió esta vez en una especie de Robinsón marino en alta mar, que luchaba por su supervivencia en un gran recipiente mecánico de acero. Su secuencia más creativa fue aquella en que debía actuar como buzo para reparar una avería, enfrentado a un pez espada y a un pulpo y con el tubo de oxígeno cortado.

A continuación se proyectó *Los apuros de un papá*, con Glenn Tryon. Este actor, que los cinéfilos recuerdan especialmente como el protagonista de *Soledad (Lonesome*, 1928), de Paul Fejos, había desarrollado antes de esta fecha una densa carrera como actor cómico. Había estudiado en la Polytechnic High School de Los Ángeles, pero desde muy joven optó por el teatro y hacia 1924 por el cine, en el equipo del productor Hal Roach.

Cerró la sesión *Sus primeros pantalones (Long Pants*, 1927), de Frank Capra y con Harry Langdon como protagonista. Este singular cómico sería más apreciado por los surrealistas franceses y españoles que por el público anglosajón. Vicente Huidobro le dedicó un elocuente artículo en 1928[88] y Salvador Dalí escribiría sobre él: «Harry es la vida elemental, lo puramente orgánico, vive más lejos de la existencia de sus propios gestos que los animalitos de Miró. (...) Keaton a su lado es un místico y Charlot un putrefacto.»[89] De cara redonda y fofa, aire infantil y expresión ensoñadora y despistada, Manuel Villegas López lo describió bien al señalar que «vive en ese umbral de la vigilia y el sueño, que casi le transforma en un sonámbulo de la vida. No se sabe nunca bien si está dormido o despierto, con ese parpadeo rápido de no comprender, de no poder volver a la realidad. Esa chaqueta demasiado pequeña, esos pantalones demasiado grandes, a veces los zapatones destartalados... y un sombrerito blando, grotescamente pequeño, que le da un aire de niño crecido».[90]

Harry Langdon creó, sin duda, el personaje más patológico de la familia de cómicos norteamericanos del cine mudo. André G. Brunelin escribió explícitamente sobre él que «Langdon nos da no sólo la impresión de una "espantosa virginidad" sino también de una patética impotencia sexual».[91] *Sus primeros pantalones*, en donde Langdon interpretó a un adolescente cuando tenía más de cuarenta años, constituyó un óptimo documento de su patología. En el film, en efecto, estrena pantalones largos y se enamora de una llamativa traficante de cocaína perseguida por la policía, Bebe Blair, por lo que planea asesinar a Priscila, la joven simple e ingenua con la que su familia proyectaba casarle. Intenta matarla en el bosque antes de su boda, pero fracasa en su empeño. Va al encuentro de Bebe Blair, que ha escapado de la cárcel, e intenta protegerla torpemente, pero acaba siendo detenido y encarcelado por su complicidad con ella. Cuando sale de la prisión, con su ensoñación romántica derrotada, va al encuentro de Priscila.

El aspecto más relevante y la consecuencia más perdurable de la sexta sesión del Cineclub Español, dedicada al cine cómico, fue el recitado de los poemas de Alberti en la media parte, episodio que generaría una secuencia de textos poéticos suyos sobre este tema y un proyecto de libro que, ilustrado por Maruja Mallo y editado en español, francés e inglés,[92] nunca llegaría a ver la luz. Alberti recordaría en sus memorias la génesis de este asunto: «Vivíamos entonces la Edad de Oro del gran cine burlesco norteamericano, centrada por la genial figura de Charles Chaplin. A todos esos tontos –verdaderos ángeles de carne y hueso– dedicaba yo los poemas de este libro.»[93] Intencionadamente, Alberti llamó «tontos» a estos cómicos, equiparándolos a los personajes bufos del circo, pero a la vez los consideró «ángeles», en alusión a su libro contemporáneo *Sobre los ángeles* (1929).

El libro debía titularse *Yo era un tonto y lo que he visto me ha hecho dos tontos*, frase de un personaje en el primer acto de *Las hijas del aire*, de Calderón de la Barca, sugerido por Bergamín. Pero el número de sus poemas es incierto, pues el caso es que, a partir de los tres poemas recitados en el Cineclub, desde el número 58 de *La Gaceta Literaria*, del 15 de mayo de 1929, hasta el número 66, del 15 de noviembre siguiente, Alberti fue publicando poemas sobre los cómicos cinematográficos, que deberían integrarse en el volumen. Puesto que los poemas aparecieron o desaparecieron caprichosamente en las diversas compilaciones poéticas del autor, su única edición «definitiva» es la que compuso y anotó C. B. Morris en 1996.[94] El núcleo original, como se ha dicho, lo constituyeron los poemas recitados en el Cineclub –«Cita triste de Charlot», «Harold Lloyd estudiante» y «Buster Keaton busca por el bosque a su novia, que es una verdadera vaca»– y el ciclo crecería hasta constar de quince poemas si se excluye, como hace Morris juiciosamente, «La primera ascensión de Maruja Mallo al subsuelo», por ser ajeno a la temática de los restantes. En todo caso, es obligado señalar que el libro sobre los cómicos es coherente con la restante producción poética de Alberti en este período, pues hay invención, pero también ironía, descaro mordaz y hasta amargura, como se verá.

El poema «Cita triste de Charlot» aludió a la cita frustrada con Georgia en la Nochevieja de *La quimera del oro (The Gold Rush*, 1925), una cinta que también evocó Lorca en su poema en prosa «La muerte de la madre de Charlot» y Rogelio Buendía celebró en un poema publicado anteriormente en *La Gaceta Literaria.*[95] Alberti recuerda la tristeza de la ausencia:

> Lo más triste, caballero, un reloj:
> Las 11, las 12, la 1, las 2.

Tanto al principio como al final de su poema Alberti insiste en presentar la caracterización física del cómico, los rasgos emblemáticos de su presencia visual, subrayando así su referencia a un medio icónico:

> Mi corbata, mis guantes
> Mis guantes, mi corbata
> ...
> Se me ha extraviado el bastón
> Es muy triste pensarlo solo por el mundo.
> ¡Mi bastón!
> Mi sombrero, mis puños,
> Mis guantes, mis zapatos.

El poema «Harold Lloyd, estudiante» alude a su film *El estudiante novato (The Freshman*, 1925) y en él Alberti mezcla burlonamente los estereotipos de las lecciones escolares de francés, de gramática, de matemáticas, de historia sagrada, de geografía, de geometría y de latín. En el apartado de la geometría aparece un triángulo isósceles, primo hermano del triángulo escaleno que, en «Telegrama» (poema de *Cal y canto),* era asesino, pero que esta vez es suicida. La agresividad de los ángulos agudos del triángulo sugería sin duda a Alberti su función homicida.

«Buster Keaton busca por el bosque a su novia, que es una verdadera vaca» estuvo inspirado por la película *El rey de los cowboys (Go West,* 1925), estrenada en Madrid en el Cine Royalty el 30 de septiembre de 1927 y que fue elogiada por Miguel Pérez Ferrero en *La Gaceta Literaria.*[96] En ella, la vaca Browneyes salva a Keaton de la embestida de un toro y le sigue por todas partes, incluso al dormitorio. Él la salva de ser marcada al rojo y consigue alejarla del matadero, prefiriendo al final la res a Georgina, la joven hija de su patrón. El film fue poco apreciado por la crítica norteamericana, pero mucho por la europea y en Francia al extraño idilio keatoniano se le dio el más pertinente título de *Ma vache et moi.* Contenía, además, uno de los gags más colosalistas de la carrera de Keaton al hacer que una gran manada de reses atravesara una ciudad auténtica, algo que hoy sería impensable.

La vaca constituye una imagen materna, que sugiere el complejo de Edipo de su protagonista sexualmente inmaduro. A este tema se refirió Giménez Caballero cuando escribió en 1932: «La vaca la he visto exaltada por Marc Chagall, Buster Keaton, Rafael Alberti, Luis Buñuel [sobre el lecho de *L'Age d'or*]... Por todo el movimiento hiperromántico de estos últimos años. ¿No es la vaca un complejo materno? La diosa Isis era en Egipto una vaca. Y esta diosa –aparecía con el sol entre la cuerna– loca de dolor, mugiendo, buscando a su hijo Osiris. Era una de las primeras formas de plasmar [en] una religión ese misterio que luego encontraría, en el catolicismo, su expresión en *La Pietà,* de Miguel Ángel. Y antes –Grecia– en el complejo de Edipo.»[97]

El poema de Alberti comienza con unas enigmáticas huellas en el suelo, que son en realidad de las pezuñas de la vaca Browneyes. Al final, Keaton se hace un lío acerca de la identidad de su amor: ¿una niña o una vaca? El film lo dejaba claro y el poema también, al acabar:

Adiós, Georgina.
(¡Pum!)

Al valorar el poema «Harry Langdon hace por primera vez el amor a una niña» hay que recordar que, en aquella época, «hacer el amor» significaba en el lenguaje común «cortejar», y nada más. De hecho, «hacer el amor» excluía la cópula física, y el poema cobra todo su sentido en el marco de la neurosis sexual del personaje de Langdon que antes hemos descrito. Se trata, en efecto, del soliloquio infantiloide de un niño enamorado, a quien le «sobra una pierna» y que al final concluye con la frustración y vergüenza sexual, pues se le rompe el pantalón (sin duda, la prenda de *Sus primeros pantalones*), por lo que acaba con un seco:

Good night, Mary.

En el mismo número de *La Gaceta Literaria* en que se publicó este poema estampó Eugenio Montes, a su lado, su elogiosa crítica al estreno parisino de *Un Chien andalou.* Y, debajo,[98] se imprimió otro poema titulado «A Rafael Alberti le preocupa mucho ese perro que casualmente hace su pequeña necesidad contra la luna». Ambos poemas tienen algo en común. En el primero se lee:

> No hay nada tan bonito como un ramo de flores
> cuando la cabra ha olvidado en él sus negras bolitas.

Se trata de una yuxtaposición provocativa o de un montaje estridente (flores/excrementos), similar a la necesidad del perro contra la luna. Aunque escrito el segundo poema antes de la presentación de *Un Chien andalou* en Madrid, es legítimo interrogarse acerca de la identidad de este perro cinematográfico y sobre el significado de la luna, que es el astro que abre el film de Buñuel, aunque también vimos que ha sido utilizado genéricamente como metáfora de la proyección cinematográfica. Aún así, seguirá quedando en pie el enigma del verso:

> ¿He olvidado que mis axilas eran un pozo de hormigas?

que evoca de nuevo, nítidamente, la iconografía de *Un Chien andalou.* El poema ha de leerse, sin duda, en el contexto de la circulación de información entre los ex residentes, en este caso acerca del film de Buñuel, y de su permanente juego de bromas privadas.

«Telegrama de Luisa Fazenda a Bebe Daniels y Harold Lloyd» tiene como protagonista a la actriz cómica Louise Fazenda, quien en

1912 pasó del teatro al cine y desde 1915 trabajó en la productora Keystone. Mujer atractiva, aficionada a las ropas y peinados extravagantes, gustaba rodearse de animales. En España era conocida popularmente como «Luisa, la fachosa», por su aspecto estrafalario. Los destinatarios de su telegrama son Harold Lloyd –designado en el poema como «gafas enamoradas»– y su pareja cómica de la época, la vivaz tejana Bebe Daniels, llamada en España Ella, por ser la pareja de Él. Había formado parte del jubiloso coro playero de las *Bathing Beauties* de la Keystone y rodó algunas exitosas comedias a las órdenes de Cecil B. DeMille antes de convertirse en pareja de Lloyd. Louise Fazenda es presentada por Alberti con un aura de provocativo descaro, subrayado por el uso del francés:

> Decidida mostrar le cul et les jambes aux soldats,
> ...
> pienso parir burro delicado y feo niño;
> domino luna y francés.

Puede especularse acerca de si el burro delicado que piensa parir la actriz alude al Platero de Juan Ramón Jiménez, que era detestado por los poetas escorados hacia el surrealismo. Y el último verso podría ser el más procaz de todo el poema.

El «Noticiario de un colegial melancólico» está escrito pensando en *El colegial (College*, 1927), el film de Buster Keaton que había sido elogiado por Buñuel en un artículo de *Cahiers d'Art* y por Francisco Ayala en *La Gaceta Literaria.*[99] Su estructura está compuesta por una fantasiosa clase de gramática sobre las declinaciones. En este sentido, es un poema emparentado a «Harold Lloyd, estudiante».

«Larry Semon (+) explica a Stan Laurel y Oliver Hardy el telegrama que Harry Langdon dirigió a Ben Turpin» constituye un largo y complicado título, con el que Alberti reincidió en la fórmula telegráfica que tan buenos resultados le había dado para referirse a Louise Fazenda. Esta vez los protagonistas del poema son otros. Hijo de un prestidigitador, Larry Semon trabajó en espectáculos de variedades y fue dibujante de cómics antes de entrar en el cine en 1916. En la productora Vitagraph creó, como director y actor, su famoso personaje de rostro ovoide y enharinado, pantalones demasiado grandes, tirantes y bombín. En España se le conoció primero como Tomasín y luego como Jaimito. Su personaje, a diferencia de los grandes cómicos norteamericanos que hemos ido citando, no tenía una psicología definida, pues el motor de sus películas era una acción desenfrenada y paroxística, propia de un dibujo animado. Una de sus especialidades era la persecución en motocicleta, que solía concluir en caídas. Era una persona difícil. Se cuenta que en *Scars and Stripes* (1919) tenía como pareja cómica a Stan Laurel y ambos se escapaban de la cárcel. Pero celoso de Laurel por su éxito en un film precedente, Semon cambió el guión durante el rodaje para eliminarle, para lo que le ató a un árbol mientras él proseguía su accidentada fuga.[100] Las películas de Semon se hicieron progresivamente caras y esto le condujo a la ruina.

Otros personajes nuevos en el poema son el actor norteamericano Oliver Hardy (que empezó en el cine en 1913) y el británico Stan Laurel (que debutó en 1917), reunidos en 1926 en la productora de Hal Roach para formar una popularísima pareja cómica basada en su contraste físico y psicológico, con el flaco Laurel inseguro y el gordo Hardy suficiente, pero ambos decididamete incompetentes en sus actuaciones. De su film *La batalla del siglo (The Battle of the Century*, 1928) escribió Henry Miller que «se trata de la película cómica más grande de todos los tiempos... porque lleva hasta el apoteosis el lanzamiento de pasteles».[101]

En el poema de Alberti, Harry Langdon es aludido como «angelito constipado», en recuerdo de su memorable personaje acatarrado en *El hombre cañón (The Strong Man*, 1926), de Frank Capra, y a quien Alberti había aludido ya, como «ángel acatarrado», en el frontispicio de «A Rafael Alberti le preocupa mucho ese perro que casualmente hace su pequeña necesidad contra la luna». En la escena que alude Alberti, Langdon aparecía sentado en un autobús de Cloverdale con bufanda, estornudando, tosiendo e ingiriendo medicamentos, con lo que molestaba a los demás pasajeros. El poema que ahora comentamos, acorde con su enunciado, usa una sintaxis propia de mensaje telegráfico, sin preposiciones ni conjunciones.

«Stan Laurel y Oliver Hardy rompen sin ganas 75 o 76 automóviles y luego afirman que de todo tuvo la culpa una cáscara de plátano» es un poema inspirado en los desastres automovilísticos presentados en el celebrado corto de dos rollos *Two Tars* (1928), producido por Hal Roach para la Metro-Goldwyn-Mayer. Los cómicos interpretaban allí a dos marinos de permiso que alquilaban un coche e iban a pasear con dos chicas, pero que sufrían numerosos contratiempos, especialmente en una carretera en obras y atestada de vehículos. En cuanto al resbalón de la piel de plátano, era recurso muy común en el cine cómico mudo, y se hallaba, por ejemplo, en la citada *La batalla del siglo.*

En el poema «Wallace Beery, bombero, es destituido de su cargo por no dar con la debida urgencia la voz de alarma» introdujo Alberti a dos nuevos personajes del cine cómico norteamericano. Recordado sobre todo por títulos como *El presidio (The Big House*, 1930), de George Hill, *Champ, el campeón (The Champ*, 1931), de King Vidor y *¡Viva Villa! (Viva Villa!*, 1934), de Jack Conway y Howard Hawks, Wallace Beery era hijo de un sargento de policía que a los dieciséis años ingresó en el Circo Ringling y luego trabajó en espectáculos de variedades y fue figurante cinematográfico. En 1912 fue contratado por la Essanay para interpretar papeles cómicos, entre los que figuró el personaje femenino de Sweedie. Entre 1926 y 1930 formó pareja con Raymond Hatton, protagonizando la serie *Reclutas.* La corpulencia exuberante de Beery contrastó con el pequeño, flaco e impasible Hatton, según una fórmula bien conocida. El poema de Alberti alude a su torpe actuación en *Reclutas bomberos (Firemen, Save My Child*, 1927), de Edward Sutherland, en donde encarnaron los estereotipos de los bomberos cómicos e ineficientes.

En «Five O'Clock Tea» Alberti trazó una divertida sátira de los galanes y damas elegantes de la mitología del cine mundano, con sus salones, cortinas, bailes y refinados ritos sociales, entre los que figuraba la sesión de té. A este universo mítico pertenecía precisamente el actor Adolphe Menjou, que tanto interesaba a algunos surrealistas españoles y a quien Alberti haría protagonista de un poema posterior. «Five O'Clock Tea», encabezado en inglés, contiene expresiones en francés, el idioma del gran mundo elegante de entonces, aunque a veces sean expresiones absurdas o chocantes, como:

> Comtesse:
> Votre coeur es un pájaro.

La brillante sátira concluye lapidariamente:

> El aire está demasiado puro para mandaros a la merde,
> y yo, Madame, demasiado aburrido.
> Adieu.

«Charles Bower, inventor» tuvo como protagonista al hoy olvidado cómico Charles R. Bowers (1889-1946), que dos cinematecas rescataron de su postergación en 1980.[102] Gracias a su paciente investigación ahora sabemos que Bowers –bajo, de nariz aguileña y pelo rizado– pretendía ser hijo de una condesa francesa y de un médico irlandés y que siendo muy joven se enroló en un circo como funambulista. Recuperado por su familia, practicó oficios diversos, entre ellos el de domador de caballos, lo que le devolvió al mundo del circo y de allí al teatro, la caricatura y los dibujos animados hacia 1912, adaptando a la pantalla personajes de tiras cómicas. En 1926-27 escribió, dirigió e interpretó una docena de cortometrajes cómicos, en los que insertó escenas de animación, con objetos o marionetas. En 1928, convertido en el principal accionista de la compañía Bowers Comedies, prosiguió cultivando este género.

En la monografía citada se señala el entusiasmo de Bowers por la mecánica y los inventos disparatados como un eco caricaturesco de la modernidad futurista, y no en vano en Francia fue conocido como Bricolo (de *bricolage*). En *Egged On* (1926) planeaba una máquina para producir huevos elásticos e irrompibles, pero de estos huevos salían luego automóviles minúsculos. En *A Wild Roomer* (1926) construía una máquina que efectuaba diversas tareas domésticas. Y así sucesivamente. Al primer film alude Alberti en su poema cuando cita los «huevos irrompibles». Y es probable que se refieran a films concretos de Bowers, hoy invisibles, los comentarios sobre la fábrica de palillos de dientes, la diferencia entre el polo negativo y el positivo, o el deber del ingeniero de espantar a todo trance a las hadas.

En «Carta de Maruja Mallo a Ben Turpin» reaparece el Harry Langdon acatarrado de *El hombre cañón*, alude a un Chaplin acosado por las hostiles campañas de prensa en torno a su muy publicitado y costoso divorcio de Lita Grey en 1927 –«El corazón de Charles Chaplin ha sido prohibido/en todas las esquinas»– y a Chester Conklin (ortografiado Konclin) alquilando su famoso y característico mostacho.

La serie poética de Alberti se clausuró en *La Gaceta Literaria* con «Falso homenaje a Adolphe Menjou», que redondeó la sátira de su elegancia fatua y mundana ya apuntada en «Five O'Clock Tea» y volvió a utilizar el francés, puesto que francesa era la estirpe y el porte del actor. El poema tiene una estructura dialógica, con una dama y un caballero como interlocutores, siendo fácil inferir que el señor es Adolphe Menjou o, mejor, su conocido arquetipo cinematográfico. Los dos primeros versos dan ya el tono absurdista de todo el poema:

¿Votre mari est un petit cocu?
Oui.

El caballero, arrancado de un vodevil cinematográfico mundano, llega a preguntar:

¿Ignorabais que mi chaleco entiende mucho de cuernos (...)?

La sátira, bajo su ropaje juguetón, resulta demoledora.

Juan Piqueras reseñó la sexta sesión del Cineclub Español con estas palabras: «Generalmente, al actor cómico de cine no se le presta la atención que merece. Su trabajo suscita escasos comentarios. Acaso cuando interpreta un film de largo metraje lo consigue. Entretanto, su triunfo limítase a recoger las sonrisas –de sorpresa– que un espectador arroja, al ver un film que no se había anunciado previamente. Esto ha sucedido a Charlot, a Harold Lloyd, a Buster Keaton, a Glen[n] Tryon, a Harry Langdon. Todos ellos iniciaron su carrera interpretando films de 300 y 600 metros, y aun habiendo dejado en sus fotogramas momentos más interesantes, más personales, más geniales que en sus otras cintas, nadie se fijó en ellos. Ha sido necesaria la presentación –con gran propaganda– de una película de 2.000 metros, para que la crítica y el público reflexionase ante su trabajo.»

Y sobre el recital de Alberti, añadió: «Uno de los más positivos hallazgos del Cineclub ha sido la revelación de Alberti. Rafael Alberti –el poeta de *Marinero en tierra*, de *Los Ángeles*, de *Cal y canto*– fue el encargado de nuestra representación literaria. Y en esta sesión, la literatura supo situarse en un plano puramente cinematográfico, cómico; como correspondía a nuestra revisión antológica. En los tres homenajes –a Charlot, a Harold Lloyd, a Buster Keaton–, Alberti fue calurosamente aplaudido–, aplausos de sorpresa y de nueva admiración. Este joven poeta demostró: primero, una amplia sensibilidad poética, y segundo, una maravillosa condición –personal– interpretativa, para cuya definición –exacta, reveladora– precisa la invención de un adjetivo.»[103]

Y al concluir la publicación del ciclo poético de Alberti sobre los cómicos en *La Gaceta Literaria*, José Bergamín alumbró en su número siguiente un enjundioso comentario sobre él, titulado «De veras y de burlas».[104]

Aunque presumiblemente, a partir de la séptima sesión del Cineclub, celebrada el 26 de mayo de 1929 en el Cine Goya, Buñuel dejó de ocuparse personalmente de su programación, como explicamos en el capítulo anterior, se proyectó no obstante en ella *Avaricia (Greed*, 1923), de Erich von Stroheim, la película que Buñuel intentó exhibir en su primera sesión, lo que indica una clara intención de continuidad.

La sesión incluyó la revisión de una cinta primitiva titulada *Amante contra madre*, de la que nada sabemos. Con motivo de su proyección en el Cineclub Valencia el 18 de mayo de 1930, se publicó que se trataba de una cinta de la productora Pathé, de 1905. Pero una consulta al catálogo de esta empresa francesa no revela ningún título igual o parecido, que el diario *La Correspondencia de Valencia* del día siguiente calificó de «film ingenuo, pobre, primitivo, pero de gran valor documental para comprobar el avance del cine».[105]

También se proyectaron unos fragmentos –tres rollos– de una producción argentina atribuida al escritor Enrique Larreta y que aparece bautizada, según las fuentes, como *Capítulos de la pampa*, *Escenas de la pampa* y *La vida del gaucho*. Hijo de un rico hacendado, inquieto viajero y residente también en España, Enrique Larreta fue el gran prosista del modernismo hispanoamericano, aunque se debatió entre el cosmopolitismo afrancesado y el retorno a las fuentes castizas de la cultura argentina. Probablemente la exótica programación de este título en el Cineclub se debió a algún viaje suyo a España y a su eventual conexión con el panhispanista Giménez Caballero, pues la amistad del primero con Maurice Barrès y las afinidades ideológicas que manifestó con el segundo hacen plausible tal conexión. En 1932 escribió Larreta la obra de teatro *El «Linyera»*, protagonizada por un mendigo, y que en 1933 trasladó al cine, con Mario Soffici y Nedda Francy como protagonistas. Una consulta a la bibliografía sobre el cine argentino y a mis colegas en aquel país revela que Larreta sólo dirigió esta película, hoy perdida. Tal vez la cinta exhibida en Madrid fue un ensayo documental suyo o, más probablemente, Larreta se limitó a escribir y firmar sus rótulos, como hacían algunos escritores prestigiosos en el cine mudo, con fines promocionales, ya que la reseña de la sesión en *La Gaceta Literaria*, como veremos, destacó tal autoría literaria.

La película atribuida a Larreta fue comentada en la prensa cinematográfica de la época. En *La Pantalla* un cronista escribió: «Seguidamente fue exhibida una cinta bajo el epígrafe de *Capítulos de la pampa*, llevada a cabo por el insigne novelista argentino Enrique Larreta. La película nos muestra aspectos de la vida rural en las tierras del Plata. Fue ilustrada musicalmente por el señor Schlieper, que entonó y tocó a la guitarra lindas canciones criollas.»[106] Más severo, el articulista de *Popular Film* opinó: «Con el título de *Capítulos de la pampa* vimos unas partes –tres– de la cinta documental argentina *La vida del gaucho*. Y sinceramente confesamos que no nos gustó. Que nos desilusionó. Confiabamos en admirar una obra bellamente, enteramente conseguida. Y apenas si pasa del terreno de lo discreto, no obstante figurar como su autor y director el ilustre literato Enrique Rodríguez Larreta.»[107]

El momento fuerte de la séptima sesión del Cineclub lo constituyó la esperada proyección de *Avaricia*, anunciada ya para la primera sesión, pero que la Metro-Goldwyn-Mayer denegó por miedo a su mala acogida. Buñuel había visto el film de Stroheim en el Studio des Ursulines, en compañía de Santiago Ontañón. La película les repugnó pero, a medida que la iban comentando al salir del cine, empezaron a entender su intención y a revalorarla, por lo que volvieron el día siguiente a verla.[108] Tras esta revisión, Buñuel plasmó sus opiniones en el primer artículo que publicó en *La Gaceta Literaria*, señalando: «La banda es de lo más insólito, atrevido y genial de todo cuanto haya podido crear el cine. (...) Con el más extremado naturalismo se nos presentan abyectos tipos, repulsivas escenas, donde pasiones bajas y primarias encuentran la más acabada plasmación. Tal maestría en la visualización de lo más bajo, feo y vil y corrompido de los hombres, nos repugna y admira al mismo tiempo. Absoluto desprecio o indiferencia al menos por los trucos cinematográficos, pero máxima exaltación en los *eclairages*. No hay *vedette*, pero hay *caracteres* como tallados en granito. (...) el film de Stroheim resulta magnífico, repugnantemente magnífico.»[109]

Avaricia ha pasado a la historia del cine como un gran monumento decapitado. Stroheim adaptó en ella la novela *McTeague* (1899), del escritor naturalista americano Frank Norris. Su adaptación fue tan meticulosa, que procuró rodar en los mismos lugares descritos en la novela, en la zona de San Francisco y en el Valle de la Muerte, en vez de hacerlo cómodamente en el estudio. Esta rigurosa voluntad de realismo, potenciado por los fondos fotografiados con gran profundidad de campo, la aplicó también a los personajes y sus conductas, por lo que rodó una película de cerca de ocho horas para describir convincentemente su evolución psicológica. Los directivos de la Metro hicieron reducir la obra, que finalmente alcanzó sólo las dos horas y cuarto. A pesar de tan grave mutilación, su sórdido retablo de degradación humana siguió resultando potente y fascinante. Su protagonista, McTeague (Gibson Gowland), era un rudo minero que aprendía con un sacamuelas la profesión de dentista y se enamoraba de una de sus clientas, Trina (Zasu Pitts), hija de inmigrantes alemanes, con quien por fin se casaba. Ella ganaba cinco mil dólares a la lotería, lo que desencadenaba su progresiva avaricia, que llegaba a lo patológico. Un antiguo amigo de Trina, Marcus, celoso del protagonista, le denunciaba por ejercer como dentista sin título, por lo que tenía que abandonar su trabajo profesional. La relación entre McTeague y Trina se deterioraba y él la mataba y huía al desierto con su dinero. Marcus, acuciado por la recompensa económica por su captura y por el deseo de venganza, le buscaba y le encontraba en el desierto del Valle de la Muerte. En la pelea que seguía, McTeague mataba a Marcus, pero quedaba unido a él por las esposas en pleno desierto.

Este sórdido fresco de codicia, miseria y pasiones humanas, sin concesiones complacientes, impresionó a la crítica de la época. Cuando se exhibió en la octava Sesión Mirador, el 26 de febrero de 1930, Josep Palau calificó a Stroheim de «investigador del alma, un apasionado sondeador de todas aquellas sombras y regiones bestiales en las que el alma se atraganta y se aniquila en la bestialidad, en el sadismo. (...) *Avaricia* contiene momentos de una belleza no superada. (...) He aquí un film más sobrerrealista, más subversivo que ningún otro».[110] Y el joven crítico catalán Ángel Zúñiga, que probablemente vio esta película en la misma sesión, plasmaría su juicio años después afirmando que «*Avaricia* es la obra capital de Stroheim y también una de las artísticamente más considerables de todos los tiempos. Stroheim vertió en ella toda su amargura. Esta historia de una mujer, casada con un hombre brutal en la ceremonia más triste que recordamos –en dicho momento se ve pasar por la ventana un entierro– acaba en una humillante tragedia. En la sordidez en que viven nuestros personajes, en el que la avaricia de la esposa llega a los más lamentables extremos, se desarrolla esta pesimista visión del mundo. (...) Jamás se ha visto desprecio tan absoluto hacia las cosas bellas que existen. Para Stroheim la vida es miseria, bajeza, imposibilidad absoluta de regeneración. En este caótico mundo todo incita a la repulsión, sin una sola brizna de amor al prójimo ni una sola imagen que evite la angustia, el sonrojo contra tanta inmudicia. Stroheim se revuelve contra las gentes y señala con el dedo sus miserias. Todas las flores del mal van llorando sus pétalos en este desfile lamentable de las más bajas pasiones».[111]

La sesión del Cineclub fue importante porque desbloqueó la distribución de *Avaricia* en España, que llevaba varios años en el depósito de la Metro-Goldwyn-Mayer barcelonesa.[112] Y también lo fue porque permitió a Ricardo Urgoiti experimentar su sistema sonoro Filmófono, para acompañar la película con músicas seleccionadas por el compositor Felipe Briones. Urgoiti explicó así a Piqueras su procedimiento: «Esencialmente consta de dos platos. En cada uno de ellos, ciertos dispositivos mecánicos permiten hacer sonar cada disco en el lugar que precisamente se requiere para acompañar la escena correspondiente, y en el momento en que la escena aparece en la pantalla. Otros dispositivos eléctricos permiten la transmisión de la música de uno a otro disco –bien bruscamente o paulatinamente– mediante una superposición de planos sonoros semejante a la de los planos visuales, que tanto se emplea en la actual técnica cinematográfica. (...) Hubiera sido empresa vana y de discutible resultado artístico, intentar seguir en todo momento la acción del film. Y aunque en determinados momentos hemos seguido este procedimiento, en la mayor parte de la obra procuramos que la música fuese simplemente un fondo sonoro de la escena y un trasunto musical de los estados de ánimo por que los actores van pasando en el desarrollo del drama.»[113]

Ningún crítico o historiador, que sepamos, ha reparado en que algunas escenas de *Avaricia*, el film que tanto impresionó a Buñuel, resultaron premonitorias de otras elaboradas muchos años después por el cineasta calandino. La escena en que McTeague duerme con éter a Trina con deseos libidinosos y la besa parece un claro antecedente de la escena de *Viridiana* (1961) en que don Jaime (Fernando Rey) duerme con una droga a la novicia Viridiana (Silvia Pinal) para aprovecharse sexualmente de ella. Y la metáfora del gato amenazando a los canarios y abalanzándose por fin sobre su jaula, además de ser repetida por Benito Perojo en su *Malvaloca* (1926) –ya que pudo ver *Avaricia* en París, ciudad en la que rodaba sus películas–, tuvo también un eco tardío en *Viridiana*, en la escena en la que el gato salta sobre un ratón en el momento en que Jorge (Francisco Rabal) seduce a Ramona (Margarita Lozano) en el desván. Mientras que la escena de sadismo oral en que McTeague muerde los dedos de su esposa reapareció como pasión sexual canibalística en la escena amorosa del jardín en *L'Age d'or* (1930).

En la crónica de la séptima sesión en *La Gaceta Literaria* podía leerse: «*Avaricia*, de Erich von Stroheim. Film maravilloso que la Metro-Goldwyn-Mayer tenía sepultado e inédito en España, ya que nuestros empresarios no habían osado acercársele. Precisamente, era el film con que nosotros quisimos inaugurar el Cineclub, sin lograrlo, por el temor de la Metro-Goldwyn de un fracaso ante el público español. El éxito fue franco, magnífico, como lo pronosticó nuestro gran Luis Buñuel. Y, sobre todo, porque su largometraje fue acompañado de algo fundamental y novísimo: la adaptación a discos que el director de Unión Radio, Ricardo Urgoiti, con el Sr. Briones, realizaron sobre el film. Resultó una sinfonía, algo insospechable y perfecto, que el selecto público premió con largos, justos aplausos. Quizá no tan clamorosos como merecía la cosa.

»El segundo film fueron los *Capítulos de la pampa*, ofrecidos por Enrique Larreta. Película documental de la vida del gaucho, auténtica vida del gaucho, que conmovió a nuestro público hondamente. Película con letreros "literarios", finísimos, redactados por un maestro de la prosa hispanoamericana como Larreta. Las canciones gauchas a la guitarra que desde su palco interpretó el distinguido argentino Sr. Schlifer [*sic*], contribuyeron a transformar el Cineclub en una deliciosa fiesta hispano-americana.

»La última película fue una retrospectiva, *Amante contra madre*, verdadero incunable del cinema, que desató el entusiasmo hilarante de los espectadores, haciendo que el Cineclub terminara sus sesiones como las empezó, con *María, la hija de la granja*, en pleno regocijo vital.

»El Sr. Giménez Caballero hizo un breve resumen de la labor realizada por el Cineclub. Proyectó en la pantalla el retrato de las personalidades del Patronato del Cineclub: Presidente, D. José A. de Sangróniz, Vicepresidente, D. Francisco Ramírez de Montesinos. Y los vocales Sres. Luzuriaga, Arconada, Marqués de Auñón, Martín Urquijo, Piqueras, Ricardo Urgoiti, Carreras y Pérez Ferrero. Destacando la figura central y esencial del Cineclub: Luis Buñuel, a quien dedicó un cordialísimo saludo de gratitud.

»Proyectó luego los retratos de los conferenciantes: Pío Baroja, Gómez de la Serna, Jarnés, Lorca y Alberti. Los retratos de los críticos: Forns, Barbero, Gómez Mesa, Gimeno y Mantilla. Los retratos de los empresarios: Armenta y Orbe. Teniendo para este último palabras de viva gratitud. Y, finalmente, un cartel de LA GACETA LITERARIA, organizadora del Cineclub.»[114]

El 8 de diciembre de 1929 se celebró en el Cine Royalty la octava sesión del Cineclub Español, que iniciaba con ella su segunda temporada. La sesión matinal comenzó con la proyección de *La Chute de la maison Usher* (1928), de Jean Epstein y en la que Buñuel había trabajado como ayudante, aunque a finales de 1929 sus carreras se habían ya bifurcado definitivamente. Utilizando dos textos fantásticos de Edgar Poe para construir su argumento –*The Fall of the House of Usher* y *The Oval Portrait*–, situaba en el lóbrego caserón de los Usher el proceso de progresiva languidez y muerte de Lady Madeline, por efecto del retrato que pintaba su marido, robándole con ello la vida. El marido rehusaba aceptar su muerte y prohibía cerrar su ataúd, esperando su regreso. Finalmente ella aparecía una noche y la pareja huía, mientras la mansión se derrumbaba. Calificada por Henri Langlois como la obra maestra de la escuela simbolista en el cine,[115] *La Chute de la maison Usher* constituyó uno de los ejemplos más justamente prestigiosos del «cine de arte» francés a finales del período mudo, aunque en este caso Epstein tomó su carpintería y atmósfera del expresionismo alemán: la caracterización del médico, la iluminación y la escenografía, en especial la de la tumba y las líneas caprichosas pintadas en el suelo y paredes de la mansión. Pero Epstein, que realizó esta película cuando la moda expresionista había sido ya superada en Alemania, supo utilizar procedimientos formales más depurados y cinematográficos que los derivados de la teatralidad caligaresca: la distorsión del tiempo mediante el ralenti (los cortinajes y hojas de árboles en el pasillo movidos por el viento, los libros y la armadura que caen al suelo, el agua mecida en el lago, la inolvidable muerte de Lady Madeline, la subida del ataúd por la escalera, etc.), el empleo de escenarios naturales, de gasas y de filtros difusores y la movilidad del travelling, como el recorrido por el pasillo figurando el viento. Película virtuosa, pero «película de arte», muy opuesta a las preferencias de Buñuel en 1929, a pesar de haber trabajado el año anterior en este film.

Georges Sadoul escribió de *La Chute de la maison Usher* que «en decorados más románticos que expresionistas, Epstein usó todos los procedimientos puestos a punto en los años precedentes para reconstruir la atmósfera de decadencia y de podredumbre de Edgar Poe».[116] Entre tales procedimientos llamó mucho la atención su uso del ralenti, que un crítico de la época calificó de «una intensidad dramática sorprendente».[117] Jean Epstein declararía al respecto: «He ignorado voluntariamente, en el curso del film, todos los efectos plásticos que podía permitir la ultra-cinematografía. No he buscado –si puedo expresarme tan pretenciosamente– más que el ultra-drama. En ningún momento del film el espectador podrá reconocer: esto es ralenti. Pero pienso que, como a mí en la primera proyección, se sorprenderá de una dramaturgia tan minuciosa. (...) No conozco nada tan absolutamente emocionante como la expresión de un rostro desvelada al ralenti.»[118] *La Chute de la maison Usher* se reestrenó en 1948 en el mismo cine de Montmartre en que se había presentado veinte años antes y estuvo varios meses en cartel. En la sesión madrileña que ahora comentamos, la proyección fue sonorizada musicalmente por Ricardo Urgoiti con su Filmófono.

A continuación se proyectó *Un Chien andalou*, de Luis Buñuel y Salvador Dalí, que había sido exhibido ya en el mes de octubre en la cuarta Sesión Mirador de Barcelona. Como era lógico, *La Gaceta Literaria* había seguido con interés este proyecto protagonizado por quien había sido el director de su sección cinematográfica y de su Cineclub. En febrero anunciaba que Buñuel y Dalí habían terminado el guión de *C'est dangereux de se pencher au dedans*[119] –título primitivo del proyecto– y que su film estaría tan lejos «del film ordinario como de los llamados oníricos, absolutos, de objetos, etc. Viene a ser el resultado de una serie de estados subconscientes, únicamente expresables por el cinema». El 2 de abril se inició su rodaje en París y Dalí llegó a la capital francesa poco antes de concluirse, a tiempo para colocar los burros sobre los pianos y alquitrán en sus ojos.[120]

Un Chien andalou fue presentado el 6 de junio de 1929 en el Studio des Ursulines, consiguiendo la aclamación del grupo surrealista francés, y fue programado desde el primero de octubre en el Studio 28 de París. Este estreno tuvo algún eco en la prensa cinematográfica española. Germán Gómez de la Mata, corresponsal de *La Pantalla* en París, brindó en la revista un aplauso al film que apenas ocultaba su desconcierto, al referirse al «afortunadísimo debut que acredita aptitudes técnicas y espirituales al escenificar con coherencia una serie de imágenes difíciles; hay, además, en el film inicial de Buñuel un vigor y una elegancia, acerca de las cuales nos proponemos insistir algún día».[121] Mucho más enjundioso resultó el artículo enviado por Eugenio Montes a *La Gaceta Literaria* desde París, en el que decía: «Con sorpresas necesarias está tejido el primer film de Luis Buñuel que acaba de admirar y aplaudir el público (...). Lo que en la primera escena sabe a sorprendente aparece en la segunda como necesario y fatal. Todo es problema ahora, para ser solución después (...). La belleza bárbara, elemental –luna y tierra– del desierto, en donde *la sangre es más dulce que la miel*, reaparece ante el mundo. No. No busquéis rosas de Francia. España no es un jardín, ni el español es jardinero. España es planeta. Las rosas del desierto son los burros podridos. Nada, pues, de *sprit*. Nada de decorativismos. Lo español es lo esencial. No lo refinado. España no refina. No falsifica.»[122] Al lado de este artículo, como ya se dijo al comentar la sexta sesión, se publicaba el poema «A Rafael Alberti le preocupa mucho ese perro que casualmente hace su pequeña necesidad contra la luna», que parece una alusión del poeta gaditano al film de su amigo aragonés.

Los avatares de la carrera parisina de *Un Chien andalou* son bien conocidos, incluido el contencioso provocado porque Buñuel había entregado su guión para ser publicado en el quinto número de la revista «burguesa» *La Revue de Cinéma* y, tras la reprimenda de Breton, apareció en la duodécima entrega de *La Révolution Surréaliste* con un encabezamiento de Buñuel en el que afirmaba que tal reproducción era «la única que yo autorizo». Y añadía una apostilla que se haría famosa: «*Un film de éxito*, he aquí lo que piensan la mayoría de personas que lo han visto. Pero qué puedo yo contra los fervientes de toda novedad, incluso si esta novedad ultraja sus convicciones más profundas, contra una prensa vendida o insincera, contra esta multitud imbécil que ha encontrado *hermoso* o *poético* lo que, en el fondo, no es más que una desesperada, una apasionada llamada al asesinato.»[123] El sentido literal de este provocativo alegato exculpatorio, que tanto juego daría en años venideros, sería desmentido muchos años después por Buñuel a Max Aub.[124]

Tras su estreno en París y su exhibición en el mes de septiembre en el Congreso de Cine Independiente de La Sarraz, *Un Chien andalou* fue estrenado en España en la cuarta Sesión Mirador, de Barcelona, el 24 de octubre de 1929, en compañía del film norteamericano *Una novia en cada puerto (A Girl in Every Port*, 1928), de Howard Hawks, y de un documental científico. En la revista *Mirador* de la misma fecha, Salvador Dalí publicaba un elocuente artículo titulado «*Un Chien andalou*» –reproducido en parte en *La Gaceta Literaria*–, en el que al final insistía en los mismos conceptos exculpatorios que Buñuel había escrito en *La Révolution Surréaliste*, al declarar:[125] «*Un Chien andalou* ha tenido en París un éxito sin precedentes, un hecho que confesamos que nos subleva e indigna como cualquier otro éxito de público. Creemos, sin embargo, que el público que ha aplaudido *Un Chien andalou* es un público embrutecido por las revistas y divulgaciones de vanguardia que aplaude por esnobismo lo que le parece nuevo y extraño.» Y protegía al film del aplauso burgués con una mentira, asegurando que había sido elogiado por Eisenstein en La Sarraz y adquirido por la República de los Soviets.

Sebastià Gasch, en un artículo posterior en *La Publicitat,*[126] constató que el film había defraudado en su proyección barcelonesa, aunque no a él, pues lo consideró «impresionante» y añadió: «Este film me persiguió, implacable, obsesionante, durante muchos días.» Lo cierto es que *Un Chien andalou* despertó suficiente interés entre la intelectualidad catalana como para que *Mirador* le dedicara dos artículos, firmados por Josep Palau y Joan Margarit respectivamente.[127] Y suscitó además un artículo de Guillermo Díaz-Plaja en *La Noche*[128] y otro de Àngel Ferran en *La Publicitat,*[129] en los que se situaba al film a la luz del psicoanálisis freudiano, aunque el segundo lo calificaba de «putrefacto».

Tras la controvertida proyección del film en Barcelona, *La Gaceta Literaria* anunció su presentación en el cineclub madrileño, citando algunos elogios que le prodigó Brunius y fragmentos del artículo de Dalí en *Mirador.*[130] Buñuel ha evocado esta presentación en el Cine Royalty, que «estaba a reventar: Ortega, D'Ors, Canedo, Ramón... Hubo un discurso, desde el palco, de Giménez Caballero, hablando del cine de vanguardia, y, al final, suelta: "Ahora dirá unas palabras Luis Buñuel." No sabía que decir, y no hice más que repetir lo que había escrito para *La Révolution Surréaliste*, lo de la llamada al crimen. (...) Lo hice para ofender a los periodistas».[131]

Como era previsible, la primera proyección madrileña de *Un Chien andalou* resultó caldeada y tumultuosa, con desmayos e intervención de la policía. Pero su carrera no acabó aquí. En marzo de 1930, y en el marco de la visita de los intelectuales de Madrid a Barcelona, Víctor Hurtado organizó una sesión en la Sala Mozart, en la que se proyectó *Un Chien andalou*, *El fin del mundo (La fin du monde*, 1930), de Abel Gance, y *La mano*, y en la que intervinieron Giménez Caballero, Gómez de la Serna y Josep Maria de Sucre. Luego, el 27 de abril de 1930, y enviado por Giménez Caballero, inauguró la programación del Cineclub de Zaragoza. En mayo Giménez Caballero celebró una sesión cinematográfica en el paraninfo de la Universidad de Madrid, en la que se proyectó *Noticiario del Cineclub*, *La mano*, *Fecundación del erizo de mar* y *Un Chien andalou.* Según la información de *La Gaceta Literaria* el programa «fue puesto a discusión ante más de mil estudiantes. Abundaron los episodios pintorescos, las sillas rotas, los gritos subversivos».[132] Y al mes siguiente volvió a exhibirse en la decimocuarta sesión del Cineclub Español.

Se había programado para la octava sesión *La fille de l'eau,* de Jean Renoir, a continuación de *Un Chien andalou.* Pero el clima exacerbado que dejó como estela el film de Buñuel levantó tempestuosas protestas y obligó a interrumpir la proyección. Como escribiría Piqueras en su reseña de la sesión: «y después de *El hundimiento de la casa Usher* y de *El perro andaluz* no habría película que pudiese soportar el público. Todo parecería superficial, ñoño, sin sentido. Y esto es cuanto sucedió con *La fille de l'eau* (...). Ante las primeras protestas, Giménez Caballero, desde un palco, advirtió al público que lo más interesante de él eran las escenas de un sueño».[133] Pero resultó en vano y lo más grave fue que el incidente provocó la amenaza de cerrar el Cineclub por parte de la Dirección General de Seguridad y obligó a reformar el sistema de asociación a la entidad, con nuevas cautelas.

En la citada reseña de la sesión Piqueras calificó *El hundimiento de la casa Usher* como el film más logrado de Epstein y añadió: «En el misterio y en la morbosidad del cuento de Poe existía una enorme cantidad de material filmable. Filmable para Epstein, que ha sido, y sigue siendo, uno de los primeros o el primero de los teorizadores del cinema. En Francia se le llama "el poeta de las imágenes". Poeta de las imágenes por la atención extrema que dedica a la fotogenia. (...) Ni la anécdota, ni la interpretación, ni la técnica, adquieren en sus films el interés que tiene la fotogenia. (...) *El hundimiento de la casa Usher* es un film independiente. Y sobre todo en sus primeras partes. En las segundas se han hecho algunas concesiones al público. Por tanto, lo que el film ha perdido en pureza lo ha ganado con referencias al espectáculo. El final –desolador– que se adivinaba, lo escamotea Epstein. El espectador queda con el de ahora más satisfecho, respira más contento.

»En este film, los personajes y los objetos tienen idéntica importancia. En ocasiones, un personaje tiene la inmovilidad cinematográfica de un objeto. Y en ocasiones también, los objetos –la guitarra, los libros, las cortinas, el velo, los cirios...– preponderancia de primeros actores. Sucede esto con el cuadro que el protagonista está haciendo a su esposa.» El público «lo aplaudió rabiosamente».

De *Un Chien andalou* escribió Piqueras: «Este film es el primero

–realizado por españoles– que se ha apuntado un éxito en toda Europa. Anteriormente, Buñuel, su realizador, nos lo había definido con una sola frase, al hablarnos de "la reacción intensa que produjo en el gusto francés *nuestra* brutalidad española. El público, al verlo, aulló de dolor, y como consecuencia, no se [le] ocurrió más que aplaudir". Efectivamente, hasta la aparición de *El perro andaluz*, todo el cinema de vanguardia producido en Francia era más bien personal que subjetivo. (...) Giménez Caballero dijo del film que era la expresión de un joven bárbaro. Buñuel nos dijo después, cuando hablamos del abuso de la técnica empleado por Epstein y de la sobriedad de la suya, que había acudido al cine buscando un medio de expresión que no le había ofrecido la literatura, ni la pintura, ni ninguna otra cosa. Pero que cuando el cine no le dejase satisfecho, acudiría a las pistolas.» Calificó Piqueras al film de «bestialmente bello», con «escenas y situaciones desgarradas», añadiendo que «fue aplaudidísimo».

NOVENA SESIÓN

La novena sesión del Cineclub Español, celebrada el 20 de enero de 1930, revistió especial significación, pues dio entrada por vez primera al cine soviético en la capital, aunque buscó para ello la protección de los elegantes salones del Hotel Ritz, que facilitaban la obtención de permisos.

El cine soviético llegó a España con más retraso que a otros países europeos. En Francia, su descubrimiento se había operado en el marco de la Exposición Internacional de Artes Decorativas de París, celebrada entre mayo y noviembre de 1925, y en la cual fue premiado el film de Eisenstein *La huelga (Stachka*, 1924). Buñuel, instalado en París desde enero de 1925, pudo asistir a las proyecciones de films soviéticos que fueron llegando hasta la capital francesa. Y lo mismo pudo hacer Benito Perojo, que rodaba sus películas en estudios parisinos, como atestiguan algunas estrategias de montaje «a la rusa» utilizadas en *La condesa María* (1927) y revelan la plástica y el tratamiento del conflicto social de *La bodega* (1929).

La Gaceta Literaria demostró temprana atención al cine de los soviets, del que se ocupó ya en un artículo anónimo en marzo de 1928.[134] Y la distribuidora barcelonesa Exclusivas Trian fue la primera que intentó difundir esta cinematografía en España, al importar *El fin de San Petersburgo (Koniets Sankt Peterburga*, 1927), de V. I. Pudovkin, y ofrecerlo en el verano de 1928 en pase privado a la prensa en el Cine Capitol de Barcelona, en el que cosechó grandes elogios.[135] Pero presumiblemente su exhibición comercial no fue autorizada por las autoridades primorriveristas. A finales de año, *La Pantalla* ofreció un laudatorio artículo sobre el nuevo cine ruso,[136] que seguía siendo invisible en las pantallas.

Por fin, en la quinta Sesión Mirador, celebrada el 28 de noviembre de 1929, se proyectó en Barcelona la primera cinta soviética, que fue *Tempestad sobre Asia (Potómok Chingis Jana*, 1928), de Pudovkin, acompañada por *Entr'acte* y dos cortos cómicos. Pero después de esta proyección el film de Pudovkin fue prohibido.

A pesar de estas cortapisas y cautelas el cine soviético despertó un temprano interés en las élites intelectuales y lo prueba la aparición consecutiva de dos libros que, al final de la dictadura y al comienzo de la etapa republicana, se dedicaron a estudiar su producción: *Panorama del cinema en Rusia* (1930), de Carlos Fernández Cuenca,[137] y *El cinema soviètic. Cinema i revolució* (1932), de Josep Palau.[138]

En la novena sesión del Cineclub se proyectaron *Iván el Terrible/Las alas del siervo (Krylja cholopa*, 1926), de Yuri Tarich, y *El pueblo del pecado (Baby riazánskie*, 1927), de Olga Preobrazhénskaia, presentadas por el socialista y futuro ministro Julio Álvarez del Vayo, autor ya de dos libros sobre la nueva Rusia. Sería Álvarez del Vayo quien, como ministro de Asuntos Exteriores, requeriría en septiembre de 1936 a Luis Buñuel para que se incorporase a su embajada en París, para desempeñar en ella funciones de información y propaganda. Álvarez del Vayo hizo notar en su parlamento que en *El pueblo del pecado* «es también el pueblo el que da el fondo a la acción y convierte la película en un trozo de vida arrebatador» y afirmó que «las mejores películas rusas fascinan por su grandeza de proporciones, por su fuerte espíritu colectivo y por su acento de verdad. (...) Tenían, pues, los cineastas rusos una serie de problemas que resolver que, desde luego, no existen en Hollywood. Había que reconciliar la verdad histórica con la verdad artística; dar a la cinta educativa el atractivo que exige todo espectáculo. Hasta qué punto lo han logrado he podido comprobarlo nuevamente este último verano en los talleres de Moscú. (...) La dramaturgia de masas no excluye tampoco en la cinta rusa el trabajo del gran actor, que, en ocasiones, como ocurre con Eisenstein, lo es por primera vez en su vida».[139]

La acción de *Iván el Terrible* transcurre en el siglo XVI, bajo el reinado de Iván IV el Terrible, y su protagonista el siervo Nikichka, hábil e ingenioso mecánico que trata de fabricar unas alas para poder volar. Consigue escapar de la acusación de brujería y, por haber reparado la rueca de la zarina, se convierte en un protegido de la emperatriz. El zar le ordena que prepare una exhibición de vuelo para entretener a unos dignatarios extranjeros y Nikichka, saltando desde un campanario, consigue volar. Pero el zar considera entonces que se trata de una proeza blasfema y ordena que se quemen las alas y el siervo sea ejecutado. La zarina consigue sacarlo del calabozo, pero el zar la estrangulará y Nikichka será atrapado y muerto por la guardia imperial.

Antiguo guionista, Yuri Tarich era un director competente, pero tradicional, y su film encontró algunas reticencias entre la crítica soviética, si bien conoció bastante difusión en el extranjero, pues su asunto de época le despojaba de agresividad política actual ante las oficinas de censura. Al exhibirse en Lima, José Carlos Mariátegui, añorando los grandes films de Eisenstein y de Pudovkin, escribió que era «una muestra de segundo orden del cine ruso. Y, si esta muestra secundaria reúne cualidades tan asombrosas de belleza, no es difícil imaginar cuál será el valor de las creaciones de mayor jerarquía. (...) *Iván el Terrible* vale más que una serie entera de las mejores producciones de Hollywood».[140]

En su parlamento, Álvarez del Vayo señaló que *Iván el Terrible* «es el pasado con toda su aureola trágica de injusticia, de brutalidades y de miserias. Un pasado que explica, en parte, el presente». Pero Luis Gómez Mesa reseñó el film en el semanario *Popular Film* manifestando bastantes reservas: «Su trama no es de hoy en la forma –escribió–: en las costumbres tiránicas, esclavizadoras abolidas por el progreso. Pero en el fondo, sí. En lo esencial de las invariables pasiones humanas –celos, odio, envidia, hipocresía...– es de ayer y de hoy, y seguramente será de mañana y de siempre. (...) Conducida hábilmente la acción, *Iván el Terrible* apenas si emociona. Pese a los errores de su protagonista. Y acaso por su exceso de truculencias. Las desventuras del siervo griego y de su enamorada se alargan, se prolongan demasiado.»[141]

El pueblo del pecado (cuyo título original ruso significa, no obstante, *Las mujeres de Riazan*) llegó a Madrid gracias al empeño prosoviético de Juan Piqueras, quien redactó además sus rótulos en castellano. Fue el film más famoso dirigido por la ex actriz y ayudante de Pudovkin Olga Preobrazhénskaia e introducía además, como novedad, un punto de vista feminista en el cine soviético. Era un drama de la vida aldeana prerrevolucionaria y mostraba cómo una bella campesina, Ana, se casaba con Iván, hijo de un rico hacendado. Al marchar Iván del pueblo a causa de la movilización militar, su padre violaba a Ana y la dejaba encinta. Al volver del frente, Iván repudiaba a Ana, quien se suicidaba.

El gran éxito internacional que obtuvo *El pueblo del pecado* se debió, además de por sus cualidades intrínsecas, por abordar –en contraste con el cine soviético más prestigiado entonces– un asunto amoroso y una problemática individual y familiar sin renunciar a los toques melodramáticos. Georges Sadoul escribió sobre él: «El film describía la vida cotidiana de un pueblo ruso, cerca de Riazan, en el momento en que comenzaba la guerra de 1914. La realizadora mostró su gusto por la vida campesina, las fiestas populares y los paisajes de su país. Un plano de una belleza inolvidable es aquel en que, el paso del viento y de las nubes sobre los grandes campos de trigo anuncia, por su iluminación trágica, la declaración de guerra. Algunos pasajes de esta obra llena de frescura y exuberancia anunciaron, en tono menor, a Dovzhenko.»[142] Más interesado por el estilo, Carlos Fernández Cuenca escribió, poco después de ver el film: «Presenta un argumento intensamente dramático, diluido y subrayado con destreza en episodios y ambientes de rico sabor popular. Las escenas de la boda y de la fiesta campesina, sobre todo, tomadas desde ángulos siempre bellos y oportunos –abundando las desviaciones hacia arriba, de tanto valor emocional–, sobresalen por su mérito y su interés. Los aciertos fotográficos y de realización son incontables; se revela en todo momento una inteligencia viva y una preocupación honda de resolver cada plano dotándole de las máximas calidades de arte.»[143] Y un inflamado Luis Gómez Mesa escribió en *Popular Film*. «Posiblemente *El pueblo del pecado* parecerá a los pacatos, pazguatos y pseudomoralistas algo audaz. Y lo que es un juicio burgués y vulgar, envuelve fría censura, en la independencia del arte es calurosa y entusiasta alabanza.»[144]

Piqueras consiguió importar a España *El pueblo del pecado* y difundirla a través de la distribuidora Renacimiento Films, pues después de su estreno en el Cineclub pudo programarse en el Real Cinema de Madrid, además de exhibirse en la novena Sesión Mirador, el 25 de abril de 1930. Piqueras se dio cuenta de que el atraso rural y supersticioso que mostraba el film soviético era muy parecido al que padecía el campo español víctima del caciquismo y asoció ambas realidades en un texto muy intencionado políticamente, en el que decía:

«*El pueblo del pecado* es un drama tan hondo, tan rudo, con tanto valor de leyenda, que solamente podría darse en Rusia –donde se ha dado– y en España. Y si nuestra producción –en estado germinativo– ha de influenciarse de un cinema extranjero, ninguno mejor que el ruso, para marcar esta influencia. Ya que, tanto por un carácter orientador de masas, como por su técnica, como por la supresión de primeras figuras –tan favorable aquí, que carecemos de artísticos temperamentos cinematográficos–, como por ese contacto racial de que hablamos antes, es el único que puede influenciarnos y la única influencia que –en esencia y en técnica– debemos aceptar nosotros.»[145] No sólo esto. No pasaron muchos meses para que Piqueras pudiera celebrar la germinación de una película española emparentada con las preocupaciones cinematográficas soviéticas que tanto estimaba. Se trató de *La aldea maldita* (1930), de Florián Rey, drama rural castellano al que atribuyó el mismo significado social «que se denuncia en las bandas soviéticas».[146]

Y, en la misma línea argumentativa, Federico García Lorca, que conocía bien la textura y los problemas del campo andaluz, en una encuesta de *Nuestro Cinema* en agosto de 1935 sobre el cine soviético, escribió: «es mejor entendido por los españoles debido a su pasión rural y a su ritmo». Juicio que corrobora la sintonía de *El pueblo del pecado* con el imaginario español de la época.

Piqueras redactó también la reseña de la novena sesión del Cineclub en *La Gaceta Literaria*, constatando que fue «un éxito franco, rotundo, definitivo». Y añadió: «En *El pueblo del pecado* es la tragedia de una familia, un drama que no rebasa los límites del hogar, lo que centraliza la acción. En *Iván el Terrible* es la tragedia colectiva de un pueblo, de una nación entera, de la gran masa en suma, lo que domina. El primero es un documento completo de la vida de los campesinos rusos desde 1914 hasta pasada la guerra. El segundo, el mismo documento exacto –de 1530 a 1584– durante el reinado de Juan IV, *el Terrible.* (...) Los dos –en el fondo– un grito rebelde a la injusticia. En *Iván el Terrible*, la protesta a los crímenes, a las obscenidades de un zar. En *El pueblo del pecado*, la misma protesta contra el jefe de una familia que abusa de sus derechos y atropella el de los demás.» Sobre *El pueblo del pecado* señaló: «los motivos que más reciamente han significado a Olga Preobrazhénskaia es un arte especial para filmar las escenas al aire libre. El celuloide que dedica a la recolección de las mieses en *El pueblo del pecado* sería lo bastante para consagrarla. (...) Estas escenas, las fiestas del pueblo, las ceremonias matrimoniales, las lavanderas, el desfile completo de la vida campesina, dan a la película un valor documental. (...) Fotográficamente, ha resuelto planos formidables. Y, sobre todo, en la recolección de las mieses –suaves ondulaciones de mar en calma, perspectivas graciosas al fondo, fotografía de las figuras, hechas en rampa –de abajo hacia arriba–, fijando un primer plano sobre la cabeza vuelta –y en el dinamismo de la cabalgata de los invitados a la boda, y en el acordeón– prolongado, inacabable–, y en los tiovivos de las fiestas sencillas de los aldeanos...» Y encontró que *Iván el Terrible* «es menos realista que la otra. Algo más teatral aunque sus ángulos fotográficos, medidos inteligentemente, dan una expresión máxima a los personajes y a los objetos. El montaje es un acierto completo del cinema. Y el juego escénico, el desarrollo, de una sencillez notable, impresionante y seca. (...) Hay en él episodios comparables solamente a los de nuestra Sagrada Inquisición. Crímenes horrorosos, martirios terribles de un refinamiento muy siglo XVI. Pasiones puras y pasiones de una morbosidad, una lujuria medieval».

Al final de su crónica, Piqueras añadió, de modo nada inocente: «En ninguno de estos dos films encontró el público del Cineclub nada revolucionario. Aplaudió su interés cinematográfico, sus altos fines educadores, sus escenas audaces, su panorama artístico.»[147]

DÉCIMA SESIÓN

La décima sesión, celebrada en el Teatro de la Princesa en febrero de 1930, fue atípica, pues consistió en una conferencia del Dr. Luciano De Feo, fundador en Italia del Istituto Nazionale LUCE (siglas de L'Unione Cinematografica Educativa, ente estatal de producción cinematográfica creado en 1924) y director del Instituto Internacional de Cinematografía Educativa, con sede en Roma y bajo el patronato de la Sociedad de Naciones. Esta entidad se había fundado en Roma en noviembre de 1928, muy influida por las tesis mussolinianas sobre cultura popular, publicaba la *Revista Internacional del Cinema Educativo* en varios idiomas y promovía medidas de cooperación en este campo, como la abolición de los derechos aduaneros para la circulación del cine educativo y el establecimiento de un catálogo internacional sobre este género.

Ernesto Giménez Caballero, muy compenetrado ya con el ideario mussoliniano, tenía en aquellas fechas un interés personal en el asunto, pues estaba por entonces incubando la gestación del Comité Español de Cine Educativo, del que sería secretario general. El proyecto empezó a gestarse poco antes, desde que Pedro Sangro y Ros de Olano, marqués de Guad-El-Jelú y que había apoyado a la dictadura, asumió en enero de 1930 el Ministerio de Trabajo y Previsión Social del gobierno del general Dámaso Berenguer. El marqués era el delegado español en el Instituto Internacional de Cinematografía Educativa y quiso alumbrar su rama española. Para ello, Giménez Caballero elevó al ministro en abril de 1930, después del paso de De Feo por Madrid, una memoria titulada *Proyecto de organización de un Instituto y un Comité de Cinematografía Nacional Educativa en España*, aunque el Instituto propuesto por su autor era una sociedad privada y anónima, que debería producir películas propias y explotar otras ajenas de diferentes cinematecas. El 29 de julio de 1930 el Consejo de Ministros aprobó, a propuesta del de Trabajo y Previsión Social, el Comité Español de Cinema Educativo, bajo la presidencia de Manuel García Morente y la vicepresidencia del doctor Gustavo Pittaluga y José Aragón. El tesorero fue José Antonio de Sangróniz y los vocales Ricardo Urgoiti, el biólogo Cándido Bolívar, Agramonte, Luis Jordana de Pozas, Carlos Badía, Inocencio Jiménez, Fernando Viola y Luis Gómez Mesa. El secretario general era Giménez Caballero y en el mes de agosto *La Gaceta Literaria* enumeraba como miembros suyos al marqués de Guad-El-Jelú, Ramón Menéndez Pidal, Gregorio Marañón, Fernando de los Ríos, José Castillejo, Domingo Barnés, Lorenzo Luzuriaga, Tomás Navarro Tomás, Pedro Salinas, el banquero Ignacio Bauer, vizconde de Eza, César Alba, Fidel Pérez Mínguez, Rafael Luengo, Gascón y Marín, duque de Canalejas, M. Ángel Ortiz, Alberto Jiménez Fraud, Martínez Saralegui, Carlos Mendoza, A. López Núñez, L. Palacios, Fernando G. Mantilla, Francisco Ayala, Torquemada, Miguel Pérez Ferrero, L. Calvo, Antonio Barbero, José Sobrado de Onega, el crítico de arte y cine Rafael Marquina y José Val del Omar.[148]

Aparentemente, las tareas del flamante Comité fueron modestas. El 30 de enero de 1931, cuando el ministro-marqués estaba a punto de acabar su mandato por la inminente caída del gobierno Berenguer, una Real Orden dispuso que fuera preceptivo para todos los ministerios el informe del Comité Español de Cinema Educativo antes de convocar concursos para la adquisición de aparatos, películas y material cinematográfico. Y Luis Gómez Mesa, que en apoyo del ente publicó el folleto *España en el mundo sin fronteras del cinema educativo,*[149] daba cuenta en marzo de 1931 del inicio de «unas funciones sociales en salas populares de barriada» y de la creación en Barcelona de un comité análogo.[150] El advenimiento de la República estaba a punto de alumbrar nuevos planteamientos en este campo.

La Gaceta Literaria siguió publicando artículos sobre el tema.[151] Al pie del último artículo, de octubre de 1931, se informaba de que María Luisa Navarro de Luzuriaga había sido nombrada responsable de las tareas de cine educativo en las nuevas Misiones Pedagógicas de la República. El nombre del pedagogo y reformador Lorenzo Luzuriaga –vocal del Cineclub Español– ha aparecido ya varias veces en estas páginas. Miembro de la Liga para la Educación Política Española, liderada por Ortega, escribió en el *Boletín de la Institución Libre de Enseñanza, España, El Sol* y *El Socialista,* además de dirigir la importante *Revista de Pedagogía* (1922-36). Su esposa, María Luisa Navarro, profesora especialista en la educación de sordomudos, pasó a ser una pieza clave en las Misiones Pedagógicas, con nuevos enfoques y estrategias. Y aquel mismo mes de octubre en que veía encomendada su nueva tarea, Luis Gómez Mesa presentaba en el Congreso Hispanoamericano de Cinematografía, incubado durante la dictadura, su ponencia *Cinema educativo y cultural.*[152]

UNDÉCIMA SESIÓN

La undécima sesión se celebró el 7 de marzo de 1930 en el Cine Goya, con dos películas muy distintas en su procedencia y estilo: el film norteamericano exhibido con el título *Un cuento de Poe* y el soviético *Tempestad sobre Asia (Potómok Chinguis Jana,* 1928), de V. I. Pudovkin, presentado por Eugenio Montes.

Un cuento de Poe era, en realidad, el título otorgado a la producción independiente norteamericana de doce minutos *The Fall of the House of Usher* (1928), probablemente para evitar confusiones con el film homónimo de Jean Epstein ya exhibido en el Cineclub. Eran los autores de esta cinta James Sibley Watson Jr., crítico de la revista literaria *The Dial,* y el historiador del arte y poeta Melville Folsom Webber. El mismo año Charles Klein (Karl Friedrich Klein) había realizado en Estados Unidos otra adaptación de Poe, *The Tell-Tale Heart,* que a veces se ha confundido con la anterior.

Influenciado por *El gabinete del doctor Caligari,* el film de Watson y Webber se rodó íntegramente, a lo largo de un año, en decorados expresionistas, utilizando imágenes distorsionadas y sobreimpresiones. Lewis Jacobs considera que, por su originalidad e imaginación, se aparta del grueso del cine experimental de su época.[153] Y David Curtis llegó a escribir que la versión de Epstein «carece de la integridad visual de la película americana de Watson y Webber», añadiendo luego que «redujeron la historia a lo esencial, transmitiendo su impacto en gran medida a través de un cuidadoso uso de las siluetas, sobreimpresiones y ritmo, que evoca con éxito la atmósfera de la obra. La "resurrección" de Lady Usher, por ejemplo, es mostrada con un montaje de pies subiendo peldaños sobreimpresionados de una escalera blanca».[154] Jean Mitry escribió que el film era «una paráfrasis del cuento de Edgar A. Poe, en el que acumula imágenes a menudo más surreales que las de los films surrealistas. Encadenamiento de escenarios y de contrastes luminosos que se funden unos a otros, que se entrelazan, se recortan, se hacen y se deshacen, las imágenes crean un ambiente extraordinario, a veces alucinante, a mitad de camino entre lo abstracto y lo concreto, entre lo real y lo irreal. Es el ensueño impreciso de alguien que acabaría de leer el asunto de Poe y que se dejaría arrastrar por su imaginación hacia un mundo extraño y fascinante, tan seductor a veces como el mismo cuento».[155] *The Fall of the House of Usher* no sólo ha mantenido con los años su reputación de obra maestra del cine experimental norteamericano, sino que ha dado pie recientemente a nuevas relecturas, como la de Lisa Cartwright, quien ha visto en este film una narración sobre «las perversiones de la sexualidad normativa en la declinante institución de la familia burguesa».[156]

The Fall of the House of Usher había sido exhibida ya en el Congreso de La Sarraz, en septiembre de 1929, y luego en Barcelona, en la octava Sesión Mirador, de 26 de febrero de 1930. Con motivo de su proyección barcelonesa, Josep Palau escribió: «Podemos presumir que Poe habría encontrado en el cine un instrumento que le habría servido con gran ductilidad en su pavorosa investigación de un mundo que nace de la agudización de nuestras facultades perceptivas (...). La cinta que presentamos hoy es un catálogo de hallazgos, un *tour de force* de técnica que supera en este sentido todo lo que habíamos visto hasta ahora. Los autores no han explicado toda la narración de Edgar Poe. Se han restringido a algunos momentos significativos. (...) El desdoblamiento de los objetos, los recursos ilimitados de una plástica móvil, de la perspectiva fotográfica, el emplazamiento de la máquina y los juegos de luz multiformes manejados con una sabiduría de primera clase dan un valor incontestable a esta breve obra.»[157]

Basada en un episodio auténtico de 1920, sobre la intervención británica en la frontera de Mongolia, *Tempestad sobre Asia* se convirtió en una de las obras maestras de Pudovkin. Fue el primer film rodado en territorio mongol y mostraba cómo los ocupantes británicos explotaban a sus habitantes e intentaban erigir luego a un joven cazador rebelde, malherido tras su fusilamiento, en descendiente del mítico Gengis Khan y en marioneta al servicio de sus intereses coloniales, hasta que éste se subleva y encabeza una revolución. Potente poema épico, *Tempestad sobre Asia* ofrecía varios niveles de interés; era un documento etnográfico de la vida de los mongoles, de sus costumbres y sus ritos religiosos, pero era a la vez una película de aventuras, con escenas de persecución y de luchas en parajes exóticos. La habilidad de Pudovkin residía en convertir la intriga aventurera en un manifiesto político antiimperialista surgido desde el corazón de Asia, en el que en el bando opresor se agrupaban los comerciantes sin escrúpulos, los militares y el clero. Su virulencia era tan obvia, que cuando se exhibió en la Film Society de Londres, se rogó antes de la proyección al público que se abstuviera de manifestarse en cualquier sentido. No obstante, una protesta diplomática británica hizo que en las copias para la exportación los ocupantes británicos pasaran a ser rusos blancos.

Tempestad sobre Asia impresionó, además, por su sofisticación técnica. Pudovkin sobresalió por la maestría de su montaje analítico, con primeros planos de detalles expresivos, pero también por su arquitectura de acciones paralelas, a veces con finalidad ideológica, como cuando compara el acicalamiento de la esposa del general inglés con la de la estatua de Buda por parte de los lamas. Este virtuosismo culminó en el desenlace, con las tropas de ocupación barridas por la tempestad, como si fueran muñecos empujados por el viento de las estepas, en una alegoría política brillante que, no obstante, fue acusada de formalista e irrealista por algunos críticos soviéticos.

Exhibida en el Cine París en la quinta Sesión Mirador, el 28 de noviembre de 1929 –era el primer film soviético proyectado en España–, un Josep Palau conmocionado escribió que «el film de Pudovkin es una exaltación que nos ha trasportado de entusiasmo; no vamos a decir que es el film más grande que hemos visto, pero sí que no sólo es excepcional, sino único por la inspiración que le anima y por la factura con que ha sido construido».[158] A nadie escapó el potente sentido revolucionario del film y Robert Desnos escribió:

«*Tempestad sobre Asia* es el film sobre el destino del mundo occidental, aunque su acción se desarrolla en el corazón de Asia, en las mesetas del Tibet.»[159] Y el futuro falangista Carlos Fernández Cuenca coincidió con él al escribir: «La acusación contra Inglaterra que el film contiene no es, en su concreción, más que un símbolo. Inglaterra es allí la representación del imperialismo europeo, del desmedido afán dominador de Occidente. Y el joven mongol protagonista de la obra es el alma asiática, sometida, al parecer resignada en momentos de sopor, pero que de pronto despierta arrolladora, vibrante, y se lanza entonces con el fiero ímpetu de la tempestad incontenible, convirtiéndose en el auténtico Genghis Khan, "pastor de vientos, mariscal de tormentas, gran capitán de furores de nubes", como le canta Harold Lamb en un bello libro.»[160]

Como dijimos, Eugenio Montes fue el encargado de glosar *Tempestad sobre Asia* con un parlamento y lo hizo también en un registro político radical, afirmando: «Es el salivazo amarillo, con mocos de pobreza e indignación, que la boca mongólica lanza al rostro angélico, barbilampiño y rubicundo, protestante y asesino. Con ronca voz de venganza, redoblan los tambores de la *Tempestad sobre Asia*, llamando a guerra contra ese hombre anglosajón, que yo tanto odio. (...) Como en la tragedia griega y en la liturgia primitiva, héroe y coro se confunden aquí, unánimes. Pero héroe y coro ya no son únicamente héroe y coro, sino mito. (...) De ese combate nos informa Rusia, cronista apasionado, más que espectador, aliado y cómplice. Rusia sabe cómo luchan los vientos opuestos, porque su drama es el drama de esa contrariedad. Su historia es la historia de una zona polémica, de una frontera, de un cable eléctrico de alta tensión. En su seno, se muerden las colas Europa y Asia. Rusia, a un tiempo, occidental y oriental. (...) Que el vodka ruso de mañana, ese arte cinematográfico del que hoy os ofrece el Cineclub una muestra, despierte borracheras de subversión sindicalista, divinas ebriedades de pistolero.»[161]

Juan Piqueras, al reseñar esta sesión en *La Gaceta Literaria*, escribió que había sido la sesión «más completa. La que con más precisión ha presentado dos aspectos del cine del porvenir». De *Un cuento de Poe* opinaba que «es una parodia de *El hundimiento de la casa Usher*. (...) Se nos ha dicho que ha sido hecho por unos jóvenes yanquis agrupados en sesiones de cinema para minorías. (...) Es un film magnífico en donde la técnica cinematográfica acusa –y logra– las mayores posibilidades. Posiblemente, hay en el film un exceso de técnica. O mejor, en él todo queda reducido a técnica: en la fotografía, en el decorado, en la simplicidad del asunto. (...) Lo que en la película europea [de Epstein] aparece con un ritmo seguro, continuado, anecdótico, en la norteamericana es incoherente, perfectamente libre, cuajado de audaces y valientes metáforas cinematográficas». De *Tempestad sobre Asia* escribió que era «la culminación –simbólica e ideológica– de las bandas soviéticas, y puede significarse, como dijimos antes, como uno de los más representativos del cinema eslavo (...). Cada escena, cada tipo y cada situación, se presentan en la pantalla con el máximo de realismo, lo que hace que el espectador se identifique profundamente en el curso de la acción que conmueve al más insensible, haciéndole olvidar por completo que se trata de una ficción y a pesar de los arriesgados y atrevidos recursos técnicos de que Pudovkin hace uso. Llega un momento en que Pudovkin presenta un tipo de mongol enfurecido hasta el paroxismo, destruyendo con esa figura todos los convencionalismos existentes en las películas comunes. Además del interés de la acción, esta película contiene valores etnográficos y artísticos dignos de todo elogio».[162]

DUODÉCIMA SESIÓN

La duodécima sesión tuvo lugar en el Cine Goya, el 9 de abril de 1930. La inauguró un brillante reportaje de diez minutos rodado por Giménez Caballero con una cámara Aica, titulado *Noticiario del Cineclub*, quien quiso certificar su protagonismo apareciendo al principio del film con su aparato, en la terraza de su casa, aunque registrado obviamente por otro operador. *Noticiario del Cineclub* constituyó un notabilísimo álbum de retratos de la familia cineclubista y de su periferia, tal vez alentado por el llamamiento de La Sarraz en favor de una producción de cine independiente y no comercial. En su reseña a la sesión en *La Gaceta Literaria,* Piqueras enumeró algunos personajes de la impresionante nómina de la *intelligentzia* que compareció ante la cámara de Giménez Caballero. Citó Piqueras en su artículo al conde Hermann Keyserling, Ortega y Gasset, Valle-Inclán, Canedo, Eduardo Marquina, Juan Ramón Jiménez, Benjamín Jarnés, Manuel de Falla, Ignacio Zuloaga, Ramón Menéndez Pidal, Juan Estelrich, Pedro Sáinz Rodríguez, Giménez Caballero, Arconada, Rafael Alberti, Eugenio Montes, Miguel Pérez Ferrero, Salazar y Chapela, Ramiro Ledesma Ramos, Rafael Marquina, Gil Benumeya, Agustín Espinosa, Agustín Miranda, José María Alfaro y el propio Piqueras. A la amplia lista ofrecida por el crítico hemos de añadir a Pío Baroja, Américo Castro, Pedro Salinas, Antonio Marichalar, José Bergamín, Ramón Gómez de la Serna, Salvador Dalí y Gala Eluard (procedentes de Málaga y de paso hacia París), Santiago Rusiñol, Edgar Neville, José Sobrado de Onega, Ricardo Urgoiti, Sangróniz, Vicente Escudero, Cándido Bolívar, Lorenzo Luzuriaga, José María de Sucre, Lluís Bagaria y Gustavo Gili. Más una pléyade de rostros que no hemos podido identificar.

Noticiario del Cineclub fue, también, un autohomenaje narcisista a la familia intelectual aglutinada por *La Gaceta Literaria* o ubicada en sus aledaños. Y, para reforzar tal vínculo, tras un breve homenaje a la F.U.E. (Federación Universitaria Escolar), Giménez Caballero presentó una amplia secuencia dedicada a la llegada de numerosos intelectuales castellanos a Barcelona –a la estación del Paseo de Gracia, esquina con la calle Aragón–, en marzo de 1930, para recibir el homenaje de sus colegas catalanes, con un banquete el día 23, en agradecimiento por haber manifestado en 1924 su solidaridad con la cultura catalana ante la represión del general Primo de Rivera. *La Gaceta Literaria* dedicó el mes siguiente un número monográfico al tema, mucho más celebrativo y triunfalista que los comentarios a veces circunspectos que sobre la visita aparecieron en la revista *Mirador,*[163] aunque la invitación catalana había sido firmada por prohombres del prestigio de Gabriel Alomar, Pere Bosch Gimpera, «Gaziel», Joan Estelrich, Pompeu Fabra, Gustau Gili, Josep M. López Picó, Lluis Nicolau d'Olwer, August Pi i Sunyer, Carles Riba, A. Rovira i Virgili, Carles Soldevila, Ferran Valls i Taberner, Amadeu Vives y Josep Xirau. Con motivo de esta confraternización Dalí publicó unos exabruptos violentamente escatológicos en el segundo número de *Le Surréalisme au service de la Révolution.*[164]

Además de las escenas grupales, *Noticiario del Cineclub* escenificó algunos graciosos retratos individuales, como el de Jarnés junto a una monja, que un rótulo presentó como «Benjamín Jarnés y Sor Patrocinio», en alusión a su libro biográfico *Sor Patrocinio, la monja de las llagas* (1929); el de Rafael Alberti, cabeza abajo sobre un tejado y batiendo su chaqueta a modo de alas, en cita literaria de *Sobre los ángeles*; y al grueso catedrático Pedro Sáinz Rodríguez, introducido con un rótulo que presentaba su «marcha ascendente de un joven político», pues se le mostraba con la cámara desnivelada caminando, para expresar visualmente su ascenso. Y, en efecto, Sáinz Rodríguez sería diputado monárquico en 1931 y ministro de Educación en el primer gobierno de Franco. Buñuel, residente entonces en París, era presentado mediante un retrato a pluma.

Noticiario del Cineclub añadió a su extraordinario valor documental unos fragmentos de clara inspiración vanguardista. Uno de ellos, tras el homenaje de los intelectuales catalanes a los castellanos, era introducido por un rótulo que decía: «Deformación, níquel. Paisaje manchego sobre faro de auto.» Las filmaciones desde el interior de un automóvil que se desplaza velozmente, símbolo marinettiano de modernidad, habían interesado a los cineastas franceses de vanguardia y habían aparecido en *L'Inhumaine* (1924), de Marcel L'Herbier, y en los films de Man Ray *Emak Bakia* (1926) y *Les mystères du Château de Dé* (1929). De modo original, Giménez Caballero presentó las hileras de árboles a los dos bordes de una carretera reflejados de modo distorsionado sobre la superficie cóncava del faro de un coche que circula velozmente. Con ello aunaba la modernidad de la máquina y la tradición del paisaje, rindiendo de paso tributo a otro fetichismo visual vanguardista de la época, a los reflejos, que Henri Chomette había cultivado en su film *Jeux des reflets et de la vitesse* (1923).

El otro fragmento vanguardista, muy diverso en intención, comenzó como una incursión en el Madrid suburbial, con el siguiente rótulo: «Madrid: fábricas, cipreses, gitanos, sombras, chimeneas, botellas rotas, podadores, trenes». Cada uno de los elementos de esta letanía era luego visualizado, a modo de poema icónico, con frases visuales inconexas. En el capítulo de las sombras, Giménez Caballero propuso la sombra de una farola quebrada por los desniveles de una acera y una tapia, como cita puntual de la fotografía titulada *Vue de Malaga*, publicada en la sección «Rêves» del quinto número de *La Révolution Surréaliste.*[165] Este segmento suburbial culminó con un rótulo-homenaje que decía: «Breve reportaje de un crimen (a Luis Buñuel y Salvador Dalí). En el suburbio de Madrid un perro descubre un feto de niña y come parte de su cráneo.» Luego aparecía este perro tremendista en acción, que era, obviamente, un perro andaluz.

A continuación se proyectó *Historia de la brujería* –título de la producción sueca *Häxan*, de 1921–, presentada por el psiquiatra y neurólogo madrileño Gonzalo Rodríguez Lafora. El doctor Lafora, que trabajó en París y Viena, colaboró en *España* y *Revista de Occidente*, fundó en Madrid la Escuela de Niños Anormales y la importante revista *Archivos de Neurobiología* y fue uno de los principales difusores del psicoanálisis en España, figurando entre sus pacientes famosos el depresivo Juan Ramón Jiménez. Espíritu humanista, practicó además la pintura y le interesaba el arte. En 1922 pronunció en el Ateneo de Madrid una conferencia titulada «Estudio psicológico del cubismo y del expresionismo», con la que polemizó Ramón Gómez de la Serna. Su último libro publicado era entonces *Don Juan, los milagros y otros ensayos*, editado en 1927 por Biblioteca Nueva.

La elección del doctor Lafora como comentarista de *Historia de la brujería* era pertinente, dado el enfoque de esta singularísima película realizada por el danés Benjamin Christensen, tras dos años de minuciosa investigación documental. Hasta entonces se habían desarrollado, de modo independiente, el cine de ficción y el cine documental, pero Christensen propuso con su film un nuevo género: el ensayo, la disertación reflexiva, rompiendo a la vez la frontera entre ciencia y arte. *Historia de la brujería* constituyó, de hecho, una conferencia ilustrada con imágenes, primero con láminas procedentes de autoridades científicas (las cosmogonías primitivas representadas por Rawlinson, Maspero y Lacroix) y luego con una reconstrucción de época, a modo de un reportaje cinematográfico puesto en escena en el estudio, para mostrar cómo eran concebidos en los siglos XVI y XVII el infierno, los aquelarres, las brujas, los encargos de sus clientes, las primeras autopsias clandestinas con cadáveres extraídos del cementerio, la caza de brujas por las autoridades, las verificaciones eclesiásticas de brujería, las sesiones de tortura de los inquisidores, la represión sexual en los conventos, los ataques de histeria colectiva, etc. Un rótulo informaba de que en dos o tres siglos más de ocho millones de personas fueron quemadas en Europa acusadas de brujería. Film eminentemente didáctico –mostraba detalladamente el funcionamiento de aparatos de tortura reales–, la última parte introducía a los espectadores en un asilo moderno de ancianas, para explicar que las jorobadas, tuertas, sonámbulas, histéricas o epilépticas habrían sido consideradas brujas en otras épocas, examinando con cierto detalle casos de cleptomanía e histeria femenina.

Historia de la brujería fue un film sumamente insólito, crudo y anticlerical, que tropezó con la prohibición para exhibirse en casi todas partes, salvo en los países escandinavos, Francia, Bélgica y Suiza. Por otra parte Christensen, que además interpretó a Satanás ante la cámara, realizó una obra de una gran calidad plástica, buscando su inspiración en pintores como El Bosco y Breughel y no vacilando ante las representaciones más atrevidas, como los planos que muestran a mujeres besando el trasero del demonio o pisando crucifijos. Película admirada por los surrealistas, Ado Kyrou la calificó de «pesadilla sublime»[166] y es legítimo ver en ella un modelo de cine-ensayo que cultivaría el propio Buñuel, muchos años después, en su historia de las herejías cristianas compilada en *La Vía Láctea (La Voie Lactée*, 1969) y en su proyecto titulado *Psycho-pathology*, mostrando el origen y desarrollo de diferentes enfermedades mentales, idea que expuso en 1939 al final de su autobiografía presentada para ingresar como empleado en el Museo de Arte Moderno de Nueva York.

Siguiendo con su intención didáctica, los organizadores del Cineclub, proyectaron luego un film de quinientos metros titulado *Historia del cinematógrafo*, producido en 1920 y que no hemos podido identificar. En la reseña de la sesión Piqueras comentó que incluía fragmentos del film bíblico *María de Magdala* y de la comedia *Un gallina valeroso (The Mollycoddle*, 1920), de Victor Fleming y con Douglas Fairbanks.

Este film dio paso a una versión primitiva de *La dama de las camelias*, la novela de Alejandro Dumas hijo reiteradamente adaptada a la pantalla y cuya versión de Fred Niblo de 1927, con Norma Talmadge y Gilbert Roland, había sido elogiada por Buñuel en su cuarto artículo para *La Gaceta Literaria*. Por las indicaciones publicitarias ofrecidas, se infiere que la versión proyectada en esta ocasión fue *La signora delle camelie*, una producción de Film d'Arte Italiana de 1909, dirigida por Ugo Falena e interpretada por Vittoria Lepanto, Alberto Nepoti y Dante Capelli.

Clausuró la sesión una película titulada *La mano* y sobre la que caben numerosas especulaciones, pues puede corresponder a diferentes films con el mismo título. Existe, en efecto, una película española titulada *La mano*, realizada por Julio Roesset en 1916 para Patria Films, pero no era seguramente tan turbadora como otros dos films franceses de igual título. Uno de ellos, *La main*, fue una producción de Le Film d'Art de 1909, de 265 metros, basada en un mimodrama escenificado por Henry Bérény. La situación era la siguiente: una bailarina, al regresar a su casa con un amigo, es amenazada por la mano de un malhechor reflejada en el espejo de su cuarto, sin que se vea su cuerpo; ella se desmaya, pero es salvada por el amigo que estaba en otra habitación. Es reseñable que la víctima de tan inquietante amenaza era la danesa Charlotte Wiehe, que había popularizado su imagen en Francia como modelo del pionero del cartelismo Jules Chéret, evidenciando un temprano fenómeno osmótico en el *star-system* de la época. No menos turbadora fue *La main* (1919), de E. E. Violet, adaptación de Guy de Maupassant que relataba el caso de un inglés obsesionado con una mano humana disecada que pendía de una pared de su casa como un trofeo de caza, pero que un día aparecía estrangulado, con cinco orificios en el cuello, y un dedo en uno de ellos, mientras que la mano ya no colgaba de la pared y aparecía más tarde sobre su tumba, sin un dedo.

Sobre la mano con vida autónoma como tema buñuelesco (en *Un Chien andalou* y *El ángel exterminador)* nos ocuparemos en el siguiente capítulo, pero vale la pena recordar aquí una reflexión premonitoria en un artículo suyo de 1928: «¿Por qué se obstinan en pedir metafísica al cinema y en no reconocer que en un film bien realizado el hecho de abrir una puerta o ver una mano –gran monstruo– apoderarse de un objeto puede encerrar una auténtica e inédita belleza?»[167]

En la reseña a la duodécima sesión del Cineclub publicada en *La Gaceta Literaria*, Piqueras valoró con exactitud el *Noticiario del Cineclub* como «un futuro archivo intelectual, artístico y político de España». El estallido de la guerra civil y el exilio intelectual que siguió contribuirían a incrementar considerablemente tal valor. De *Historia de la brujería* afirmó que sus casos de hechizados y embrujamientos estaban «reconstruidos fielmente, con una *mise en scène* precisa y exacta y con unos artistas perfectamente ajustados, psicológica y tipológicamente, a sus papeles». Y de *La dama de las camelias* recogió «el efecto que produce su proyección en los modernos espectadores» e infirió que «se ve claramente la evolución del cinema y llega a otearse, con cierta precisión, lo mucho que de él puede esperarse».[168]

DECIMOTERCERA SESIÓN

La decimotercera sesión del Cineclub Español se celebró en la segunda quincena de mayo de 1930, bajo el título «Biología y vanguardia», pues su primera parte estuvo compuesta por documentales zoológicos de Jean Painlevé. El doctor Gregorio Marañón, que había sido uno de los mecenas fundacionales del Cineclub, fue el encargado de presentarla desde el escenario, con un parlamento en el que no tuvo inconveniente en afirmar paladinamente: «Yo confieso mi poca simpatía por la palabra *vanguardia*. Como todo lo que quiere decir mucho, se expone a encubrir el sentimiento antípoda.»[169]

A continuación se proyectaron cuatro cortometrajes de Jean Painlevé, hijo del matemático y político socialista Paul Painlevé y gran maestro en su difícil género cinematográfico, cuyos documentales ya quiso Buñuel presentar en la Residencia de Estudiantes. Los títulos exhibidos fueron *Les oursins* (Erizos de mar, 1927), *Le Hyas* (1927), *Bernard l'hermite* (El cangrejo ermitaño, 1927) y *El tratamiento en un perro de una hemorragia experimental por el suero del doctor Normet* (1930). Se trataba de algunos de los primeros films de exploración biológica cuya producción inició Painlevé en 1925 y que llegarían a rebasar al final de su carrera los doscientos títulos. Los seriales de aventuras norteamericanos y franceses le habían hecho apasionarse por el cine desde muy joven y la visión de un noticiario sobre la banda Bonnot le imbuyó los ideales libertarios. Se movió, en efecto, en la órbita surrealista: en 1924 publicó en la revista *Surréalisme* el texto «Drame néo-zoologique»[170] y fundaría más tarde con Buñuel y otros cineastas la Fédération Internationale du Documentaire Expérimental et du Film d'Avant-garde.[171] Otro miembro de este grupo, Maurice Jaubert, escribió acompañamientos musicales para sus films, que eran distribuidos por Henri Diamant-Berger y solían exhibirse en su sala cinematográfica parisina, el Studio Diamant. Los sorprendentes documentales biológicos de Painlevé llamaron la atención de los vanguardistas franceses en su época. En 1927 Germaine Dulac escribía ya sobre uno de ellos, *Les oursins*: «En el film sobre el nacimiento de los erizos de mar, una forma esquemática, por movimiento de rotación más o menos acelerado describiendo una curva de diferentes grados, provoca una impresión ajena a su intención intelectual, el ritmo.»[172]

El historiador Georges Sadoul escribió que las primeras obras de Painlevé están «bajo la influencia de la vanguardia abstracta. Traducen la admiración ante el esplendor descubierto en un charco o en una gota de agua; insisten sobre los sorprendentes encajes geométricos que emparentan estos cuadros acuáticos al arte de Kandinsky o de Picasso».[173] Y Ado Kyrou, quien se refirió a su «admirable bestiario onírico», escribió que «en estas breves obras maestras, no ofrece sólo imágenes científicas, sino que busca conscientemente el aspecto profundo de las cosas que descubre y traza verdaderas composiciones dignas de Klee o de Max Ernst».[174]

La sección científica se completó con el documental didáctico *Der Mensch (El hombre)*, de la productora alemana Emelka, de Munich (y no de Berlín, como afirmó Gómez Mesa en *La Gaceta Literaria*), que mostraba el funcionamiento interno del cuerpo humano.

Luego se proyectó el cortometraje de diez minutos *La P'tite Lilie* (1927), de Alberto Cavalcanti e interpretado por Jean Renoir y Catherine Hessling. Ya exhibido en una Sesión Mirador en diciembre de 1929, estaba inspirado en una canción arrabalera francesa acerca de una joven que es empujada a la prostitución por el hombre que ama. Cavalcanti lo rodó con un objetivo ligeramente velado y le dio un tratamiento burlesco inspirado por el cine cómico norteamericano, lo que hace que en el catálogo del MOMA pueda leerse, acerca de este film, que «en cierto modo, es una sátira del estilo cinematográfico primitivo».[175] Se exhibió con éxito en el Studio des Ursulines y recibió elogios de Béla Balázs.

La sesión se clausuró con el cortometraje *La Perle* (1929), de Georges Hugnet y Henri d'Arche, que también acababa de ser exhibido en la novena Sesión Mirador, el 25 de abril de 1930, sugiriendo una parcial coordinación de sus sesiones para aprovechar la importación de films extranjeros. Poeta, dramaturgo y artista gráfico, Hugnet ingresó en el grupo surrealista en 1932, tras haber atraído la atención de Breton por sus estudios sobre el dadaísmo –*L'esprit Dada dans la peinture* y *L'aventure Dada*–, pero sería expulsado en 1939 por su amistad con Paul Eluard. La producción y realización técnica del film corrió a cargo del aristócrata belga Henri d'Arche (seudónimo de Henri d'Ursel), quien había sido ayudante de Dreyer en *La Passion de Jeanne 'd'Arc*, y sus protagonistas fueron Kissa Kouprine y el propio Hugnet. Aunque el resumen de su argumento no resulta fácil, presentaba a un hombre que compraba un collar de perlas e iba en busca de su amada, pero se encontraba con diversas mujeres atractivas, con las que a veces entablaba relaciones, en un plano onírico o real. Pero Ado Kyrou opinó que *La Perle* «está falsamente considerada como surrealista y sólo ciertas imágenes eróticas poseen valor poético».[176]

En su reseña de la sesión,[177] Luis Gómez Mesa –en sustitución de Juan Piqueras, recién instalado en París– elogió en *La Gaceta Literaria* los documentales científicos proyectados, escribiendo: «Jean Painlevé, en primer plano. Fuerte. Triunfante. Con su sonrisa segura de joven que no teme a nada ni a nadie. De hombre científico que logró adueñarse –en la paciencia de su laboratorio– de los secretos de la vida y de la muerte. (...) Su mirada de viajero es de técnico, de especializado –coleccionador de conocimientos– y no de turista: conservador de tarjetas postales. Y así sus películas son auténticamente aleccionadoras. (...) *El tratamiento en un perro de una hemorragia experimental por el suero del doctor Normet* es corta, pero expresiva:

precisa.» *Der Mensch* «revela en sus ejecutores una suficiencia, una preparación técnica consciente. Construida a base de gráficos, de dibujos, está llevada con tal dominio de la materia y tal habilidad, que la atención del espectador no se debilita ni un momento. (...) Comprende –ordenadamente expuesto– el tema completo: la división y funcionamiento del organismo, de la compleja máquina humana –con un subrayado especial de la acción alimenticia–, la circulación de la sangre –con un estudio detallado del corazón– y fecundación y nacimiento del hombre».

De la segunda parte del programa, la vanguardista, Gómez Mesa manifestó preferir la película de Cavalcanti, sobre la que escribió: «Un tono gracioso, chusco, distingue a *La pequeña Lily*. No obstante lo triste de su asunto, la biografía deshonesta –pero presentada por el cañamazo colocado delante del objetivo que cubre las crudezas que pudieran escaparse– de una costurera parisiense asesinada por su hombre a orillas del Sena con una terrible navaja, que luego, inmediatamente, sin limpiar aún de sangre, es usada por el criminal para pelar una manzana. La pequeña e inocente –¡pobrecilla!– Lily sube al cielo. Y la portera, su compadre y el repartidor de leche se quedan en la tierra repitiendo el refrán, el estribillo de la popular canción: ¡Oh, la pequeña Lily!... (...). Catherine Hessling –atinadísima en su papel de andares chulos y provocativos y de gestos picarescos– es la pequeña Lily perfecta que deja agarrarse del brazo de los transeúntes, precisamente aquel día en que dice a su explotador que va a trabajar por su cuenta, y éste por contestación convincente la mata de una cuchillada.»

Del film de Hugnet y d'Arche escribió Gómez Mesa: «*La Perla*, pese a su superrealismo, es algo real, concreto. Una mujer, Kissa Kouprine –la ladrona de collares en la anécdota–, que llena toda la película, desde la aparición como dependiente en la joyería a su robo de la alhaja que no esconde, sino que exhibe en su pantorrilla derecha –a la terminación de su media, junto a la liga– sentada en el mostrador. Y de la huida –en bicicleta– con el comprador de un collar para su esposa, a su transformación –traje negro de malla, a lo Fantomas, más para confundirse y fundirse en la oscuridad de la noche que para destacarse en la blancura del día y de las paredes– en ratas de hotel de postín. Y acaso con letreros y otro montaje resultase *La Perla* un film entendible para un público de mayorías.»

En la primera quincena de junio de 1930 se celebró en el Cinema Goya la decimocuarta sesión del Cineclub Español, última de la temporada, que con acompañamiento musical del Filmófono de Urgoiti y de una orquesta dirigida por Fernando Remacha ofreció un ejemplo inmejorable del eclecticismo de su programación. Abrió la sesión un largometraje alemán semidocumental titulado *El camino de la fuerza y la belleza (Wege zu Kraft und Schönheit*, 1924-25), del doctor Nicolas Kaufmann y del cineasta Wilhelm Prager. Se trataba de un *Kulturfilm* de la productora U.F.A., de un film educativo que circuló por las escuelas alemanas, pero que importado a España no encontró durante años ningún exhibidor propicio, hasta que el Cineclub Español lo rescató para esta sesión. Con escenas reconstruidas y otras documentales, el film se remontaba desde la actualidad hasta la antigüedad griega, para exaltar sus ideales antropométricos, higiénicos, atléticos y estéticos. Su presentación de desnudos resultó algo controvertida, aunque añadió valor publicitario a un film que se benefició además de la presencia de figuras célebres de la gimnasia y de la danza actuando ante la cámara. A pesar de su valor «higienista» y pro deportivo, en su exaltación pagana del cuerpo disciplinado pudo detectarse cierto aliento protonazi. Siegfried Kracauer observó al respecto que en su panfleto publicitario se postulaba «la regeneración de la raza humana».[178] Éste sería un elemento clave del discurso ideológico del nazismo.

A continuación se proyectó una pieza clásica del cine expresionista germano, *Sombras (Schatten*, 1923), de Arthur Robison y con la colaboración del pintor Albin Grau como escenógrafo, que había pasado relativamente inadvertida en su estreno alemán, pero que no tardaría en convertirse en un film de culto. Su acción transcurría hacia 1830, respetando el principio teatral de las tres unidades, pues tenía lugar en una fiesta en casa del celoso conde Schlosberg, casado con una joven bella y coqueta. En la reunión participaban cuatro invitados, entre quienes figuraba un joven que cortejaba a la esposa. Llegaba a la casa un feriante hipnotizador que exhibía un teatro de sombras y les mostraba un espectáculo en una pantalla. Hipnotizando a los presentes, el mago materializaba sus sombras, que se convertían en vehículos de sus impulsos subconscientes. Con una virtuosa iluminación del operador Fritz Arno Wagner, *Sombras* desplegó una inquietante coreografía de siluetas humanas guiadas por sus pulsiones y fantasías, que llegaban hasta el borde de la tragedia. Como observó Sadoul, el film era tributario a la vez de la estética expresionista, por sus iluminaciones y sombras fantásticas, y del *Kammerspiel*, por su claustrofóbico respeto a las tres unidades, con una acción que prescindía de los rótulos literarios.[179] En su estreno, un crítico alemán escribió: «No es sólo un juego de siluetas, pero es la extraordinaria iluminación la que confiere al conjunto algo de fantástico, de irreal y de un calor sorprendente. Encanta hasta tal punto a los personajes y las cosas, que el espectador no sabe muy bien si se trata de un sueño o de la realidad.»[180] Y la historiadora alemana Lotte H. Eisner escribió que «gracias a un vigor excepcional de la inspiración, los personajes de este film se liberan de la uniformidad abstracta impuesta por el expresionismo. Llegan a encarnarlos con una intensidad casi animal».[181] El audaz experimento visual de Robison constituyó, por demás, un ensayo de corte psicoanalítico acerca de las representaciones fantasmáticas que son propias del arte cinematográfico y del oficio de manipulador de imágenes que es propio del realizador.

Se proyectó después un documental de seiscientos metros titulado *La revolución rusa*, en el que aparecían el zar Nicolás II, Kerenski, Lenin y Trotski, al que seguramente se refirió Agustín de Foxá en su bastante fantasiosa crónica del estreno cineclubista madrileño de *Un Chien andalou*, expuesta en su novela *Madrid de corte a cheka*, pues en tal sesión, según Foxá, se exhibió también «un film ruso, tenebroso, de golfos harapientos y alcantarillas y conventos convertidos en talleres».[182] Pues cerró la sesión, con todos los honores, una revisión de *Un Chien andalou*. En esta ocasión Buñuel no estuvo presente, pues andaba atareado en París con la producción de *L'Age d'or*, como informó puntualmente por aquellas fechas a sus lectores la revista *Popular Film.*[183]

Luis Gómez Mesa publicó en *La Gaceta Literaria* la reseña de la decimocuarta sesión, con el título *Rusia y Alemania: films.*[184] De *El camino de la fuerza y la belleza* escribió que «realizado por el profesor Nicolas Kaufmann –bajo la inspección de la Facultad de Medicina de Berlín– abunda en provechosas lecciones de higiene y deportismo». Y después de describir sus diversas partes, añadió: «Por sus desnudos humanos, por su realidad completa –sin tapujos ni trapos inútiles–, *Fuerza y belleza* permanecía atada al estúpido miedo de los prejuicios. Y fue necesario que cortásemos esa ligadura, cobarde e hipócrita.»

De *Sombras* señaló que «la mano del manejador de sombras presenta a los personajes. Un marido celoso. Su mujer. El galanteador.

Los amigos del matrimonio. Y los criados. Y la anécdota –que ocurre en una noche– se reduce a las sospechas de un casado, ya maduro, de que su joven esposa le es infiel, le traiciona con un pariente suyo. (...) Las sombras llenan la película entera: al proyectarse fantasmalmente en la pared con un tamaño desmesurado, o al reflejarse en los cristales de la ventana. Y su manejador –que conduce, burlón, los hilos de la farsa–, insatisfecho con transformar, en la sombra que recoge el muro, en burro a un criado –por las gracias de sus manos–, representa con siluetas el drama tártaro de la perjura y del marido indulgente. Y como todo en este film lo mueven las sombras –incluso la tragedia soñada de la muerte alevosa de la supuesta adúltera– la entrada de la luz del día en la casa señala su conclusión».

De *La revolución rusa* confesaba ignorar el nombre del operador que rodó las escenas del zar Nicolás II y del káiser Guillermo II revistando las tropas imperiales. Y añadía: «Lo milagroso es que se salvasen. Y que perduren, que se conserven. Con lo difícil que es encontrar documentos vivos en celuloide de esa época muerta y enterrada por dos conmociones: primero, por una guerra, y luego, por una revolución.» Calificaba a la obra de «film de indiscutible interés y emoción». Y de *Un Chien andalou* escribió que su revisión agregó a la sesión «su intrépida nota retadora y derribadora de tópicos y vaciedades».

DECIMOQUINTA SESIÓN

El 29 de noviembre de 1930 se celebró la decimoquinta sesión, primera de la tercera temporada del Cineclub, en el Palacio de la Prensa. Juan Piqueras había seleccionado desde París para esta sesión la película soviética de 1925 bautizada *Los tártaros* (aunque su título original era el nombre de su héroe campesino ucraniano *Taràs Sevcenko*) y que la publicidad de *La Gaceta Literaria* presentó, también falsamente, como el primer film realizado en la República Soviética de los Tártaros, pues fue producido en realidad por el estudio VUFKU de Kíev, en Ucrania. Piqueras la había glosado ya admirativamente en sendos artículos,[185] explicando a los lectores de *Popular Film* que «esta película pertenece al grupo de films retrospectivos que los soviets fabrican –basados en su historia– para justificar la revolución posterior. (...) Se inicia la acción en 1630, cuando Ucrania vivía bajo la opresión de Polonia, y los oprimidos y descontentos apuntaban sus primeras oposiciones serias. En *Los tártaros*, como en los films posteriores –de acción y edición– es el oprimido, el pueblo, el humilde, quien triunfa. Hay que agradecer a los cineastas rusos este intento, esta elevación capital que hacen de la masa, de la gente anónima». En ambos artículos Piqueras pedía a los distribuidores españoles que importaran y difundieran el film y, aunque no lo consiguió, hizo proyectar la película en el Cineclub. Era su realizador el veterano ex actor Piotr Chardynin, quien procedía del cine prerrevolucionario, abandonó su país en 1919, pero regresó en 1923 e impulsó el desarrollo del cine ucraniano. Tal vez por sus orígenes y trayectoria, Tchardynin nunca consiguió disipar las reticencias de la crítica e historiografía oficial soviética hacia su obra. Así Nikolái Lébedev escribió sobre él que «como director continuó siendo el representante de las viejas tradiciones comerciales y a orientarse enteramente hacia los gustos del público pequeñoburgués».[186] Y glosando la exaltación de la lucha nacionalista liderada por el héroe Tarás Sevchenko que Tchardynin exaltó en *Los tártaros*, el crítico V. Turkin escribió en 1936: «La burguesía nacional trata de hacer pasar sus temas bajo la máscara de un romanticismo chovinista; se intenta idealizar el vasallaje feudal y de preconizar la restauración de los grandes propietarios.»[187] Realizado en el alba del nuevo cine soviético, veremos cómo *Los tártaros* suscitó también bastantes reservas en Luis Gómez Mesa, que contrastaron con el entusiasmo hacia el film proclamado por Piqueras.

A continuación se proyectó un monólogo de tres minutos y medio de Ramón Gómez de la Serna que, a falta de rótulos iniciales, los programadores del Cineclub y la historiografía cinematográfica española han dado el título de *El orador*, aunque también se le designa a veces como *El orador bluff* –así se citó en el artículo «Historia del Cineclub Español» de *La Gaceta Literaria*–[188] y *La mano*. Fue rodado en Madrid por el burgalés Feliciano Vitores en el primer semestre de 1928, con el rudimentario sistema sonoro Phonofilm, que el ingeniero e inventor norteamericano Lee de Forest intentó implantar en España.[189] Este sistema de sonido óptico fue explotado desde 1927 por Vitores y sus socios Enrique Urazandi y Agustín Bellapart, utilizado para rodar varios cortos y el largometraje *El misterio de la Puerta del Sol* (1929), de Francisco Elías, que apenas consiguió exhibirse públicamente, pues el Phonofilm fue pronto desplazado del mercado por los nuevos procedimientos técnicos que respaldaban los grandes estudios de Hollywood.

Este monólogo filmado de Ramón, en un solo plano medio frontal y estático y al aire libre, tiene el aspecto de una tardía experiencia paradadaísta. En ella Ramón, como un prestidigitador de la palabra, manipula un par de monóculos y una gran mano postiza, prótesis grotesca que utilizó también en varias conferencias pronunciadas en aquella época (de ahí el título *La mano* otorgado a veces al film). Ramón tenía afición a estos apéndices corporales y Moreno Villa recordó una conferencia de Ramón en Buenos Aires, en 1933, sobre *El caballero de la mano en el pecho*, en la que aquél portaba un brazo articulado, que dejaba caer cuando decía estar ya cansado de verle en tal postura.[190] Es también reseñable que en su parlamento Ramón evocó un ambiente gallináceo que ya había trabajado en 1921 en su *divertimento* cinematográfico titulado «El corral de Pathé».[191]

El monólogo de *El orador* se inicia cuando Ramón saca del bolsillo superior de su chaleco un monóculo y lo blande para exhibirlo. El texto de su parlamento dice así:

«No consiste más que en un monóculo sin cristal. Monóculo sin cristal con el cual yo veo las cosas de relieve, bien, anotando todo lo que tienen de extraordinario [se coloca el monóculo]. Monóculo sin cristal que es la obsesión de mi servidumbre porque no comprende cómo se puede usar durante el trabajo [se quita el monóculo y saca otro de otro bolsillo de su chaleco y se lo pone]. Para los salones tengo como invención de última hora el monóculo de nuevo rico. Monóculo de nuevo rico que brilla bajo la luz espléndida de las arañas y que le da a uno un tono de barón, de barón de algo. Con estos dos elementos sencillos [se quita el monóculo y lo guarda en el bolsillo de su americana] voy siguiendo la ruta de las cosas.

»También dependen mis observaciones de cómo observo vis a vis la realidad de la vida. Por ejemplo, mis observaciones del corral. Yo sé hacer el canto del gallo, que es una cosa que casi todo el mundo sabe; pero estas otras cosas más sencillas del corral, por ejemplo, ese despertar en la tarde caliginosa de todo el gallinero:

»poa poa poa poa poa poat-poat,

»esta cosa lenta,

»poa poa poa poa poa tati poa poa,

»esos gritos de locura que brotan del corral caliente por agosto,

»puaaaaaa puaaaaa,

»que son alboroto de todo el pueblo, que son la raya con que se señala toda la dimensión del paisaje.

»Toda esa observación de la realidad unida a mi monóculo sin cristal dan la base sincera de mi estética.

»Pero para los discursos tengo otro elemento inapreciable. Elemento que lleva tras de mí las multitudes. Porque, cuando se posee la mano convincente [saca tras su espalda su mano derecha cubierta con una gran mano postiza] la multitud va detrás de esa mano. Cuando se dice a la multitud por ahí, la multitud sigue ese camino. El orador ha de tener esta mano. Hinchazón de la elocuencia y esta mano produce también un efecto sedante en el público cuando le aconseja paz. Produce las grandes cuestaciones cuando esta mano se dirige siempre a él en un son de petición. Esta mano capta las ideas como mariposas cogiéndolas en el ambiente y redondeando la oración, gracias a como las ha cazado.

»Esta mano sirve para señalar cinco razones. Por ejemplo, se suele usar de ella para decir: por cinco razones tenéis que seguir este camino, cinco razones tengo para deciros esto. Todo el mundo ante tamañas razones baja la cabeza apabullado.

»Esta mano sirve para en la tempestad del público calmarla plenamente; y por fin cuando el orador ya está próximo al final del discurso sirve para preparar su planear. Porque esta cosa que tiene el orador de aviador, se remonta, parece que va seguro en sus palabras, de pronto se rompe la cabeza en una de ellas, señala la caída en barrena en esa palabra que le falla. Pero el orador que se domina, espera el momento en que planear y entonces su mano va trabajándose, va descendiendo, va señalando el párrafo final. Esto suele ser muy largo en los oradores porque buscan terreno a propósito, como también lo es en los aviadores que necesitan su terreno ad hoc. El orador entonces ve que hay en la mesa un tintero, un vaso de agua, tiene miedo de caer en el tintero o en el vaso de agua y entonces, con gran lentitud, para no caer tampoco en una pluma en punta, el orador, tomando sus medidas, concentrándose, coloca su mano sobre la mesa. [Aplausos. Ramón saluda con inclinaciones de cabeza y sale de cuadro por la derecha].»

La proyección de *El orador* en el Cineclub resultó accidentada, por mor de la imperfección de la nueva tecnología sonora, y dio pie a algunas piruetas muy ramonianas. El protagonista recordó, en *La Gaceta Literaria,*[192] que se trataba de una experiencia filmada en 1928 y de su comentario y del de Gómez Mesa, en la misma página, se infiere que primero el film compareció mudo ante los espectadores, mientras Ramón, en la sala, emitía una locución improvisada para acompañar su imagen silenciosa en la pantalla. En una segunda tentativa, Ramón apareció en persona ante el fondo blanco de la pantalla, mimando con gestos el comentario grabado en el film y que emitieron los altavoces, esta vez sin imagen. Al tercer intento, el film se proyectó en su integridad audiovisual. Al comentar esta peripecia, Ramón declaró en el artículo citado: «Quería yo hacer visible de ese modo un caso de desdoblamiento activo, salto mortal en dos espacios, en medio de la música callada, yo y mi yo suplantador, encarándose frente a frente.»

A continuación se proyectó el documental de Ernesto Giménez Caballero *Esencia de verbena*, rodado en el verano anterior y comentado en vivo por Ramón Gómez de la Serna, y que analizaremos en otro capítulo.

Luego la voz radiofónica de Ricardo Urgoiti, invisible en la sala, presentó el documental sonoro del pintor y cineasta alemán Walter Ruttmann titulado *T.S.F. (Deutsche Rundfunk*, 1928), que la publicidad del Cineclub había anunciado como «banda de vanguardia radiocinemática». Se trataba de una experiencia pionera de cine sonoro de uno de los fundadores del cine abstracto y adaptador de dos poemas de Philippe Soupault a la pantalla,[193] quien al año siguiente completaría su exploración acústica con el innovador y audaz experimento audiovisual y unanimista *La melodía del mundo (Melodie der Welt*, 1929). La radio era en 1930, como el cine, uno de los fetiches de la expresividad moderna y tecnológica. Mucho después de que el aliento vanguardista de Salvat-Papasseit la evocara en sus *Poemes en ondes hertzianes* (1919), los futuristas italianos le habían rendido homenaje. En 1933, el mismo año en que Rudolf Arnheim publicó su libro *Rundfunk als Hörkunst*,[194] Marinetti y Pino Masnata escribieron un manifiesto sobre el arte radiofónico, titulado *La Radia*, en el que constataban que el cine estaba agonizando por culpa del «sentimentalismo rancio» de sus argumentos, por su realismo y por sus «infinitas complicaciones técnicas». A este declive oponían el ascenso vital y futurista de la radiofonía. Y en 1940 Paolo Buzzi escribió *Poema di Radio-onda*. Ricardo Urgoiti era un presentador adecuadísimo para el film de Ruttmann, pues su experiencia profesional se extendía desde la radio hasta el cine, actividad en la que desde 1935 abarcaría también el campo de la producción, con el apoyo de Luis Buñuel. Utilizando el sonido con criterios estrictamente naturalistas, y no como vector de sentido, *T.S.F.* recorría el universo acústico a partir del caudal ofrecido por la radio. Joris Ivens lo tuvo muy presente cuando rodó en 1931 *Philips Radio* (o *Industrial Symphony).* Pero Ruttmann, en contraste con Ivens, acabaría integrándose en la nómina de los vanguardistas que desembarcarían en el nazismo y sería herido de muerte en 1941, cuando rodaba en el frente oriental.

Luis Gómez Mesa tituló la reseña de esta sesión en *La Gaceta Literaria* como *Exaltación de lo documental,*[195] a pesar de que el film soviético proyectado en ella no perteneciera a tal género. No pasó por alto al crítico la anomalía del título *Los tártaros*, impuesto por razones comerciales, pues de los invasores tártaros de Ucrania señaló que «participan secundariamente» en la acción. Quiso salir al paso de las «confusiones y reclamaciones» que produjo su proyección, pues defraudó a una parte del público, pero no se abstuvo de señalar su pobreza estética, observando que «*Los tártaros* es de desarrollo ingenuo, primario. Y hasta de interpretación, en particular del lado femenino. (...) es una obra sin ninguna audacia en su procedimiento. Fotografía corriente, limpia. Nada de ángulos, ni de lentes especiales, ni de juego de luces. Anticuada simplicidad. Y los primeros planos muy medidos, muy escatimados». Pero elogió «su valor documental, exacto, carente de mixtificaciones. Tschardynine, el director, no aspiró de seguro a otra finalidad que presentar diversos tipos del magnífico muestrario racial que es Rusia hoy».

A *El orador* la definió como «breve película parlante de greguerías acerca de la oratoria y sus cultivadores». De *Esencia de verbena* certificó que «revela la dirección un sentido moderno del oficio y muy excelente gusto». Y sobre *T.S.F.* señaló que «marca una orientación a seguir en el camino del nuevo cinema. La vida, en sus múltiples y opuestos ruidos, retratada de un modo estilizado, artísticamente. (...) abundan las pruebas, como la sustitución metafórica de unas piernas fuertes de mujer por dos tubos gemelos. (...) el locutor de una estación emisora [es] el indicador de la ruta–, como su hermana mayor *Melodía del mundo*, es una cinta turística, documental, cultural. Es una excursión por Alemania. (...) Y el espectador contempla esas ciudades y oye sus ruidos, su animación, su respirar, su vida. Máquinas de ingeniería, trenes, tranvías, autos, transbordadores, barcos, las fieras del famoso parque de Hamburgo, etc... todo adquiere en la pantalla realidad vista. Y escuchada desde cómoda butaca. ¡Maravilloso!».

DECIMOSEXTA SESIÓN

En diciembre de 1930 se celebró la decimosexta sesión del Cineclub Español. De acuerdo con la reseña de Luis Gómez Mesa, la pieza más esperada era *Romanza sentimental (Romance sentimentale*, 1930), el cortometraje sonoro firmado por Serguéi M. Eisenstein y Grigori Alexándrov, de seiscientos metros, que se rodó en los estudios franceses de Epinay para lucimiento de la pianista rusa exiliada Mara Griy, casada con el joyero Rosenthal, que aportó su financiación. Jean Mitry ha definido este experimento sonoro circunstancial como «ensayo abortado que [Eisenstein] abandonó a su ayudante Alexandrov tras varios días de rodaje especialmente tormentosos».[196] Y en los mismos términos se pronunció Léon Moussinac, amigo y compañero de Eisenstein en aquellas jornadas parisinas.[197] Se trató de un experimento muy pictorialista de concordancia plástico-musical sobre la melancolía del otoño y del amor extinguido, que tuvo la virtud de indignar a Buñuel cuando lo vio y que le llevó a escribir al vizconde de Noailles el 16 de junio de 1930: «Es una ingominia. Si el autor estuviera en París iría a abofetearle. (...) El señor Eisenstein ha cobrado medio millón por hacer una de las cosas más miserables que haya visto.»[198] Que Buñuel renegase de un film que sería programado y admirado luego en el Cineclub Español revela la distancia que se había producido por entonces entre ambos, confirmada por la radicalización ideológica de *L'Age d'or*. Acerca de *Romanza sentimental*, sobre la que la historiografía ha pasado siempre de puntillas, Eisenstein declararía que le interesó únicamente por su oportunidad para experimentar con la nueva técnica sonora.[199] No obstante, el crítico cinematográfico y musical catalán Josep Palau admiró entonces grandemente esta obra y escribió que «inaugura un género de film sonoro de posibilidades ilimitadas», aunque admitió que algunos lo habían encontrado «excesivamente sentimental». Pero reiteraba que «el valor de la obra no reside en la música –insípida– ni en las escenas, sino en su confrontación recíproca».[200]

Como complemento lírico a *Romanza sentimental*, la recitadora Conchita Power dijo a continuación tres poemas: «La tempestad», de Bécquer, «Amor», de Juan Ramón Jiménez y otro de Rafael Alberti cuyo título no nos ha llegado.

Después se proyectó la comedia sonora francesa *Bluff* (1930), de Georges Lacombe, realizador ya conocido de los cineclubistas por su recio documental *La Zone*, protagonizada por el entonces muy popular Albert Préjean. Mostraba cómo, debido a una huelga de los personajes exhibidos en un barracón de feria, su empresario y su esposa decidían sustituirles y se convertían sucesivamente en hechicera oriental, gigante, atleta, etc.

Luego se presentó uno de los films más emblemáticos de la vanguardia francesa, *Le ballet mécanique* (1923-24), que acababa de ser proyectado el mes anterior en el II Congreso Internacional de Cine Independiente de Bruselas. Este film suele ser atribuido al pintor Fernand Léger y al operador norteamericano Dudley Murphy, pero su gestación fue, en realidad, más complicada y colectiva. En 1916, durante un permiso militar, Apollinaire llevó a Léger a ver unos films de Charlot, que le fascinaron. A raíz de este impacto, Léger vio en el cine –y en la aviación– la expresión más acabada de la modernidad. Hacia 1920 empezó a trabajar en un film de animación titulado *Charlot cubiste* –en el que la Gioconda se enamoraba de Charlot pero, al no ser correspondida, se suicidaba–, que quedaría inconcluso. No obstante, de este trabajo derivaría el «Charlot cubista», con un solo ojo, cabello escalonado y miembros articulados que aparece en *Le ballet mécanique.*

En el origen de este film desempeñó un papel importante Ezra Pound, pues fue quien puso en contacto a Léger, a Murphy y al músico Georges Antheil, responsable de su partitura. Muchos datos indican que la iniciativa del proyecto fue de Murphy, quien lo propuso primero a Man Ray, pero, tras la interrupción de su colaboración por falta de dinero, lo completó con Léger. William Moritz ha sostenido recientemente, de modo categórico y con buenos argumentos, que la verdadera autoría de *Le ballet mécanique* corresponde a Murphy.[201] No obstante, Léger se involucró intensamente en el proyecto y llegaría a confesar a Sadoul que, en aquel momento, estuvo a punto de abandonar la pintura por el cine.[202]

Léger y Murphy trabajaron durante seis meses, rodaron mil metros de película, de los que retuvieron unos trescientos, y el coste de la producción fue de unos cinco mil francos. Según Verdone, fue la visión de *La rueda*, de Abel Gance, la que indujo a Léger a fotografiar primeros planos de objetos mecánicos.[203]

Le ballet mécanique fue un film-puente entre el cine abstracto de los pintores nórdicos y el cine figurativo, pues utilizó objetos del mundo real (cacerolas, botellas, sombreros, engranajes, etc.) para generar, a veces por sus primeros planos muy próximos y descontextualizadores, y por el montaje rápido, formas irreconocibles en la pantalla. Con ello reivindicó la autonomía de las formas plásticas y evidenció que la unidad expresiva del cine era el fotograma y no el plano. También las personas fueron utilizadas como objetos en el film y la multiplicación de puntos de vista diversos sobre un mismo objeto derivó de los principios de la estética cubista. Por todas estas características *Le ballet mécanique* ha sido valorado a veces como un germen del Pop Art y del Nuevo Realismo.

Fernand Léger efectuó en varios lugares explicaciones prolijas acerca de la intención y del sentido del experimento de *Le ballet mécanique.* Así, en 1927 especificó: «En esta época realizaba cuadros que utilizaban como elementos activos objetos separados de su ambiente y con relaciones nuevas. Los pintores ya habían destruido el tema. Como en el cine de vanguardia se iba a destruir el guión descriptivo. Pensé que este objeto inadvertido podía adquirir también su valor en el cine. He trabajado este film partiendo de esto. He tomado objetos muy usuales y los he transferido a la pantalla dándoles una movilidad y un ritmo muy meditados y calculados. Contrastar los objetos, con pasajes lentos y rápidos, reposos, intensidades, todo el film está construido de este modo. He utilizado el primer plano, que es el único invento cinematográfico. También me ha servido el fragmento de objeto; al aislarlo se personaliza. (...) Su montaje me ha dado mucho trabajo. Había que ajustar repeticiones de movimientos largos. Había que observar muy atentamente el cronómetro a causa de la repetición de imágenes. Por ejemplo, en [la repetición de movimientos] en *La mujer que sube la escalera,* quería primero sorprender al público, después, lentamente, inquietarle, y después empujar la aventura hasta la exasperación. Para "ajustarla" me rodée de obreros y de gentes del barrio y estudiaba el efecto producido en ellos. En ocho horas sabía lo que podía obtener. Casi todos reaccionaban al mismo tiempo.»[204]

Y más tarde resumiría así su hallazgo central: «El fragmento de un objeto sin valor plástico aparente, adquiría de pronto un valor plástico sorprendente, completamente nuevo (...) desde entonces estuve seguro de que el objeto y su fragmento tenían un valor completamente nuevo que llamé "nuevo realismo".»[205]

Le ballet mécanique ha dado lugar a adscripciones estéticas discrepantes. Michel Sanouillet lo consideró «uno de los mejores films dadaístas»,[206] pero Léger nunca se identificó con el dadaísmo y el film fue poco apreciado por los surrealistas,[207] mientras que Verdone lo caracterizó como un film cubofuturista.[208] Es más fácil concordar con Curtis cuando afirma que se trata del primer film abstracto fotografiado y no pintado, como lo habían sido antes los de Eggeling, Richter o Ruttmann.[209] *Le ballet mécanique* se estrenó en octubre de 1924 en Viena, en la Internationale Ausstellung neuer Theatertechnick, y luego en Berlín, el 3 de mayo de 1925, y en Londres y Nueva York en 1926. Su presentación madrileña fue, por lo tanto, muy tardía, cuando la producción de vanguardia se había extinguido ya en Europa y era percibida como *demodée* en el contexto del nuevo cine sonoro, como revelaría el comentario crítico a la sesión que Luis Gómez Mesa estampó en *La Gaceta Literaria.*

Cerró la velada *Documentos de la gran guerra*, formados por documentales pertenecientes a los Estados Mayores de los ejércitos combatientes. Fernando G. Mantilla, de Unión Radio, leyó como complemento unas cuartillas del dirigente socialista Luis Araquistain, quien había seguido con sus crónicas la contienda. Durante la guerra civil sería Araquistain embajador en París y allí financiaría en diciembre de 1936 a Buñuel la sonorización en francés y en inglés de su *Tierra sin pan.*

Luis Gómez Mesa tituló su reseña de la sesión «Eisenstein y su acompañamiento».[210] Consideró a *Romanza sentimental* «algo magnífico», y añadió: «Con la batuta de director de gran orquesta, con la vara mágica del que conoce muchos secretos de estética y sensibilidad, Eisenstein maneja a su voluntad al aire, a las nubes, al agua, a los árboles... Sumisamente se mueven a su capricho, para que sus fotografías resulten lo mejor posible de bellas y finas. ¡Preciosas estampas de un álbum de tarjetas, especialmente para correspondencia de enamorados, son los fotogramas todos de *Romanza sentimental!* Pero, lo que en otro sería estúpido y ridículo, en manos de Eisenstein constituye un film sonoro perfecto. (...) *Romanza sentimental* sólo tiene una cosa deficiente. Ésta: la música, demasiado ajustada a la palabra "sentimental".»

De *Bluff* opinó que «es graciosa y simpática. (...) La parte sonora es adecuadísima a la acción: de feria, de verbena; música bullanguera y gritos y hablar a voces de los anunciadores de las barracas». Para Gómez Mesa *Le ballet mécanique* «representa la época victoriosa de una nueva tendencia de arte y también de un cinema distinto al corriente. Pero hoy ya no posee valor efectivo. (...) *[Le ballet mécanique]* y los films abstractos de Ruttmann, Eggeling y Richter, son intentonas –no muy firmes, por desgracia– para librar al cinema de la vulgaridad que suele envolverle». De *Documentos de la gran guerra* escribió: «La verdad de la guerra mundial, cinematizada por operadores heroicos, y no la mentira de la guerra simulada en los estudios de Hollywood por editores negociantes.»

DECIMOSÉPTIMA SESIÓN

En enero de 1931 se celebró la decimoséptima sesión del Cineclub Español, que incluyó una revisión de la cinta alemana *El gabinete del doctor Caligari (Das Kabinett des Doctor Caligari*, 1919), de Robert Wiene, presentada por Miguel Pérez Ferrero. Paul Rotha calificó a este film como «una obra maestra de forma y contenido dramático» y la situó muy por encima de las aportaciones de Griffith.[211] Ha sido, desde luego, una película que ha hecho correr mucha tinta por sus implicaciones estéticas y políticas. Escribieron su guión el poeta checo Hans Janowitz –inspirado en un crimen sexual cometido en Hamburgo presuntamente por un burgués de aspecto respetable– y Carl Mayer, figura central del cine alemán. Exponía en estilo plástico alucinante los crímenes cometidos por el sonámbulo Cesare (Conrad Veidt), bajo órdenes hipnóticas del doctor Caligari (Werner Krauss), en su recorrido por las ferias populares de Alemania. Según Kracauer, que aportó el primer análisis en profundidad de este film, se trató de una alegoría antiautoritaria contra el poder político y militar omnímodo que envió ciegamente a los jóvenes alemanes a la carnicería de la guerra mundial.[212] Pero Robert Wiene, el director elegido para realizar la cinta tras la renuncia de Fritz Lang, añadió un prólogo y un epílogo que desactivaron este mensaje político, pues la acción pasó a ser el relato imaginario de un loco internado en un manicomio, Francis, quien ve en su director al terrible doctor Caligari. Por eso Kracauer escribió que «un film revolucionario se convirtió en conformista».[213] En los últimos años esta versión, indiscutida durante mucho tiempo, ha sido contestada a la luz del estudio del guión original y de otros documentos, y se ha visto más bien en el film una fantasía romántica en la tradición germana sin elementos políticos conscientes. Kracauer tal vez los proyectó porque su libro sobre el cine alemán, titulado elocuentemente *De Caligari a Hitler*, trataba de analizar la semilla y las pistas culturales que anunciaron en el imaginario colectivo la eclosión de la dictadura de Hitler, es decir, que era un libro con una tesis política apriorística. Pero a pesar de las críticas recibidas, su teoría de que el film de Wiene versa específicamente sobre la tiranía sigue siendo sugestiva. Y si la versión final y manipulada de *El gabinete del doctor Caligari* consistió en un relato narrado por un loco en forma de flash-back subjetivo, dentro de tal flash-back irrumpió todavía otra acción retrospectiva, cuando el narrador protagonista y unos médicos del manicomio leen el diario del director del centro, en el que éste explica la admisión de un sonámbulo en su clínica y el reconocimiento de que el autor de tal diario se identifica con el mítico Caligari en un ataque de megalomanía.

Mayor consenso historiográfico existe en torno a sus radicales innovaciones estéticas, que ubican a este film en el punto de partida del cine expresionista. La intervención de sus decoradores –Hermann Warm, Walter Röhrig y Walter Reimann, del vanguardista grupo berlinés Sturm– fue en este aspecto decisiva y su escenografía de telas pintadas con formas dislocadas, inestables y amenazadoras produjo un impacto considerable, si bien su espacio alucinatorio acogía de modo más coherente los maquillajes y estilizados ropajes de Caligari y de su médium que a los personajes de corte realista. Se ha escrito que las luces y sombras pintadas en los decorados se debieron a la escasez de energía eléctrica en el estudio,[214] pero la ocasional presencia contradictoria de sombras reales en ellos más bien potenció el carácter inquietante y fantástico de su opresiva atmósfera, que es lo que verdaderamente ha pasado a la historia, amalgamada con la moda del hipnotismo en la época –instaurado como terapia clínica por Freud– y el reflejo del desasosiego producido por el colapso de una sociedad autoritaria, en la que los índices de criminalidad ascendieron en flecha.

El gabinete del doctor Caligari se estrenó en Berlín en febrero de 1920 y la revista *Der Kinematograph*[215] escribió sobre el film: «Puede pensarse lo que se quiera del arte moderno, pero esta vez tiene una justificación. Los productos enfermizos de un espíritu demente encuentran una expresión de una fuerza extraordinaria en estas imágenes deformadas y fantásticas. El espiritu de un loco se hace una imagen muy diferente del mundo. Las creaciones de su imaginación adquieren formas extrañas y el mundo que le rodea adopta las mismas formas extravagantes: habitaciones deformes con ventanas triangulares, puertas oblicuas, casas increíblemente atormentadas, callejuelas jorobadas. A la vista de estas extrañas imágenes y de esta acción se puede decir: es la locura, aunque tiene cierto método.»

Louis Delluc importó *El gabinete del doctor Caligari* a Francia y pudo estrenarse el 14 de noviembre de 1921 en el Colisée Théâtre de París, siendo recibido con estupor y aclamación. La crítica francesa utilizó a partir de entonces la expresión *caligarisme* para referirse a los nuevos films alemanes que empezaron a circular por Europa tras el derrumbe del bloqueo cinematográfico aliado, logrado precisamente por la triunfal película de Wiene. Ya dijimos que intelectuales tan diversos como André Malraux y Rafael Alberti tuvieron la revelación del potencial imaginario del cine gracias a este film. Y Robert Desnos escribió sobre él: «Su acción dramática es una de las más intensas que haya visto, una en que la emoción alcanza más directamente al terror. La perfección de la intriga, la veracidad de esta historia de locos que hacen tangible la tragedia moral de la locura en la que lo consciente y lo inconsciente son protagonistas.»[216]

Robert Wiene no era entonces un desconocido en España y en enero de 1929 L. Martínez Ferry había publicado una entrevista con él en *La Gaceta Literaria.*[217] En la presentación de su film en el Cineclub, Miguel Pérez Ferrero ponderó «una factura absolutamente cubista en cuanto a la decoración y de corriente electrizante en cuanto al asunto». La calificación cubista, que reiteraría Gómez Mesa en su reseña de la sesión, demostró que para algunos las distinciones y fronteras entre los diferentes movimientos de vanguardia no estaban claras. Y añadió Pérez Ferrero: «*El gabinete del doctor Caligari* es también un film precursor en otros sentidos. Se diría que por primera vez comprende un director el valor sugerente de la verbena, de la feria, que luego ha sido tan explotada. Se diría también que por vez primera desecha el divismo, esa locura invasora del orbe de los "estrellos" y "estrellas".» Y, en relación con el avasallador cine norteamericano, lo calificó como «la protesta inicial de Europa».[218]

Se proyectó a continuación *La sinfonía de los rascacielos (Skycraper Symphony*, 1929), de Robert Florey, que se había presentado en Europa en el II Congreso Internacional de Cine Independiente de Bruselas y el 24 de enero de 1930 se había proyectado en la séptima Sesión Mirador de Barcelona. Después de haber trabajado como ayudante de dirección en París, el francés Robert Florey se instaló en Hollywood en 1921 como periodista, para enviar crónicas del mundo del cine a revistas francesas, y en 1923 publicó su primer libro sobre este tema, *Filmland*, dedicado a Mary Pickford y Douglas Fairbanks.[219] En compañía del operador Gregg Toland (entonces ayudante de George Barnes), de Marco Elter, Slavko Vorkapich y Jules Raucourt realizó en aquel país algunos ensayos al estilo de la vanguardia francesa. Su film más conocido de esta época fue el cortometraje *The Life and Death of 9413, a Hollywood Extra* (1928), satirizando a la industria de Hollywood y a los aspirantes a estrellas. Al año siguiente realizó *The Loves of Zero, Johann the Coffin Maker* y *La sinfonía de los rascacielos*, un corto neoyorquino tributario de las «sinfonías urbanas» europeas que rodó a lo largo de tres mañanas y del que en la actualidad no se conserva ninguna copia.

La sesión se completó con dos documentales quirúrgicos titulados *Amputación de una pierna* y *Operación cesárea.* Ya hemos comentado en el capítulo anterior el interés de muchos intelectuales de la época, y de los surrealistas en particular, hacia los documentales científicos, un género que Buñuel exhibió en las sesiones de la Residencia de Estudiantes. Todavía en los años sesenta el surrealista Georges Franju podía declarar al respecto: «pienso que jamás la plástica, jamás el espanto, jamás la poesía, el azar no los hizo brillar, reunidos, con tanta eficacia por el realismo y de belleza por el surrealismo, como en este film en el que no se buscaban: *Trepanación por crisis de epilepsia Bravais-Jacksoniana*».[220] Añadamos que el género quirúrgico fue tempranamente cultivado en España. Desde 1915 Ricardo de Baños y su hermano Ramón, como operador, filmaron numerosos documentales, de operaciones de cataratas realizadas por el oftalmólogo Ignacio Barraquer en el Hospital Clínico de Barcelona, y otras de los doctores Manuel Corachán, Cardenal, Martínez Vargas, Bonafonte y otros.

Luis Gómez Mesa escribió la reseña de esta sesión en *La Gaceta Literaria*[221] y calificó a *El gabinete del doctor Caligari* como «una obra innovadora, marcadora de normas», aunque admitió que resultaba «de un cubismo ya anticuado» y añadió: «más que a la cámara, que al objetivo, que a los valores de pura fotogenia, se atendió al decorado. Como que parece obra exclusiva de un pintor, entusiasta de fotografiar sus cuadros. En su época, año 1921, es seguro que causaría impresión distinta a ésa. De estupefacción y maravilla.» De *Sinfonía de los rascacielos* opinó que «no merece el menor aplauso. Gusta el film por lo que refleja. Pero no por su método de realización. Monotonía, escasísima variedad de ángulos y puntos de vista del operador. Semeja la cinta de un aficionado discreto». Y de los documentales quirúrgicos, señaló que estaban «bien cinematizados por prestigiosos cirujanos».

DECIMOCTAVA SESIÓN

En febrero de 1931 se celebró en el Palacio de la Prensa la decimoctava sesión del Cineclub Español, dedicada monográficamente a la obra de Germaine Dulac, quien asistió al acto y presentó además *La coquille et le clergyman*. En aquellas fechas, la obra ya extensa de la feminista y cineasta Germaine Dulac, iniciada en 1915, había desplegado varios trayectos o tendencias muy distintas, aunque en esta sesión se mostraron las más representativas y valiosas, a través de sus cuatro films exhibidos: *La souriante Madame Beudet* (1923), *La coquille et le clergyman* (1927), *Thèmes et variations* (1928) y *Étude cinégraphique sur une Arabesque* (1929).

La souriante Madame Beudet estaba basada en la pieza de André Obey y Denys Amiel presentada en el Nouveau Théâtre en 1921, que ilustraba la llamada entonces «teoría del silencio», propia del teatro intimista, según la cual se consideraba que los silencios de los personajes podían ser más expresivos que sus palabras, una teoría que aparecía perfectamente funcional para la dramaturgia del cine mudo. La acción del film transcurría en una pequeña ciudad de provincias, en la que Mme. Beudet (Germaine Dermoz), casada con un comerciante textil (Alexandre Arquilière), hombre vulgar y grosero, distraía sus largas horas de ocio tocando el piano y leyendo, insatisfecha y padeciendo una relación matrimonial prosaica e infeliz. Tenía fantasías eróticas, sugeridas con delicadeza por la directora e ilustradas con pinceladas freudianas (con sus caricias compulsivas a un gato, por ejemplo). Como su marido se divertía jugando a simular su suicidio, un día Mme. Beudet colocaba una bala en el tambor de su revólver. Pero en uno de sus arranques de extravagancia, el marido la apuntaba con el arma, disparaba y la bala casi la alcanzaba. Confuso, se abrazaba a su esposa y le manifestaba su amor. Un rótulo irónico decía *Unis par l'habitude...* En efecto, seguirían unidos por la rutina en su frustrada relación sentimental.

La souriante Madame Beudet fue un notabilísimo film, que utilizó con pertinencia el punto de vista subjetivo de la protagonista, para mostrar la percepción terrible que tenía de su odioso marido. Constituyó además un atrevido alegato feminista que, por otra parte, anticipó algunos aspectos del cine de Michelangelo Antonioni en su expresión sutil de estados psicológicos. El tratamiento del asunto subrayó el contraste entre el marido vulgar y grosero y la mujer sensible y delicada. La puesta en escena reforzó tal impresión, pues ella aparecía con frecuencia fotografiada en contraluz, con un halo luminoso en torno al cabello, para idealizarla.

En contraste con este film narrativo, intimista, psicologista, flaubertiano y feminista, se proyectaron en la misma sesión dos piezas muy características de «cine integral», un concepto que la realizadora había definido en 1927 como «música para el ojo»[222] y que hemos glosado ampliamente en el capítulo sexto. Ya en su temprano serial *Gossette*, de 1922, Dulac había comenzado a experimentar tímidamente con el concepto de «sinfonía visual», mediante la yuxtaposición de planos con motivos de la naturaleza: hojas mecidas por el viento, hoces cortando la hierba, etc. En un cierto momento de su carrera posterior, Germaine Dulac se formuló en 1928 la siguiente reflexión: «Existe la sinfonía de la música pura. ¿Por qué el cine no puede tener también su sinfonía?»[223] Y al año siguiente respondía con su ideal sinestésico, con su «sinfonía visual, ritmo de los movimientos combinados exento de personajes, donde el desplazamiento de una línea de un volumen en una cadencia cambiante crea la emoción con o sin cristalización de ideas».[224] A esta categoría de cine no narrativo y sin personajes pertenecieron los dos cortometrajes programados en el Cineclub: *Thèmes et variations* y *Étude cinématographique sur une Arabesque*. Unos años más tarde evocaría Germaine Dulac el origen de este segundo film con estas palabras: «Escuchando el segundo *Arabesque* de Debussy tuve una visión muy personal de la Tierra que gira, vivificada por el sol, visión de flores, de savia, de chorros de agua ascendiendo y cayendo, de alegría, de renacimiento, de bienestar físico. He elegido ritmos visuales para componer un "ballet cinegráfico" hecho de la materia misma del séptimo arte, es decir, de movimiento, de luz, de formas, de relaciones.»[225]

Clausuró la sesión la proyección de *La coquille et le clergyman*, ya conocida de los espectadores madrileños pero, al proyectarse esta vez tras haber visto *Un Chien andalou*, pudieron detectar las afinidades entre ambos films, como observaría Luis Gómez Mesa.

De *Temas y variaciones* escribió en *La Gaceta Literaria* Gómez Mesa en su reseña[226] que «es un corto juego de imágenes. Comparar los movimientos y contorsiones de una bailarina con una máquina. Verificado con una técnica de planos y ángulos en empleo de interés visual». *Étude cinématographique sur une Arabesque* le pareció al crítico «una colección de fotogramas y filigranas: de bordar en el celuloide de raras y bellas estampas, con la ayuda eficaz de la cámara en diestro manejo». Opinó que *La souriante Madame Beudet* «constituye un fiel reflejo de la vida en las provincias mansas, centralizada en la psicología intranquila, insatisfecha en sus sueños y aburrida, hastiada del tono gris y del andar monótono de sus días, de la protagonista. El asunto está llevado con habilidad y su ambiente obedece a detenidos estudios de lo cotidiano. Con razón se la considera una fina obra de subrayaciones burguesas y caseras». *La concha y el clérigo* la valoró como «una película magnífica, de auténtica novedad. Y realizada con suma pericia», reseñando que «nadie dejó de notar» que era un precedente «en impresión y en intención» de *Un Chien andalou.*

Todavía en febrero de 1932 se dirigió Germaine Dulac a Ernesto Giménez Caballero con una carta, cuya respuesta publicó en su fase moribunda *La Gaceta Literaria,*[227] solicitando su apoyo para una coproducción española de la cinta *El picador,* que con supervisión de la Dulac realizaría Jaquelux aquel año. No era la primera vez que Germaine Dulac manifestaba su interés por temas españoles, pues ya en 1919 había realizado *La Fête espagnole.* Basada en una novela de Tony Blas y Henri d'Astier, *El picador* relataba el imposible amor de un picador maduro hacia una huérfana que se había educado con él, pero que amaba a otro joven picador y que culminaba con la muerte del primero en una corrida. Fue ésta la última actividad en el negocio cinematográfico de una Germaine Dulac con mala salud, aunque fue todavía presidenta de la Federación Francesa de Cineclubs y directora del noticiario France-Actualités-Gaumont.

DECIMONOVENA SESIÓN

En marzo de 1931 se celebró en el Palacio de la Prensa la decimonovena sesión del Cineclub Español, dedicada monográficamente a René Clair, director ya conocido de los cineclubistas, y de quien Jarnés escribiría que «filtra lo cómico más fino en la pasta del más neto melodrama».[228] Se proyectó primero su película muda *Un sombrero de paja de Italia (Un Chapeau de paille d'Italie,* 1927), que había sido ya exhibida en la séptima Sesión Mirador, el 24 de enero de 1930.

Era *Un sombrero de paja de Italia* una feliz adaptación de la comedia en cinco actos que Eugène Labiche y Marc Michel estrenaron con gran éxito en 1851. Situada en ambientes burgueses de París, presentaba a un novio (Albert Préjean) que, en el día de su boda, buscaba ansiosamente por la ciudad un sombrero de paja femenino igual al que su caballo se había comido y que pertenecía a una dama casada que estaba entregada en aquel momento a una aventura galante con un teniente de húsares, para salvar con tal prenda el honor conyugal de la infiel, modelo que aparecía al final entre los regalos de boda recibidos por su novia, permitiendo solventar el conflicto. Cuando René Clair decidió adaptar esta comedia reinaba en el público cinéfilo una gran prevención contra las transposiciones teatrales a la pantalla. Clair desplazó su acción a 1895, para que su ambiente y personajes remitieran a la memoria colectiva del público, como observó Léon Moussinac en la época, al señalar que el director había evocado un pasado ridículo «por el decorado y los trajes de 1895 y la interpretación caduca de los personajes, que recuerda a veces las de las películas de anteguerra que se proyectan en el Ursulines. Son todas las manías, todos los sesgos, todas las exageraciones, todas las costumbres de la pequeña burguesía francesa finisecular que René Clair ha tratado de trasponer a la pantalla».[229] Además de esto, Clair obvió la verbosidad de la pieza y le otorgó un dinamismo físico propio de las vivaces cintas de persecución de Mack Sennett que tanto admiraba, con sus personajes reducidos a arquetipos con trazos de monigotes, de modo que, en palabras de Jean Mitry, su film «es un poco una parodia de la pieza en que se inspira y al mismo tiempo la caricatura de una época y de su espíritu».[230] Los objetos –el sombrero de paja, un guante perdido, una trompetilla de sordo, unas llaves– desempeñaban además en la sátira una función importante como símbolos de respetabilidad burguesa, como señaló el catálogo del MOMA,[231] pero a la vez servían como fuente copiosa de gags desacralizadores. Aunque la acogida del público francés al film fue reticente, la reacción de la crítica proclamaría a Clair como un maestro de la comedia.

Después se proyectó su primer film sonoro, *Bajo los techos de París (Sous les toits de Paris*, 1930), rodado con el sistema alemán de sonido óptico Tobis-Klang-Film, en los estudios que poseía la sociedad Tobis en la capital francesa, los Tobis Epinay. En amplios y excelentes decorados de Lazare Meerson que reconstruían las calles y las casas de un París populista narró Clair la historia de la amistad de Albert (Albert Préjean), cantor ambulante, y Louis (Edmond T. Greville). Albert se enamoraba de una joven rumana que coqueteaba con ambos (Pola Illery) pero, acusado injustamente de un robo, era enviado a la cárcel, mientras Louis aprovechaba su ausencia para seducir a la chica. Al salir de la prisión, Albert reanudaba su actividad de cantante callejero.

René Clair había manifestado su desconfianza hacia el cine sonoro que llegaba de Estados Unidos y cuyas primeras muestras pudo ver en Londres en 1929. Pero su desconfianza fue sobre todo hacia los diálogos hipertrofiados del nuevo «teatro filmado». En *Bajo los techos de París* exploró a fondo la productividad del universo acústico no lingüístico y ensayó sus contrapuntos, en escenas como la pelea a oscuras que se oía pero no se veía, o en la discusión tras la puerta de vidrio de dos siluetas gesticulantes e inaudibles, o en los ruidos en off, como el del tren que no se ve pero se oye. No obstante, y de modo más tradicional, rindió también Clair tributo a la canción popular, utilizando como vehículo romántico a Albert Préjean. Cuando *Bajo los techos de París* se estrenó en Munich, Carles M. Clavería envió su crítica a la revista *Mirador*,[232] en la que destacó que «su amor por el detalle, el movimiento premioso e insistente de la máquina, la repetición de un tema, elementos utilizados en este film, adquieren cinematográficamente, en manos de René Clair y en *Bajo los techos de París*, una importancia y una novedad extraordinarias. Contemplando el trozo que recorre los tejados parisinos, os parece ver un cuadro de Picasso. Es el film que más hace pensar que estáis cerca del cubismo. (...) Nadie podrá decir, después de ver este film, que el cine hablado obliga a una inmovilidad, sobre todo en los primeros planos». Glosando este film cálido y populista, Manuel Villegas López escribiría más tarde que en *Bajo los techos de París* Clair opuso al cine académico un cine de barrio, y añadió: «Con lo minúsculo y cotidiano alcanza lo nacional, con lo típico y castizo alcanza lo universal.»[233] Y, en efecto, después de haber sido recibida fríamente en su estreno francés, su triunfal acogida berlinesa en agosto de 1930 le otorgó celebridad y difusión mundial. El modelo de cine musical representado por *Bajo los techos de París* resultaría influyente, además, en la producción española de Benito Perojo en estos primeros años del sonoro, descalificada por los sectores más retrógrados de la crítica española por «afrancesada».

En su reseña de la sesión, Luis Gómez Mesa escribió[234] que *El sombrero de paja de Italia* «es la cinematización definitiva –y, por ende, de despedida–, de la frivolidad del vodevil francés. Desenvuelve su acción de inteligente y fina caricatura de costumbres, en las postrimerías del siglo. (...) Sustos, desmayos, celos, recelos, titubeos, confusiones, confesiones, temores... Pero envuelto en sal. En jocundidad». De *Bajo los techos de París* destacó su alejamiento de la teatralidad y su realismo; por ello opinó que «es fotogenia, o sea: cinema. Y después: conversaciones y música; pero no sin justificación, sino con arreglo a las exigencias del argumento y de sus circunstancias». Después de evocar las escenas de un diálogo en la oscuridad, de una conversación inaudible tras unos cristales y de la ruidosa pelea nocturna, añadió: «Perfecto de continuidad, de ritmo. Y de fotografía, con lo difíciles que son de lograr los cuadros de las calles mal alumbradas. Rico en matices y en rasgos de burla.»

VIGÉSIMA SESIÓN

La vigésima sesión del Cineclub Español se celebró en el Cine Palacio de la Prensa el 11 de abril de 1931, en vísperas del desplome de la monarquía. La muy heterogénea sesión constó de dos partes. En la primera se exhibieron cuatro dibujos animados seleccionados por Luis Gómez Mesa, autor de un libro pionero sobre el tema, *Los films de dibujos animados,*[235] que fue glosado elogiosamente por Miguel Pérez Ferrero en *La Gaceta Literaria.*[236] Y en la segunda parte se proyectó el film de S. M. Eisenstein *La línea general (Generálnaia Linia,* 1929), de elevada temperatura política.

Samuel Ros presentó la sección dedicada a los dibujos animados, un género que había sido saludado con alborozo por los surrealistas en virtud de sus ilimitadas capacidades expresivas. Arconada sintetizó muy bien en 1930 sus potencialidades imaginarias al escribir: «El poeta y el dibujante de cine son los más auténticos creadores: hacer un mundo especial, fantástico, inexistente, aprovechándose sólo de referencias reales de nuestro mundo (...). En fin: hacer posible los sueños. Burlescamente, grotescamente, el cine de dibujos es un cine surrealista.»[237] Pero la progresiva politización del periodo republicano azuzaría nuevas perspectivas ante el género, como la expuesta en *Octubre* en 1933, que calificó críticamente a los dibujos animados de «dulce opio de los sentidos».[238]

El primer título proyectado fue una cinta primitiva titulada *El capitán borrachón*, que no hemos podido identificar. Las tres restantes correspondieron a la ya entonces prestigiosa escuela de animación norteamericana. Una fue *Félix conservado en lata,* título español correspondiente al corto del Gato Félix *Felix Gets the Can*, de 1925. Este famoso felino había sido creado en 1919 por el dibujante Otto Messmer, trabajando a las órdenes del australiano Pat Sullivan, a quien muchas veces se atribuye la paternidad del personaje. Gato negro, bípedo, solitario, imaginativo e imprevisible, famoso por sus pensativos paseos, exploró a fondo las convenciones del género, jugueteando con los interrogantes dibujados y explotando la poética del absurdo. En

1929 Carmen Conde le había rendido homenaje en su «Oda al Gato Félix»,[239] dedicada a Soledad Salinas, en la que le exaltó como «Gato comunista, verdadero altavoz del silencio dinámico».

Luego se proyectó *Koko campeón*, protagonizada por el payaso Koko, creado por Max Fleischer en 1923 con los atributos de un *clown* circense, en el seno de la copiosa serie *El tintero mágico (Out of the Inkwell)*, ya que a veces el personaje figuraba interactuar con su dibujante. El título español de la cinta pudo corresponder a *Koko's Catch* (1928) o *Koko's Reward* (1929). Y esta parte se clausuró con *Sinfonía submarina (Frolicking Fish*, 1930), un dibujo animado sonoro de la serie musical *Silly Symphonies*, iniciada por Carl W. Stalling para la factoría Walt Disney con *Danza macabra (The Skeleton Dance*, 1929), y que tan buena fortuna tuvo en la distribuidora Filmófono, como ya explicamos. En *Sinfonía submarina* un pez cabalgaba unos caballitos de mar y bailaba sobre un ancla. Langostas y estrellas de mar tocaban el arpa y bailaban. Un pulpo capturaba al pez cuando jugaba con unas burbujas, pero éste conseguía escapar dejando caer el áncora sobre su agresor.

La línea general, de Eisenstein, llegó a Madrid precedida por una notable expectación. En febrero de 1930 su proyección había sido prohibida en París por el prefecto de policía Jean Chiappe –el mismo que confiscaría al final de aquel año *L'Age d'or* de Buñuel– y tal vez la copia que llegó a Madrid era la que sólo pudo ser vista privadamente por unos pocos en la capital francesa. Entre estos privilegiados figuró Juan Piqueras, responsable del envío de la copia al Cineclub, quien ponderó de modo entusiasta sus valores para el público español con los siguientes juicios:[240] «El film está cuajado de intención comunista (es, a un mismo tiempo, un canto y una epopeya. La epopeya de la creación de un Estado –simbolizado en una cooperativa rural– y el canto a una humanidad nueva), de sátiras a la burguesía y a la burocracia, de futuros atisbos sociales... Sin embargo, su valor esencial, cinematográficamente, está en su técnica personal, revolucionaria, rica en planos, en rampas, en escorzos, e ideológicamente, en sus símbolos. Esta simbología comunista, despierta –se ha hecho una prueba de ello– hasta en los espíritus más indiferentes y reaccionarios, una emoción social inregistrada hasta ahora.»

Realizada para reforzar los objetivos del Primer Plan Quinquenal (1928-1932) acerca de la colectivización en el campo, que tropezaba con muchas dificultades, *La línea general* conoció una producción muy dilatada y accidentada desde 1926. En primer lugar, porque su elaboración tuvo que interrumpirse para que Eisenstein rodase *Octubre (Oktiabr*, 1927), para conmemorar el décimo aniversario de la revolución, y en segundo lugar porque las injerencias del aparato burocrático y censor en su realización, obligando a modificar escenas o a añadir otras, alargó extraordinariamente su proceso productivo.

La línea general comienza mostrando la miseria en el campo, salvo para los propietarios ricos, los *kulaks*. Los campesinos pobres, impulsados por la joven Marfa Lapkina y por el Partido Comunista, acaban por agruparse en una cooperativa para crear un *kolkoz*. Pero las tradiciones arcaicas perviven y se muestran los intentos supersticiosos de muchos campesinos para combatir la sequía con una multitudinaria procesión religiosa. Comienzan a llegar a aquel mundo primitivo los primeros instrumentos de progreso, como una máquina desnatadora, cuya puesta en funcionamiento produce un entusiasmo colectivo en quienes la presencian, escena que –con el rostro de Marfa Lapkina salpicado de leche– ha sido interpretada muchas veces como la alegoría de un orgasmo. Estos progresos permiten que el *kolkoz* gane adeptos. La cooperativa compra también un toro semental, que es asimismo mostrado con gran pirotecnia formal en el apoteosis nupcial de su primer apareamiento con una vaca. Pero los campesinos necesitan un tractor y los indolentes burócratas del Ministerio de Agricultura de Moscú no les ayudan. Marfa va a la capital para enfrentarse con ellos y exige que se cumpla la «línea general» del partido y les otorguen un crédito para comprarlo. Entretanto, los *kulaks* envenenan al toro de la cooperativa, que muere. El tractor conseguido se pone en marcha, pero se atasca, es reparado y los campesinos a caballo salen triunfantes a su encuentro. El film se cierra con el apoteosis de un ejército de tractores avanzando por un campo, símbolo del progreso agrario en la nueva Rusia.

La línea general ofreció, con gran virtuosismo técnico, una visión optimista y triunfalista de las transformaciones en el campo soviético, para paliar con su mensaje persuasivo sus dificultades y fracasos reales. Como novedad en la carrera de Eisenstein, el protagonista colectivo fue sustituido esta vez por la campesina Marfa Lapkina, sujeto individual que, en su calidad de líder social ejemplar, anunció los futuros «héroes positivos» del realismo socialista estaliniano. Y, también como novedad, junto a la visión satírica y acusadora de los enemigos de clase, de los *kulaks*, añadió Eisenstein la visión descalificadora de la vagancia o ineptitud de la burocracia soviética, surgida de la revolución.

La línea general provocó en el mundo cinéfilo división de opiniones, que se manifestaron también en la sesión del Cineclub Español. Se trataba, desde luego, de la primera cinta estalinista de Eisenstein, en favor de su política campesina. Ernesto Giménez Caballero, que en el Congreso de Cine Independiente de La Sarraz convivió con Eisenstein cuando acababa de terminar la cinta, citó este juicio suyo: «No hay actor que supere al campesino. Un buen actor lo es todo el mundo. Pero sobre todo el mundo, el campesino.»[241] No obstante, en la conferencia que pronunció el 7 de febrero de 1930 en la Sorbona explicó los problemas que tuvo con ellos, con la mujer que sólo consentía en aparecer junto al tutelaje de su suegra, con las jóvenes que temían que la cámara las fotografiaría desnudas, etc.[242] Después de la guerra civil española, Giménez Caballero evocó retrospectivamente el encuentro de La Sarraz y puso en boca de Eisenstein la siguiente afirmación inventada: «Si nosotros tuviéramos el secreto técnico yanqui, unido a nuestro secreto social, dominaríamos la Tierra.»[243]

Hemos dicho que *La línea general* fue un film de propaganda estalinista, en el que empezó a dibujarse además la loa al héroe individual. Así, la publicación comunista juvenil *Pionero* escribió inequívocamente: «*La línea general* son las palabras del camarada Stalin. Indican el camino que debemos seguir. Es el camino que lleva del campo insignificante e indigente de hoy a la extraordinaría factoría socialista de fabricar pan, elegante y llena de máquinas.»[244] *La línea general* resultó polémica en un momento en que los surrealistas franceses debatían la pertinencia ética de la afiliación comunista. A su propósito Robert Desnos evocó con emoción «el gran viento de las estepas mezclando las espigas como la mano de un amante los cabellos de su amada».[245] Pero a Ado Kyrou le disgustó porque «el trabajo es glorificado en sí y no en tanto que mal necesario en la sociedad moderna y el simbolismo es a menudo demasiado primario».[246] Y, más recientemente, Barthélemy Amengual, al tiempo que veía con simpatía su «didactismo poético-sensual», reconocía que el film no reflejaba la realidad rural soviética.[247]

En España ocurrió algo parecido. A la admiración proclamada por Piqueras hacia *La línea general* se sumó la de Carlos Fernández Cuenca, quien escribió en 1930: «Se trata de una obra que dijérase un espléndido documento con ligazón argumental, que muestra el nacimiento, la organización, las luchas, las desventuras y el triunfo de una granja colectiva que poco a poco se convierte en gran asociación mecanizada. Es una cinta que nos habla de máquinas y de animales y que, al mismo tiempo, toma como objeto principal al responsable de la colectivización: el hombre. Y el film es un canto al hombre nuevo, al colectivista, al colectivizador.»[248] Pero al estrenarse en Barcelona, Josep Palau escribió en *Mirador* que «es todavía la plasmación de un sueño político y económico (...). Una especie de geórgicas soviéticas repletas de puerilidad».[249]

Tras el triunfo militar de la sublevación franquista fueron pocos los intelectuales falangistas que quisieron evocar o repasar aquellos juicios. Pero en 1943 *Primer Plano* ofreció un curioso recuerdo de las sesiones cineclubistas de anteguerra, en las que se veían y discutían películas soviéticas, sesiones memorables «y no por los estacazos que solíamos cambiar cordialmente cuando terminaba la sesión, y a veces antes, sino sobre todo por la efectiva fuerza de convicción o de repulsión que nos invadía, de la cual eran aquellos garrotazos una bella muestra fehaciente». Y evocando probablemente la proyección del retablo campesino de *La tierra (Zemliá*, 1930), del ucraniano Alexandr Dovzhenko, el articulista añadía: «Muchas [películas] resultaban francamente aburridas, como aquella en que veíamos morirse a un viejo mujik y a los nietos correr en seguida la longitud de los surcos sobre tractores agrícolas. Nos aburría porque estaba hecha para que jóvenes campesinos eslavos se hiciesen a la agricultura colectivizada y mecanizada que convenía al régimen soviético. No era aquélla una obra de arte, sino de economía política, lograda a favor de cinegramas en que una indudable belleza hacía de barrena persuasiva.»[250] Pero en aquella posguerra que renegaba de la cultura cinematográfica bolchevique, Carlos Arévalo se inspiró en la estética soviética al realizar su sorprendente film falangista *Rojo y negro* (1942), título alusivo a los colores de la bandera de Falange, y que incluso incorporó a su montaje un plano general de la represión en Odessa de *El acorazado Potemkin.* No es raro que Franco decidiese prohibirlo.

Miguel Pérez Ferrero, en la reseña de *La Gaceta Literaria* sobre esta sesión del Cineclub Español, recordó que los dibujos animados presentados por Samuel Ros cosecharon «aplausos rotundos, más rotundos y nutridos que los que siguieron a la contemplación de *La línea general*». De esa cinta opinó que «más que un film para un cineclub es para un programa de cine educativo. Son imágenes con maravilloso arte e ironía –para lo viejo– resueltas, pero destinadas al técnico y a quienes tienen que disciplinarse y aprender las reglas de una organización. Al público aseñoritado del Cineclub no satisfizo completamente esta cinta».[251] La bipolarización política se abría paso en el umbral de la Segunda República.

VIGÉSIMA PRIMERA SESIÓN

La última sesión del Cineclub Español se celebró el 9 de mayo de 1931, en los albores del régimen republicano, y tuvo lugar en el Cine Palacio de la Prensa. Su plato fuerte era la presentación de la aclamada cinta soviética *El acorazado Potemkin (Bronenosets Potiomkin*, 1925), de S. M. Eisenstein, lo que permitía medir la permisividad política de las nuevas autoridades, pero su proyección fue precedida por tres cintas muy diversas.

Recuperando la costumbre de reexaminar viejas películas retiradas de la circulación comercial, el Cineclub proyectó la cinta española *A la caza de cuarenta y cinco millones*, realizada en febrero de 1916 por la entonces joven empresa Studio Films, de Barcelona, que durante cinco años sería la productora más importante del sector. Estrenada con el título *A la pesca de cuarenta y cinco millones*, esta comedia de 825 metros fue dirigida por Domènec Ceret en la parte artística, mientras Juan Solá Morales se hacía cargo de su dirección técnica. Narraba la historia de don Raimundo (Domènec Ceret), padre de diez hijas, que se empleaba como secretario de un rico norteamericano, sir John (Josep Font), y conseguía colocar a todas sus hijas a su servicio. Todas intentaban conquistar al potentado y éste, al enterarse al fin de que eran hijas de don Raimundo y puesto que no podía casarse con todas, no se casaba con ninguna, pero les daba diez mil dólares a cada una. La comedia obtuvo éxito en su estreno y fue incluso adquirida por la casa Éclair para su explotación en Francia.

En el apartado retrospectivo se exhibió también un viejo reportaje de la Pathé Frères, coloreado a mano, sobre exhibición de moda femenina en París, de la época de la Primera Guerra Mundial. Y la nueva permisividad censora posibilitó presentar a los regocijados espectadores del Cineclub una *Antología del beso*, que compilaba besos y desnudos cortados por la censura a distintas películas alemanas y en la que aparecían, según la reseña de Luis Gómez Mesa en *La Gaceta Literaria*, Lya de Putti, Brigitte Helm, Suzy Vernon, Emil Jannings, Willy Fritz y Gustav Froelich, procedentes de escenas cortadas de *Metrópolis*, *Varieté*, *Fausto*, *Manon Lescaut*, *Los caminos de la fuerza y la belleza*, *Naturaleza y amor*, etc.

En 1981 Gómez Mesa recordó que la proyección de *El acorazado Potemkin* fue autorizada en aquella ocasión tras las gestiones de Giménez Caballero y sus colaboradores con algunas autoridades, entre ellas el ministro de Instrucción Pública Marcelino Domingo,[252] aunque, como veremos, había sido exhibido ya en noviembre del año anterior en la primera sesión del Studio Cinaes de Barcelona.

Era por entonces *El acorazado Potemkin* el título más emblemático del cine revolucionario soviético. Había sido producido para conmemorar el vigésimo aniversario de las revueltas populares de 1905, que preludiaron la revolución de 1917. Eisenstein y la guionista Nina Agadzhánova elaboraron primero un vasto guión, que constituía un retablo general de todos los sucesos insurreccionales de aquellos días, pero luego decidieron ceñirse a un único episodio, a la sublevación de la marinería del acorazado *Príncipe Potemkin* en junio de 1905. El film se estructuró en cinco actos, como las tragedias clásicas, y se rodó en el buque gemelo *Los doce apóstoles* y en localizaciones auténticas. Pero se falsearon o camuflaron algunos datos históricos. La famosa matanza de la población en las escalinatas de Odessa, la escena más celebrada del film, nunca tuvo lugar, aunque sintetizó eficazmente en un acto único diversos episodios de represión de la población civil. Y la historia del barco concluyó con su refugio en el puerto rumano de Constanza y con su posterior entrega a las autoridades zaristas. Por eso Jean Cocteau citaría pertinentemente a propósito de este film la frase de Goethe «lo contrario de la realidad para obtener el colmo de la verdad».[253]

El acorazado Potemkin es recordado, sobre todo, como un modelo ejemplar de cine de masas, con protagonista colectivo y sin actores profesionales, a pesar del episodio de la muerte del marinero Vakulinchuk, el líder insurreccional de la tripulación, que actúa como detonante de la tragedia coral. Y también es justamente admirado por su virtuosa utilización del montaje, que culmina en un ejercicio de maestría en la escena de la represión de la población en la escalinata de Odessa, cuya duración dilató Eisenstein artificialmente hasta casi seis minutos, pese a que la escalinata tiene sólo 194 peldaños, para tensar y potenciar así su dramatismo extremo.

Estrenado en Moscú el 21 de diciembre de 1925, *El acorazado Potemkin* fue exportado primero a Alemania, en donde fue prohibido y autorizado luego con cortes en julio de 1926. Su presentación berlinesa supuso una verdadera conmoción. Bertolt Brecht le dedicó un poema y Lion Feutchwanger consagró un capítulo de su novela *Er-*

folg, de 1930, a describir el impacto producido por su estreno, aunque convirtió su título en *El acorazado Orlov.* En noviembre el film se estrenó en París con la misma expectación y en la última página del octavo número de *La Révolution Surréaliste* se añadió, al final del texto, una inscripción con gruesas letras que decía: «El acorazado Potemkin ¡Vivan los Soviets!»[254] Luis Buñuel, que vio la película en esta ocasión, evocó sus efectos en sus memorias, recordando «la emoción que nos embargó (...). Al salir –en una calle en la parte de Alesia– estabamos dispuestos a levantar barricadas y la policía tuvo que intervenir. Durante mucho tiempo he dicho que este film me parecía el más bello de la historia del cine».[255] Léon Moussinac escribió entonces que jamás un film «había alcanzado tal dinamismo, ni había revelado una verdad tan patética. De esta obra maestra puede decirse que es la primera forma épica realizada por el cine. Porque exhala los sentimientos más profundos del hombre y su grandeza moral más absoluta en el orden revolucionario». Y lo calificaba como «desquite del primer cine obrero sobre un cine burgués que no ha sabido más que entretener la apatía de las multitudes y su gusto por lo mediocre».[256] Y, en un registro distinto, Germaine Dulac apostilló: «*El acorazado Potemkin* no es una historia, sino la historia hecha sensible, transformada en una página de epopeya visual, un hecho tras el que rugen tumultuosamente los impulsos humanos y místicos de todo un pueblo, el alma de una multitud que se subleva y quiere vivir.»[257] El impacto admirativo fue tan grande, que hasta Goebbels, en un discurso a los profesionales del cine nazi en febrero de 1934, les pediría un «Potemkin» para su régimen.

Como antes dijimos, Barcelona, que se había convertido en noviembre de 1929 en la puerta de entrada del cine soviético en la península, fue también la primera ciudad española en que se proyectó *El acorazado Potemkin.* Tuvo lugar el acto el 7 de noviembre de 1930 en la primera sesión del Studio Cinaes, celebrada en el Cine Lido (antes Pathé Cinema), en una velada en que se exhibieron también *Les mystères du Château de Dé* (1929), de Man Ray, y el documental *Microscopia*, de la productora estatal italiana LUCE. El cronista Jordi Torras evocó así retrospectivamente la sesión: «Lleno absoluto del local. Se comentó que incluso con público sentado en los pasillos. Mi padre solía contarme que aquella noche con su grupo de amigos y familiares del Distrito IV (hoy Quadrat d'Or) estaban decididos a asistir a la sesión vestidos de esmoquin. Y es que entonces Rusia estaba de moda en el mundo artístico, intelectual, político y social.»[258] A raíz de esta proyección *El acorazado Potemkin* fue glosado con entusiasmo por Josep Palau en *Mirador*, elogiando su «fuerza avasalladora e inquietante que pretende irradiar su impulso de la pantalla a la sociedad». Y añadió: «Este arte de Eisenstein tiene algo de primitivo y de bárbaro y no ama las sutilezas ni los sentimientos complicados, se mueve en la región de los instintos primarios y con preferencia en sus manifestaciones colectivas. (...) El ritmo aquí es soberano; es el éxito del film y de él saca su fuerza irresistible, no precisamente de las imágenes por conseguidas que estén, sino de las relaciones que las imágenes mantienen unas con otras.»[259] Aunque, aludiendo a los nutridos aplausos dispensados al film por el público burgués, Palau cerraba su artículo observando ácidamente que «los apologistas teorizantes de la violencia y de la revolución resultan a veces la gente más conservadora del mundo». Y Mateo Santos concordó en *Popular Film* en que en el episodio de la revolución rusa «por la forma en que lo ha tratado Eisenstein, se mezclan el realismo más crudo y el lirismo fotográfico más depurado. *El crucero Potemkin* es admirable de composición. El mago ruso ha ordenado en algunas escenas conjuntos formidables, grandes masas rugientes y acorraladas, de vigoroso dramatismo».[260] Con aquel coro de alabanzas discreparía significativamente Salvador Dalí, quien en 1932 escribió a Breton comentando con desdén la popularidad de los films soviéticos, con su idealismo ingenuo, entre la burguesía catalana.[261]

Aunque *El acorazado Potemkin* no había llegado todavía a Madrid, no habían faltado en sus publicaciones testimonios de su importancia y calidad artísticas. Jaume Miravitlles, que sin duda vio el film en su exilio político francés que duró hasta 1930, llamó en 1928 la atención hacia este film en las páginas de *La Gaceta Literaria*, escribiendo: «El film *Potemkin* es un grito: un grito que hace daño.»[262] Y Carlos Fernández Cuenca había escrito en *Panorama del cinema en Rusia*: «Crudeza, desnudez, simplicidad emocionante: tales son las características sobresalientes de esa obra maestra del séptimo arte que se llama *El acorazado Potemkin.*»[263]

La proyección madrileña de *El acorazado Potemkin* constituyó un gran éxito, aunque no todos los intelectuales de izquierdas de la capital tuvieron la ocasión de admirarlo aquella vez. Tal fue el caso de Rafael Alberti, quien lo vio por vez primera en 1932 en el Cineclub de Brujas, lo que le impulsó a glosar en *El Sol* «la exaltación de la justa violencia y necesaria venganza».[264]

En su evocación retrospectiva de la proyección del film en el Cineclub Español, Gómez Mesa recordó: «La película, muy aplaudida –a veces ovacionada– tuvo los efectos temidos por las esferas oficiales, pese a lo que garantizaban los organizadores. Al salir el público, que llenaba el Palacio de la Prensa, en la propia Plaza del Callao, se formó una manifestación –no autorizada, claro es– vociferante, de gritos revolucionarios, que avanzó por la Gran Vía, con el consiguiente susto de los tranquilos transeúntes, y que se dispersó en la calle de Alcalá, frente al Ministerio de Instrucción Pública. Algunos grupos continuaron hasta la Plaza de Cibeles. ¿Consecuencia de lo sucedido? Incautación de la película y su prohibición definitiva.»[265]

Tal prohibición, si efectivamente se formalizó, no impidió nuevos intentos de proyección de *El acorazado Potemkin* en España. Así, en marzo de 1933 *Nuestro Cinema* informaba que se había prohibido la exhibición del film en Sevilla, en una sesión convocada por el Sindicato de Trabajadores del Puerto que reunió casi cinco mil personas.[266] De hecho, *El acorazado Potemkin* no circuló libremente por las pantallas españolas hasta el triunfo del Frente Popular en 1936 y se convirtió, para la derecha, en un símbolo revolucionario nefando, al que se atribuyó la chispa de la sublevación de la marinería de guerra contra sus oficiales franquistas en el arsenal de Cartagena en julio de 1936, como todavía recordaba el diario *Madrid* en febrero de 1960,[267] a raíz de una proyección cineclubista del film de Eisenstein.

En la reseña de la última sesión del Cineclub Español en *La Gaceta Literaria*, Luis Gómez Mesa juzgó *A la caza de cuarenta y cinco millones* «de comicidad sin conseguir y de realización en extremo ingenua, simple y pobre». En contraste con este juicio, *El acorazado Potemkin* «contagia al espectador su nerviosismo, su exaltación. (...) Y este tono suyo, rápido y combativo, es obra exclusiva de un gran temperamento maestro en el dominio del cinema y sus secretos. (...) Constituye un modelo perfecto. E igualmente en el de la fotografía: limpia y de matices adecuados a la variedad de los planos. Y en el de la interpretación: tan verdadera, tan dentro de sus personajes cuantos intervienen en su desarrollo, que se presencia una realidad y no una ficción con profesionales de[l] Teatro de Arte, de Moscú».[268]

NOTAS

1. *La Gaceta Literaria,* n.º 2, 15 de enero de 1927, p. 6.

2. «Ante la inauguración del Cineclub», en *La Gaceta Literaria,* n.º 47, 1 de diciembre de 1928, p. 1.

3. «Cineclub (Boletín de cinema)», en *La Gaceta Literaria,* n.º 48, 15 de diciembre de 1928, p. 7.

4. *Indagación del cinema,* de Francisco Ayala, Mundo Latino, Madrid, 1929, pp. 157-159.

5. *Self Portrait,* de Man Ray, Little Brown and Company, Boston-Toronto, 1963, p. 278.

6. *Conversaciones con Buñuel,* de Max Aub, Aguilar, Madrid, 1985, p. 59.

7. *Histoire générale du cinéma,* de Georges Sadoul, tomo 6, vol. 2, Denoël, París, 1975, p. 345.

8. «Le Film surréaliste (1924-1932)», de Alain Virmaux, en *Cinéma dadaiste et surréaliste,* Centre Georges Pompidou, París, 1976, p. 15.

9. «Cinéma graphique et cinéma subjectif», de P. Adams Sitney, en *Cinéma dadaiste et surréaliste,* p. 11.

10. *La Gaceta Literaria,* n.º 48, 15 de diciembre de 1928, p. 7.

11. «Boletín del Cineclub. Sesión inaugural», en *La Gaceta Literaria,* n.º 49, 1 de enero de 1929, p. 7.

12. «Pantalla madrileña», en *La Pantalla,* n.º 52, 30 de diciembre de 1928, p. 870.

13. «Pantallas de Barcelona», en *Popular Film,* n.º 224, 13 de noviembre de 1930.

14. «Boletín del Cineclub. Sesión inaugural», en *La Gaceta Literaria,* n.º 49, 1 de enero de 1929, p. 7.

15. *Indagación del cinema,* p. 160.

16. «Documental-Paris. 1929 [III]», en *La Publicitat,* 7 de mayo de 1929. En *L'alliberament dels dits,* de Félix Fanés, ed., Quaderns Crema, Barcelona, 1995, p. 203.

17. *Después de mis primeros films,* de Eugène Deslaw, en *La Gaceta Literaria,* n.º 55, 1 de abril de 1929, p. 6.

18. *Una historia del cine,* de Ángel Zúñiga, tomo I, Destino, Barcelona, 1948, p. 163.

19. *Memorias de un dictador,* de Ernesto Giménez Caballero, Planeta, Barcelona, 1979, p. 63.

20. *La Gaceta Literaria,* n.º 52, 15 de febrero de 1929, p. 1; *Mirador,* n.º 62, 3 de abril de 1930, p. 2, ilustrando el artículo «Ramon en la Plaça de Catalunya», de Josep Maria Planes. Ramón glosó su actuación

en aquella sesión en su artículo «Negras confesiones de Ramón» en el citado número de *La Gaceta Literaria.*

21. *La Gaceta Literaria,* n.º 51, 1 de febrero de 1929, p. 6, y n.º 52, 15 de febrero de 1929, p. 6.

22. «Boletín del Cineclub. La segunda sesión», en *La Gaceta Literaria,* n.º 52, 15 de febrero de 1929, p. 6.

23. «Estrenos», en *La Pantalla,* n.º 72, 23 de junio de 1929, p. 1.186.

24. *La Gaceta Literaria,* n.º 51, 1 de febrero de 1929, p. 1.

25. *La Gaceta Literaria,* n.º 51, 1 de febrero de 1929, p. 6.

26. «Noticias del Cineclub. Dice Luis Buñuel», en *La Gaceta Literaria,* n.º 52, 15 de febrero de 1929, p. 6.

27. *Paul Leni*, de Freddy Buache, *Anthologie du Cinéma*, n.º 33, marzo de 1968, p. 129.

28. *Mirador,* n.º 71, 5 de junio de 1930, p. 6.

29. *Los Baroja*, de Julio Caro Baroja, Caro Raggio, Madrid, 1997, p. 173.

30. *Los Baroja*, p. 174.

31. «Pío Baroja dice que Larrañaga se ha apoderado de su *Zalacaín*», en *La Pantalla*, n.º 63, 14 de abril de 1929, p. 1.045.

32. *Los Baroja*, p. 175.

33. *La Pantalla*, n.º 42, 14 de octubre de 1928, p. 708.

34. Entrevista de Ernesto Giménez Caballero con Manuel Palacio en *Contracampo*, n.º 31, noviembre-diciembre de 1982, p. 33.

35. «Nuestros novelistas y el cine», en *La Gaceta Literaria*, n.º 24, 15 de diciembre de 1927, p. 4.

36. «Hablando con Don Pío Baroja. Lo que dice el autor de *Zalacaín, el aventurero*», de Antonio Suárez Guillén, en *Popular Film*, n.º 144, 2 de febrero de 1929.

37. «En torno a *Zalacaín, el aventurero.* Palabras de Pío Baroja», en *La Gaceta Literaria*, n.º 53, 1 de marzo de 1929, p. 1.

38. «El Cineclub en Vitoria», en *La Gaceta Literaria*, n.º 55, 1 de abril de 1929, p. 6.

39. *Modernismo y 98 frente a Cinematógrafo*, de Rafael Utrera, Universidad de Sevilla, 1981, pp. 75-80.

40. *Los Baroja*, p. 175.

41. «Antena cinematográfica», en *Popular Film*, n.º 191, 27 de marzo de 1930, p. 2.

42. *Popular Film*, n.º 200, 29 de mayo de 1930, p. 11.

43. *René Clair*, de Jean Mitry, Éditions Universitaires, París, 1960, p. 58.

44. *René Clair*, de Barthélemy Amengual, Seghers, París, 1963, p. 44.

45. «El Cineclub en Madrid. Tercera sesión», en *La Gaceta Literaria*, n.º 53, 1 de marzo de 1929, p. 1.

46. «Naissance d'une nouvelle avant-garde, la caméra-stylo», de Alexandre Astruc, *Écran Français*, n.º 144, 30 de marzo de 1948.

47. *Le Soir*, 19 de mayo de 1927. Compilado en *Cinéma*, de Robert Desnos, Gallimard, París, 1966, p. 177.

48. *Indagación del cinema*, pp. 166-167.

49. «Noticias del Cineclub. Un programa de viajes», en *La Gaceta Literaria*, n.º 52, 15 de febrero de 1929, p. 6.

50. *Historia del cine experimental*, de Jean Mitry, Fernando Torres Editor, Valencia, 1974, pp. 183-184.

51. «Vidas paralelas de Matías Pascal», de Benjamín Jarnés, en *La Gaceta Literaria*, n.º 56, 15 de abril de 1929, p. 2.

52. *Marcel L'Herbier*, de Noël Burch, Seghers, París, 1973, p. 26.

53. «Boletín del Cineclub. Cuarta sesión», de Juan Piqueras, en *La Gaceta Literaria*, n.º 55, 1 de abril de 1929, p. 6.

54. *Dianying. Electric Shadows*, de Jay Leyda, The Massachusetts Institute of Technology, Cambridge, 1972, pp. 70-71.

55. *Popular Film*, n.º 143, 25 de abril de 1929, p. 2.

56. *La Pantalla*, n.º 19, 6 de mayo de 1928, p. 295.

57. *Popular Film*, n.º 143, 25 de abril de 1929, p. 2.

58. «Estrenos», en *La Pantalla*, n.º 65, 5 de mayo de 1929, p. 1.083.

59. *Indagación del cinema*, pp. 172-173.

60. *Popular Film*, n.º 143, 25 de abril de 1929, p. 2.

61. «Bengalas», de Guillermo de Torre, en *Alfar*, n.º 42, agosto de 1924, p. 76; *Historia de las literaturas de vanguardia*, de Guillermo de Torre, Guadarrama, Madrid, 1965, p. 352.

62. *This Loving Darkness The Cinema and Spanish Writers 1920-1936*, de C. B. Morris, Oxford University Press, 1980, p. 122.

63. «El mundo de la cinematografía», en *El Cine*, n.º 685, 28 de mayo de 1925.

64. *Dziga Vertov*, de Nikolaj Abramov, Bianco e Nero, Roma, 1963, p. 32; *Dziga Vertov*, de Georges Sadoul, Champ Libre, París, 1971, p. 66.

65. *Dziga Vertov*, de Nikolaj Abramov, p. 84.

66. *En marge du cinéma Français*, de Jacques B. Brunius, L'Âge de l'Homme, Lausana, 1987, p. 82.

67. *Experimental Cinema*, de David Curtis, Universe Books, Nueva York, 1971, p. 20.

68. *Circulating Film Library Catalog,* The Museum of Modern Art, Nueva York, 1984, p. 170.

69. «Después de mis primeros films», de Eugène Deslaw, en *La Gaceta Literaria,* n.º 55, 1 de abril de 1929, p. 6.

70. *La Gaceta Literaria,* n.º 56, 15 de abril de 1929, p. 1.

71. *La Gaceta Literaria,* n.º 56, 15 de abril de 1929, p. 1.

72. *Cinéma d'hier, cinéma d'aujourd'hui,* de René Clair, Gallimard, París, 1970, pp. 100 y 123.

73. *Journal Littèraire,* 18 de octubre de 1924, en *Cinéma,* de Robert Desnos, p. 112.

74. «Estrellas y satélites», en *La Gaceta Literaria,* n.º 4, 15 de febrero de 1927, p. 6; «Buster Keaton», en *La Gaceta Literaria,* n.º 9, 1 de mayo de 1927, p. 6.

75. «La comédie burlesque et le surréalisme», de Jean-Claude Philippe, en *Études cinématographiques,* n.º 40-42, París, 1965, pp. 247-251.

76. He aquí, entre paréntesis, los nombres asignados en España a los principales cómicos del cine mudo: Pacifico Aquilanti (Cocó), Roscoe Arbuckle (Fatty y Tripitas), Jimmy Aubrey (Sandalio), Georges Biscot (Biscotín), Joe E. Brown (Bocazas), Chester Conklin (José), Jackie Coogan (Chiquilín), Clyde Cook (Lucas), Primo Cuttica (Bidoni y Cutica), Charles Chaplin (Charlot), Sidney Chaplin (Julot), Bebe Daniels (Ella), André Deed (Toribio y Sánchez), Jack Duffy (Perilla), Marcelo Fabre (Robinet), Louise Fazenda (Luisa la fachosa), Raymond Fran (Cricri y Kri Kri), Giuseppe Gambardella (Pancho), Armando Gelsomini (Jazmín), Lea Giunchi Guillaume (Lea), Cesare Gravina (Robillard), Eddie Gribon (Serafín), Fernand Guillaume (Polidor), Buster Keaton (Pamplinas, Cara de Palo, El hombre que nunca ríe), Harry Langdon (Torcuato), Stan Laurel (Picotín), Marcel Levesque (Tontolín), Harold Lloyd (Él y Gafitas), E. Monthus (Testarudillo), Anibale Moran (Riri), Charles Murray (Bartolo), Mabel Normand (Mabel), Léonce Perret (Calino y Manolo), Armando Pilotti (Pick Nick), Cesare Quest (Tartarín), «Snub» Pollard (Beaucitron), Charles Prince (Salustiano), Larry Semon (Tomasín y Jaimito), Slim Summerville (Pocarropa), Ford Sterling (Nicomedes), Mack Swain (Ambrosio), Ben Turpin (El bizco) y Emile Vardannes (Bonifacio).

77. *Toros y toreros en la pantalla,* de Carlos Fernández Cuenca, XI Festival Internacional de Cine de San Sebastián, 1963, p. 63.

78. *Tres cómicos del cine,* de César M. Arconada, Ulises, Madrid, 1931, p. 277.

79. «Etapas», en *La Gaceta Literaria,* n.º 29, 1 de marzo de 1928, p. 6.

80. *La Gaceta Literaria,* n.º 56, 15 de abril de 1929, p. 1.

81. *Indagación del cinema,* p. 114.

82. «Vivisección de un ángel», en *La Gaceta Literaria,* n.º 44, 15 de octubre de 1928, p. 4.

83. «Un Buster Keaton», en *La Gaceta Literaria,* n.º 74, 15 de enero de 1930, p. 12.

84. *La Révolution Surréaliste,* n.º 1, diciembre de 1924, p. 22.

85. En *Cahiers d'Art,* n.º 10, 1927, compilado en *Luis Buñuel. Obra literaria,* edición de Agustín Sánchez Vidal, Heraldo de Aragón, 1982, p. 166.

86. A partir del número 211 de *Popular Film,* de 14 de agosto de 1930, se informó a los lectores puntualmente del viaje, con abundantes fotos. Véase también «Keaton per Espanya», de Joan Soler, con una entrevista con Natalie Talmadge, en *Mirador,* n.º 83, 28 de agosto de 1930, p. 6.

87. *El surrealismo español,* de J. F. Aranda, Lumen, Barcelona, 1981, p. 73.

88. *La Gaceta Literaria,* n.º 43, 1 de octubre de 1928, p. 1.

89. «... Sempre, per damunt de la música, Harry Langdon», en *L'Amic de les Arts,* n.º 31, 31 de marzo de 1929, p. 3.

90. *Los grandes nombres del cine,* de Manuel Villegas López, vol. II, Planeta, Barcelona, 1973, p. 156.

91. Citado por Jean-Pierre Coursodon en *Keaton et Cie. Les burlesques américains du muet,* Seghers, París, 1964, p. 135.

92. «Cinema y arte nuevo. Originalidad de Maruja Mallo», de Luis Gómez Mesa, en *Popular Film,* n.º 198, 15 de mayo de 1930, p. 3.

93. *La arboleda perdida,* de Rafael Alberti, Seix Barral, Barcelona, 1975, p. 274.

94. Cátedra, Madrid, 1996.

95. «La quimera del oro», de Rogelio Buendía, en *La Gaceta Literaria,* n.º 44, 15 de octubre de 1928, p. 8.

96. «Buster Keaton», de Miguel Pérez Ferrero, en *La Gaceta Literaria,* n.º 9, 1 de mayo de 1927, p. 6.

97. «Culto a la vaca», de Ernesto Giménez Caballero, en *La Gaceta Literaria,* n.º 122, 15 de febrero de 1932, p. 12.

98. *La Gaceta Literaria,* n.º 60, 15 de junio de 1929, p. 1.

99. «El colegial», de Francisco Ayala, en *La Gaceta Literaria,* n.º 27, 1 de febrero de 1928, p. 3.

100. *Keaton et Cie. Les burlesques américains du muet,* p. 103.

101. *El ojo cosmológico,* de Henry Miller, Siglo Veinte, Buenos Aires, 1965, p. 15.

102. *Charles R. Bowers ou le mariage du splastick et de l'animation*, de Louise Beaudet y Raymond Borde, La Cinémathèque de Toulouse-La Cinémathèque Québécoise, Quebec, 1980.

103. *La Gaceta Literaria*, n.º 58, 15 de mayo de 1929, p. 2.

104. *La Gaceta Literaria*, n.º 71, 1 de diciembre de 1929, p. 1.

105. *Juan Piqueras: el «Delluc» español*, de Juan Manuel Llopis, ed., vol. II, Filmoteca de la Generalitat Valenciana, 1988, p. 77.

106. *La Pantalla*, n.º 69, 2 de junio de 1929, p. 1.142.

107. *Popular Film*, n.º 149, 6 de junio de 1929.

108. *Conversaciones con Buñuel*, p. 321.

109. *La Gaceta Literaria*, n.º 2, 15 de enero de 1927, p. 6.

110. «Avaricia», en *Mirador*, n.º 57, 27 de febrero de 1930, p. 6.

111. *Una historia del cine*, tomo I, pp. 235-236.

112. «La última sesión del Cineclub», en *La Gaceta Literaria*, n.º 59, 1 de junio de 1929, p. 6; «Influencias del Cineclub en los programas de cinema público», de Juan Piqueras, en *La Gaceta Literaria*, n.º 63, 1 de agosto de 1929, p. 5; «Avaricia», en *Mirador*, n.º 57, 27 de febrero de 1930, p. 6.

113. «Los técnicos: Ricardo Urgoiti», en *La Gaceta Literaria*, n.º 59, 1 de junio de 1929, p. 3.

114. «La última sesión del Cineclub», en *La Gaceta Literaria*, n.º 59, 1 de junio de 1929, p. 6.

115. *Trois cents ans de cinéma*, de Henri Langlois, Cahiers du Cinéma-Cinémathèque Française, París, 1986, p. 253.

116. *Histoire générale du cinéma*, tomo 6, vol. 2, p. 366.

117. Lucie Derain, en *La Cinématographie Française*, n.º 502, 16 de junio de 1928.

118. «L'Ame au ralenti», en *Paris-Midi-Ciné*, 11 de mayo de 1928, reproducido en *Jean Epstein*, de Philippe Haudiquet, *Anthologie du Cinéma*, n.º 19, noviembre de 1966, pp. 500-501.

119. «Buñuel y Dalí en el Cineclub», en *La Gaceta Literaria*, n.º 51, 1 de febrero de 1929, p. 6.

120. *Mon dernier soupir*, de Luis Buñuel, Robert Laffont, París, 1982, p. 126; *Conversaciones con Buñuel*, p. 56.

121. «Ecos del boulevard», en *La Pantalla*, n.º 73, 30 de junio de 1929, p. 1.207.

122. *Un Chien andalou*, en *La Gaceta Literaria*, n.º 60, 15 de junio de 1929, p. 1.

123. *La Révolution Surréaliste*, n.º 12, 15 de diciembre de 1929, p. 34.

124. *Conversaciones con Buñuel*, p. 61.

125. *Mirador*, n.º 39, 24 de octubre de 1929, p. 6.

126. «Les obres recents de Salvador Dalí», en *La Publicitat,* 16 de noviembre de 1929. Compilado por Joan Minguet en *Escrits d'art i d'avantguarda (1925-1938),* de Sebastià Gasch, Edicions del Mall, Barcelona, 1987, pp. 116-123.

127. *Mirador,* n.º 40, 31 de octubre de 1929; n.º 43, 21 de noviembre de 1929.

128. *La Noche,* 25 de octubre de 1929.

129. *La Publicitat,* 30 de octubre de 1929.

130. *La Gaceta Literaria,* n.º 71, 1 de diciembre de 1929, p. 5.

131. *Conversaciones con Buñuel,* pp. 62 y 159.

132. «Cineclub en la Universidad», en *La Gaceta Literaria,* n.º 82, 15 de mayo de 1930, p. 7.

133. *La Gaceta Literaria,* n.º 72, 15 de diciembre de 1929, p. 5.

134. «En la aldea soviética», en *La Gaceta Literaria,* n.º 29, 1 de marzo de 1928, p. 6.

135. *Popular Film,* n.º 103, 19 de julio de 1928, p. 13; n.º 106, 9 de agosto de 1928; n.º 112, 20 de septiembre de 1928; *La Pantalla,* n.º 39, 23 de septiembre de 1928, p. 615.

136. «El cine en Rusia. Arte sin "divismo"», de Áurea Castilla, en *La Pantalla,* n.º 51, 23 de diciembre de 1928, pp. 856-857.

137. Compañía Iberoamericana de Publicaciones, Madrid, 1930.

138. Catalonia, Barcelona, 1932.

139. «Diez minutos de cine ruso», en *La Gaceta Literaria,* n.º 75, 1 de febrero de 1930, p. 7.

140. «Teatro, cine y literatura rusa», en *Mundial* de Lima, 19 de julio de 1929. Compilado en *El artista y su época,* de José Carlos Mariátegui, Empresa Editora Amauta, Lima, 1959, p. 193.

141. «Presentación del cinema ruso», en *Popular Film,* n.º 186, 20 de febrero de 1930.

142. *Histoire générale du cinéma,* tomo 6, vol. 2, p. 516.

143. *Panorama del cinema en Rusia,* Compañía Iberoamericana de Publicaciones, Madrid, 1930, pp. 143-144.

144. «Presentación del cinema ruso», en *Popular Film,* n.º 186, 20 de febrero de 1930.

145. «Primera exhibición del cine ruso en España», en *Popular Film,* n.º 194, 17 de abril de 1930.

146. «Comentarios al primer film sonoro y parlante racialmente español», en *El Sol,* 10 de agosto de 1930. Compilado en *Juan Piqueras: el «Delluc» español,* vol. I, p. 207.

147. «Boletín del Cineclub», en *La Gaceta Literaria,* n.º 75, 1 de febrero de 1930, p. 7.

148. «El Comité Español de Cinema Educativo», en *La Gaceta Literaria,* n.º 88, 15 de agosto de 1930, p. 5.

149. Publicaciones de la «Revista de las Españas», n.º 14, Unión Ibero-Americana, Madrid, s. d.

150. «Ecos de altavoces», en *La Gaceta Literaria,* n.º 100, 1 de marzo de 1931, p. 8.

151. «Instrucción, cine», de Juan Ángel Perales, en *La Gaceta Literaria,* n.º 109, 1 de agosto de 1931, p. 2; n.º 113, 1 de septiembre de 1931, p. 4; «¿Qué es cinema educativo?», en n.º 115, 1 de octubre de 1931, p. 13.

152. Editada por Publicaciones del Instituto Cinematográfico Ibero Americano (I.C.I.A.) de Madrid, 1931.

153. *The Rise of the American Film*, de Lewis Jacobs, Teachers College Press, Nueva York, 1968, p. 552.

154. *Experimental Cinema*, pp. 12 y 41.

155. *Historia del cine experimental*, p. 177.

156. «The Right Wing of Film Art», de Lisa Cartwright, en *Lovers of Cinema. The First American Film Avant-Garde 1919-1945*, de Jan-Christopher Horak ed., The University of Wisconsin Press, 1995, p. 165.

157. *Mirador,* n.º 57, 27 de febrero de 1930, p. 6.

158. *Mirador,* n.º 45, 5 de diciembre de 1929, p. 6.

159. *Le Merle*, 10 de mayo de 1929. En *Cinéma*, de Robert Desnos, p. 184.

160. *Panorama del cinema en Rusia*, p. 126.

161. *La Gaceta Literaria,* n.º 81, 1 de mayo de 1930, p. 6.

162. «Boletín del Cineclub. 11ª sesión», en *La Gaceta Literaria,* n.º 79, 1 de abril de 1930, p. 5.

163. *Mirador,* n.º 61, 27 de marzo de 1930; *La Gaceta Literaria,* n.º 80, 15 de abril de 1930.

164. «Intellectuels castillans et catalans – Expositions – Arrestation d'un exhibitionniste dans le métro», de Salvador Dalí, en *Le Surréalisme au service de la Révolution,* n.º 2, octubre de 1930, pp. 7-8.

165. *La Révolution Surréaliste,* n.º 5, 15 de octubre de 1925, p. 11.

166. *Le Surréalisme au cinéma*, de Ado Kyrou, Le Terrain Vague, París, 1963, p. 72.

167. «Variaciones sobre el bigote de Menjou», en *La Gaceta Literaria,* n.º 35, 1 de junio de 1928, p. 4.

168. «Boletín del Cineclub. 12ª sesión», *La Gaceta Literaria,* n.º 81, 1 de mayo de 1930, p. 6.

169. «Palabras del doctor Marañón en el Cineclub acerca de la vanguardia y el cinematógrafo», en *La Gaceta Literaria,* n.º 83, 1 de junio de 1930, p. 1.

170. *Surréalisme,* n.º 1, octubre de 1924.

171. *En marge du cinéma Français,* p. 131.

172. «Les esthétiques, les entraves, la cinématographie intégrale», en *Écrits sur le cinéma (1919-1937)*, de Germaine Dulac, Paris Experimental, París, 1994, p. 103.

173. *Histoire générale du cinéma,* tomo 6, vol. 2, pp. 370-371.

174. *Le Surréalisme au cinéma,* pp. 35-36.

175. *Circulating Film Library Catalog,* p. 71.

176. *Le Surréalisme au cinéma,* p. 189.

177. «Boletín del Cineclub. 13ª sesión», en *La Gaceta Literaria,* n.º 83, 1 de junio de 1930, p. 5.

178. *From Caligari to Hitler. A Psychological History of the German Film,* de Sigfried Kracauer, Dennis Dobson, 1947, p. 142.

179. *Histoire générale du cinéma,* tomo 5, vol. 1, p. 472.

180. *Licht Bild-Bühne,* n.º 30, 1923.

181. *L'Écran démoniaque,* de Lotte H. Eisner, Eric Losfeld, París, 1965, p. 98.

182. *Madrid de corte a checa,* de Agustín de Foxá, Planeta, Barcelona, 1993, p. 168.

183. *Popular Film,* n.º 202, 12 de junio de 1930.

184. *La Gaceta Literaria,* n.º 84, 15 de junio de 1930, p. 5.

185. «Films soviéticos. *Los Tártaros*», en *Popular Film,* n.º 214, 4 de septiembre de 1930; «*Huragan* y *Les Tartares,* dos films paralelos», en *El Sol,* 7 de septiembre de 1930.

186. *Il Cinema muto sovietico,* de Nikolaj Lebedev, Einaudi, Turín, 1962, p. 349.

187. Citado en *Le Cinéma russe et soviétique,* de Jean-Loup Passek, ed., Centre Georges Pompidou, París, 1981, p. 64.

188. *La Gaceta Literaria,* n.º 105, 1 de mayo de 1931, p. 3.

189. «Algunas precisiones sobre un controvertido filme de Gómez de la Serna», de Luis Fernández Colorado, en *Vértigo,* n.º 12, diciembre de 1995, pp. 6-9.

190. *Vida en claro,* de José Moreno Villa, El Colegio de México, 1944, p. 186.

191. *Ultra,* n.º 13, 10 de junio de 1921.

192. «Resumen de mi intervención», en *La Gaceta Literaria,* n.º 96, 15 de diciembre de 1930, p. 10.

193. «Entretien avec Philippe Soupault» por Jean-Marie Mabire, en *Études cinématographiques,* n.º 38-39, primer trimestre de 1965, p. 30. *Écrits de cinéma 1918-1931,* de Philippe Soupault, edición de Alain y Odette Virmaux, Ramsay, París, 1988, pp. 14 y 28-29.

194. *Estética radiofónica*, de Rudolf Arnheim, Gustavo Gili, Barcelona, 1980.

195. *La Gaceta Literaria*, n.º 96, 15 de diciembre de 1930, p. 10.

196. *S. M. Eisenstein*, de Jean Mitry, Éditions Universitaires, París, 1956, p. 114.

197. *Serge Eisenstein*, de Léon Moussinac, Seghers, París, 1964, p. 47.

198. *L'Age d'or. Correspondance Luis Buñuel-Charles de Noailles. Lettres et documents (1929-1976)*, Centre Georges Pompidou, París, 1993, p. 73. Concuerda con lo expuesto en *Mon dernier soupir*, p. 159.

199. *Mémoires*, de S. M. Eisenstein, Julliard, París, 1989, pp. 228-230.

200. *El cinema soviètic. Cinema i revolució*, de Josep Palau, Catalonia, Barcelona, 1932, pp. 115-118.

201. «Americans in Paris. Man Ray and Dudley Murphy», de William Moritz, en *Lovers of Cinema. The First American Film Avant-Garde 1919-1945*, pp. 126-130.

202. *Histoire générale du cinéma*, tomo 6, vol. 2, p. 337.

203. *Arti senza frontiere*, de Mario Verdone, Bora, Bolonia, 1993, p. 150.

204. «Autour du ballet mécanique», en *Fonctions de la peinture*, de Fernand Léger, Gonthier, París, 1965, pp. 166-167.

205. «L'Aventure au pays des merveilles», de Fernand Léger, en *Ciné-Club*, n.º 1 (2º año), octubre de 1948, p. 1.

206. *Dada à Paris*, de Michel Sanouillet, Jean-Jacques Pauvert, París, 1965, p. 187.

207. *Les surréalistes et le cinéma*, de Alain y Odette Virmaux, Seghers, París, 1976, p. 35.

208. *Arti senza frontiere*, p. 151.

209. *Experimental Cinema*, p. 18.

210. *La Gaceta Literaria*, n.º 98, 15 de enero de 1931, p. 9.

211. *The Film Till Now. A Survey of World Cinema*, de Paul Rotha, Vision-Mayflower, Londres, 1960, p. 94.

212. *From Caligari to Hitler*, pp. 64-65.

213. *From Caligari to Hitler*, p. 67.

214. *The Film Till Now. A Survey of World Cinema*, p. 97, nota 1.

215. *Der Kinematograph*, 3 de marzo de 1920.

216. *Journal Littéraire*, 31 de enero de 1925, en *Cinéma*, p. 125.

217. *La Gaceta Literaria*, n.º 50, 15 de enero de 1929, p. 6.

218. *La Gaceta Literaria*, n.º 100, 1 de marzo de 1931, p. 8.

219. Éditions de Cinémagazine, París, 1923.

220. «Témoignages», en *Études cinématographiques,* n.º 40-42, segundo trimestre de 1965, p. 162.

221. «Ecos de altavoces», en *La Gaceta Literaria,* n.º 100, 1 de marzo de 1931, p. 8.

222. «Du sentiment à la ligne», en *Écrits sur le cinéma (1919-1937),* p. 88.

223. «Le cinéma Français vu par Mme. Germaine Dulac», en *Écrits sur le cinéma (1919-1937),* p. 77.

224. «Les esthétiques, les entraves, la cinématographie intégrale», en *Écrits sur le cinéma (1919-1937),* p. 102.

225. «Dans son cadre visuel le cinéma n'à point de limites», en *Écrits sur le cinéma (1919-1937),* p. 147.

226. *La Gaceta Literaria,* n.º 101-102, 15 de marzo de 1931, p. 8.

227. *La Gaceta Literaria,* n.º 122, 15 de febrero de 1932, p. 16.

228. «Desfile de soñadores», en *Cita de ensueños,* de Benjamín Jarnés, Ediciones del Centro, Madrid, 1974, p. 86.

229. *Panoramique du cinéma,* de Léon Moussinac, À Paris, au sans pareil, París, 1929, p. 89.

230. *René Clair,* de Jean Mitry, Éditions Universitaires, París, 1960, p. 32.

231. *Circulating Film Library Catalog,* p. 70.

232. *Mirador,* n.º 102, 15 de enero de 1931, p. 6.

233. *Los grandes nombres del cine,* de Manuel Villegas López, vol. I, Planeta, Barcelona, 1973, p. 45.

234. *La Gaceta Literaria,* n.º 101-102, 15 de marzo de 1931, pp. 8-9.

235. Compañía Ibero-Americana de Publicaciones S. A., Madrid, 1930.

236. «Gómez Mesa, por y para el cinema», en *La Gaceta Literaria,* n.º 95, 1 de diciembre de 1930, p. 15.

237. «Películas de dibujos», en *Nosotros,* n.º 2, 8 de mayo de 1930.

238. «Cinema: espejo del mundo», de F. M., en *Octubre,* n.º 1, junio-julio de 1933, p. 23.

239. *La Gaceta Literaria,* n.º 56, 15 de abril de 1929, p. 2.

240. «Gaceta Internacional del Cinema», en *La Gaceta Literaria,* n.º 87, 1 de agosto de 1930, p. 5.

241. «Eisenstein gira un film y cuenta su vida», de Ernesto Giménez Caballero, en *El Sol,* 6 de octubre de 1929.

242. «Los principios del nuevo cine ruso», en *Reflexiones de un cineasta,* de S. M. Eisenstein, Lumen, Barcelona, 1990, p. 231.

243. «España y el cine», de Ernesto Giménez Caballero, en *Primer Plano,* n.º 100, 13 de septiembre de 1942.

244. *Pionero,* n.º 11. Citado en el catálogo *Le film muet soviétique,* Museo del Cine, Bruselas, 1965.

245. *Documents,* n.º 4, en *Cinéma*, p. 195.

246. *Le Surréalisme au cinéma*, p. 146.

247. *¡Que viva Eisenstein!*, de Barthélemy Amengual, L'Age de l'Homme, Lausana, 1980, pp. 233 y 238.

248. *Panorama del cinema en Rusia*, p. 112.

249. «Reflexos de l'època», en *Mirador,* n.º 168, 21 de abril de 1932, p. 4.

250. «Cine, política y boicot», en *Primer Plano,* n.º 133, 2 de mayo de 1943.

251. «20ª sesión del Cineclub Español. Yo, espectador al margen», en *La Gaceta Literaria,* n.º 105, 1 de mayo de 1931, pp. 3-4.

252. «El *Potemkin* en el Cineclub Español», en *Alphaville,* n.º 12, diciembre de 1981.

253. *Opium. Journal d'une désintoxication*, de Jean Cocteau, Le Livre de Poche, París, p. 168.

254. *La Révolution Surréaliste,* n.º 8, 1 de diciembre de 1926, p. 36.

255. *Mon dernier soupir*, p. 106.

256. *Panoramique du cinéma*, p. 63.

257. «Sur les films russes», en *Écrits sur le cinéma (1919-1937)*, p. 85.

258. «La escalinata de Odessa. Sobre el estreno y vigencia de *El acorazado Potemkin*», en *La Vanguardia*, 29 de marzo de 1997, p. 34.

259. *Mirador,* n.º 94, 13 de noviembre de 1930, p. 6.

260. *Popular Film,* n.º 224, 13 de noviembre de 1930.

261. *The Shameful Life of Salvador Dalí*, de Ian Gibson, Faber and Faber, Londres, 1997, pp. 297 y 302-303.

262. «El acorazado Potemkin», en *La Gaceta Literaria,* n.º 43, 1 de octubre de 1928, p. 3.

263. *Panorama del cinema en Rusia*, p. 111.

264. «El Potemkin en Brujas», en *El Sol*, 19 de abril de 1932.

265. «El *Potemkin* en el Cineclub Español».

266. *Nuestro Cinema,* n.º 10, marzo de 1933, p. 143.

267. «Estamos bien informados», en *Madrid*, 18 de febrero de 1960.

268. *La Gaceta Literaria,* n.º 106, 15 de mayo de 1931, p. 11.

11. «UN CHIEN ANDALOU» Y «L'AGE D'OR»

DOS EXPERIENCIAS INSÓLITAS

En el periodo contemplado en este libro realizó Luis Buñuel sus dos primeros films, que supusieron el punto de partida de una cinematografía de inspiración surrealista legitimada por André Breton: *Un Chien andalou* (1929) y *L'Age d'or* (1930). La influencia de prestigiosos exégetas del área cultural francófona, como Georges Sadoul, Ado Kyrou y Freddy Buache, contribuyeron a entronizar en los años sesenta *L'Age d'or* como la culminación revolucionaria del proyecto cinematográfico surrealista, mientras a *Un Chien andalou* se le reprochaban debilidades atribuidas a la colaboración de Dalí. Buache sintetizó tal culto al escribir: «La filmografía completa de Luis Buñuel podría reducirse a un título, *L'Age d'or.*»[1] Sin embargo, para entonces ya el propio Buñuel había comenzado a contextualizar el valor de su segundo film. Así, en 1959 declaraba a Jean Thomas que sus títulos preferidos eran *Un Chien andalou*, *Los olvidados* y *Nazarín* y, preguntado por Thomas acerca de su actitud ante *L'Age d'or*, respondía: «Hoy no haría este film. Es un producto de otra época.»[2] Y completaría esta opinión ante Max Aub añadiendo: «Es un film claro, decidido, sin misterio. Nada. Muy surrealista desde luego, pero no hay misterio. Mis ideas se ven clarísimas. No las mías, las ideas del grupo surrealista se ven perfectamente.»[3] En tales declaraciones se dibujaba de modo implícito que *L'Age d'or* era un film doctrinario y casi programático acerca de los ideales subversivos de un grupo, mientras que *Un Chien andalou* era un film más personal, de proyección íntima.

El paso del tiempo tendería a apoyar la percepción de Buñuel acerca de su obra, e incluso a desbordarla, pues en los años ochenta *Un Chien andalou* empezaría a ser percibido como el arquetipo resplandeciente, puro y modélico de cine surrealista, mientras que *L'Age d'or*, exaltada en años de efervescencia ideológica y política contestataria, sería apreciada por algunos historiadores como un film más circunstancial y envejecido.[4] Era ésta una reacción propia de las oscilaciones pendulares del gusto de carácter simplificador.

Pero también es cierto que en la misma década se fueron abriendo paso nuevas valoraciones, menos convencionales y mucho más perspicaces, de ambas cintas. Así, en 1981, el checo Petr Kral desveló con agudeza las afinidades y continuidad entre las dos obras, por encima de sus aparentes disimilitudes.[5] Los dos films, en efecto, constan de un prólogo cruel relativamente autónomo (el ojo cortado en el primero y el documental sobre los escorpiones en el segundo), seguido de un desarrollo narrativo acerca de los avatares conflictivos padecidos por una pareja heterosexual, y se clausuran con un epílogo letal e irónico a la vez (en la playa en el primer film y en el castillo sadiano de Selliny en el segundo). En la parte central se asiste a dos variantes de la misma situación: *Un Chien andalou* expone los esfuerzos dificultosos que padece un joven en su aproximación erótica a una mujer y en *L'Age d'or* se muestran las dificultades externas y sociales que se oponen al encuentro sexual de la pareja protagonista. La continuidad resultaba aún más nítida cuando sus guionistas pensaron titular al segundo film *La bête andalouse*. Y Paul Hammond ha añadido atinadamente que ambos films constituyen un homenaje al cine cómico mudo que tanto admiraban Buñuel y Dalí, a su «metalógica onírica e irracionalidad concreta de Langdon y Keaton».[6]

La literatura crítica sobre *Un Chien andalou* y *L'Age d'or* es hoy abrumadora y en ella destacan los minuciosos y brillantes análisis de Agustín Sánchez Vidal, Paul Hammond, Roland Cosandey y Maurice Drouzy. Es por ello por lo que las reflexiones que expondremos a continuación se limitarán a ciertos aspectos específicos que nos parecen de especial interés en el contexto de este estudio, con renuncia expresa a la aspiración a la exhaustividad.

El primer asunto que resulta obligado abordar es el de la autoría de las ideas de ambos films. En el caso de *Un Chien andalou* la cuestión ha estado, aparentemente, más clara que en el de *L'Age d'or*. Pero su génesis fue también compleja y atípica. Es sabido que fue Dalí quien, en enero de 1929, convenció a Buñuel para que abandonara definitivamente el estancado proyecto de escenificar varias noticias periodísticas, con la colaboración de Gómez de la Serna, y le propuso la alternativa de la que nacería *Un Chien andalou*. Escribieron su guión en Figueras a partir de sueños de ambos, pero muy pronto se añadieron a sus residuos oníricos ideas repentinizadas, propuestas enlazadas con el principio de la «escritura automática» bretoniana, que luego cribaban y seleccionaban mutuamente. Este control intelectual de las ideas relativiza mucho el espontaneísmo de la génesis de un proyecto que se tituló inicialmente *Défense de se pencher au dédans*, inversión semántica de una instrucción ferroviaria francesa que señalaba los peligros de asomarse a los abismos del subconsciente. Buñuel ha explicado muy claramente tal control, al contarle a Max Aub que, de cada seis sugerencias de los coguionistas, se rechazaban cinco, añadiendo luego: «buscábamos un equilibrio inestable e invisible entre lo racional y lo irracional que nos diera, a través de este último, una capacidad de entender lo ininteligible, de unir el sueño y la realidad, lo consciente y lo inconsciente, huyendo de todo simbolismo».[7]

Tan nítidas afirmaciones cuestionan la supuesta génesis inconsciente del film, su automatismo puro y su ortodoxia en el plano de la interpretación psicoanalítica. Por no referirnos a la cuestión fundamental de la imposibilidad ontológica del cine surrealista *strictu sensu*, en razón de su compleja y laboriosa mediación tecnológica y organizativa en las fases de su rodaje y de su montaje, opuestas al espontaneísmo de la escritura automática, lo que confina propiamente la gestación del cine surrealista, en el mejor de los casos, al nivel de la escritura de sus guiones. En el caso de *Un Chien andalou*, además del filtro y la selección de las ideas propuestas, hay que añadir que se trató, para convertir el caso en aún más atípico y heterodoxo, de la colaboración o interacción de dos subconscientes distintos, pertenecientes a sujetos con historias personales y familiares muy diversas. Pero, dicho esto, es menester recordar que en enero de 1929 se produjo una convergencia de dos imaginarios que en aquella época eran muy próximos, afines y compenetrados. Todos los testimonios concuerdan en evocar la estrecha comunión intelectual entre Buñuel y Dalí en aquel momento. Y, como luego veremos, la profunda sintonía de Buñuel y de Dalí en aquel invierno explica que algunos símbolos, arquetipos u obsesiones de uno de ellos fuesen metabolizados por el otro, hasta el punto de reaparecer a veces en sus carreras posteriores.

Un ejemplo luminoso de ello nos lo ofrece la reproducción de *La encajera*, de Vermeer, en una escena de *Un Chien andalou*. Esta imagen fascinó a Dalí desde su infancia, por la reproducción de este cuadro que colgaba en el despacho notarial de su padre. Pues bien, Pepín Bello también poseía una reproducción en su habitación de la Residencia de Estudiantes, lo que le permitió consolidar una «afinidad electiva» con Dalí. Y años después Buñuel no sólo presentaría al celoso protagonista paranoico de *Él* (1953) intentando coser los orificios de su esposa, sino que cerraría su filmografía escenificando una encajera, al final de *Ese oscuro objeto del deseo (Cet obscur objet du désir*, 1977), zurziendo un encaje rasgado y con manchas de sangre, al modo de las tradicionales remiendavirgos. De manera que si la carrera de Buñuel se abrió con un espectacular navajazo propinado a un ojo femenino, se clausuró con el remiendo de un virgo desflorado.

La mención a Pepín Bello era obligada, pues el Alberti que opinó que *Un Chien andalou* «tradujo nuestro estado de espíritu en la época»[8] ha afirmado paladinamente que Bello fue el inspirador de las ideas centrales de *Un Chien andalou,*[9] opinión corroborada por Santiago Ontañón.[10] Y en vísperas de comenzar su rodaje, Buñuel le confió a Bello por carta el 25 de marzo: «Todas nuestras cosas en la pantalla.» Esta última frase de Buñuel fue tal vez la que mejor sintetizó lo que otro testigo de la época, Giménez Caballero, llamó atinadamente «films de colegio»,[11] es decir, fruto de un clima colectivo, que era el clima intelectual de la Residencia de Estudiantes, con sus bromas, sus clichés y sus alusiones sobreentendidas. De manera que no parece incorrecto considerar los dos primeros films de Buñuel, y sobre todo *Un Chien andalou*, como un producto del imaginario generado en la jubilosa convivencia de la Residencia de Estudiantes, en cuya formalización desempeñó Pepín Bello un papel fundamental. El ojo y la mano cortados, por ejemplo, fueron *topoi* característicos del imaginario colectivo condensado en la Residencia de Estudiantes. Pero, tras la ruptura producida entre Buñuel y Dalí en los años treinta, éste quiso apropiarse vengativamente de la paternidad intelectual de *Un Chien andalou* en sus textos autobiográficos desde 1942. Lo hizo en *The Secret Life of Salvador Dalí.*[12] Y en 1951, cuando Barreira le preguntó acerca de los dos primeros films de Buñuel, sin mencionar al director, Dalí le respondió en singular: «Aquella [etapa] abría un camino al cine, de acuerdo con mis tendencias de entonces.»[13] Y en 1973 calificaría *Un Chien andalou* como «un cuadro de Dalí en movimiento».[14]

El caso de *L'Age d'or*, como es sabido, fue bastante más complicado y la evolución de los hechos posteriores a su escandaloso estreno y prohibición hizo que Buñuel y Dalí concurrieran en minimizar el papel del segundo, aunque por razones muy distintas. Si bien Dalí, a quien el film en su estreno le gustó tanto «como una película americana», llegaría a afirmar en los años setenta que «no sobrenadaban de mi guión mutilado más que, aquí o allí, secuencias que [Buñuel] no había podido no acertar, ya que mis instrucciones habían sido muy precisas».[15]

En los años sesenta Georges Sadoul y Ado Kyrou difundieron la idea de que la única imagen de *L'Age d'or* atribuible netamente a Dalí era la del hombre que camina con una piedra en la cabeza, un tema iconográfico que había aparecido ya en su lienzo de 1929 *Los placeres iluminados*. En la actualidad ningún investigador sostiene tal tesis reduccionista y la documentación hoy disponible permite saber que, desde que en diciembre de 1929 Buñuel y Dalí comenzaron a trabajar juntos su guión en Cadaqués, su posterior separación física no impidió que el pintor le enviara por carta a Buñuel, desde Carry-le-Rouet, numerosas ideas y dibujos, bastantes de los cuales aparecerían en el film.[16] En sus declaraciones Buñuel siempre minimizó la contribución de Dalí,[17] pero las cartas conservadas son muy elocuentes y su colaboración en la fase del guión fue mucho más intensa y cordial que la que luego sugirió el cineasta. Dalí le proporcionó el marista músico (aunque los maristas formaban ya parte del imaginario buñeulesco en su proyectado libro de 1927 *Un perro andaluz*), el hombre de la cara ensangrentada, el diálogo en el parque (*Mon amour... j'ai toujours désiré la mort de nos enfants*), el puntapié al violín –el adolescente Dalí había destrozado de un taconazo el violín de un muchacho enfermizo–,[18] la bragueta mal abrochada del protagonista, etc.[19] La identificación de Dalí con el proyecto era entonces tan grande, que cuando escribió a Buñuel a principios de 1930 enviándole sugerencias para el guión, le dijo: «cada día me gusta más nuestro film.»[20] Paul Hammond ha opinado razonablemente que las bromas «sociales» del film son de Buñuel y las «sexuales» de Dalí.[21]

El escándalo de *L'Age d'or* estalló por sus aspectos anticatólicos, que serían denunciados con violencia por Dalí años después en su autobiografía. Su padre le había inculcado sus convicciones laicas y todavía en 1973 el pintor podría escribir: «es lástima que no tenga fe».[22] Por ello la irritación de Dalí desde 1942 suena bastante artificial en este caso. Mucho más si tenemos en cuenta cuál fue su reacción en el momento de la controversia parisina. En *L'Age d'or* hay elementos anticatólicos de claro origen buñuelesco y sus carroñas de obispos sobre las rocas parecen asociarse al Mitrídates «descompuesto y episcopal» que apareció en su *Hamlet* surrealista de 1927.[23] Pero la escena de la custodia depositada en la acera, junto a las piernas de una mujer que sale de un automóvil –que tanto escandalizó en 1930– fue un tema iconográfico transgresor que también cultivó Dalí entonces, como prueba su dibujo *La Profanation de l'Hostie* publicado en el programa de mano para la presentación de *L'Age d'or;* y entre los cuatro cuadros de Dalí exhibidos en el vestíbulo del Studio 28 en aquel estreno figuró además *L'Hostie en bague*. El homenaje sadiano del epílogo, con el depravado duque de Blangis caracterizado como Jesucristo, resultó especialmente polémico, como es sabido, pero en relación con él hay que añadir que, al estar Buñuel ausente en Hollywood, en carta de Dalí al vizconde de Noailles, su mecenas, tras los primeros incidentes en el estreno, asumió íntegramente su condición de guionista del film y le explicó que la identidad del duque de Blangis y Jesucristo fue idea de Buñuel, con la que él estaba «absolutamente de acuerdo».[24]

Por ello cuesta creer en la sinceridad de Dalí cuando, doce años después, se lamenta en su autobiografía de que «el lado "católico" se había convertido en crudamente anticlerical y sin la poesía biológica que yo había deseado. (...) Habría querido causar un escándalo cien veces mayor, pero por razones importantes –subversivas más bien por exceso de fanatismo católico que por anticlericalismo ingenuo».[25]

El antagonismo de Dalí y Buñuel, larvado desde la irrupción de Gala Eluard en Cadaqués, estalló por otros motivos y se hizo ya patente cuando en mayo de 1934 el pintor se quejó por carta a J. V. Foix y a Buñuel de que en los créditos y en la publicidad de *L'Age d'or* se había omitido su colaboración,[26] que por lo tanto reivindicaba entonces como un honor, por la satisfacción que le producía la obra.

Pero esta reclamación aconteció en 1934, porque, de conformidad con los dos implicados, la publicidad, el programa de mano y los créditos de *L'Age d'or* en su estreno parisino indicaban que se trataba de un guión de Buñuel y Dalí, dirigido en solitario por Buñuel, pues durante su producción el pintor permaneció en Torremolinos. Y en el manifiesto surrealista a propósito de *L'Age d'or*, que Dalí suscribió, siempre se mencionó el film como obra exclusiva de Buñuel. A este respecto, el cineasta declararía a Max Aub: «En *La edad de oro* [Dalí] no hizo nada. Por eso firma el manifiesto de los surrealistas acerca de la película, y yo no. ¡Cómo iba a firmar yo algo a favor de lo que había hecho!»[27] No obstante lo afirmado por Buñuel, la presencia de

Dalí en la génesis de *L'Age d'or* fue tan determinante, que un observador tan próximo de los hechos como André Breton mencionó por dos veces juntos a Buñuel y a Dalí al referirse en *L'Amour fou* (1937) a la autoría de *L'Age d'or*, para elogiar «las imágenes inolvidables del film de Buñuel y Dalí».[28] Pero en el distanciamiento personal e ideológico entre ambos en los años treinta, con una guerra civil por medio, el pintor fue elaborando también su propia versión del agravio y en 1973 lo amplificó con elementos que no aparecían en su autobiografía de 1942, al escribir: «Buñuel –sin duda dominado por sus amigos marxistas– había empezado a rodar *L'Age d'or* sin esperar mi llegada.»[29] En esta nueva versión el agravio había adquirido dos nuevas facetas: la influencia maligna de los amigos marxistas del realizador y la exclusión del pintor como codirector o asesor en el rodaje, en una función que nunca se había previsto antes.

EL OJO CORTADO

La obertura de *Un Chien andalou* produjo un extraordinario impacto en su época y se ha convertido en un momento emblemático en la historia del cine de vanguardia. Como en una rima icónica, la luna es atravesada por una nube alargada –transmutado así el astro de cliché poético romántico y modernista en presagio siniestro–, para dar paso a una composición estructuralmente similar, cuando Buñuel corta con su navaja de afeitar el ojo de la protagonista. De modo que Simone Mareuil nos mira desde la pantalla y nosotros miramos cómo nos mira, hasta que Luis Buñuel le corta el ojo en primer plano. Esta mutilación, que Sófocles concibió como la más terrible para el ser humano, daría pie a la interpretación de Freud, quien vio en ella un símbolo de la castración. Pero este famoso ojo mutilado se convertiría, en la historia del cine, en el ojo de la discordia.

Mucho se ha especulado acerca de la paternidad de la idea del ojo cortado y es casi seguro que nunca se llegará a aclarar, pues probablemente pertenece al acervo imaginario colectivo gestado en la Residencia de Estudiantes. Buñuel afirmó en varios lugares que esta imagen procedió de un sueño suyo en el que querían cortarle el ojo a su madre y ella se echaba para atrás,[30] lo que daría sentido a la luna como símbolo materno arquetípico. Y Dalí admitió muchos años después tal posibilidad.[31] Pero existen otras versiones que atribuyen la idea a terceros. Así, Ontañón sostuvo que procedió de un sueño de

Moreno Villa que contó en la Residencia de Estudiantes.[32] Y Rafael Martínez Nadal me contó que presenció una noche de verano, en el jardín de la Residencia, cómo Pepín Bello, Buñuel y otros amigos contemplaban el cielo y cuando una nubecilla pasó ante la luna, Bello afirmó: «una navaja está cortando un ojo».

Existen además antecedentes literarios perfectamente fechados. En el texto de Buñuel «Palacio de hielo», para su libro poético *Un perro andaluz* y cuya versión definitiva data de 1927, describe cómo una dama se frota con *polisoir* las uñas y «cuando las considera suficientemente afiladas me saca los ojos y los arroja a la calle». Y el texto acaba con la entrada de las tropas de Napoleón en Zaragoza: «Sólo en un charco croaban los ojos de Luis Buñuel. Los soldados de Napoleón los remataron a bayonetazos.»[33] Pero Joan Minguet observaría que en el mismo año, en su artículo «La meva amiga i la platja», publicado en *L'Amic de les Arts* en noviembre, Dalí escribió que a su amiga le gustaban «las dulzuras de los finísimos cortes del bisturí sobre la curvada pupila, dilatada para la extracción de la catarata».[34]

En el caso de Buñuel existen además antecedentes biográficos que sugieren que esta idea pudo ser suya. En sus memorias evoca, en efecto, sus veraneos en San Sebastián, cuando los niños perforaban las paredes de las casetas de baño para espiar a las señoras que se desnudaban y éstas intentaban agredir los ojos mirones con afiladas agujas de sombrero,[35] para ahuyentar al *voyeur* infantil y reprimir así punitivamente su placer sexual. Buñuel evocaría de modo consciente estos episodios cuando el protagonista de *Él* introduce en la cerradura una larga aguja para cegar a un supuesto mirón.[36] Y el jesuita Valentín Arteta recordó que cuando Buñuel hacía prácticas universitarias de biología limpiaba córneas de saltamontes para hacer microfotografías para Ramón y Cajal.[37] Ambas experiencias eran obviamente muy anteriores a 1927, fecha de redacción de los dos textos antes citados.

Y quedan, por fin, las fuentes iconográficas y cinematográficas. En sus memorias, Buñuel recuerda haber visto de niño con gran impresión *Viaje a la luna (Voyage dans la lune*, 1902), de Georges Méliès,[38] film en el que un cohete se incrustaba con violencia en el ojo de una luna antropomorfa. Y ya explicamos en el capítulo anterior el impacto que le produjo *El acorazado Potemkin*, en cuya escena de represión en las escalinatas de Odessa, un culatazo de la policía hace saltar un ojo a una mujer. En 1924 Dalí pintó un conocido retrato al óleo de Buñuel (70 × 60 cm), al que el retratado hizo añadir como fondo unas nubes alargadas, como las que Mantegna pintó en *Tránsito de la Virgen*, un cuadro conservado en el Museo del Prado que gustaba mucho a Buñuel y a García Lorca. Una de estas nubes añadidas por Dalí está colocada amenazadoramente a la altura de su ojo derecho. Y en 1928 Maruja Mallo efectuó el dibujo a color *Los ojos de Buñuel* (29 × 30 cm), en el que aparecen cinco ojos yacentes en la parte inferior y cuyo título completo es *Los ojos de Buñuel sobre la mesa, custodiados por Rafael Alberti, José Bergamín, Federico García Lorca, la Virgen del Pilar y Pablo Neruda.*

El catálogo de referencias anteriores a la filmación de *Un Chien andalou*, hasta aquí expuesto y que dista de ser exhaustivo, permite atisbar la maraña de ideas y de citas que formaban el paisaje cultural que nutrió a Buñuel y a Dalí cuando formalizaron la escena del ojo cortado por una navaja. Otra cuestión distinta es la de sus eventuales interpretaciones, que también son incontables, y de las que aquí ofrecemos una breve muestra. Para el psicoanalista Fernando Cesarman, el ojo cortado es un símbolo de la violación, de la penetración agresiva del falo en la vagina.[39] Para Jenaro Talens, el corte del ojo en la pantalla tacha y ciega el ojo del espectador, sustituyéndolo por el ojo (invisible) del objetivo de la cámara.[40] Y para Guillermo Carnero el ojo cortado supone un acceso a la visión interior y profunda, al mundo de los instintos.[41]

Sin embargo, se comprueba sin dificultad que ninguna de estas interpretaciones coincide con la que el propio Buñuel ofreció a J. F. Aranda, al explicarle que «para sumergir al espectador en un estado que permitiese la libre asociación de ideas era necesario producirle un choque casi traumático, en el mismo comienzo del film; por eso lo empezamos con el plano del ojo seccionado, muy eficaz».[42] Y esta estrategia demuestra de nuevo hasta qué punto la construcción del film estaba sujeta al control de la racionalidad. Por otra parte, y como ya señalamos al final del primer capítulo, los ciegos menudearían en la filmografía de Buñuel y los veremos, siempre de modo poco complaciente, en *L'Age d'or* (1930), *Los olvidados* (1950), *Viridiana* (1961) y *La Vía Lactea (La Voie Lactée*, 1969). En *Los olvidados*, además, aparece un inválido sobre un carrito en el que está escrito enigmáticamente «Me mirabas». Y las navajas de afeitar con finalidad agresora desempeñarán una función importante en *Ensayo de un crimen* (1955).

La mano dotada de vida autónoma ha sido un tema caro a la cultura popular de este siglo, con connotaciones cómicas o terroríficas. En el capítulo anterior, con motivo de la proyección de *La mano* en la duodécima sesión del Cineclub Español, ya mencionamos el relato de Maupassant de 1887, en el que una mano disecada que pendía de una pared acababa estrangulando a su propietario. El cine se apropió tempranamente de este tema y en 1909 Segundo de Chomón realizó en Francia, para la productora Pahé Frères, la cinta titulada *Rêve des marmitons* o *Le rêve du cuisinier*, que transcurría en una cocina y, cuando los cocineros y sus pinches quedaban dormidos, aparecían unas misteriosas manos que pelaban y cortaban las verduras y legumbres, apuntaban en una pizarra los gastos de la comida, etc.[43] En 1920 Maurice Renard publicó la novela *Les mains d'Orlac*, protagonizada por un pianista que perdía sus manos en un accidente y un cirujano le implantaba las de un asesino, que parecían impulsarle al crimen. En este texto se inspiró el film alemán de Robert Wiene *Las manos de Orlac (Orlacs Hände*, 1924), magistralmente protagonizado por Conrad Veidt, y que con casi toda seguridad Buñuel y Dalí vieron, pues gozó de gran popularidad en su época. Y en 1925 apareció la novela *The Beast with Five Fingers*, de William Fryer Harvey, que desarrolló el tema de la mano seccionada y viva, que Buñuel retomaría en Hollywood al escribir en mayo de 1944 *Alucinaciones en torno a una mano muerta*, texto que sería utilizado por Robert Florey en su producción para Warner Bros *The Beast with Five Fingers* (1945), protagonizada por Peter Lorre.[44]

El tema inquietante de la mano con vida autónoma tenía que excitar a la fuerza la imaginación surrealista y se halló en la iconografía de Dalí por lo menos desde 1926, tal vez como consecuencia de haber visto *Las manos de Orlac*, pues en este año aparecen manos y brazos cortados en un estudio suyo para *La miel es más dulce que la sangre.* Y de 1928 data su dibujo a tinta sobre papel *Main coupée* (19 × 21 cm). Es seguro que García Lorca participó de este interés daliniano en la época de su amistad íntima, pues aparecen manos cortadas en el suelo en su dibujo coloreado *Animal fabuloso dirigiéndose a una casa (circa* 1929) y en *Manos cortadas (circa* 1934-35), dibujo en el que ambas manos sangran por su parte seccionada.

El tema de la mano se asocia en primer lugar, en el contexto que nos ocupa, al hábito masturbatorio de Dalí, quien confesó paladinamente en sus textos autobiográficos este hábito compulsivo, especialmente antes de su encuentro con Gala.[45] Esta práctica sexual fue tan importante en su vida y en su obra, que Ian Gibson ha podido escribir que Dalí fue el primer artista serio de la historia que hizo del onanismo uno de los principales temas de su trabajo.[46] En efecto, en 1927 realizó su inequívoco óleo *Aparato y mano* y en 1929, en el año de producción de *Un Chien andalou*, pintó *El gran masturbador*, un óleo de tamaño considerable (110 × 150 cm), que expuso en la Galería Goemans en su primera exposición individual en París, y que en realidad aludía a sus fantasías felatrices. Unas fantasías que Buñuel retomaría en *L'Age d'or*, en la escena en que Lya Lys chupa el dedo del pie de una estatua.

Aunque la utilización especial de la mano que se hace en *Un Chien andalou* resulta más propia de Dalí que de Buñuel, es de justicia recordar la vinculación de la mano cortada con la mitología aragonesa del *carnuzo*, derivada de la leyenda milagrosa de la pierna que le creció a Miguel Pellicer. En 1928, Buñuel había calificado en un artículo a una mano representada en primer plano en una pantalla como «gran monstruo».[47] Y en el salón burgués de *El ángel exterminador* (1962) introduciría una mano cortada y reptante, mientras que en *Simón del desierto* (1965) hizo brotar dos manos de los muñones de un mutilado que pedía un milagro al protagonista, como eco del viejo prodigio sagrado calandino. Se trató, por lo tanto, de un nuevo ejemplo de convergencia de los imaginarios de los dos amigos.

Pero las hormigas en la palma de la mano del protagonista de *Un Chien andalou* adscriben esta imagen a la iconografía daliniana, como siempre reconoció Buñuel. En su primera autobiografía Dalí relató una «falsa memoria» de su infancia, a los siete u ocho años, en la que contemplaba a un niño desnudo con un agujero lleno de hormigas en una de sus nalgas.[48] Las hormigas pasarían a ser luego un tema iconográfico típicamente daliniano, pero las hormigas en la palma de la mano de Pierre Batcheff al principio de *Un Chien andalou* (plano 51) tienen un sentido específico, pues sugieren el hormigueo del deseo masturbatorio. Hay que recordar, para entender mejor esta figuración, que en los colegios españoles, sometidos a un clima clerical de gran represión sexual, se alentaba la fantasía de que a los masturbadores les crecían pelos en la palma de la mano, además de padecer otras terribles desgracias (como las de secar la médula espinal o provocar la tisis, la ceguera o la impotencia). En otra escena posterior (plano 161), la mano de Batcheff queda atrapada por la puerta que cierra la protagonista, para impedir que se le acerque. En esta segunda ocasión la figura retórica es más compleja, pues es el deseo sexual el que le empuja a buscar a la mujer –para palpar sus senos y sus nalgas–, pero también la presión de la puerta sobre el sistema circulatorio del personaje le produce un «hormigueo» (o *fourmillement*, en francés) en la mano, lo que desvela la dependencia de esta imagen de su matriz poética lingüística. En efecto, he podido comprobar en mis clases universitarias en California que esta sensación, que en inglés se describe como *pins and needles*, hace incomprensible allí esta figura simbólica. Añadamos que Jean Cocteau acusaría pronto recibo de esta imagen, al insertar una boca parlante en la palma de la mano del protagonista de *Le Sang d'un poète* (1930).

Después de la primera aparición de la mano de Pierre Batcheff con hormigas se produce la escena de la muchacha andrógina que, en la calle, toquetea con un bastón una mano cortada masculina y con las uñas pintadas (así lo especifica el guión), tendida sobre el asfalto. Le rodea un grupo de curiosos en estado de agitación, formando un corro, y la escena es vista en ángulo picado, pues poco después se comprobará que corresponde a la visión subjetiva de la pareja protagonista desde una ventana de la casa en que se hallan. La mano y el bastón componen el ideograma de una masturbación y evocan el poema de García Lorca «Eros con bastón» (1925), que dedicó a Pepín Bello, que dice:[49]

> ¿Qué intención viste en mi mano
> que casi te amenazaba?

Fernando Cesarman ha señalado[50] que la mano cortada significa el órgano castigado por la actividad masturbatoria. La irrupción posterior de un policía uniformado en la escena, que reprime el rito y guarda la mano en una caja, sugiere una llamada al orden moral canónico y los curiosos que se agolpaban ante la ceremonia obscena son dispersados.

La presencia de la muchacha andrógina (Fano Messan) en esta alegoría masturbatoria ha inducido a Peter William Evans a proponer razonablemente que esta escena contiene una alusión a la homosexualidad de García Lorca.[51] Por otra parte, poco antes de esta escena se ha producido la caída del protagonista de su bicicleta –las ideas del ciclista y de su cajita procedieron de Dalí–[52] y Gibson ha hecho notar que también el protagonista desvirilizado de *El paseo de Buster*

Keaton, de Lorca, cae de su bicicleta, como el Pierre Batcheff con prendas feminizadas en esta escena, por lo que concluye categóricamente que *Un Chien andalou* alude directamente a García Lorca.[53] Es un tema sobre el que habremos de volver.

En la escena que ahora comentamos un bastón interactúa con dos manos: con la de la andrógina que lo sostiene y con la que yace en la calle inerte, para animarla. El bastón, en esta escena, es un artefacto fálico y así se verá en futuros ejemplos de la filmografía de Buñuel, que enumeraremos a continuación. Pero antes conviene recordar que, desde su inicio en la pubertad, Dalí manifestó un sentimiento fetichista hacia otros bastones, hacia las muletas, confesado en varios textos suyos,[54] y que podría estar asociado a su impotencia sexual, o por lo menos al temor a tal impotencia, transparente en muchos de sus textos. En todo caso, en su obra pictórica menudearían los instrumentos de apoyo ortopédico para apéndices humanos faliformes, como en *El arpa invisible* (1932), *Persistencia del buen tiempo* (*circa* 1932-34), *Meditación sobre el arpa* (1932-34), o en el crucial *El enigma de Guillermo Tell* (1933).

Hemos dicho que también en su filmografía Buñuel utilizaría el bastón como símbolo fálico. En *Gran casino* (1947), por ejemplo, en la escena de amor en un banco entre Libertad Lamarque y Jorge Negrete, éste lleva una rama y la cámara desciende y muestra cómo penetra en el lodo. Buñuel ha confirmado en sus memorias la intención de la escena.[55] Y en el desenlace de *Ensayo de un crimen*, cuando el protagonista se ha curado y liberado de su impotencia, se desprende de su bastón sustitutivo.

La escenificación simbólica de la masturbación en *Un Chien andalou*, que acabamos de examinar, tuvo una original reedición amplificada en *L'Age d'or*. En efecto, cuando su protagonista (Gaston Modot) es conducido detenido por dos policías por su actuación lasciva, se detiene un momento ante un cartel publicitario, en el que una mano femenina con un dedo extendido se anima de pronto con ritmo masturbatorio, junto a un mechón de pelo. Siguiendo su trayecto, pasa junto a ellos un anuncio ambulante de medias femeninas, a hombros de un porteador, con una modelo que exhibe sus piernas provocativamente entreabiertas. Un retrato femenino en un escaparate se anima y se convierte en Lya Lys, estirada con aire de felicidad en un diván, con las piernas separadas y la mano derecha sobre su regazo. Luego veremos, en un oportuno primer plano, que en esta mano tiene un dedo vendado, una punición equivalente a la amenaza de palmas peludas a los masturbadores masculinos. Le pregunta a su madre dónde está su padre y éste aparece agitando compulsivamente una botellita con un líquido en su interior. Más tarde, después que Lya Lys ha echado a una vaca que yacía sobre su lecho, se frota rítmicamente las uñas con un *polisoir*, con aire de ensoñación. Y, como un eco de las escenas precedentes, al iniciarse la famosa escena de la fiesta, Lya Lys aparece con su mano derecha sobre el pecho, frotándose el dedo, seguida de un plano en que un criado frota rítmicamente una botella con los dedos y luego con un trapo. Es decir, mediante el encadenamiento de breves escenas que actúan las unas como eco de las otras, Buñuel escenifica el ritmo de la masturbación, a partir de la escena del dedo femenino agitándose y creando un clima subliminal muy eficaz a lo largo de todo el segmento.

CARROÑAS

En el tercer capítulo dimos cuenta de la génesis del tema del burro podrido, de modo independiente, en tres miembros de la Residencia de Estudiantes –Dalí, Buñuel y Pepín Bello–, imagen que constituyó una manifestación concreta y muy gráfica de la categoría de lo *putrefacto*. El burro podrido constituía una muestra ejemplar de la carroña pestilente y no es raro que se infiltrase, como expresión de una cultura en fase de descomposición, en *Un Chien andalou*, con dos cadáveres de asnos tendidos sobre dos pianos de cola, arrastrados con gran dificultad por el protagonista de la cinta. Las carroñas habían comenzado a aparecer en la pintura de Dalí desde 1927, en *Cenicitas* (1927), *Aparato y mano* (1927), *La miel es más dulce que la sangre* (1927), *La vaca espectral* (1928) y *El burro podrido* (1928). Y en octubre de 1927, como epílogo al auto de fe madrileño de homenaje a Góngora, en el que participaron Alberti, Gerardo Diego e Hinojosa, Dalí recitó el poema «Un asno podrido». El mismo año Buñuel, en su texto «El arco iris y la cataplasma», para su libro *Un perro andaluz*, escribió:[56]

> ¿Sería descortés si yo vomitara un piano
> desde mi balcón?

Con estos versos –que anticiparon una escena de *L'Age d'or*, en la que se defenestra un árbol, un obispo y una jirafa– se hacía casi inevitable el encuentro de los burros podridos y los pianos de cola, como provocadora yuxtaposición o *collage* formado por un detritus del mundo rural y un instrumento refinado de la cultura urbana y burguesa. Venía a ser una actualización, pero más intencionada, del famoso encuentro del paraguas y la máquina de coser sobre una mesa de disección. Dalí llegó a París al final del rodaje y maquilló los burros, ensanchando sus ojos y bocas con unas tijeras, convirtiendo sus grandes dientes en un eco de las teclas de los pianos sobre los que yacían.[57]

Los burros podridos tenían además otra dimensión. En carta de Dalí a Pepín Bello enviada desde Figueras, el 24 de octubre de 1927, se había referido a Juan Ramón Jiménez como «gran putrefacto peludo» y había descalificado acremente su *Platero y yo*. La operación se completó en enero de 1929 con la llegada de Buñuel, cuando ambos enviaron una carta insultante al poeta, que le postró enfermo en la cama, en la que le dijeron que el protagonista de *Platero y yo* era «el burro más *odioso* con el que nos hemos tropezado». Juan Ramón Jiménez respondió a su carta «en esa jerga francocatalana» sin morderse la lengua e insinuando que ambos eran homosexuales. A partir de ahí se ha abierto la hipótesis de que los burros podridos de *Un Chien andalou* podrían ser una alusión al cuadrúpedo protagonista de *Platero y yo*.

No sabemos si Juan Ramón Jiménez se sintió aludido por los asnos putrefactos, pero consta en cambio que García Lorca le dijo a Ángel del Río en Nueva York, aunque todavía no había visto la película: «Buñuel ha hecho una mierdesita así de pequeñita que se llama *Un perro andaluz* y el perro andaluz soy yo.»[58] Y aunque Buñuel y Dalí no le hubieran aludido, el poeta se sintió la víctima inocente de su película. Lorca tenía buenas razones para la sospecha, como ya hemos adelantado. Su relación sentimental con Dalí había fracasado y Buñuel no le ocultó nunca que –al igual que Breton– le disgustaban los homosexuales. Todavía en los años setenta podía confiar a Max Aub su opinión de que «con los maricones nunca pisa uno terreno firme».[59] Pero además de estas razones personales existían razones artísticas. Cuando Lorca les leyó *Don Perlimplín*, ni Buñuel ni Dalí disimularon su disgusto.[60] Y cuando en julio de 1928 apareció su *Romacero gitano*, Dalí le envió en septiembre una carta manifestándole su desagrado, al tiempo que Buñuel escribía a Pepín Bello desde París coincidiendo en su juicio negativo, pues el libro tenía «[lo que debe tener para que guste] a los poetas maricones y cernudos de Sevilla» y lo contraponía a la «élite antipopulachera» representada por Larrea,

Garfias, Huidobro y a veces Gerardo Diego.[61] Con estos antecedentes, fue J. F. Aranda quien por vez primera postuló en 1969 que *Un perro andaluz* era una invectiva contra los poetas andaluces, musicales y refinados, que Buñuel y Dalí detestaban.[62] Buñuel siempre lo negó,[63] pero la sospecha quedó flotando. Así se entiende que al salir de la proyección de *L'Age d'or* en Madrid, García Lorca le dijera a Buñuel: «Luis, tu película no me ha gustao na.»[64]

El tema carroñero se prolongó en *L'Age d'or*, que ya en su inicio presenta los despojos de unos obispos mitrados sobre unas rocas, citando el cuadro de Valdés Leal *Sic Transit Gloria Mundi* (1672). De hecho, *L'Age d'or* fue mucho más lejos que *Un Chien andalou* en este aspecto excremental y necrómano y se ha insistido poco en su carácter deliberadamente «feísta». Reparó en él Jean Cocteau, al calificarla en 1930 como «la primera obra maestra antiplástica».[65] El «feísmo» había sido una opción consciente en algunos artistas gráficos de vanguardia, como Georg Grosz, por ejemplo, pero no había sido admitido por la industria del cine y habría que esperar hasta la explosión contracultural *underground* de los años sesenta para que fuera legitimado.

Ninguna película se había atrevido a presentar una escena en un retrete, con el añadido de la descarga del agua (nueva aportación del cine sonoro) y un primer plano excremental de lava en ebullición, que estuvo a la altura de los calzoncillos manchados de excrementos de *Le Jeu lugubre* (1929), de Dalí, pero con su efectismo potenciado por el movimiento y por el sonido. Los excrementos en el retrete de *L'Age d'or* en el que se sienta Lya Lys eran, en realidad, un eco del lodo que cubría a los amantes revolcándose en el suelo un poco antes y una variante de la argamasa excremental que se colocaba solemnemente sobre la piedra fundacional de Roma en el film. Los aspectos putrefactos de *L'Age d'or* no acabaron aquí y el elegante marqués anfitrión de la fiesta fue mostrado por Buñuel con el rostro cubierto de moscas. Seguramente eran las mismas moscas que zumbaron antes sobre los cadáveres putrefactos de dos burros y de cuatro obispos en descomposición.

LA ANGUSTIA DEL DOBLE

En una de las secuencias más sugestivas e intrigantes de *Un Chien andalou* el protagonista aparece estirado e inmóvil en la cama, con unas prendas y atributos –manteletes, cofia, etc.– que connotan inmadurez o femineidad. Por las escaleras de su casa sube muy decidido su doble, tocado con sombrero de calle –una prenda adulta–, entra en la casa, amonesta a su otro yo y le obliga a incorporarse del lecho. Le despoja de sus prendas afeminadas y las arroja por la ventana. Le ordena luego ponerse de cara a la pared y con los brazos en cruz. Un letrero indica: «Dieciséis años antes». Entonces, en una imagen al ralenti, el recién llegado va hacia un pupitre de colegio y toma de él unos libros, que entrega a su otro yo, quien sigue de cara a la pared. Los libros se transforman en revólveres en sus manos y dispara sobre su otro yo intruso, que cae muerto y, en su caída, va a parar a un parque, pasando su mano por la espalda desnuda de una mujer que se halla sentada en aquel lugar.

Este enfrentamiento de los dos yos del protagonista –el yo inmaduro o desvirilizado frente al yo adulto y decidido–, que culmina con la muerte del segundo, resulta sumamente inquietante y posee una gran carga emocional. El tema del doble seguiría apareciendo en la obra posterior de Buñuel y tendrá una de sus formulaciones más brillantes en la Lavinia de *Ensayo de un crimen*, en la escena en que el protagonista llega a confundir el doble de cera con su modelo real. Pero la escena de *Un Chien andalou* aparece preñada de una constelación de criptosignificados.

Federico García Lorca, por ejemplo, solía jugar en la Residencia de Estudiantes a representarse como un muerto, tendido inmóvil en la cama. Y al cabo de un rato, ante sus amigos que contemplaban su «cadáver», volvía a la vida. El desvirilizado Pierre Batcheff, inmóvil en la cama con su atuendo feminoide, pudiera ser una alusión al juego macabro que practicaba el poeta.

Los padres de Salvador Dalí, por otra parte, tuvieron un primer hijo llamado Salvador, quien murió a los veintidós meses, y a los nueve siguientes nació el pintor, quien recibió el mismo nombre, seguramente para perpetuar el patronímico paterno, según una vieja costumbre española. Salvador Dalí se ha referido muchas veces con dramatismo a este episodio, aunque falseando fechas y plazos, como ha demostrado Gibson,[66] llegando a escribir que «mi hermano era probablemente una primera versión de mí mismo».[67] Además, en su primera autobiografía, en varios pasajes, el autor se desdobla narrativamente en frases como «yo, que te conozco tan bien, Salvador...»,[68] y reconoció haber tenido alguna experiencia autoscópica.[69] Tal vez su manifestación más rotunda de la obsesión hacia el hermano homónimo fallecido se produjo cuando escribió: «He nacido doble, con un hermano de más, que he tenido que matar para adquirir mi propio lugar, mi propio derecho a mi propia muerte. (...) Siento mi ser y mi persona como si se tratase de un doble.»[70]

En su voluminosa biografía del pintor, Gibson no concede especial atención hacia este conflicto de identidad, pero creemos que incluso si Dalí fantaseó de modo insincero y exhibicionista con el fantasma de su doble, como sugiere Gibson,[71] esta fantasía impostora le perteneció, y tal pertenencia no podía ser baladí ni irrelevante, como enseña el psicoanálisis. No solamente esto. Para protagonizar *Un Chien andalou* Buñuel eligió al actor francorruso Pierre Batcheff, a quien había conocido en el rodaje de *La Sirène des tropiques* (1926), un personaje de aspecto angustiado y regresivo, de mirada alucinada debido al consumo de drogas y que se suicidaría en 1932. Cuando acababa de interpretar *Un Chien andalou*, el corresponsal de *La Pantalla* en París le calificó[72] de «galán extraño» y lo describía como «muchacho taciturno, un poco hermético, con unos ojos hondos en una facies impasible» que, según el cronista, expresaban «el enigma que recela siempre el alma rusa». Tras esta descripción, y por cierto parecido con el Dalí juvenil, no ha de extrañar que el pintor escribiese que «Pierre Batcheff tenía exactamente la apariencia física del adolescente que yo había soñado para el protagonista».[73]

El tema del doble había aparecido ya por entonces en la producción pictórica de Dalí, incluso involucrando a su hermana, como en su óleo *Retrato de mi hermana y figura picassiana contrapuesta* (1932-34). Si el segmento de *Un Chien andalou* que ahora comentamos se refiere al conflicto de identidad de Dalí, es pertinente observar que el Dalí desvirilizado o feminizado, despojado violentamente de las prendas que connotan su inmadurez, asesina en la escena a su otro yo adulto que había irrumpido en su cuarto (¿al primogénito?) para proseguir luego una vida autónoma sin él.

Uno de los objetos que porta el protagonista de *Un Chien andalou* desde su primera aparición, sobre una bicicleta, es una cajita con apretadas líneas diagonales en su tapa, lo que sugiere la inestabilidad psíquica del personaje (también la corbata que Simone Mareuil proporcionará luego al protagonista cuando se tienda en la cama lucirá rayas diagonales). Ya señalamos que tanto la idea del ciclista como la de su cajita procedían de Dalí, pero nunca llega a saberse para qué sirve o qué contiene esta llamativa caja, por lo que es bueno especular acerca de su función. La caja, además de ser un objeto vaginal en la simbología canónica del psicoanálisis, es el rincón de los secretos del sujeto preadulto, la depositaria de los misterios personales y que, suspendida sobre el plexo solar del protagonista, puede incluso identificarse con el subconsciente, con la caja de los deseos. La caja constituye uno de esos típicos «objetos de usos múltiples» tan caros a los surrealistas. Esta cajita, en efecto, irá mudando de función a lo largo de la filmografía de Buñuel y será caja de música incitadora al asesinato en *Ensayo de un crimen*, cajita con drogas en el salón burgués de *El ángel exterminador* y caja con contenidos perversos e inconfesables en manos del coreano que visita el burdel de *Belle de jour* (1967).

Si el enfrentamiento con el doble en *Un Chien andalou* expresó un fantasma familiar daliniano, resulta interesante seguir a este fantasma en *L'Age d'or*. Pero entre *Un Chien andalou* y *L'Age d'or* se había producido un episodio crucial en la vida del pintor: la violenta expulsión de Dalí de la casa paterna, en noviembre de 1929, por haber escrito en un cuadro exhibido en Barcelona la frase *A veces escupo por placer sobre el retrato de mi madre*. Dalí veía en su autoritario padre al responsable de su crisis de identidad, al haberle impuesto el nombre de su hermano muerto, cuya foto seguía retándole desde el dormitorio paterno. Y cuando acababa de llegarle su triunfo personal en París, le expulsaba de su casa. Dalí pintó este mismo año su importante óleo *Los placeres iluminados*, henchido de alusiones amenazadoras, pues mostraba entre otros motivos a un hombre maduro agarrando por el cuello a una mujer con las manos manchadas de sangre quien, con expresión desesperada, intentaba huir de algún peligro (¿del hombre maduro?). A la izquierda de estas dos figuras, en el borde inferior del cuadro, una mano blande un puñal manchado de sangre, al que se le opone otra mano que agarra la muñeca del agresor. Esta imagen atisbada de modo incompleto –censurada por el borde inferior de la tela– ha sido interpretada generalmente como una amenaza de castración y de venganza paterna. Si esto es cierto, hay que concluir que con motivo de su expulsión familiar parece precipitarse en Dalí el que podríamos llamar, tomando prestado uno de sus motivos pictóricos filicidas, el «complejo de Guillermo Tell», que le inspiró en 1933 su inquietante *El enigma de Guillermo Tell*, en el que un largo apéndice faliforme surge de la nalga derecha del arquero suizo, pero se sostiene con una muleta plantada en el suelo. Dalí, hijo abnegado y sacrificado, comparó a su padre, aparentemente jupiterino, con el paradójico Guillermo Tell, «el hombre cuyo éxito depende del heroísmo de su hijo y de su estoicismo», según sus propias palabras.[74]

Pues bien, la expresión del filicidio compareció en *L'Age d'or* en dos ocasiones, además de la vejación a la madre que el pintor había protagonizado. En la primera, un guardabosques mata con su escopeta a su hijo porque le ha tirado el tabaco del cigarrillo que estaba liando. Los invitados a la fiesta, alertados por los disparos, reparan en el incidente, pero no le dan mayor importancia. En esta fiesta de alta sociedad, por otra parte, el protagonista abofetea a la madre de su amada y la chica se regocija por ello, actitud que nos parece harto significativa, pues su gesto provoca un escándalo y es expulsado del salón. Y, por fin, al término de la escena de amor en el jardín entre Gaston Modot y Lya Lys, ella dice: «¡Qué alegría haber asesinado a nuestros hijos!» El fantasma del filicidio conoció así su operación de exorcismo en la pantalla.

LA SEXUALIDAD COMO TRAUMA Y COMO LIBERACIÓN

Como ya ha podido inferirse por los comentarios hasta aquí expuestos, la sexualidad ocupa un lugar absolutamente central tanto en *Un Chien andalou* como en *L'Age d'or.* En *Un Chien andalou*, inmediatamente después de que la muchacha andrógina es atropellada en la calle por un coche, el protagonista inicia una decidida aproximación sexual a la mujer que está en la habitación, le manosea los pechos de tal modo que la ropa que los cubre se desvanece y se transforman luego en sus nalgas desnudas. En medio de esta operación, Buñuel muestra un primer plano del rostro de Pierre Batcheff con los ojos en blanco y baba sanguinolenta cayendo por una comisura de sus labios. Se diría que el placer se ha trastocado en agonía. Es ésta una escena muy enjundiosa, que hunde sus raíces en conflictos íntimos de sus coguionistas, como pronto veremos.

Luego ella huye y se refugia en un rincón de la habitación, amenazando al hombre con una raqueta de tenis. Él va a aproximarse a ella, pero su movimiento es entorpecido por el peso que arrastran unas cuerdas sobre sus espaldas, a las que van atados unos corchos y luego dos pianos de cola con sendos burros en descomposición encima y dos sacerdotes maristas detrás, que remitían a la etapa escolar tanto de Buñuel como de Dalí.

Ésta es también una escena muy *cargada* ideológicamente y Buñuel ha recordado que la censura francesa ordenó cortar los planos de los dos curas arrastrados por el suelo.[75] Tanto Fernando Cesarman como Agustín Sánchez Vidal[76] han coincidido en que esta escena clave representa el cortejo de fantasmas –generados por la cultura burguesa y la religión– que se interponen entre un hombre y una mujer para consumar su relación erótica. La imposibilidad de satisfacer el impulso sexual con la persona deseada será un tema recurrente en la filmografía de Buñuel y el tema central de su último film, *Ese oscuro objeto del deseo.*

Al espectador distraído puede pasarle desapercibido que, tras la primera aparición de las hormigas en la palma de la mano de Batcheff, un rápido encadenado convierte la masa de insectos en el primer plano de la axila velluda de una bañista y luego en un erizo de mar. Estas metamorfosis, muy propias de las concatenaciones del método paranoico-crítico daliniano, pero que también tienen algo de greguería por su comparación del vello de la axila con el erizo de mar, tienen sus claves en la biografía de Dalí. En efecto, en todos sus textos autobiográficos el pintor explicó su fascinación, desde muy temprana edad, hacia las axilas femeninas. Según su testimonio, este interés fetichista se inició a los nueve años, al contemplar un cuadro de Ramón Pichot que representaba una bailarina con pelos rojos en las axilas.[77] Seguramente Gibson no se ocupa de tal fijación erótica en su biografía del pintor por considerar falsas sus reiteradas declaraciones acerca del carácter erógeno de los sobacos femeninos, pero no existen pruebas para denunciarlas como una impostura y, de ser una invención, también resultaría sumamente significativa. En las primeras fantasías eróticas con sobacos femeninos narradas por Dalí[78] se trató siempre de axilas velludas, que tal vez operaron, semiocultas y cálidas, como un desplazamiento sustitutorio del pubis femenino peludo, y de las que Dalí reparó también con agrado en su olor. Fue acaso una respuesta defensiva para no afrontar el pubis real, pues pronto veremos el terror que le producía entonces a Dalí la relación sexual con una mujer, como corrobora la escena de *Un Chien andalou* que pronto comentaremos. Más tarde, estando ya en la Residencia de Estudiantes, Dalí se refirió en cambio a la fascinación que le producían las axilas femeninas depiladas, con su tonalidad «delicadamente azulada», y llegó a imaginar un rito netamente paranoico con las axilas depiladas de las mujeres que frecuentaban el salón de baile Florida de Madrid.[79] El nuevo interés por las axilas depiladas, que Dalí asociaba a la elegancia mundana, pudo delatar una fase más aguda y desesperada de su fetichismo, con pubis desvelados y con su pliegue bien visible, pero inaccesible. De hecho, el episodio en el salón Florida, tal como lo narra pormenorizadamente Dalí, revela un cuadro patológico delirante severo.

Por otra parte, Dalí relató que, al ser repudiado por su padre a finales de 1929 (es decir, después de la producción de *Un Chien andalou*) se rapó la cabeza de dolor y enterró su pelo con caparazones de erizos de mar en la playa de Cadaqués.[80] Los erizos de mar formaban ya parte por entonces de la mitología daliniana. En octubre de 1927 había enviado a García Lorca su «Poema de las cositas» –publicado en catalán en *L'Amic de les Arts* de 31 de agosto de 1928–, que versaba sobre estos erizos y sus pinchos. Pero el episodio del rapado de Dalí, que asocia el pelo a los erizos como en aquel film, es muy interesante, pues su gesto abatido –se conservan fotografías de aquel Dalí sin pelo– constituyó un acto de humillación y renuncia que se encuentra también entre los monjes y monjas de muchas culturas religiosas. Pero asociar el cabello a los erizos de mar enriquece su ritual, pues el erizo es agresivo por fuera, pero su interior es grato y comestible y era de hecho uno de los manjares predilectos de su progenitor, a quien el propio Buñuel rodó entonces degustándolos, en un *home movie* que se conserva en la Filmoteca de Catalunya, seguramente para congraciarse con el notario en su calidad de amigo y colaborador de su «mal hijo». De modo que al enterrar ritualmente su cabello junto a los erizos, Dalí estaba expresando inconscientemente su drama personal y su deseo de reconciliación con su autoritario padre.

Pero no acabó en las metamorfosis visuales de *Un Chien andalou* la referencia a las axilas. En la última confrontación de Pierre Batcheff y Simone Mareuil en el film ella le mira fijamente y el orificio de la boca de Batcheff desaparece. Ella se pinta los labios compulsivamente y la zona oral y el mentón del protagonista son de pronto cubiertos por el vello de la axila de la chica, quien levanta su brazo para descubrir con sorpresa que su pelo se ha transferido a la cara del hombre. Ella le saca la lengua agresivamente y abandona la estancia. Ya no aparecerán más juntos. Se trata en este caso de una metamorfosis que implica una transferencia simbólica. En esta compleja operación de desplazamiento, desde la cavidad axilar hasta la zona oral masculina, el pelo en el rostro del hombre adquiere una configuración que recuerda intensamente el vello de un pubis femenino, asociándose así a la barba masculina con una vagina en el centro que aparece en la parte superior del óleo daliniano *El juego lúgubre* (1929). Pero esta axila-pubis carece esta vez de boca, no tiene orificio, es impenetrable. En este desplazamiento físico se funden así la obsesión erótica, el fantasma de la mutilación y la angustia ante la inaccesibilidad femenina, pues efectivamente ella le abandona en esta escena. El sentido de la situación complementa como un guante la escena masturbatoria del personaje andrógino, también habitada por el fantasma de la mutilación y por la punición.

En la escena antes comentada en que Batcheff acaricia el cuerpo de Simone Mareuil y su rostro adquiere un aspecto agónico, convergieron las percepciones angustiosas de Buñuel y de Dalí, a pesar de sus muy diferentes biografías sexuales, pues si Dalí era por entonces virgen, Buñuel tenía ya novia y había frecuentado los burdeles, que tan bien evocaría años después en *Belle de jour.* Buñuel ha explicado en varios lugares que asociaba el acto sexual a la muerte,[81] probablemente por el sentido de culpabilidad imbuido por una educación religiosa rigorista, y Dalí comentó también que entonces le causaba terror el contacto sexual, al que veía como una enfermedad amenazadora.[82] No otra cosa expresa el rostro doliente de Batcheff en aquella escena, somatizando su angustia, que tendrá su eco en el rostro sangrante de Gaston Modot al final de la escena de amor en el jardín de *L'Age d'or.*

La escena final de *Un Chien andalou* en la playa remata categóricamente esta obsesión. En la imagen final, tras el rótulo que dice «En primavera», los cadáveres del hombre y de la mujer aparecen frente a frente, aunque semienterrados verticalmente en la arena, en postura muy similar a la pareja que compone *El Ángelus,* de François Millet. Dalí, en el aula de su colegio religioso, tenía una reproducción de este *Ángelus,* que le producía una «oscura angustia».[83] Se olvidó de esta imagen hasta 1929 –fecha de producción del film– en que volvió a ver varias reproducciones suyas. En su enjundioso análisis paranoico-crítico de este lienzo, Dalí desveló que el personaje femenino representaba la postura expectante y preliminar de la hembra de la *Mantis religiosa* antes de devorar al macho. Dalí confesó que en su juventud en Madrid «viví bajo el terror del acto del amor, al que confería caracteres de animalidad, de violencia y de ferocidad extremas. (...) Siempre he pensado que el destino del macho de la *Mantis* ilustraba mi propio caso frente al amor».[84] Pues bien, el interés acerca del mundo de los insectos alimentado por Buñuel con sus lecturas voraces del entomólogo Jean-Henri Fabre y las angustias eróticas de Dalí convergieron en la imagen final de *Un Chien andalou,* que representa a los amantes empalados en la playa en una posición que evoca las figuras del famoso *Ángelus.* Se trató de un nuevo ejemplo de imaginario compartido o compenetrado, pues si Dalí –que definió al film como «admirable realización sádica que apelaba al masoquismo latente de las gentes»–[85] reproduciría una idea similar en su óleo *El atavismo del crepúsculo* (1933-34), con la figura femenina ensartada como lo son los insectos con un alfiler, Buñuel volvería sobre el tema del *Ángelus* en su filmografía posterior, en *Viridiana*, *Belle de jour* y *La Vía Láctea.*

En *L'Age d'or,* Buñuel y Dalí ampliaron e invirtieron el canibalismo sexual de la *Mantis religiosa*, pues Gaston Modot se mete en la boca y muerde los dedos de la mano de Lya Lys, proporcionándole gran placer. Pero a pesar de su pasión mutua, el destino de los amantes protagonistas también es aquí contrariado y se les niega un final feliz. Lo es ya en su primera aparición, revolcándose abrazados sobre el barro, cuando son separados por los representantes del orden social. Y lo es al final, cuando tras la escena de amor en el jardín Gaston Modot se marcha, mientras ella besa a la figura paternal que representa el barbudo director de orquesta. Pero la escena de amor en el jardín se convirtió en una plasmación deslumbrante y abrasiva del *amour fou* surrealista, desmedido, arrollador, autosuficiente y ciego, más allá de la moral y capaz de destruir a sus hijos. De esta escena escribió Buñuel a su productor, el vizconde de Noailles: «ella sola será de lejos más fuerte que todo el perro andaluz».[86] Es al final del dúo amoroso en el jardín, tras su interrupción por una llamada telefónica del ministro, cuando ella pronuncia la famosa frase «¡Qué alegría haber asesinado a nuestros hijos!». Antes de que esto suceda, Modot ha acariciado el rostro de Lya Lys con su mano transformada súbitamente en un muñón, como eco del muñón del calandino Miguel Pellicer. La escena concluye con un correlato del primer plano de Pierre Batcheff en trance erótico, con Gaston Modot con el rostro ensangrentado, al somatizar agónicamente su pasión sexual, mientras en la banda sonora se oye por seis veces la invocación «Amor mío», dicha por Paul Eluard. Imagen impactante, que tal vez fue tributaria también del rostro sangrante hendido por un cortaplumas en *Les Chants de Maldoror,*[87] texto veneradísimo por los surrealistas.

TRANSGRESIONES SEMÁNTICAS Y SINTÁCTICAS

Un Chien andalou y *L'Age d'or* resultaron revolucionarios en la fase terminal del cine mudo por la originalidad de su construcción y de sus estructuras expresivas. Pero no es exacto el diagnóstico reduccionista de Freddy Buache, cuando afirma que *Un Chien andalou* se basa en el encadenamiento irrealista de imágenes realistas,[88] pues no es realista la fotografía de una mano de cuya palma surgen hormigas, ni la de un hombre sin boca. Su complejidad es muy superior y ambos films dinamitan las categorías tradicionales de espacio y de tiempo, como había hecho antes Albert Einstein, quien fue a la Residencia de Estudiantes para impartir una conferencia en marzo de 1923, a la que tal vez Buñuel asistió.

En ambos films se hallan transgresiones semánticas, es decir, imágenes que violentan la representación de la realidad mediante propuestas icónicas aberrantes o monstruosas desde el punto de vista del realismo (la mano-hormiguero, el hombre sin boca, las nubes y el viento que surgen del espejo de un tocador en una habitación), y transgresiones sintácticas, con articulaciones arbitrarias y provocadoras, propias del surrealismo y en la estela de su «cadáver exquisito», bien sea mediante la fórmula del *collage* en el interior de la imagen (una vaca sobre un lecho burgués o un carromato campesino atravesando el salón de una fiesta elegante, en *L'Age d'or*), o bien mediante articulaciones sintácticas producidas por el montaje.

En ambos films se quiebran los códigos usuales de linealidad cronológica narrativa y *Un Chien andalou* propone, mediante letreros, la siguiente construcción (a)cronológica: «Érase una vez...», «Ocho años después», «Hacia las tres de la madrugada», «Dieciséis años antes» y «En primavera». Mientras que *L'Age d'or* empieza en el momento mítico de la fundación de la Roma imperial y luego propone letreros tan caprichosos como el impreciso «A veces, los domingos» y, al final, advierte que «en el preciso instante» en que Modot arroja plumas por la ventana, del castillo de Selliny salen el duque de Blangis y sus compañeros de orgías. Buñuel ya había exhibido su desprecio por la linealidad cronológica canónica en un temprano cuento de 1923 titulado *Por qué no uso reloj*,[89] en el que citó a Einstein y jugueteó desenfadadamente con el relativismo del vector temporal. Y, más tarde, la versatilidad temporal fue expresada por Dalí con sus famosos «relojes blandos», que pintó desde 1930: *Osificación prematura de una estación*, *La persistencia de la memoria*, etc. En *Un Chien andalou* no podía faltar por eso la experimentación con el movimiento ralenti, que Buñuel había glosado admirativamente desde su primera sesión cineclubista en la Residencia de Estudiantes, a partir del letrero «Dieciséis años antes», cuando el doble del protagonista va al pupitre de colegio y toma unos libros.

Parece evidente que la práctica cinematográfica de estos dos films fue un factor que coadyuvó a la gestación en 1930 del método paranoico-crítico por parte de Dalí, como capacidad paranoica para producir asociaciones entre ideas y objetos diversos e inconexos. Paul Hammond ha llegado a afirmar que este método estuvo inspirado por los encadenados del lenguaje cinematográfico, entre los que se barajó en el proyecto de *L'Age d'or* fotografiar verticalmente los labios de Lya Lys, para dar paso luego a la imagen de un sexo femenino depilado.[90] Y en *Un Chien andalou* una operación análoga había transformado unos senos femeninos en nalgas y una mano con hormigas en una axila velluda y luego en un erizo de mar. O, de modo más complejo, transportó el pelo de una axila femenina a la boca y mentón de un rostro masculino.

En efecto, las «dobles imágenes» del método paranoico-crítico, como las de Arcimboldo, que tanto interesaron a Breton y al joven Dalí, son más fáciles de producir controlando cuidadosamente el lápiz o el pincel que con el objetivo de una cámara, más sumiso a la realidad y menos dócil a la invención. En el cine, el imperativo del movimiento secuencial canaliza preferentemente este método hacia la búsqueda de analogías y metamorfosis figurativas como las mencionadas. Pero la profunda sensorialidad de las asociaciones figurativas de *Un Chien andalou*, emparentadas también con las técnicas del *pensamiento mágico* y del *pensamiento infantil* –basados en leyes analógicas–, las distinguen de otras asociaciones visuales formalmente similares de cierto cine de vanguardia de la época. De hecho, sus asociaciones figurativas o sensoriales están más próximas a ciertas experiencias poéticas de la época y ya dijimos que el paso del par luna/nube a ojo/navaja equivalía a una rima icónica. Por eso Ado Kyrou pudo escribir que *Un Chien andalou* era «poesía, literatura filmada».[91]

En *L'Age d'or* siguió cultivando Buñuel las asociaciones figurativas que le permitieron, por ejemplo, pasar de una foto de Lya Lys en un escaparate a su imagen en un diván de su casa. Pero también derivó hacia formulaciones más complejas y abstractas, como cuando transfiere el dolor de cabeza del director de orquesta a Gaston Modot, favorecido por la efectividad que le prestan los tambores de Calanda en la banda sonora. El sonido permitió, en efecto, reforzar los efectos de asociación sinestésica. En *Un Chien andalou* Buñuel había ensayado algunos efectos puramente visuales como el del ya comentado «hormigueo» *(fourmillement)* en una mano atrapada por la puerta, que revela la matriz lingüístico-poética de esta figura. Otro ejemplo brillante lo suministró el plano de una mano que pulsa un timbre seguido de un plano de dos manos agitando una coctelera, para traducir su sonido. Pero hay que recordar que Henri Chomette (hermano de René Clair), en *Le Chauffeur de Mademoiselle* (1927) había sugerido visualmente el sonido de un timbre de teléfono con el brillo de unos cristales en rotación, como los que había utilizado antes en *Jeux des reflets et de la vitesse* (1923).

En ambos films se produjeron también vistosos efectos de dislocación o colisión sintáctica de carácter espacial. Así, en *Un Chien andalou*, el doble del protagonista cae abatido por los disparos en una habitación y consuma su caída en un parque, junto a la espalda desnuda de una mujer. Y esta misma colisión entre un espacio interior y la naturaleza se reproduce cuando Simone Mareuil abre la puerta de su piso urbano y se encuentra en una playa batida por el viento. Algo parecido ocurrirá en *L'Age d'or*, cuando en el espejo del tocador de Lya Lys surjan nubes y viento de un vendaval, con un cielo que sugiere una contaminación iconográfica de Magritte. En los dos últimos ejemplos, el tránsito del interior al exterior de la naturaleza expresa el paso de la opresión a la expansión o liberación de ambas protagonistas. Otro ejemplo famoso lo proporcionó en *L'Age d'or* la escena en que el ministro se suicida y «cae» sobre el techo. Es cierto que Georges Méliès había simulado a personajes situados en el techo, rodados con la cámara cenital, como en *El hombre mosca (L'Homme mouche*, 1902), pero su pretensión era meramente circense. El hallazgo dramático de Buñuel inspirará a Jean Cocteau una escena similar de *Le Sang d'un poète*.

La novedad del cine sonoro permitió en *L'Age d'or*, como ya hemos apuntado, algunos efectos acústicos antinaturalistas de gran potencial poético. Tal ocurre en las dos acciones simultáneas o paralelas de Lya Lys ante su tocador y de Gaston Modot conducido bajo arresto policial por la calle. En la primera escena suena primero en off el cencerro de la vaca que ella acaba de desalojar de su cama, pero luego se añade el viento huracanado de la tempestad que se refleja en el espejo de su tocador y los ladridos de perros que acontecen en la segunda acción paralela, cuando Modot y los policías que le custodian pasan junto a una verja tras la que corren unos perros. Esta amalgama de sonidos se escuchan en ambos territorios y su unanimismo acústico expresa de un modo poético la abolición de las distancias, de modo que aunque los amantes están físicamente separados, permanecen unidos.

Otro hallazgo sonoro de Buñuel se produjo en el dúo amoroso en el jardín, con el diálogo entre los dos protagonistas sin que sus labios se muevan, solución de la que derivarán los monólogos mentales del cine futuro. Aquel mismo año Alfred Hitchcock, en los estudios británicos de Elstree, rodó *Murder*, que utilizó en cambio la voz en off según las pautas de la tradición memorística y monologal de la novela realista. En una escena la protagonista, la actriz Diana Baring (Norah Baring), acusada de asesinato, evoca mentalmente en el calabozo la llamada para salir a escena y los aplausos del público; en otra escena, Hitchcock presenta al actor sir John Menier (Herbert Marshall) afeitándose ante el espejo, con un monólogo reflexivo en off sobre la condena a muerte de la actriz; y, por último, su voz en off se escucha mientras hace gestiones para ayudar a Diana, sobre una imagen de ella en la prisión, interpolada con imágenes de la sombra amenazadora de la horca. El uso de la voz y de sonidos en off por parte de Hitchcock, si bien era novedosa y eficaz, sentó los precedentes para una convención que sería canónica en el cine narrativo, derivada de la novela realista. En *L'Age d'or*, en cambio, Buñuel subrayó, mediante la simulación dialogal, la discrepancia entre las palabras y la inmovilidad labial de los personajes, creando un efecto de extrañamiento, que fue uno de los ingredientes del arte de vanguardia de la época, tal como lo teorizaron los formalistas rusos.

Todas estas innovaciones formales hicieron de ambos films, en palabras de Paolo Bertetto, «dos textos en los que las figuras, las obsesiones y los mecanismos del inconsciente y del delirio resultan al final filtradas en un complejo y fundamentalmente coherente sistema de discurso del subconsciente».[92]

Hace años, J. F. Aranda subrayó el «carácter español» de *Un Chien andalou*, valorando la confusión de espacio y tiempo que está también presente en el teatro y la narrativa española, su nerviosismo rítmico latino, la tradición artística de la brutalidad y la calidad táctil de sus imágenes.[93] Esta españolidad fue señalada repetidamente, por voces muy autorizadas, en su estreno parisino, comenzando por la de Eugenio Montes en *La Gaceta Literaria*, quien escribió:[94] «Buñuel y Dalí se han situado resueltamente al margen de lo que se llama buen gusto, al margen de lo bonito, de lo agradable, de lo sensual, de lo epidérmico, de lo frívolo, de lo francés. Sincronizado con un trozo de film el gramófono (lirismo, drama) tocaba Tristán. Debía tocar la jota de la Pilarica. La que no quería ser francesa. La que quería ser baturra. De España. De Aragón. Del Ebro, Nilo ibérico. (Aragón, tú eres un Egipto, tú elevas pirámides de jotas a la muerte.)

»La belleza bárbara, elemental –luna y tierra– del desierto, en donde "la sangre es más dulce que la miel", reaparece ante el mundo. No. No busquéis rosas de Francia. España no es un jardín, ni el español es jardinero. España es planeta. Las rosas del desierto son los burros podridos. Nada, pues, de *sprit.* Nada de decorativismos. Lo español es lo esencial. No lo refinado. España no refina. No falsifica. España no puede pintar tortugas ni disfrazar burros con cristal en vez de piel. Los Cristos en España sangran. Cuando salen a la calle van entre parejas de la Guardia Civil.»

La percepción de la «españolidad» cultural de *Un Chien andalou* fue bastante frecuente en el momento de su estreno. Jacques B. Brunius escribió en *Cahiers d'Art:*[95] «Luis Buñuel, dejando aparte lo pintoresco, posee lo que puede seducirnos en el carácter español a través de la infección del espíritu latino, quiero decir una violencia sin esperanza, un entusiasmo para reventar todas las barreras, esta fuerza viva que arrastra a los hombres verdaderos hacia los problemas más angustiosos.» Y Jean Vigo, en su conferencia en el Vieux Colombier el 14 de junio de 1930 titulada *Vers un cinéma social*, declaró:[96] «Bajo el ángulo de la temática social, *Un Chien andalou* es un film preciso y valiente. (...) Para comprender la significación del título de este film hay que recordar que Buñuel es español. Un perro andaluz aúlla, ¿quién ha muerto?» Y Juan Piqueras fue más lejos todavía al escribir enigmáticamente que «con otro ambiente pudo ser *El perro andaluz* la primera "españolada" auténtica».[97] No resulta fácil explicar esta percepción –la violencia de algunas escenas y el sentido trágico de ambas obras resultaron tal vez determinantes–, percepción que para algunos críticos españoles resultó sin duda irritante. Lo fue para los responsables de la página de cine de *Mirador*, en donde pudo leerse la siguiente nota anónima cuando Buñuel anunció la próxima producción de *La bestia andaluza* (futura *L'Age d'or*): «[Esperamos que] orientados por el título de la nueva cinta, los críticos franceses no dejarán de indicar, como para la precedente, la influencia en este nuevo film de San Juan de la Cruz y todo aquello del *sombrío misticismo español.*»[98] Pero Buñuel, que sabía en qué terreno jugaba, no dejó de poner la música del pasodoble «Gallito» para acompañar el desenlace sadiano de *L'Age d'or.*

Ha corrido muchísima tinta en los abundantes intentos de exégesis de los dos primeros films de Buñuel, si bien casi siempre se ha percibido *L'Age d'or* como un discurso más explícito o transparente que *Un Chien andalou*, cuya opacidad era la propia de los sueños. Este film constituye, en efecto, un pozo sin fondo, en donde uno puede hallar, si se esfuerza un poco, casi todo lo que desee encontrar. Y este fenómeno nos obliga a plantear ciertas cuestiones de principio.

Siendo *Un Chien andalou* un film sumamente atípico, en relación con la producción de su época, y transgresor de los códigos de representación y de narración entonces vigentes, abre sus imágenes a la mirada intencionada e interesada de cada espectador, con un texto ampliamente polisémico y sin guías de lectura preestablecidas. Ahí reside su primera provocación. Pero el hecho de que este film haya sido, a lo largo de siete décadas, objeto de tantas lecturas e interpretaciones, corrobora que todo film acaba siendo, incluso a pesar de las intenciones de su autor, un proceso narrativo, sobre el que se pueden proyectar diversas lógicas representacionales y narrativas surgidas de cada espectador, dando cohesión e invistiendo de sentido al flujo de imágenes en la pantalla. En pocas palabras, la narratividad acaba por resultar inevitable, pues la mirada y las inferencias –conscientes o inconscientes– del espectador imponen cierto orden y lógica causal a las imágenes y construyen su «historia».

Pero no todos opinan así. En un libro monográfico sobre Luis Buñuel, por ejemplo, Carlos Rebolledo renunció a analizar *Un Chien andalou*[99] aduciendo su «falta de coherencia», por lo que su «análisis sistemático del contenido del film resultaría vago e impreciso», llegando a afirmar que «no utiliza un lenguaje». Es cierto que la polisemia de las imágenes del film las abre a muy diversas lecturas, incluso caprichosas o aberrantes. Así, el psicoanalista Fernando Cesarman, olvidando que se trata de un film en blanco y negro, describió a su protagonista femenina como «una muchacha vestida de colores vivos».[100] Y Raymond Durgnat no ocultó al lector sus dudas contradictorias al referirse al ciclista, escribiendo que «pedalea con sus manos sobre los muslos –masturbación, tal vez, u ostentación de no tocar los genitales».[101] Y, desde luego, no debe extrañar que cuando Jung vio la película diagnosticase sin vacilar un caso de *dementia praecox*.[102]

De acuerdo con nuestra propuesta, un artista (o cualquier individuo) no puede escapar al sentido, y aunque intente que su escritura evite la organización de un discurso coherente, de acuerdo con los códigos dominantes, su sentido acaba surgiendo en su texto a pesar de su voluntad o de sus resistencias conscientes. En rigor, el sinsentido absoluto no existe en las actividades humanas. Por eso ningún texto –literario o audiovisual– es ininterpretable. Su interpretación se produce, en efecto, a la luz de los códigos, canónicos o atípicos, que su lector decide activar.

Buñuel propuso, en una conferencia impartida en México en 1958,[103] que el cine imita el funcionamiento de la mente en estado de sueño. Y, poco después, Kracauer postuló, desde un ángulo sociológico, la analogía entre sueño y film, concibiendo éste como un sueño artificial manufacturado industrialmente para las masas.[104] Si, en tal caso, todo film puede ser interpretado como se interpretan los sueños, descifrando su contenido latente, no es raro que Buñuel admitiese que el único método posible de interpretación de los símbolos de *Un Chien andalou* sería *quizás* el psicoanálisis.[105] No obstante, a tal interpretación hay que objetar en este caso la acumulación autocensurada de ideas de dos autores distintos, descontextualizadas de varios sueños diferentes o producidas con un relativo grado de automatismo, en un proceso de organización controlada de un guión cinematográfico. Desde el punto de vista de la ortodoxia psicoanalítica, se trataría de un texto espurio a efectos de su interpretación.

Pero no puede pasar por alto que todas las exégesis de *Un Chien andalou*, de quienes han estudiado con más rigor el film de Buñuel, han desvelado esquemas dispares pero con núcleos temáticos relativamente parecidos o próximos. La más antigua interpretación que hemos localizado procede del poeta Rafael Porlán Merlo, de 1930, quien estableció[106] que su argumento relata la rebelión del protagonista masculino y su proceso de emancipación de su amante, que le tiraniza. Según él, es «la protesta violenta contra la literatura y las costumbres que han hecho de la mujer una criatura monstruosamente sublimada». Veremos que esta lectura se aproxima a la que las feministas norteamericanas modernas han hecho, al denunciar desde su perspectiva la misoginia del film. En 1959 el francés Mondragon efectuó una exégesis que sería muy repetida durante años,[107] al ver en el film la historia del nacimiento, crecimiento, ambigüedad y maduración sexual de un joven. J. F. Aranda, al proponer que *Un Chien andalou* se refería a los poetas andaluces de la generación del 27 que Buñuel y Dalí detestaban, añadió:[108] «es una biografía aplicable a muchos miembros del grupo, en su aspecto inconsciente y protoparanoico: sus complejos de infantilismo, castración, ambivalencia sexual y de personalidad, etc., y su lucha interior por la liberación de la carga burguesa y la afirmación de lo adulto.» Unos años después completó esta explicación añadiendo que[109] «vino a componer una exposición bastante coherente sobre el complejo de castración de la cultura burguesa y la crisis que provoca en el intelectual que quiere pasar a la madurez, sobre todo la sexual». Y Carlos Velo le explicó a Buñuel, en su común exilio mexicano, que[110] se trataba del «conflicto de un hombre con su otro yo».

Cuando el crítico británico Oswell Blakeston vio la película en julio de 1929 en París, escribió que era un film difícil porque «apela a nuestro subconsciente», pero intuyó que trataba de la homosexualidad.[111] Y, coincidiendo con él muchos años después, Pierre Renaud lo interpretó como «la aventura de un hombre en conflicto con sus instintos homosexuales y sus deseos ordinarios».[112] La generalizada interpretación de que *Un Chien andalou* describe, de modo críptico, las dificultades que se oponen a la maduración heterosexual de un joven, sólo podían reforzar la suspicacia de Lorca de que el film le aludía personalmente.

La interpretación tradicional se ha enriquecido con nuevos matices en los últimos años. Para Cesarman el film ilustraría un conflicto edípico, en el que «un hombre y una mujer, invadidos de impulsos sexuales prohibidos, intentan el encuentro y tratan de resolver su problema incestuoso».[113] Pero la feminista norteamericana Susan Hayward añadiría que, en el film, «la yuxtaposición de imágenes produce claramente significados anticlericales y antiburgueses (tanto como una profunda misoginia)».[114]

Agustín Sánchez Vidal, la mayor autoridad sobre el cineasta aragonés, resumió muy bien el sentido de la obra al escribir que «versa, básicamente, sobre el deseo y sus obstáculos».[115] Maurice Drouzy coincidió en que se trata del relato apenas cifrado de una maduración sexual[116] y Guillermo Carnero añadió: «todo el film es una alegoría sobre la realización vital por medio del amor y sobre los obstáculos con que tropieza (la institucionalización de los instintos asumida por la mujer, el peso de la norma y la educación y las ideas inducidas de culpa y de autocastigo)».[117] Jenaro Talens, con un análisis textual plano a plano de la película, concluiría que «la historia que nos cuenta puede ser entendida como un viaje iniciático, desde el orden familiar –simbolizado en la habitación– hacia el espacio de la relación libre, no codificada ni represora –la playa, el hombre nuevo, etc.».[118] Y Paolo Bertetto concluiría que *Un Chien andalou* «gira en torno a algunos nudos esenciales ligados a la lógica y a la contradictoriedad del deseo, así como a los procesos no lineales de formación de la identidad sexual». De manera que relataría «el itinerario de maduración sexual del individuo [que] concluye con una imagen de la muerte».[119] Con lo que, si la superficie de la intriga argumental de *Un Chien andalou* es bastante opaca, su sentido no lo ha resultado tanto.

Como antes se dijo, *L'Age d'or* ha sido siempre leída con más facilidad y ha sido percibida con más transparencia, en parte también porque sus coguionistas y el núcleo surrealista ofrecieron desde su estreno profusión de pistas y de declaraciones para iluminar su sentido. Buñuel fue muy categórico acerca de su voluntad ideológica subversiva, al explicar que partía de la intención de atacar los ideales de la burguesía: la familia, la patria y la religión.[120] Y Dalí, en el programa de mano de presentación del film, escribió inequívocamente: «Mi idea general al escribir con Buñuel el guión de *L'Age d'or* ha sido la de presentar la línea recta y pura de conducta de un ser que persigue el amor a través de los innobles ideales humanitarios, patrióticos y otros miserables mecanismos de la realidad.» Y, por si conviniera disipar cualquier ambigüedad, trece miembros del grupo surrealista, encabezados por Breton y entre los que figuraba Dalí, publicaron en 1930 un extenso manifiesto sobre el film en el que, después de afirmar que ilustraba la lucha entre el instinto sexual y el instinto de muerte, constataban que «el problema del fracaso de los sentimientos, íntimamente ligado al del capitalismo, todavía no se ha resuelto». Y concluían: «no es pues por casualidad que el film sacrílego de Buñuel es un eco de las blasfemias proclamadas por el divino marqués a través de los barrotes de sus prisiones. Queda evidentemente por mostrar la evolución de este pesimismo en la lucha y en el triunfo del proletariado, que es la descomposición de la sociedad en tanto que clase concreta». *L'Age d'or* se presentaba, por lo tanto, como un film de denuncia y de combate político. Así lo entendió también con irritación el diario *L'Ami du Peuple* cuando calificó *L'Age d'or* de «film surrealista de inspiración bolchevique».[121]

La tradición crítica derivada o próxima a los ideales surrealistas ha mantenido esta lectura del film, asociando su exaltación de la pasión sexual a la subversión política. Así, en *L'Amour fou* Breton escribiría, en plena crisis económica de los años treinta, que *L'Age d'or* constituía «el único intento de exaltación del amor total tal como lo concibo. En tal amor existe en potencia una verdadera edad de oro en completa ruptura con la edad de lodo que atraviesa Europa y de una riqueza inagotable de posibilidades futuras».[122] Ado Kyrou apostillaría que se trataba de «un gran poema cinematográfico del *amour fou*».[123] Y Feddy Buache afirmaría que el film «erige el más vasto balance de opresiones jamás proyectado en una pantalla».[124]

En efecto, si en *Un Chien andalou* no se presentaba un marco histórico-social que condicionaba a los personajes, en *L'Age d'or* se puso el énfasis en la coactividad social sobre los amantes protagonistas. Tras el prólogo que ilustra la crueldad de los escorpiones, la acción presenta a una mísera partida de bandidos, trasunto de la horda primigenia, patriarcal, carente de mujeres y onanista, con el amor heterosexual excluido de su grupo. Uno de los bandidos se llamó Pemán, en alusión al reaccionario y «putrefacto» poeta y dramaturgo José María Pemán, que será un importante intelectual orgánico de la dictadura franquista. A su primitivismo se opone por contraste la llegada de los «mallorquines», altos dignatarios (políticos, militares, diplomáticos, curas) que desembarcan en el lugar para fundar la Roma imperial, colocando solemnemente sobre la piedra fundacional un trozo de argamasa que parece un excremento. De modo que la fundación de Roma, cimiento de la civilización occidental y cristiana, sucede al primitivismo de la tribu autárquica y su primer acto ejecutivo consiste en reprimir la pasión sexual de la pareja protagonista, que se revuelca en el suelo, separándoles y arrestando al hombre. Éste es liberado cuando más tarde se identifica a los policías, mostrándoles el diploma que acredita su alta misión benefactora, y asiste luego a la elegante fiesta que organiza el marqués progenitor de su amante. La parte central del film, escenificada en dicha fiesta, es el verdadero corazón de la obra, y en ella tiene lugar el filicidio cometido por el guardabosques y el bofetón que el protagonista propina a la madre de su amada y que motiva su expulsión. Ya en el jardín, tiene lugar la famosa escena de amor entre ambos, que antes hemos comentado, con fondo musical wagneriano, y que concluye cuando ella besa a la figura paterna representada por el barbudo director de orquesta. En un acceso de furor, el protagonista arroja objetos por una ventana, escena que da paso al epílogo sadiano, a las puertas del castillo de Selliny –reducto ajeno al orden social–, con su libidinoso duque de Blangis (extraído de *Las 120 jornadas de Sodoma)* caracterizado como Jesucristo, representando los impulsos no refrenados de la naturaleza, que se oponen a la ley y al orden social impuestos. El último plano del film muestra una cruz ornada con cabelleras femeninas de las víctimas de sus crueles orgías.

A pesar del consenso en la lectura ideológica de *L'Age d'or*, al igual que ante *Un Chien andalou* se manifestaron algunos matices diferenciales. Agustín Sánchez Vidal señalaría que su título pudo aludir a la mítica edad de oro evocada por Cervantes en el undécimo capítulo de *Don Quijote*, en la que los instintos se podían satisfacer libremente y sin obstáculos.[125] Para Cesarman, *L'Age d'or* escenificó, al igual que *Un Chien andalou*, un conflicto edípico, y la conducta psicótica del hombre, según él, parecería indicar, con su lascivia, el deseo sexual hacia la mujer-madre.[126] Mientras que, desde otro ángulo, Paul Hammond vio en el film una «irracionalización» u «onirización» del melodrama hollywoodense,[127] lo que tal vez explicaría que Dalí lo percibiese con agrado como un film norteamericano.

Para resumir estas valoraciones, nada mejor que reproducir los atinados juicios de Sánchez Vidal, para quien *L'Age d'or* «venía a ser una prolongación natural de *Un perro andaluz*, una nueva entrega de la lucha del deseo por alcanzar unos objetivos que le eran impedidos por una serie de obstáculos, hasta desembocar en los impulsos de muerte. Un esquema muy freudiano, si se quiere. (...) Aunque en *Un perro andaluz* se ponga el acento en lo individual y poemático y en *La edad de oro* en lo social y narrativo, los núcleos de ambas películas son muy similares: un hombre trata de acceder a una mujer y entre ambos se interpone todo el cortejo fantasmático que asocia sexo y muerte».[128] Y, claro está, el segundo film, en tanto que cine sonoro y parlante, inauguró una nueva propuesta estética en la carrera de Buñuel.

NOTAS

1. *Luis Buñuel*, de Freddy Buache, La Cité, Lausana, 1970, p. 9.
2. Citado por Georges Sadoul en el prólogo de *Viridiana*, Inter Spectacles, París, 1962, p. 16.
3. *Conversaciones con Buñuel*, de Max Aub, Aguilar, Madrid, 1985, p. 134.
4. *Il cinema d'avanguardia (1910-1930)*, de Paolo Bertetto, ed., Marsilio, Venecia, 1983, pp. 98-99.
5. «*L'Age d'or*» *aujourd'hui*, en *Positif*, n.º 247, octubre de 1981, pp. 44-50.
6. *L'Age d'or*, de Paul Hammond, British Film Institute, Londres, 1997, p. 16.
7. *Conversaciones con Buñuel*, pp. 59 y 61.

8. «Rafael Alberti à l'agrégation d'espagnol. Un entretien avec Pablo Vives», en *Les Lettres Françaises,* n.º 901, 16-22 de noviembre de 1961, p. 4.

9. *La arboleda perdida*, de Rafael Alberti, Seix Barral, Barcelona, 1975, p. 173; *Conversaciones con Buñuel,* pp. 287 y 293.

10. *Conversaciones con Buñuel,* p. 319.

11. «Noticiemos sobre cinema. París, 3 momentos, tres films», en *La Gaceta Literaria,* n.º 112, 15 de agosto de 1931, p. 9.

12. *The Secret Life of Salvador Dalí,* de Salvador Dalí, The Dial Press, Nueva York, 1942, p. 212.

13. *Primer Plano,* n.º 579, 18 de noviembre de 1951.

14. *Comment on devient Dalí,* de Salvador Dalí, Robert Laffont, París, 1973, p. 94.

15. *Comment on devient Dalí,* p. 131.

16. *L'Age d'or. Correspondance Luis Buñuel-Charles de Noailles. Lettres et documents (1929-1976),* Centre Georges Pompidou, París, 1993, pp. 49-55.

17. *Mon dernier soupir,* de Luis Buñuel, Robert Laffont, París, 1982, pp. 138 y 140; *Conversaciones con Buñuel,* p. 64; *Buñuel por Buñuel,* de Tomás Pérez Turrent y José de la Colina, Plot, Madrid, 1993, pp. 27-28.

18. *Comment on devient Dalí,* p. 60.

19. *L'Age d'or. Correspondance...,* pp. 49-55.

20. *L'Age d'or. Correspondance...,* p. 54.

21. *L'Age d'or,* p. 42.

22. *Comment on devient Dalí,* pp. 32-33.

23. *Obra literaria,* de Luis Buñuel, edición de Agustín Sánchez Vidal, Heraldo de Aragón, Zaragoza, 1982, p. 120.

24. *L'Age d'or. Correspondance...,* p. 92.

25. *The Secret Life of Salvador Dalí,* pp. 282-283.

26. *L'Age d'or. Correspondance...,* pp. 161-162.

27. *Conversaciones con Buñuel,* p. 56.

28. *Ouevres complètes* de André Breton, tomo II, Gallimard, París, 1992, p. 746.

29. *Comment on devient Dalí,* p. 129.

30. *Mon dernier soupir,* p. 125; *Conversaciones con Buñuel,* p. 58; *Buñuel por Buñuel,* p. 23.

31. *Conversaciones con Buñuel,* p. 548.

32. *Conversaciones con Buñuel,* p. 320.

33. *Obra literaria,* p. 141.

34. «Les avantguardes catalanes i el seu context cultural enfront del cinema», de Joan Minguet, en *Cinematògraf. Annals de la Federació Ca-*

talana de Cineclubs, vol 4, Curso 1986-1987, Barcelona, 1987, p. 60. El artículo de Dalí se publicó en *L'Amic de les Arts*, n.º 20, 30 de noviembre de 1927, p. 104.

35. *Mon dernier soupir*, p. 23.

36. *Mon dernier soupir*, p. 252.

37. «Para una autobiografía de Luis Buñuel (3)», de Valentín Arteta, en *Cinestudio*, n.º 111, julio de 1972, p. 39.

38. *Mon dernier soupir*, p. 41.

39. *El ojo de Buñuel. Psicoanálisis desde una butaca*, de Fernando Cesarman, Anagrama, Barcelona, 1976, p. 72.

40. *El ojo tachado*, de Jenaro Talens, Cátedra, Madrid, 1986, p. 61.

41. «Del subconsciente al objeto de la mirada superrealista: un viaje de ida y vuelta», de Guillermo Carnero, en V Jornadas en torno a Luis Buñuel, *Turia*, n.º 28-29, Teruel, junio de 1994, p. 162.

42. *Luis Buñuel. Biografía crítica*, de J. F. Aranda, Lumen, Barcelona, 1975, p. 102.

43. *Los 500 films de Segundo de Chomón*, de Juan Gabriel Tharrats, Universidad de Zaragoza, 1988, p. 123.

44. Brian Taves contestó esta contribución de Buñuel en su artículo «Whose Hand? Correcting a Buñuel Myth», en *Sight and Sound*, verano de 1987, pp. 210-211.

45. *The Secret Life of Salvador Dalí*, pp. 139-140; *Comment on devient Dalí*, pp. 84-85, 107 y 112.

46. *The Shameful Life of Salvador Dalí*, de Ian Gibson, Faber and Faber, Londres, 1997, p. 167.

47. «Variaciones sobre el bigote de Menjou», en *La Gaceta Literaria* n.º 35, 1 de junio de 1928, p. 4.

48. *The Secret Life of Salvador Dalí*, p. 38.

49. *Obras Completas* de Federico García Lorca, de Miguel García-Posada ed., tomo I, Círculo de Lectores, Barcelona, 1996, p. 390.

50. *El ojo de Buñuel*, p. 55.

51. *The Films of Luis Buñuel. Subjectivity and Desire*, de Peter William Evans, Clarendon Press, Oxford, 1995, p. 91.

52. *Conversaciones con Buñuel*, pp. 59 y 61.

53. *The Shameful Life of Salvador Dalí*, p. 196.

54. *The Secret Life of Salvador Dalí*, pp. 94 y 98; *Comment on devient Dalí*, p. 47.

55. *Mon dernier soupir*, p. 245.

56. *Obra literaria*, p. 137.

57. *The Secret Life of Salvador Dalí*, p. 213; *Mon dernier soupir*, p. 126; *Conversaciones con Buñuel*, p. 56; *Buñuel por Buñuel*, p. 24.

58. *Buñuel por Buñuel*, p. 21.
59. *Conversaciones con Buñuel*, pp. 62 y 159.
60. *Mon dernier soupir*, pp. 122-123; *Conversaciones con Buñuel*, p. 104.
61. *Buñuel, Lorca, Dalí. El enigma sin fin*, de Agustín Sánchez Vidal, Planeta, Barcelona, 1988, pp. 176-178.
62. *Luis Buñuel. Biografía crítica*, de J. F. Aranda, Lumen, Barcelona, 1969, p. 58, nota 1.
63. *Mon dernier soupir*, p. 193.
64. *Conversaciones con Buñuel*, p. 68.
65. *Opium. Journal d'une désintoxication*, de Jean Cocteau, Le Livre de Poche, París, p. 168.
66. *The Shameful Life of Salvador Dalí*, p. 22.
67. *The Secret Life of Salvador Dalí*, p. 2.
68. *The Secret Life of Salvador Dalí*, pp. 127, 173-174, 228 y 241.
69. *The Shameful Life of Salvador Dalí*, pp. 221-222; *Comment on devient Dalí*, p. 300.
70. *Comment on devient Dalí*, pp. 16 y 297.
71. *The Shameful Life of Salvador Dalí*, pp. 22-23.
72. «El extraño galán Pierre Batcheff», de Germán Gómez de la Mata, en *La Pantalla*, n.º 73, 30 de junio de 1929, p. 1026.
73. *The Secret Life of Salvador Dalí*, p. 212.
74. *Comment on devient Dalí*, p. 33.
75. *Buñuel por Buñuel*, p. 25.
76. *El ojo de Buñuel*, p. 59; *El mundo de Buñuel*, de Agustín Sánchez Vidal, Caja de Ahorros de la Inmaculada, Zaragoza, 1993, p. 250.
77. *Comment on devient Dalí*, p. 53.
78. *The Secret Life of Salvador Dalí*, pp. 96 y 143; *Comment on devient Dalí*, pp. 78 y 86.
79. *The Secret Life of Salvador Dalí*, pp 194-195.
80. *Coment on devient Dalí*, p. 121.
81. *Mon dernier soupir*, p. 22; *Buñuel por Buñuel*, p. 115.
82. *Comment on devient Dalí*, p. 88; *El mito trágico del «Angelus» de Millet*, de Salvador Dalí, Tusquets, Barcelona, 1978, pp. 81 y 93.
83. *The Secret Life of Salvador Dalí*, p. 64.
84. *El mito trágico del «Angelus» de Millet*, pp. 81 y 84.
85. *Comment on devient Dalí*, p. 94.
86. *L'Age d'or. Correspondance...*, p. 60.
87. *Les Chants de Maldoror*, en *Oeuvres complètes* de Lautréamont, Le Livre de Poche, París, 1963, pp. 39-40.
88. *Luis Buñuel*, p. 13.

89. *Alfar,* n.º 20, mayo de 1923.

90. *L'Age d'or*, p. 47.

91. *Luis Buñuel,* de Ado Kyrou, Seghers, París, 1970, p. 22.

92. «Figure dell'inconscio e metodo paranoico-critico», de Paolo Bertetto, en *Cinema d'avanguardia in Europa*, Il Castoro, Milán, 1996, p. 192.

93. *Luis Buñuel. Biografía crítica*, de J. F. Aranda, Lumen, Barcelona, 1975, pp. 100-101.

94. *La Gaceta Literaria,* n.º 60, 15 de junio de 1929, p. 1.

95. *La lucidité propre aux poètes (Un Chien andalou)*, en *Cahiers d'Art*, junio de 1929.

96. «Jean Vigo», *Premier Plan,* n.º 19, Lyon, 1961, p. 43.

97. «Prolongación de la falsa españolada», en *Siluetas* n.º 5, 1 de febrero de 1930.

98. «Panorama», en *Mirador,* n.º 60, 20 de marzo de 1930, p. 6.

99. *Luis Buñuel*, de Carlos Rebolledo, Éditions Universitaires, París, 1964, pp. 11-16.

100. *El ojo de Buñuel*, p. 73.

101. *Luis Buñuel*, de Raymond Durgnat, Studio Vista, Londres, 1968, p. 24.

102. *Mon dernier soupir*, p. 283; *Buñuel por Buñuel*, p. 42.

103. «El cine, instrumento de poesía», en *Obra literaria*, p. 185.

104. *Theory of Film. The Redemption of Physical Reality*, de Sigfried Kracauer, Oxford University Press, Nueva York, 1960, p. 153.

105. «Notes on the making of *Un Chien andalou*», en *Art in Cinema*, de Frank Stauffacher, San Francisco Museum of Art, 1947, p. 153.

106. «Un Chien andalou», en *El Liberal* de Sevilla, 2 de agosto de 1930, reproducido en *Memoria cinematográfica. Rafael Porlán Merlo*, de Rafael Utrera, ed., El Ojo Andaluz, Sevilla, 1992, pp. 29-30.

107. «Comment j'ai compris *Un Chien andalou*», en *Revue Ciné-Club,* n.º 8-9, mayo-junio de 1959.

108. *Luis Buñuel. Biografía crítica*, p. 66, nota.

109. *El surrealismo español*, de Francisco Aranda, Lumen, Barcelona, 1981, p. 91.

110. *Conversaciones con Buñuel*, p. 417.

111. «Paris shorts and longs», en *Close Up*, agosto de 1929, pp. 143-144.

112. «Symbolisme au second degré: Un Chien andalou», de Pierre Renaud, en *Études cinématographiques,* n.º 22-23, primer semestre de 1963, p. 150.

113. *El ojo de Buñuel*, pp. 85-86.

114. *Key concepts in cinema studies*, de Susan Hayward, Routledge, Londres-New York, 1996, p. 80.

115. *Luis Buñuel. Obra cinematográfica*, de Agustín Sánchez Vidal, Ed. JC, Madrid, 1984, p. 63.

116. *Luis Buñuel, architecte de rêves*, Lherminier, París, 1978, pp. 38-56.

117. «Del subconsciente al objeto de la mirada superrealista: un viaje de ida y vuelta», p. 162.

118. *El ojo tachado*, p. 84.

119. «Figure dell'inconscio e metodo paranoico-critico», pp. 194 y 203.

120. *Buñuel por Buñuel*, p. 29.

121. *L'Ami du Peuple*, 5 de diciembre de 1930.

122. *Oeuvres complètes*, tomo II, p. 746.

123. *Luis Buñuel*, p, 22.

124. *Luis Buñuel*, p. 18.

125. «De *L'Age d'or* à *La ruée vers l'or*», en *L'Age d'or. Correspondance...*, pp. 19-20.

126. *El ojo de Buñuel*, p. 89.

127. *L'Age d'or*, pp. 9-10.

128. *El mundo de Buñuel*, pp. 121-122.

12. «ESENCIA DE VERBENA»

EL CONTEXTO CULTURAL

La exaltación del mundo urbano en la literatura, tan típica de las vanguardias de entreguerras, había sido iniciada por el futurismo. Su presencia resultaría central en *Gente de Dublín (Dubliners*, 1914) y *Ulysses* (1922), de James Joyce, novela aparecida el mismo año que los relatos urbanos de *Ouvert la nuit*, de Paul Morand. *Manhattan Transfer* (1925), de John Dos Passos, se publicó en España en febrero de 1927, tres meses antes del estreno de *Metrópolis* en Madrid. De 1929 data *Berlin Alexanderplatz*, de Alfred Döblin. Y la ciudad de Nueva York, paradigma de la metrópolis moderna que tanto había impresionado a Fritz Lang y estuvo en el origen de *Metrópolis*, fue un tema literario elegido por García Lorca *(Poeta en Nueva York*, 1929) y por Jaime Torres Bodet *(Proserpina rescatada*, 1931). Pero la exaltación de la gran urbe tenía que producir necesariamente el contraste literario entre modernidad y tradición. Cultivó tal contraste, como ya vimos, Francisco Ayala en su *Cazador en el alba* (1930), con la visión del recluta campesino que va a la ciudad para incorporarse a filas. En la obra de Ernesto Giménez Caballero el agudo contraste entre urbe (modernidad) y procesión religiosa de la Semana Santa (tradición) había aparecido ya, más tempranamente todavía, en el capítulo «Procesión» de su libro *Julepe de menta.*[1]

Con mayor razón, si cabe, la ciudad había interesado también a los cineastas, exploradores de un arte de la modernidad técnica. En el séptimo capítulo de este libro nos referimos ya a este asunto al abordar el caldo de cultivo en el que nació el film *Madrid en el año 2000.* A los títulos cinematográficos allí citados añadamos ahora los posteriores *Moscú (Moskvá*, 1926), documental de cinco rollos en el que

Mijaíl Kaufman mostró la evolución de la capital desde el alba hasta el crepúsculo; *Berlin Stillben* (1926), de László Moholy-Nagy; *Berlín, sinfonía de una gran ciudad* (1927), de Walter Ruttmann; *La Zone* (1927), de Georges Lacombe; *De Brug* (1928), de Joris Ivens; *Les nuits électriques* (1929) y *Montparnasse* (1929), de Eugène Deslaw; *Marseille Vieux-Port* (1929), de Moholy-Nagy; *El hombre de la cámara (Cieloviek s kinoaparatom,* 1929), de Dziga Vertov; *Nogent. Eldorado du dimanche* (1929), en donde Marcel Carné, como Giménez Caballero al año siguiente, centró su atención en las diversiones populares; *A City Symphony* (1929), de Herman G. Weinberg; *Images d'Ostende* (1929), de Henri Storck; *A propos de Nice* (1929), de Jean Vigo y *Lisboa, cronica anecdotica* (1930), de José Leitao de Barros. Estas cintas tenían su punto de partida en el cine documental, pero procedieron casi siempre a poetizar sus imágenes mediante una estilización formal aportada por la elección intencionada de sus encuadres, su angulación, o las cadencias de su montaje, de modo que su representación desbordó el punto de partida meramente descriptivo.

Las ciudades habían aparecido también muy tempranamente en el cine de ficción y fueron escenario predilecto para las persecuciones de muchos cortos cómicos de Mack Sennett, pero adquirieron protagonismo dramático desde 1923, con tonos simbólicos y siniestros en *La calle (Die Strasse,* 1923), de Karl Grüne, y con una mirada más naturalista en *Coeur fidèle*, de Jean Epstein, rodada en barrios portuarios y populares de Marsella y cuya escena de feria y sus planos rodados desde un tiovivo causaron tal alboroto en la sala, que su gerente estuvo a punto de llamar a la policía.[2] Pero Murnau construyó en los estudios de la Fox su bulliciosa ciudad de *Amanecer (Sunrise,* 1927), en donde la pareja protagonista se reconciliaba, mientras Paul Fejos situó casi toda la acción de *Soledad (Lonesome,* 1928) en exteriores urbanos reconstruidos en los terrenos de la Universal, para mostrar cómo nacía el amor de la pareja protagonista, que era luego separada por la multitud. Lo mismo hizo Joe May en *Asfalto (Asfalt,* 1929) al reconstruir las calles de Berlín, con su denso tráfico rodado, en los platós de la UFA. Esta tendencia culminó en Hollywood con la cinta musical futurista *Just Imagine* (1929), de David Butler para la Fox, cuya acción transcurría en una espectacular Nueva York de 1980, basada en los dibujos urbanos futuristas de Hugh Ferris y con la intención de replicar a *Metrópolis*. En varios de los títulos citados –*Coeur fidèle, Amanecer, Soledad, Just Imagine*– los espacios de diversiones populares ocuparon un lugar relevante.

El tema verbenero gozaba en 1930, fecha de producción de *Esencia de verbena*, de cierta tradición en los medios artísticos españoles. Para limitarnos a los años inmediatamente anteriores al film de Giménez Caballero, recordemos que el poeta ultraísta toledano Ernesto López Parra publicó en marzo de 1921 en la revista *Ultra* el poema titulado «Verbena», que decía:[3]

> Las luces se persiguen
> por entre los girones de la noche.
> Biombos japoneses
> velan las claridades de la luna.
> Los cohetes de aceite
> estallan en círculos concéntricos
> sin ruido.
> Sobre el rompeolas
> estalla la tormenta.
> El arco iris de las risas
> extiende sus banderas al viento
> y sobre el *carrusel* de la democracia
> canta la marsellesa en la calle.

El poeta nos habla de luces, cohetes, círculos concéntricos, risas, banderas al viento y carrusel para plasmar el dinamismo y bullicio de la verbena, que por tales características tenía que atraer a quienes habían sido contaminados por la estética futurista. Por las mismas razones, la verbena constituyó un motivo plástico frecuentado en los años veinte. Carlos Sáenz de Tejada produjo en 1924 su notable óleo sobre lienzo titulado *Mañana de verbena o el Pim pam pum* (190 × 192 cm), que se exhibió en la Exposición de Artistas Ibéricos de Madrid, en 1925. El pintor y poeta manchego Gabriel García Maroto publicó en 1927 su libro de dibujos poscubistas *Verbena de Madrid,*[4] el mismo año en que Ramón Acín pintó el óleo sobre lienzo *La feria* (169 × 215 cm), con noria, tiovivo, tobogán y barraca de pimpampum. Y el pintor aragonés Santiago Pelegrín expuso en 1928 en el Museo de Arte Moderno de Madrid su cuadro titulado *Verbena.*

Pero la gran revelación del tema verbenero como motivo plástico provino de la pintora gallega Maruja Mallo, personaje clave en la cultura vanguardista de aquellos años. En 1927 y 1928 trabajó varios asuntos verbeneros que expuso en mayo de 1928, por invitación expresa de Ortega, en los locales de *Revista de Occidente.* La apertura de la exposición fue reseñada en una nota de *La Gaceta Literaria,*[5] colocada debajo del artículo de Buñuel «Variaciones sobre el bigote de Menjou». La exposición estaba compuesta por cuatro grandes lienzos con abigarrados ambientes verbeneros madrileños, además de treinta dibujos, piezas que recibieron elogios de García Lorca y de Gómez de la Serna.[6] Aquello fue una revelación y, en su crítica, Antonio Espina elogió su «guiñol de sensaciones e ideas. (...) Un bazar divertido y sabio, organizado por el razonable capricho del poeta».[7] No era la primera vez que *La Gaceta Literaria* glosaba la obra singular de la pintora, pues Luis G. Valdeavellano ya lo había hecho el año anterior, en septiembre de 1927.[8] Pero a partir de su despliegue verbenero de 1928 su estatura se agigantó. Todavía en julio de 1937, en una conferencia pronunciada en la Sociedad Amigos del Arte de Montevideo, Maruja Mallo evocaba desde su exilio americano la centralidad de las verbenas madrileñas en su inspiración.[9] A consecuencia de tal revelación, el tercer capítulo de *Julepe de menta* estuvo dedicado a Maruja Mallo en ambiente verbenero, entre churrerías, barquillos y marisqueros. Giménez Caballero la calificó allí de «Notre Dame de la Aleluya» (acababa de declarar en el capítulo anterior a la aleluya abuela del cine). En la letanía poética final de este texto citó Giménez Caballero el pimpampum, el organillo, el fotógrafo al minuto, etc., elementos que comparecerán en su documental de 1930. (Todavía cabría añadir que las afinidades entre ambos no acabaron aquí, pues la Mallo expuso en 1932 en París su serie *Cloacas y campanarios,*[10] cuyo primer término parece un eco de *Yo, inspector de alcantarillas*, de Giménez Caballero.) Por otra parte, como ya dijimos, Maruja Mallo fue elegida para ilustrar el libro nonato de Rafael Alberti sobre los cómicos del cine, y algunas de sus imágenes fueron publicadas para acompañar los ya glosados poemas de Alberti estampados en *La Gaceta Literaria* y a un artículo de la revista *Popular Film.*[11]

EL PROYECTO ESTÉTICO DE GIMÉNEZ CABALLERO

Si en *Noticiario del Cineclub*, rodado pocos meses antes, estuvo representado el Madrid intelectual y preferentemente vanguardista, en *Esencia de verbena* estaría representado de modo óptimo el Madrid popular castizo, ejemplificando ambos films los dos rostros de Giménez Caballero al final de la década. Es ésta una cuestión importante en la que conviene detenerse.

El casticismo, como búsqueda de las esencias nacionales y de la identidad popular, fue asimilado por Giménez Caballero como una herencia o derivación de la inquietud identitaria noventayochista. Fue seguramente Unamuno quien mejor reflexionó sobre esta cuestión en sus ensayos finiseculares reunidos en *En torno al casticismo*, cuyo contenido asimilaría Giménez Caballero. Citando el final de *Don Quijote*, Unamuno señaló que su españolismo le hizo universal, añadiendo más adelante que «conviene mostrar que el regionalismo y el cosmopolitismo son dos aspectos de una misma idea», pues «el desarrollo del amor al campanario sólo es fecundo y sano cuando va de par con el desarrollo del amor a la patria universal humana; de la fusión de estos dos amores, sensitivo sobre todo el uno y el otro sobre todo intelectual, brota el verdadero amor patrio».[12]

La propuesta unamuniana fue una matriz ideológica idónea para el desarrollo del singular casticismo de Giménez Caballero, quien por esta época estaba ya contaminado por la influencia del fascismo mussoliniano, que, como es notorio, además de hipostasiar a la patria italiana, tenía también una vocación imperial y, a su manera ciertamente espuria, una vocación internacionalista, que seguramente fuera más justo describir como expansionista.

Bajo esta doble luz, *Esencia de verbena*, que injertó un escenario tradicional y casticista en el corazón del moderno espacio urbano, cantándolo además con prosodia vanguardista, se nos aparece como una nítida y elocuente encrucijada entre la etapa vanguardista y cosmopolita de Giménez Caballero y su posterior fase españolista. La vanguardia era originalmente, en efecto, cosmopolita (por eso la detestaron Goebbels y Hitler, que condenaron el «arte degenerado»), pero el imperio (español) era otra forma distinta de internacionalismo, y la originalidad de Giménez Caballero residió en haber injertado en su impulso cosmopolita una sublimación localista. José-Carlos Mainer ha escrito con pertinencia que *Julepe de menta* enlaza la temática específicamente vanguardista y la nacionalista.[13] Añadamos que no se trató de un caso aislado. Aunque con otra intención, también el García Lorca cosmopolita de *Poeta en Nueva York* fue el máximo exponente del localismo andalucista, con sus atavismos (como en la tragedia de *La casa de Bernarda Alba)*, sus gitanos (su *Romancero gitano* que tanto disgustó a Buñuel y Dalí) y sus toreros (*Llanto por Ignacio Sánchez Mejías)*.

En resumidas cuentas, *Esencia de verbena* se erigió en un nítido reflejo de la dialéctica nacional-universal (o casticismo-vanguardia) de todo el pensamiento de Giménez Caballero en su etapa de transición al fascismo, definida por su intento de síntesis entre tradición nacional y universalismo imperial. La vocación hispano-imperial llegó a encontrar en su film un subterfugio para penetrar en la colección de estampas castizas, al rendir en una escena un homenaje al mantón de Manila, dando pie esta reliquia filipina con que se adornaban las mujeres a que el autor evocara, en el comentario sonoro añadido en 1947: «Mantones de Manila, sedosos e inolvidables recuerdos del viejo imperio español.»

LA PELÍCULA

Ernesto Giménez Caballero, que era un autodidacta cinematográfico del Madrid primorriverista, no había visto en 1930 los famosos «poemas urbanos» de Ruttmann y de Vertov,[14] pero había podido contemplar *Rien que les heures* en la Residencia de Estudiantes y *La Zone* y *Les nuits électriques* en su Cineclub Español, y adscribió su film al género del «poema urbano», colocándole el expresivo subtítulo «poema documental de Madrid en doce imágenes». Esta opción corroboraba que compartía el interés vanguardista por el dinamismo bullicioso del mundo urbano, sin desinteresarse, como se ha dicho, por lo tradicional y castizo. El título de su libro de 1928 *Yo, inspector de alcantarillas* sugería ya un aspecto sórdido y marginal de la vida en el asfalto, como remachó su singular subtítulo *Epiplasmas.* En *Esencia de verbena* abordó también un aspecto marginal, pero esta vez festivo y hedonista, de la vida urbana, injertando un escenario tradicional y casticista –pero también muy dinámico– en el corazón del espacio ciudadano, en plena coherencia con sus supuestos ideológicos, y dándole además un tratamiento formal influido por el cine de vanguardia de la época.

Ernesto Giménez Caballero formó, junto con Buñuel y Dalí, el reducido grupo de intelectuales del 27 que ejercieron en la práctica tareas de producción cinematográfica antes de 1931. En 1930 rodó dos cortometrajes y otros doce entre 1931 y 1983, dejando cuatro guiones sin realizar, suscitando especial curiosidad su proyecto de documental sobre la locura, que confió a Dalí a finales de 1930.[15] El cine no resultaría marginal, por lo tanto, en la carrera de Giménez Caballero. *Esencia de verbena* se rodó en los meses que siguieron a la producción de *Noticiario del Cineclub*, aunque su autor solía recordarla en sus últimos años como anterior a éste. Se inició a partir de junio de 1930, para captar las imágenes de las fiestas de San Antonio de la Florida que aparecen en el film, y el rodaje intermitente se prolongó en otras verbenas de aquel verano madrileño, especialmente la del Carmen, el 16 de julio. La duración final, a tenor de la copia sonorizada que hoy se conserva, fue de once minutos y veinticinco segundos. Fue su operador Segismundo Pérez de Pedro, que se especializaría en el cine documental, y el material filmado se reveló en el hoy desaparecido Laboratorio España, que efectuó sus trucajes ópticos. El coste total de la cinta fue de cinco mil pesetas y actuaron como intérpretes episódicos en ella («actores transeúntes» les denominó Giménez Caballero) Ramón Gómez de la Serna, Polita Bedrós, Samuel Ros, Miguel Pérez Ferrero y el futuro guionista y productor Joaquín Goyanes de Osés. Quien tuvo las intervenciones más llamativas fue Gómez de la Serna, pues apareció en tres escenas: como muñeco de pimpampum; girando la cabeza como un molino para seguir el movimiento de un carrusel; y como improvisado torero de feria matando un toro de cartón. Los cambios de ropa sugieren que actuó en más de una jornada.

Los doce capítulos en que se divide *Esencia de verbena*, separados por sus correspondientes guarismos blancos sobre fondo negro, deslindaron doce aspectos temáticos relativamente unitarios. El primero, que consta de sólo dos planos, se abría con una foto de la misma «guitarra plurifacial» realizada por Picasso que ilustró el artículo de Pierre Reverdy «Le rêveur parmi les murailles» en el primer número de *La Révolution Surréaliste.*[16] Se trató de un homenaje a un artista español de vanguardia y a un instrumento musical del mismo país, pero también de una advocación a la música y a la realidad poliédrica que representa el cubismo y que se correspondía bien con el heteróclito paisaje simultaneísta de las verbenas. El tema de la guitarra se dinamizaba en el encuadre siguiente, con el plano general de un autómata barbudo de feria tocando tal instrumento.

El segundo capítulo estaba dedicado a describir visualmente los motivos religiosos de algunas verbenas y su correspondiente topografía madrileña. Comenzaba con la iglesia dedicada a San Antonio de la Florida y mostraba un grupo de cinco modistillas, con pañuelo en la cabeza, avanzando hacia la cámara, para rendir allí, con otros fieles, recuerdo a su patrono, del que se decía que ayudaba a encontrar novio. Se mostraba luego la visión de la pradera de San Isidro plasmada por Goya, seguida de un plano general que encuadraba el mismo espacio en la realidad. Después se presentaba la iglesia de San Lorenzo, cercana a la antigua Fábrica de Tabacos. Y luego comparecía el primer plano-*collage* del film, compuesto por la fachada de la iglesia en el centro del encuadre y a ambos lados sendas postales representando a cigarreras. También se ofrecía un plano general picado de los tenderetes del Rastro, en sus inmediaciones, probable eco de la trapería que Lacombe mostró en *La Zone*. El ambiente de la verbena del Carmen se presentaba con planos próximos de guardias y empleados de tranvías uniformados, criadas (primer plano de piernas femeninas), gigantes y cabezudos desfilando, un hombre tocando el bombo y una procesión religiosa con mujeres tocadas con mantillas y una niña vestida con uniforme de primera comunión. El capítulo se cerraba con una alusión ideogramática a la Virgen de la Paloma, en un encuadre con un *collage* cuádruple, pues a la derecha se alzaba la imagen de la Virgen, en la parte baja unas palomas picoteando en el suelo, en el centro la Puerta de Toledo y, a la izquierda, se adivinaba el tráfico urbano, con tranvías y caballerías. Ésta fue la imagen más sofisticada de todo el film desde el punto de vista expresivo y sería la más emblemática, pues fue reproducida por *La Gaceta Literaria* para acompañar el comentario crítico de la decimoquinta sesión del Cineclub Español, en la que se exhibió.

El tercer capítulo compone un desfile impresionista y objetual de motivos verbeneros, bajo la advocación de una abigarrada imagen alusiva de Maruja Mallo, que abre esta sección. Desfilan en la pantalla encajes de visillos, botijos, la siesta junto a uno de estos recipientes, un surtidor de horchata, organillos y una pareja bailando a sus sones, pellejos de vino, una churrería, un puesto de venta de rosquillas, un puesto de sandías, otro de gorros de papel y la rueda de la suerte girando en una tómbola. Se trata de un apretado mosaico de motivos diversos, que casi componen una señalización ideogramática.

Los cinco capítulos siguientes son monográficos, centrado cada uno de ellos en una atracción específica. El cuarto, dedicado a la noria, enlaza el movimiento giratorio de la rueda de la tómbola, con que finaliza la sección anterior, con el suyo propio. Se ofrecen planos subjetivos del paisaje visto desde un asiento de la noria en movimiento, en la estela de los famosos planos desde el tiovivo que rodó Jean Epstein para *Coeur fidèle* y que Alberto Cavalcanti reiteró en *Rien que les heures*. La sección concluye con el tercer ejercicio de *collage* de Giménez Caballero en el film, pues muestra la noria girando a la izquierda del encuadre, una figura masculina tirando al blanco en el centro, y un muchacho que empuja un muñeco vestido de camarero a la derecha.

El quinto capítulo está dedicado monográficamente al tiovivo, con planos generales, de detalles y subjetivos desde el interior de su círculo rotatorio. Un plano muestra en *collage* a la noria y al carrusel a su izquierda, de manera que sus respectivos giros vertical y horizontal dinamizan su composición interna.

El sexto capítulo está centrado en la atracción del pimpampum. Entre los muñecos que circulan como blanco para las pelotas de los tiradores figuran algunos con carteles identificadores en el pecho, como Don José (presumible alusión a Ortega y Gasset) y Ricardito (cuyo bigote sugiere que se trata de Ricardo Urgoiti). Entre ambos muñecos se alza y se agacha Ramón Gómez de la Serna, con chistera, pipa y un cartel que le designa como Don Quintín. Saluda con su sombrero a sus agresores, quienes a su vez se descubren y le saludan, mientras Ramón les tira una pelota.

El séptimo capítulo muestra planos generales y detalles de los muñecos articulados de un Pabellón Artístico.

El octavo capítulo, y último de estas descripciones monográficas, se abre con unas faldicortas bailarinas de charlestón que embelesan a unos mozos. Pertenecen tales bailarinas al Pabellón Liliputiense que regenta el enano don Paquito. Los niños se apelotonan ante la atracción y miran a la cámara.

El noveno capítulo empieza en un puesto de fotógrafo, con un panel que simula las figuras de Adán, Eva y la serpiente en el paraíso, con apoyos para colocar las cabezas de los retratados. El tubo de la risa gira y un paleto es expelido de su interior por la fuerza centrífuga, para regocijo del público. Columpios y volatines girando. Tras esta atracción aparece Ramón Gómez de la Serna en primer plano y contrapicado, girando la cabeza para seguir el movimiento de la atracción.

El décimo capítulo transcurre en un descampado suburbial, junto a la vía férrea. Comienza con las piernas de Polita Bedrós que entran por la derecha. Se alza la falda para arreglarse la media y esta imagen da paso a un primer plano de dos ojos masculinos, seguido de un *cache* circular conteniendo un denso *collage* de ojos mirones. Ambos motivos tenían ya tradición en la iconografía cinematográfica. En *L'Étoile de mer*, exhibida en la primera sesión del Cineclub Español, un plano de Kiki al principio del film mostraba cómo se levantaba la falda para arreglarse la media. A André Breton le fascinaba también el potencial erótico de este gesto y en *Nadia* (1928) evocó con arrobo una figura femenina del Museo Grévin que levantaba su falda para ajustar su liga,[17] motivo que inmortalizó en su libro una foto de Jacques André Boiffard. En cuanto al *collage* de ávidos ojos mirones, también Cavalcanti los había utilizado en *Rien que les heures*. E. A. Dupont, por su parte, había usado el *collage* de prismáticos del público en una escena en el music-hall de *Varieté* (1925) y Fritz Lang había apretujado ojos voraces en la escena del baile lascivo de Brigitte Helm en *Metrópolis* (1926). La escena de Giménez Caballero concluye con el encuentro amoroso de Polita Bedrós y Samuel Ros junto al terraplén de la vía férrea, quienes se dan un beso. Este ósculo está descrito con el plano de los pies de ambos, evocando una escena de *Rien que les heures* en la que tres parejas se besaban, pero una de ellas era mostrada con una panorámica vertical descendente hasta sus pies. Al beso así escenificado sucede, en *Esencia de verbena*, un beso pintado por Picabia (se trata de su tela *Après la pluie*, de 1925). Este capítulo es el único ajeno a la temática propiamente verbenera.

El undécimo capítulo de *Esencia de verbena* está dedicado a los toros e introducido por los motivos taurófilos de un abanico femenino. La secuencia combina planos de una corrida madrileña con otros de Ramón Gómez de la Serna en la atracción feriante «La Estocada», quien procede a simular una estocada mortal propinada a la efigie de un toro. El montaje finge que el público del ruedo le aplaude y Ramón, con los trastos de matar en la mano, saluda sonriente al público de la plaza que supuestamente le ovaciona y le arroja sombreros.

El duodécimo y último capítulo comienza con un primer plano de hortensias, seguido por mantones de Manila en escaparates de tiendas, por la estatua de la Cibeles con su túnica de piedra, más hortensias y fuegos artificiales giratorios en la noche, cuyo movimiento enlaza con la rueda de la fortuna de un barquillero en rápido movimiento.

Aunque *Esencia de verbena* no es propiamente una película vanguardista, aparece fuertemente contaminada por algunos efectos expresivos que fueron propios de la poética de la generación del 27, por el cine de la primera vanguardia francesa y por los ya citados «poemas urbanos». Tal influencia se detecta, por ejemplo, en sus asociaciones visuales, sus *collages* icónicos y sus efectos de montaje acelerado. Entre las asociaciones visuales pueden mencionarse el paso de la rueda de la tómbola en movimiento a la rueda de la noria girando y, al final del film, de las ruedas de fuegos artificiales a la rotación de la rueda del barquillero. Esta predilección por la dinámica circular se extiende a los planos de tiovivos, de norias y de volatines. Giménez Caballero no ignoraba la capacidad dinamizadora y energética del círculo, fundamento geométrico de la rueda, tan utilizada por la cultura plástica del futurismo. En el plano final, una flecha atraviesa la palabra FIN y va a insertarse diagonalmente en la rueda giratoria del barquillero, componiendo un pictograma de sabor futurista.

Por lo que hace a los *collages*, hemos descrito varios que aparecen en la película. El más famoso, y de mayor densidad como ideograma, es el de la Virgen de la Paloma, que combina un espacio referencial (la Puerta de Toledo), las palomas que dan nombre al personaje y la figura sagrada. Y de *collages* cabe calificar la inserción en el film de «citas pictóricas», con imágenes procedentes de Goya, Picasso, Maruja Mallo y Picabia.

El montaje de *Esencia de verbena* es muy vivaz, tanto que en su crítica al film en *La Gaceta Literaria*[18] Luis Gómez Mesa le reprochó un montaje «demasiado de prisa, sin ritmo uniforme, lo que es causa de que se le escapen al espectador algunos detalles y observaciones merecedoras de atención». Era un juicio que delataba la escasa familiaridad del crítico con el nuevo montaje soviético, que apenas había tenido ocasión de verse todavía en España.

En 1947 Giménez Caballero sonorizó *Esencia de verbena*, con música y un comentario escrito y leído por él, para obtener una copia que se procesó en los Laboratorios Riera. A pesar de su fecha tardía, tal comentario conservó muchos elementos de la imaginación metafórica que Ramón infundió a buena parte de la vanguardia literaria española. Citamos algunos ejemplos significativos de las asociaciones verbales desplegadas en su comentario en off:

De la ermita de San Isidro se dice que «al pie del cementerio, [ofrece] un contraste muy madrileño entre primavera y muerte».

De la iglesia de San Lorenzo: «San Lorenzo y las cigarreras. En el barrio de la fábrica de tabacos, protegiendo con su santa parrilla el Rastro o trapería de la ciudad, San Lorenzo es el aviso de que la vida, aun cuando se baile en ella, es humo, como su santa parrilla, como el Rastro y el tabaco de las cigarreras.» En esta ocasión, el humo sirve de enlace poético entre la parrilla que torturó al santo, los desperdicios del Rastro y las cigarreras.

De la horchata: «la horchata valenciana, como surtidor de dulce miel».

Del organillo: «el organillo es el alma apasionada de la verbena madrileña.»

Del carrusel: «rueda el carrusel con terremoto ondulatorio.»

Sobre las timbaleras: «Fuera, siguen impasibles, como ninfas constantes, las señoritas timbaleras.»

De la verbena: «el paraíso de la verbena es barato y sin peligro de expulsión.» Se trata de una greguería digna de Ramón.

De las hortensias: «La hortensia abre sus pétalos como el cohete va a abrir sus estrellas.»

Al final: «la rueda de la fortuna hecha barquillos puede poner fin a esta esencia de verbena» (en la pantalla, la rueda pirotécnica se ha convertido en una rueda de barquillero).

LA EXHIBICIÓN Y SU ACOGIDA

A finales de agosto de 1930 la copia de *Esencia de verbena* estaba ya lista para su proyección, pues a principios de septiembre Giménez Caballero la exhibió, junto con *Un Chien andalou*, en la Exposición de Arquitectura y Pintura Modernas que se celebró en el Ateneo de San Sebastián y en la que se expusieron también lienzos de Maruja Mallo. Y antes de su estreno en Madrid las gestiones de Buñuel consiguieron presentar *Esencia de verbena* en el prestigioso Studio des Ursulines. En la capital se presentó en la decimoquinta sesión del Cineclub Español, celebrada el 29 de noviembre en el Palacio de la Prensa y comentada en vivo, al modo de los antiguos «explicadores», por Ramón Gómez de la Serna. Para esta proyección, un ingeniero químico amigo de Giménez Caballero compuso una esencia de flor de verbena que se distribuyó en la sala.[19]

La crítica acogió *Esencia de verbena* con complacencia. En *El Sol* escribió *Focus*[20] que «supone una interesante recopilación de cuantas atracciones y cosas típicas concurren en las verbenas madrileñas. Acrecienta notablemente los valores espectaculares de la cinta la perspectiva de los planos, enfocados en múltiple y variadísima sucesión de efectos ópticos. La película fue explicada a la manera de aquellos explicadores del cine primitivo por Gómez de la Serna –que en distintas fases del film toma parte como actor–, improvisando con certera oportunidad frases de mucha gracia».

Luis Gómez Mesa, por su parte, escribió en *La Gaceta Literaria*:[21] «la nota de mayor y mejor valor documental la dio *Esencia de verbena*.

Como que denominarla de distinto modo es, o ignorancia o ineptitud, y acaso mala fe, para sacar las cosas de su quicio y atacarlas por una parte y en un aspecto que en la más elemental lógica nunca es el suyo: el verdadero.

»*Esencia de verbena* refleja en unos metros de celuloide, no a Madrid, sino a una fiesta típica y castizamente popular matritense, que preside en ocasiones la Cibeles, más en su simbolismo que en su realidad de monumento pétreo.

»Y su realizador, Ernesto Giménez Caballero, es un madrileño perfectamente conocedor y escudriñador de su tierra. (...) Ramón Gómez de la Serna, estupendo explicador de esta cinta, y madrileño como Giménez Caballero y como el que firma, sabe que nuestra verbena es asaz difícil de ser trasladada al film, y más todavía su esencia. ¡Empero, ahí está *Esencia de verbena* garantizada para el éxito (...).

»En suma: *Esencia de verbena* revela en la dirección un sentido moderno del oficio y muy excelente gusto. Sólo en el montaje se descubre cierto desentrenamiento: marcha demasiado de prisa, sin ritmo uniforme, lo que es causa de que se le escapen al espectador algunos detalles y observaciones merecedores de atención. No dejemos sin un aplauso al operador, Segismundo Pérez de Pedro, por su cuidado y afortunado trabajo.»

Y cuando se exhibió más tarde *Esencia de verbena* en el Cineclub de Sevilla, Rafael Porlán Merlo juzgó con perspicacia sus encuadres –a los que calificó de «naturalezas muertas»– como «aislados poemas gráficos».[22]

El estreno madrileño de *Esencia de verbena* coincidió en fechas con su presentación en Bruselas, por lo que probablemente se tiraron dos copias del film. En efecto, del 27 de noviembre al primero de diciembre de 1930 iba a celebrarse en Bruselas el II Congreso Internacional de Cinema Independiente (continuador del de La Sarraz), patrocinado por la Asociación Profesional de la Prensa Cinematográfica Belga, y al que iba a asistir como delegado español Juan Piqueras. En noviembre, antes de la proyección del día 29 en Madrid, Giménez Caballero visitó a Piqueras en París, procedente de Italia, en donde había estudiado la organización del cine educativo –un tema que se iba a abordar también en Bruselas y que le incumbía en tanto que secretario del Comité Español del Cine Educativo– y presumiblemente para entregarle también a Piqueras la copia de *Esencia de verbena* que se proyectaría en Bélgica a finales de mes, cabalgando con su proyección madrileña. En esa ocasión mostró Giménez Caballero en la capital francesa su film a varios directores de cineclubs y a la Cooperativa de Cine Independiente, creada en La Sarraz, «que la presentará en todos los cineclubs y en todas las salas especializadas de Europa».[23] En Bruselas se exhibiría *Esencia de verbena* en la sección de películas mudas, a diferencia de lo ocurrido en Madrid, en donde fue acompañada de un comentario.

Piqueras publicó tres artículos en *El Sol*[24] glosando el Congreso de Bruselas y comentando la acogida dispensada al film. En su crónica publicada el día 14, Piqueras escribió: «Este film tuvo en el Congreso un éxito superior al que de momento pudo sospecharse. Painlevé nos dijo que *Esencia de verbena* es el más encantador y más sentimentalmente directo de los films de actualidad. Henri Storck afirmó que era el mejor de los reportajes presentados. [Oswell] Blakeston [de la revista londinense *Close Up*] opinó que era un documental de finas intenciones. [Jean G.] Auriol, que se trataba de un film en el que los medios técnicos no habían estado a la altura de la inteligencia y la intuición de su realizador. Y en este sentido es en el que se han expresado Moussinac, Arnoux, Prampolini, Altman, etc.» En su posterior y extensa crónica algo redundante para *La Gaceta Literaria,*[25] Piqueras reseñó los aplausos durante la proyección y reprodujo las opiniones de varios de los asistentes. Jean Painlevé: «es el más encantador y el más sentimentalmente directo de los films de actualidades –y la palabra actualidad comprende toda la verdadera y auténtica esencia cinematográfica.» Enrico Prampolini: «representa un ejemplo típico de *films simultáneos*, donde el espíritu folklorístico y la imagen grotesca juegan un rol alternativo en la vida humana.» Germaine Dulac: «Es un film encantador, muy simpático y muy bien hecho.» Jean G. Auriol: «Es un gran reportaje, lleno de finas intenciones. Sin embargo, la técnica y los medios no estuvieron a la altura de la intención y la inteligencia de su realizador.» Georges Altman: «nos hace comprender la esencia de una ciudad y algunos trozos de alegría popular que rueda en una vitrina de *boutique* con rostros en los que se adivina una huella de gozo o de tristeza.» Henri Storck: «un film logrado. Como reportaje, me parece el mejor de todos cuantos se han presentado en el Congreso». Oswell Blakeston: «Es el reportaje más agudo que se ha hecho en cinema». Y en su crónica para la revista *Close Up* Blakeston lo elogió como un «ejercicio virtuoso» y asoció el film al estilo de Eugène Deslaw.[26]

Esencia de verbena siguió circulando por las pantallas durante cierto tiempo, aunque la implantación del cine sonoro acabó por arrinconarla. En agosto de 1931 Giménez Caballero publicaba una carta en *La Gaceta Literaria*[27] autorizando su proyección en los cineclubs holandeses. Y sería proyectado en el curso sobre cine que Guillermo Díaz Plaja organizó en la Facultad de Filosofía y Letras de la Universidad de Barcelona en el invierno de 1932. Este mismo año, Germaine Dulac citaba a *Esencia de verbena* como ejemplo de la corriente de films que habían trasplantado los ritmos del cine abstracto al cine figurativo.[28]

La permanenecia e imbricación de este temario festivo en la poética vanguardista de su época vendría avalada, además, por el título de un dibujo a pluma del surrealista onubense José Caballero de 1935 titulado, precisamente, *Esencia de verbena.*

NOTAS

1. *Julepe de menta*, La Lectura, Madrid, 1929, pp. 15-22.
2. *Jean Epstein*, de Pierre Leprohon, Seghers, París, 1964, pp. 34-35.
3. *Ultra,* n.º 6, 30 de marzo de 1921.
4. La Gaceta Literaria, Madrid.
5. *La Gaceta Literaria,* n.º 35, 1 de junio de 1928, p. 4.
6. *La pintura surrealista española (1924-1936)*, de Lucía García de Carpi, Istmo, Madrid, 1986, p. 167.
7. «Arte *nova novorum.* Maruja Mallo», en *La Gaceta Literaria,* n.º 36, 15 de junio de 1928, p. 1.
8. «Maruja Mallo en el carrusel», en *La Gaceta Literaria,* n.º 17, 1 de septiembre de 1927, p. 5.
9. «Lo popular en la plástica española a través de mi obra 1928-1936», en *Maruja Mallo*, de Ramón Gómez de la Serna, Losada, Buenos Aires, 1942, p. 40.
10. Rafael Alberti dedicó a las «Cloacas» de la pintora su poema «La primera ascensión de Maruja Mallo al subsuelo», en *La Gaceta Literaria,* n.º 61, 1 de julio de 1929, p. 1.
11. «Cinema y arte nuevo. Originalidad de Maruja Mallo», de Luis Gómez Mesa, en *Popular Film,* n.º 198, 15 de mayo de 1930.
12. *En torno al casticismo*, de Miguel de Unamuno, en *Ensayos*, tomo II, Aguilar, Madrid, 1966 , pp. 36, 52-53 y 119.
13. *La Edad de Plata (1909-1939). Ensayo de interpretación de un proceso cultural*, de José-Carlos Mainer, Cátedra, Madrid, 1987, p. 246.
14. Entrevista de Ernesto Giménez Caballero con Manuel Palacio, en *Contracampo,* n.º 31, noviembre-diciembre de 1982, p. 34.

15. *La Gaceta Literaria,* n.º 96, 15 de diciembre de 1930, p. 3.

16. *La Révolution Surréaliste,* n.º 1, 1 de diciembre de 1924, p. 19.

17. *Oeuvres complètes*, de André Breton, tomo I, Gallimard, París, 1988, pp. 746-748.

18. *La Gaceta Literaria,* n.º 96, 15 de diciembre de 1930, p. 10.

19. «Esencial-Club», en *La Gaceta Literaria,* n.º 122, 15 de febrero de 1932, p. 13.

20. *El Sol,* 30 de noviembre de 1930.

21. «15ª sesión. Exaltación de lo documental», en *La Gaceta Literaria,* n.º 96, 15 de diciembre de 1930, p. 10.

22. «El arte de ver cine», en *Memoria cinematográfica. Rafael Porlán Merlo,* de Rafael Utrera, ed., El Ojo Andaluz, Sevilla, 1992, p. 25.

23. «Postales cinematográficas de los quince días», en *La Gaceta Literaria,* n.º 95, 1 de diciembre de 1930, p. 4.

24. *El Sol* de 7, 14 y 21 de diciembre de 1930.

25. «Cinema independiente en 1930», en *La Gaceta Literaria,* n.º 97, 1 de enero de 1931, pp. 14-15.

26. «It happened in Bruxelles...», en *Close Up*, vol. VII, n.º 6, diciembre de 1930, p. 411.

27. *La Gaceta Literaria,* n.º 112, 15 de agosto de 1931, p. 10.

28. «Le Cinéma d'Avant-Garde», en *Écrits sur le cinéma (1919-1937),* de Germaine Dulac, Paris Experimental, París, 1994, p. 187.

13. «VIAJE A LA LUNA»

PROLEGÓMENO: «EL PASEO DE BUSTER KEATON»

En la genealogía del interés de Federico García Lorca por el cine suele citarse un curioso episodio de 1918, cuando el poeta tenía veinte años, que desveló la historiadora Antonina Rodrigo.[1] Se trató del guión oral improvisado que el poeta imaginó para realizar con unos amigos una fotonovela en la terraza de la taberna El Polinario, de Granada, propiedad de Antonio Barrios, padre del guitarrista Ángel Barrios. Se plasmó en una secuencia de cuatro fotografías, titulada *La historia del tesoro*, que interpretaron, convenientemente disfrazados, García Lorca, Manuel Ángeles Ortiz, Miguel Pizarro y Ángel Barrios. En un ambiente morisco, Lorca interpretó al guardián de un tesoro encerrado en una cueva, que se resistía a franquear su entrada a unos bandidos y era por ello asesinado. Afortunadamente, las cuatro fotos se conservan.

Esta experiencia, realizada en vísperas de su ingreso en la Residencia de Estudiantes, pero cuando el poeta ya había comenzado a ensayar su capacidad versificadora, más que ilustrarnos sobre su vocación cinematográfica, nos documenta sobre todo acerca de su torrencial creatividad, su capacidad improvisadora y su innato sentido del espectáculo, que corroborará con creces en años venideros.

Más pertinente, para comenzar este estudio, resulta su *Paseo de Buster Keaton*, que escribió en julio de 1925, pero se publicó mucho más tarde, en el segundo y último número de su revista *Gallo*, en abril de 1928. Según Ian Gibson,[2] en 1925 Dalí envió a García Lorca un *collage* titulado *El casamiento de Buster Keaton*, hecho con recortes de fotos, alusivo a su matrimonio con la actriz Natalie Talmadge, compañera en varios films suyos, y que había tenido lugar el

31 de mayo de 1921. ¿Escondía este envío alguna segunda intención? Buster Keaton era entonces el actor cómico que más admiraban ambos y el único que mencionó Dalí en su famoso texto «Sant Sebastià», en 1927. En sus films Keaton interpretó el arquetipo de hombre solitario y tímido, enamorado de chicas que no le correspondían. Su matrimonio en la vida real con una actriz famosa proclamaba una discrepancia llamativa entre la vida y la ficción, entre la realidad y la representación. Se puede especular acerca de si este *collage* heterosexual fue un intencionado mensaje en clave, o una advertencia cordial del pintor al poeta en un momento en que su íntima amistad producía zonas de equívocos sentimentales. Pudo serlo, porque *El paseo de Buster Keaton*, muy probable fruto de aquel envío, constituyó también una declaración cifrada sobre la crisis de identidad del poeta.

El paseo de Buster Keaton está henchido, como no podía ser de otro modo, de referencias cinéfilas. Se inicia con el canto de un gallo, que sin duda alude al gallo que aparecía en las portadas de los noticiarios de actualidades Pathé, que componían la primera parte de la programación en las salas de cine, precediendo al largometraje. A continuación aparece Buster Keaton en bicicleta, situación que Morris[3] ha considerado erróneamente como una cita de la persecución ciclista de una locomotora en *El maquinista de la General (The General*, 1926), cita implausible por ser tal film posterior a la fecha de redacción del texto. Y el final, con el horizonte de Filadelfia en el que luce «la estrella rutilante de la policía», pudo ser una referencia a los policías de las persecuciones en los cortos cómicos, pero también la irrupción de un símbolo del superego censor, llamando al orden al protagonista por su conducta desviante. Lorca describe los ojos de Keaton como «infinitos y tristes, como los de una bestia recién nacida», es decir, como los ojos de una víctima melancólica, con la que el poeta podía identificarse en su problema personal, en su penosa soledad afectiva. Y esta referencia a los ojos sólo podía darse en la pantalla mediante la magnificación óptica del primer plano, que Lorca tiene presente cuando escribe: «Keaton sonríe y mira en *gros plan.*»

¿Por qué presenta Lorca a Keaton como una víctima melancólica de algún problema íntimo? Gibson ha sostenido razonablemente que el poeta se identifica con el cómico para expresar su propia crisis de identidad personal. En efecto, la pieza se inicia con Buster Keaton asesinando a sus cuatro hijos. Después de este feroz parricidio, negador de la institución de la familia y de la paternidad, se le aparece una mujer. Keaton avanza un inseguro: «Yo quisiera...» La mujer le pregunta si tiene «una espada adornada con hojas de mirto» y «un anillo con la piedra envenenada», dos objetos con intenso contenido simbólico y sexual. Ante la pasividad de Keaton, la muchacha, defraudada, le interpela: «¿Pues entonces?» Keaton suspira y admite: «Quisiera ser un cisne. Pero no puedo aunque quisiera.»

Interpretando el conflicto expuesto en este texto, Morris ha escrito[4] que el deseo de Keaton de convertirse en cisne trasluce un anhelo por lo imposible, que se expresa en el deseo de Yerma de ser madre y en el ansia de Adela por «salir» y escapar a la tiranía de su madre Bernarda Alba. En este sentido, *El paseo de Buster Keaton* pudo ser una respuesta nada protocolaria al mensaje que Dalí le había enviado antes acerca del matrimonio de Buster Keaton.

Por esta razón, el núcleo temático de *El paseo de Buster Keaton* estaría asociado a las propuestas en *Viaje a la luna*, *El público* y *Poeta en Nueva York*.

SENTIDO DE «VIAJE A LA LUNA»

El 19 de junio de 1929 García Lorca se embarcó en Southampton rumbo a Nueva York. En aquella ciudad conoció al pintor y cineasta mexicano Emilio Amero, quien había sido ayudante de José Clemente Orozco y era amigo de los poetas del grupo de los Contemporáneos, quienes le encomendaron la secretaría de su cineclub. En 1926 viajó a Nueva York, instalando su estudio en la calle 60, pero en 1930 regresó a México, en donde organizaría la primera proyección de *Un Chien andalou* en aquel país.[5] Emilio Amero acababa de realizar un film abstracto titulado *777*, sobre los marcadores numéricos de las máquinas expendedoras, y se lo mostró a Lorca. Éste, a su vez, le habló de *Un Chien andalou*, aunque todavía no había visto la cinta pero debía de tener muchas referencias de ella. Y de sus conversaciones y de la incitación de Amero surgió el guión de *Viaje a la luna*, escrito en un par de días entre diciembre de 1929 y febrero de 1930, acompañado de algunos dibujos para aclarar las escenas más difíciles.[6] Lorca visitó por entonces Coney Island, en cuyo parque de atracciones existía un famoso ciclorama bautizado *Trip to the Moon*, realizado por Frederick Thompson e inaugurado en 1902, por lo que se ha sugerido[7] que esta espectacular atracción pudo determinar el título de su guión. Esto es más plausible que remontar su origen a la película de Georges Méliès del mismo título, que pudo ver en su infancia, o la novela homónima de Julio Verne. Por otra parte, no podemos conocer la eventual cuota de corresponsabilidad que pudiera incumbir a Amero en la formalización del proyecto, en virtud de sus conversaciones, y los números 13 y 22 que aparecen al principio del guión, de los que brota un baile de cifras, bien pudo ser una reminiscencia del film experimental de Amero.

El guión se dividió en setenta y dos secciones o apartados, aunque sin que cada uno equivalga a un plano, ni tampoco a una escena. El [45], por ejemplo, tal como está descrito, equivale implícitamente a por lo menos siete planos distintos. La participación de Amero en el proyecto no acabó en la génesis del guión, sino que más tarde empezó a rodarlo en México, pero quedó inconcluso.

Como sabemos, García Lorca había estado enamorado de Salvador Dalí, a quien le dedicó una «Oda» que publicó *Revista de Occidente* en abril de 1926 y que el poeta recitó en la quinta sesión del Cineclub Español, como ya vimos, tal vez para llamar la atención al hombre que se había alejado de él para entrar en la esfera íntima de Luis Buñuel. Antes de que esto ocurriera, Lorca había dedicado algunos poemas al cineasta aragonés, como uno de su libro *Canciones* (1921-24), dedicado «a la cabeza de Luis Buñuel. *En gros plan*».[8] Y dejó inacabado un «Diálogo con Luis Buñuel».[9] Pero su amistad no impidió las críticas acerbas de Buñuel y Dalí a *Amor de Don Perlimplín y Belisa en su jardín* y al *Romancero gitano.* Y ya vimos en el capítulo undécimo que el poeta se sintió aludido peyorativamente por *Un Chien andalou.* De ahí ha derivado la difundida hipótesis de que *Viaje a la luna* fue una réplica al film de Buñuel.

Según la precisa cronología propuesta por Gibson, Lorca no pudo ver *Un Chien andalou*, en su fugaz paso por París y antes de embarcarse para Nueva York, pero es seguro que había escuchado comentarios sobre el proyecto en los círculos que frecuentaba en España, e incluso pudo leer su guión en Nueva York, pues fue publicado por la revista surrealista belga *Varietés* en julio, por la francesa *Revue du Cinéma* en noviembre y por *La Révolution Surréaliste* en diciembre de 1929, es decir, antes de la redacción de su texto. Y aunque Buñuel desmintió categóricamente que su film aludiese al poeta, él no lo creyó así, ni lo han creído bastantes investigadores. Antonio Monegal, que dio a conocer la primera edición crítica de la versión completa de *Viaje a la luna*, al presentar su primera versión filmada en el Museo Nacional Centro de Arte Reina Sofía, en junio de

1998, lo consideró «casi como una réplica a *Un Chien andalou*». Y el realizador de tal versión, Frederic Amat, declaró a la prensa que «su guión neoyorquino es, a muchos niveles, una cumplida respuesta al agravio».[10]

Para comenzar, el título se refiere al astro con el que se inicia *Un Chien andalou* y que allí es atravesado por una nube. Y, al igual que en aquel film, consta de un prólogo relativamente autónomo, desde las secciones [1] a la [29], que preceden al título del film. Pero hay todavía más referencias. En la sección [1] los números se convierten en *hormigas* diminutas. La [13] dice: «Al final un gran plano de un *ojo* sobre una doble exposición de *peces*, y se disuelve sobre el siguiente.» En la [18] «la *luna se corta* y aparece un dibujo de una cabeza que vomita y abre y cierra los *ojos* y se disuelve sobre». Y en la [61] un muchacho trata de hundir los *ojos* de la muchacha con sus dedos pulgares. No parecen imágenes casuales.

Pero es cierto que la luna formaba parte, desde hacía tiempo, de la mitología poética lorquiana. Ya al inicio de su carrera poética la luna aparece en su primer volumen, en su *Libro de poemas*, con «La luna y la muerte», escrita en 1919, y «Canción para la luna», que está fechado en agosto de 1920.[11] En ambos poemas se asocia la luna y la muerte, lo que será frecuente en el poeta. Pero es interesante considerar su poema «Nocturno esquemático» (de *Canciones*, 1921-24), en donde se lee:[12]

Hinojo, serpiente y junco.
Aroma, rostro y penumbra.
Aire, tierra y soledad.
(La escala llega a la luna).

El último verso de este poema es interesante, porque su impulso traslaticio implica ya un viaje a la luna. Y en octubre de 1929, poco antes de escribir su guión, en *Poeta en Nueva York* vuelve a asociar la luna con el movimiento cuando escribe:[13]

La luna pudo detenerse por la curva blanquísima de los caballos.

Otro elemento reiteradamente presente en *Viaje a la luna* son los peces, que en el poema «Reyerta», del *Romancero gitano*, el poeta había utilizado como equivalente de navajas:[14]

En la mitad del barranco
las navajas de Albacete,
bellas de sangre contraria,
relucen como los peces.

Es importante retener esta simbología, pues aunque Lorca escribió *Viaje a la luna* cuando rebasó su etapa neopopulista para adentrarse en la surrealista, muchos elementos de aquella persistieron todavía y su guión ha de conectarse con la sensibilidad mostrada en *El público* y en *Poeta en Nueva York*, pero sin romper con su *humus* poético original.

Federico García Lorca llegó a Nueva York cuando todo el cine que se exhibía en la ciudad era ya sonoro y parlante (no así en Europa), como revela el poeta en su correspondencia, entusiasta hacia el nuevo medio audiovisual. Pese a ello, su *Viaje a la luna* resultaría todavía fiel a la estética del cine mudo, con sus planos ideogramáticos y su recurso a los rótulos y palabras escritas. Agustín Sánchez Vidal ha visto en él la influencia de *Entr'acte* y de *La fille de l'eau,*[15] dos películas mudas que Lorca pudo haber visto en Madrid, en el Cineclub Español o en la Residencia de Estudiantes. Y sus referencias imaginísticas tienen que ver, sobre todo, con el cine de vanguardia de la época, con la iconografía de la publicidad comercial (Broadway de noche, el bar americano, etc.) y con las violentas colisiones del montaje soviético.

Viaje a la luna es un guión literario, aunque con algunas someras indicaciones técnicas, lo que nos obliga a recordar que un guión no es un film, sino un texto instrumental y transitorio, una matriz literaria preliminar para un proyecto de film, es decir, una larva o embrión textual para su ulterior desarrollo audiovisual, en un sistema semiótico muy distinto. Por eso, todo guión literario no es más que un proyecto inacabado, un texto abierto a la interpretación, mediante las operaciones concretas de puesta en escena, que convertirán aquel proyecto textual en una realidad estética plena y autónoma. De aquí que nos resulte del todo imposible imaginar la película que Lorca tenía en su cabeza, de modo que todas las filmaciones que puedan realizarse de este texto tan personal no serán más que versiones más o menos interesantes y más o menos personales (de la personalidad de cada realizador), pero versiones subjetivas a fin de cuentas, que acaso no tengan nada que ver con las intenciones del poeta.

Viaje a la luna, por su estructura y la imaginería que moviliza, constituye un discurso ideogramático y autosuficiente, que ha sido muy bien analizado por Antonio Monegal, al escribir que «las imágenes de *Viaje a la luna* están *cargadas.* Cada una de ellas es el núcleo de una condensación de significado que, puesta en relación con las demás, constituye una pieza en un complejo entramado de metáforas. En este texto Lorca descarta la dramatización en favor de la metaforización», añadiendo luego que todas sus metáforas son extradiegéticas, porque no hay una diegésis a la que referirse, porque no constituye una historia, sino un discurso poético.[16] Es decir, está claramente mucho más cerca de *Un Chien andalou* que de *L'Age d'or.*

Pero, como ocurría en *Un Chien andalou,* existen algunas pistas para detectar cuál es la orientación del sentido de la propuesta o, dicho más vulgarmente, para averiguar de qué trata su discurso. Como ocurría en el film de Buñuel, éste versa sobre un conflicto personal de opción sexual, pero formulado de un modo bastante más críptico y por buenas razones. La primera imagen que el guión propone es la de una cama, escenario erótico por antonomasia, y en el guión aparecen trenes rápidos [48 y 49], símbolos fálicos tradicionales muy utilizados por el cine, y grifos que echan agua de manera violenta [66], sugiriendo una eyaculación. La luna, símbolo arquetípicamente femenino, tiene su correspondencia en Elena, que apenas disfraza el nombre de Selene, como se desvela en un diálogo del cuadro quinto de *El público.* Y la luna entra en frecuente conflicto con el pez, animal fálico y navaja al mismo tiempo:

> 13.– «Al final un gran plano de un ojo sobre una doble exposición de peces, y se disuelve sobre el siguiente.»
>
> . . .
>
> 24.– «Gran plano del traje [de baño] de cuadros [que viste el muchacho] sobre una doble exposición de un pez.»

Al igual que en *Un Chien andalou,* y en mayor medida si cabe, abundan en el guión las escenas sádicas. En [11] una mujer propina unas paliza a un niño; en [17] de unos gusanos de seda surge una cabeza muerta; en [25] un hombre agarra al muchacho por el cuello, éste grita y le tapa la boca; en [28] una mano sostiene un pez vivo hasta que muere; en [29] cien peces saltan o laten en agonía; en [30] dos mujeres vestidas de negro tienen «las manos contrahechas con espirales de alambre»; en [32] una rana se estrella contra una mesa; en [39] una mujer enlutada se cae por la escalera; en [41] la mujer que ha caído echa sangre por la nariz; en [45] se estrangula a un pájaro;

en [59] un muchacho muerde el cuello de una joven y le tira de sus cabellos; en [61] el muchacho trata de hundirle los dedos en los ojos; en [68] aparece un cadáver; y en [69] pintan con tinta un bigote a una cabeza de muerto.

A veces Lorca explora en estas escenas violentos efectos de sinestesia, como en este caso:

> 59.– «El muchacho muerde a la muchacha en el cuello y tira violentamente de sus cabellos.»
>
> 60.– «Aparece una guitarra. Y una mano rápida corta las cuerdas con unas tijeras.»

Este montaje es fecundo porque combina las tijeras fálicas y la femenina guitarra, como traducción sinestésica de la sección anterior, pues la forma en que transcribe el dolor femenino, con una agresión fálica a un instrumento musical simbólicamente femenino, generando así una disonancia sonora cual un grito sordo, constituye un efecto sinestésico bastante coherente con las estrategias poéticas lorquianas.

Por otra parte, abundan en el guión las referencias intertextuales, a la propia poesía de Lorca (ya hemos mencionado la presencia de la luna y del pez) y al espectáculo cinematográfico. Al primer capítulo pertenecen los personajes vomitando [55 y 56], que evocan su poema «Paisaje de la multitud que vomita», de *Poeta en Nueva York.* Pero la vista de Broadway de noche [7] hace pensar tanto en los «poemas urbanos» del cine europeo o en *Les nuits électriques*, de Eugène Deslaw, como en un estereotipo del cine comercial norteamericano, tal vez visto con mirada paródica. Y la mujer enlutada que cae por la escalera [39] sugiere una imagen de la represión en las escalinatas de Odessa en *El acorazado Potemkin.* Definitivamente paródico es «plano de un beso cursi de cine» [71].

El guión de *Viaje a la luna* transmite la impresión de una atmósfera amenazadora, opresiva e inquietante. Según Monegal, se trata de «una representación metafórica del deseo y de su frustración»,[17] un tema recurrente también en la obra de Buñuel. Y, en efecto, emparentado con *El paseo de Buster Keaton*, el guión de *Viaje a la luna* desarrolla poéticamente, y con especial violencia, el tema de la identidad sexual del poeta. En un cierto momento, exaspera dramáticamente el tímido rechazo de *El paseo de Buster Keaton*, al escribir:

«5.– «Letras que digan Socorro, Socorro, Socorro con doble exposición de un sexo de mujer con movimiento de arriba abajo.»

Este temor al sexo femenino se completa, en otra dirección, con el letrero que luego [21] dice «No es por aquí», un complemento más autoritario del «no puedo» emitido por Buster Keaton y que constituye una llamada al orden sexual canónico, como la que hacía el gendarme de *Un Chien andalou* que recogía la mano del suelo, la guardaba en una caja y dispersaba a los curiosos. Es, en definitiva, una admonición y una llamada a la renuncia de los impulsos básicos del protagonista. Pero el temor expresado ante el sexo femenino tiene su correlato en la amenaza de represión ante el sexo masculino:

> 24.– «Gran plano del traje [de baño] de cuadros [que viste el muchacho] sobre una doble exposición de un pez.»
>
> 25.– «El hombre de la bata le ofrece un traje de arlequín pero el muchacho rehúsa. Entonces el hombre de la bata lo coge por el cuello, el otro grita, pero el hombre de la bata le tapa la boca con el traje de arlequín.»

Ian Gibson ha interpretado *Viaje a la luna*[18] como un «viaje psíquico a la luna en su calidad de símbolo de la muerte, y ello en busca de un amor que se demuestra imposible. (...) Viaje del propio Lorca hacia la aniquilación sexual».

Tras la frustrada tentativa de rodaje de *Viaje a la luna* por Amero en los años treinta, ningún cineasta se había planteado llevarlo a la pantalla, si bien es cierto que el guión original no apareció hasta 1989, en la casa en Oklahoma de la viuda de Amero. Fue entonces cuando el pintor y escenógrafo catalán Frederic Amat decidió acometer su rodaje, en el año del centenario del poeta, de modo que si un pintor incitó a Lorca a escribir el guión, otro pintor lo puso en escena, casi setenta años después. Amat tenía por entonces una acreditada experiencia lorquiana, pues había colaborado con Fabià Puigserver en el diseño del vestuario y del espacio escénico de *El público*, estrenado el 12 de diciembre de 1986 en el Piccolo Teatro de Milán, bajo la dirección de Lluís Pasqual.

Amat se propuso una reinterpretación de un texto poético de otra época, y muy anclado en su contexto estético, ambientándolo en un lugar y tiempo indeterminados, un tanto abstractos, pero que sugieren con estilizada elegancia los años veinte y treinta. Su propósito era revitalizar aquel viejo texto con las posibilidades técnicas del cine de final de siglo, sonoro y utilizando el color y la imagen digital, y fertilizándolo además con una masa de referencias culturales de las artes plásticas en su mayor parte ajenas a Lorca. Para preparar el rodaje, Amat confeccionó un voluminoso y detallado *story-board*, en donde cupieron las más variadas referencias pictóricas, desde el Max Ernst de *La Vierge corrigeant l'enfant Jésus* para la escena [11] en que una mujer da una paliza a un niño, hasta *L'origine du monde* de Courbet para el plano del sexo femenino que se mueve [5]. Pero retuvo el dibujo de Lorca *Dos figuras sobre una tumba* para [18]. El film se rodó en 1998 en película fotoquímica de 35 mm. en quince días, producido por la empresa barcelonesa Ovideo TV y utilizó postproducción informatizada.

En declaraciones a la prensa, Amat manifestó que el guión de Lorca era «un diálogo entre el sueño y la vigilia dentro de una rigurosa lógica poética».[19] Y unos meses después, tras su estreno en el Museo Nacional Centro de Arte Reina Sofía, el 17 de junio de 1998, añadió que *Viaje a la luna* es «una exaltación del amor en libertad, opuesta a los valores que reprimen el instinto. (...) No es tan sólo un viaje al interior del poeta; es también un itinerario universal».[20]

También fiel a la literalidad del guión lorquiano fue la versión que en el mismo año rodó Javier Martín-Domínguez, con fotografía de Javier Aguirresarobe y producción por la firma norteamericana Eclipse. La abundancia de movimientos de cámara y de efectos digitales hizo de ella una versión más dinámica, rítmica y hasta coreográfica, estéticamente más moderna, con música original de Juan Bardem. Se estrenó en el Northfolk Art Center de Nueva York en abril de 1998.

NOTAS

1. «La historia del tesoro según Lorca», en *El País*, 20 de marzo de 1983, p. 30.

2. *Vida, pasión y muerte de Federico García Lorca 1898-1936*, Plaza y Janés, Barcelona, 1998, p. 189.

3. *This Loving Darkness. The Cinema and Spanish Writers 1920-1936*, de C. B. Morris, Oxford University Press, 1980, p. 135.

4. *This Loving Darkness*, p. 139.

5. Estos datos proceden del artículo «Gilberto Owen y Federico García Lorca viajan a la luna», de Guillermo Sheridan, en *Vuelta*, n.º 258, mayo de 1998, pp. 16-22.

6. *Vida, pasión y muerte de Federico García Lorca*, p. 322.

7. *This Loving Darkness*, pp. 129-130.

8. *Obras completas* de Federico García Lorca, de Miguel García-Posada, ed., tomo I, Círculo de Lectores, Barcelona, 1996, pp. 378 y 762-763.

9. *Obras completas* de Federico García Lorca, de Miguel García-Posada, ed., tomo II, Círculo de Lectores, Barcelona, 1997, p. 637.

10. «Notas de *Viaje a la luna*», de Frederic Amat, en *El País* (edición catalana), 14 de julio de 1998.

11. *Obras completas*, tomo I, pp. 148 y 101.

12. *Obras completas*, tomo I, pp. 347-348.

13. *Obras completas*, tomo I, p. 559.

14. *Obras completas*, tomo I, p. 418.

15. «Cine surrealista español: la búsqueda de una concreción», en *Surrealismo. El ojo soluble*, Litoral, Málaga, 1987, p. 95.

16. «Introducción», en *Viaje a la luna*, Pre-Textos, Valencia, 1994, pp. 16-39.

17. «Introducción», p. 18.

18. *Vida, pasión y muerte de Federico García Lorca*, p. 322.

19. «Frederic Amat rueda *Viaje a la luna*, de García Lorca», en *El País*, 27 de marzo de 1998, p. 44; «Frederic Amat: "Con *Viaje a la luna* quiero desentrañar un guión fascinante de Lorca"», en *La Vanguardia*, 12 de abril de 1998, p. 43.

20. «Notas de *Viaje a la luna*».

ÍNDICE ONOMÁSTICO

ÍNDICE